유공압공학

FLUID POWER ENGINEERING

도서출판 학산미디어

McGraw Hill

The McGraw·Hill Companies

Fluid Power Engineering, 1st Edition.

1 2 3 4 5 6 7 8 9 10 Haksan 20 12

Original: Fluid Power Engineering, 1st Edition.
By M. Rabie.
ISBN 978-0-07-162246-2

This book is exclusively distributed by Haksan Media.

When ordering this title, please use ISBN 978-89-966211-0-2

Printed in Korea

유공압공학

FLUID POWER ENGINEERING

M. Galal Rabie 지음

홍예선 · 김성동 · 안경관
이승배 · 이재천 · 정헌술 · 홍민성 공역

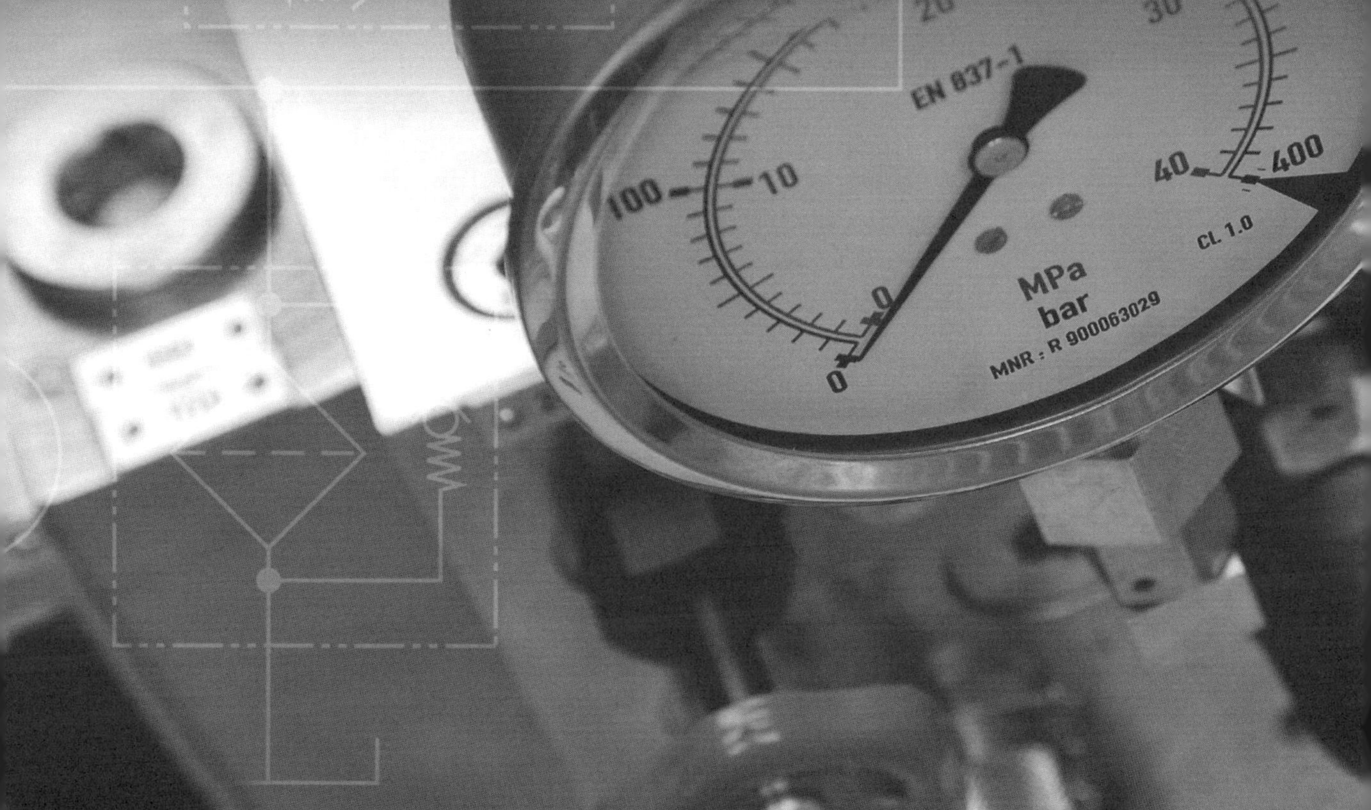

Mc Graw Hill

學山 도서출판 학산미디어

역자 소개

감수 홍예선 한국항공대학교 항공우주 및 기계공학부
역자 김성동 금오공과대학교 지능기계공학과
안경관 울산대학교 기계자동차공학과
이승배 인하대학교 기계공학부
이재천 계명대학교 기계자동차공학과
정헌술 군산대학교 기계자동차공학부
홍민성 아주대학교 기계공학부

유공압공학 Fluid Power Engineering

발 행 일 | 2012년 8월 15일
2013년 1월 20일(수정 1쇄)
저 자 | M. Galal Rabie
역 자 | 홍예선 김성동 안경관 이승배 이재천 정헌술 홍민성
발 행 인 | 문정임
발 행 처 | 학산미디어
기 획 | 이덕선
주 소 | 서울시 노원구 상계동 1256 은빛아파트 202-401
전 화 | 02-935-0670 / 010-3223-7340
팩 스 | 02-935-0670
이 메 일 | sorgento2000@hanmail.net
등록번호 | 제25100-2011-000001호
편 집 | 우일미디어디지텍

ISBN 978-89-966211-0-2 93560

정가 24,000원

저자 머리말

이 책에서는 유압시스템의 기초 이론, 유압 부품의 작동원리를 비롯하여 유압 서보제어 시스템의 모델링과 시뮬레이션에 관하여 설명하였다. 그리고 부록에는 실제 조건을 고려한 예제들을 수록하였다. 이런 내용들은 독자들이 유압시스템을 이해하고 정적 성능과 동적 성능을 분석할 수 있는 능력을 갖추는데 많은 도움이 될 것이다.

이 책의 구성은 다음과 같다.

1장 유압시스템 기초
2장 유압유와 기초이론
3장 유압 전달관로
4장 유압 펌프
5장 유압제어밸브
6장 부속기기
7장 유압 구동기
8장 유압 서보 구동기
9장 전기유압 서보밸브
10장 전기유압 서보시스템의 모델링과 시뮬레이션
11장 공압시스템

나는 책의 내용에 관하여 지속적으로 격려해 주고, 토의하고, 객관적인 논평을 해 준, 내 동료 Prof. Dr. Ibrahim Saleh와 Prof. Dr. Saad Kassem에게 많은 도움을 받았기에 깊이 감사드린다. 나는 또한 따뜻한 지지와 함께 도해를 책에 사용하게 허락해준 Bosch Fexroth AG, Norfren Ltd., Moog Inc., Famic Technologies Inc., Olaer Group Ltd.에게도 감사를 표하고 싶다.

마지막으로 McGraw-Hill Professional 관계자들, 특히 편집 관련자 Taisuke Soda와 Stenphen M. Smith, Pamela A. Pelton, Jeff Weeks 등에게 감사와 고마움을

전한다. 또한 프로젝트 주임인 Arushi Chawla와 팀원들, 원고를 편집해준 Michael McGee, 교정해준 Constance Blazexicz, 그리고 인쇄와 제본해준 RR Donnelley에게도 감사를 전한다.

M. Galal Rabie, Ph.D.

역자 머리말

유공압 기술 분야는 현대 산업의 다양한 분야에서 근간을 이루는 실용적인 학문 분야로서 기계공학의 기본 학문인 정역학, 유체역학으로부터 제어 이론, 전기 전자 이론 등에 이르기까지 매우 다양한 분야의 학문영역을 아우르고 있다. 유공압 공학에 관한 다양한 교재가 발간되어 있지만, 대부분의 교재들이 유공압 기술에 관한 깊이 있는 이론을 바탕으로 하지 않고 단순히 유압장치를 이용하는 산업현장 기술자의 수준에서 다루는 것이 대부분이다. 본 교재는 M. Galal Rabie의 *Fluid Power Engineering*을 번역한 교재로서 유공압 기술에 관한 기본 이론에서부터 유공압 부품과 시스템을 설계하고 해석하는 전문가 수준의 깊이 있는 내용까지 균형 있게 다루고 있다. 유압 밸브, 펌프, 유압구동기 등의 기본적인 유압 부품의 구조와 작동원리를 설계자에게 필요한 수준으로 매우 세밀하게 설명하고 있다. 뿐만 아니라, 유압유의 다양한 종류의 특성을 자세히 설명하며, 유압 부속기기 등에 관해서도 구조, 작동원리, 특성, 적용사례 등의 관점에서 매우 자세하게 서술하고 있다. 또한, 유압 서보밸브에 관하여 전자기 이론을 포함하여 서보밸브의 구조와 성능 등에 관한 이론을 깊이 있게 다루며, 유압 관로의 동적 거동 해석과 같이 매우 깊이 있는 내용들을 다루고 있다. 또한, 한 개의 장을 할애하여 공압 기술에 관련한 기본적인 부품, 회로, 자동화 등에 관한 내용도 수록하였다. 본 교재는 4년제 대학의 공학계열 학부와 대학원 수준의 교재로 사용 될 수 있는데, 학부용 교재로 사용되는 경우에는 기본 내용을 위주로 강의할 수 있으며, 대학원용 교재로 사용되는 경우에는 유공압 전문가 혹은 설계자 수준의 깊이 있는 내용을 위주로 강의할 수 있을 것이다. 본 역서가 대학 교재로 사용할 목적으로 만들어지긴 하였지만, 유공압 분야 전문가, 설계자 및 현장 엔지니어들에게 훌륭한 참고서로 활용될 수 있을 것이다.

번역 전문 용어는 가급적 대한기계학회에서 통용되는 용어를 사용하도록 노력하였는데, 의미의 전달을 효율적으로 하기 위하여 찾아보기에 영어 표기를 추가하였다. 역자들이 좋은 번역서가 되도록 노력하였으나 오역이나 부적절한 용어가 있을 수 있다고 생각한다. 독자들의 지적과 조언을 바라며, 잘못된 점은 고치면서 내용 보완에 힘쓸 예정이다.

끝으로 본 역서를 출판하도록 배려해 주신 (주)도서출판 학산미디어의 관계자 여러분께 감사드린다.

2012년 7월
역자 일동

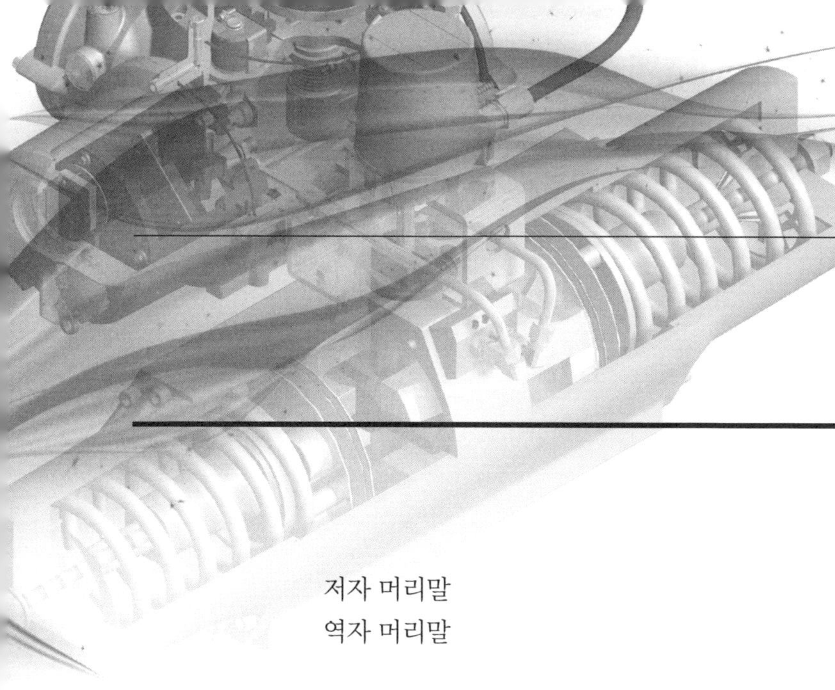

차례

CHAPTER 1

유압시스템 기초

Introduction to Hydraulic Power System

FLUID POWER ENGINEERING

1.1 서론

신은 가장 놀라운 유압시스템을 창조하였다. 이 시스템에는 최고 0.16 bar의 압력에서 약 10 L/min 유량을 공급하는 두 개의 펌프가 사용되고, 이 펌프는 지구 둘레의 두 바퀴 반에 달하는 100,000 km 거리의 배관에 유체를 공급한다. 또한, 이 펌프는 거의 수리 없이 매우 오랫동안 연속적으로 동작할 수 있다. 이것은 인간의 혈액순환시스템을 가동시키는 심장을 말한다. 50세쯤 나이든 사람 10명의 심장은 대략 대형 이집트 피라미드의 체적과 동일한 혈액양을 공급하게 된다(2,600,000 m^3).

인간에 의해 개발된 유압시스템의 역사는 350년전으로 거슬러 올라간다. 1647년 Blaise Pascal은 수력정역학의 기초 이론으로 "정지한 유체 내의 압력은 모든 방향으로 전달된다"는 것을 발표했다. 1738년에는 Bernoulli가 기체의 분자운동이론, 제트추진이론, 그리고 에너지 보존법칙을 설명한 "*Hydro-dynamics*"를 공개하였다. 19세기 중반이 되면서 유압시스템은 산업 인프라로서 매우 중요한 역할을 하기 시작했다. 예를 들어, 영국에서는 많은 도시들이 증기엔진에 의해 펌프가 가동되는 산업용 중앙 공급 유압 배관망을 갖추었다.

전기가 일상적으로 사용되기 이전의 런던에서는 유압동력이 다른 에너지원에 비해 규모의 경제성을 갖추었다. 런던 유압동력 회사는 부두 크레인과 교량들을 비롯해 Kensington과 Mayfair 지역의 가내공업용 기중기에 이르기까지 유압식 구동에 필요한 동력을 공급했다. 유압동력시대의 절정기인 1930년대에는 평균유량 12 m^3/min의 물이 런던 시내의 지하 배관을 통해 전달되어 물건을 들어올리고 내리는데 필요한 모든 동력을 공급했다. 당시에 유압동력은 저렴하고 효율적인 동력원이었으며, 지하에 매설된 주철 파이프에 의해 300 km의 거리까지 전달되었다.

그러나 전기가 더 저렴하게 생산되고 전자기적으로 동력을 발생시키는 장치가 늘어나면서 유압의 사용은 감소하기 시작했다.

그러나 1925년 Henry Vickers가 압력평형 베인 펌프를 개발하면서 유압시스템의 압력을 획기적으로 높여 유압기술의 실용성이 높아지는 계기가 되었다. 오늘날에는 유압시스템이 거의 모든 산업 분야에서 활용 된다.

1.2 동력 시스템의 분류

동력 시스템은 동력을 전달하고 제어하기 위해 사용된다. 이러한 기능은 그림 1.1으로 표현할 수 있다. 동력 시스템의 기본적 구성요소는 다음과 같다.

1. 회전 운동의 기계동력을 공급하는 에너지원; 전기모터나 내연기관이 가장 보편적으로 이용되는 동력원이다. 특별한 경우 증기터빈, 가스터빈 혹은 수력터빈이 사용된다.
2. 에너지 전달, 변환, 그리고 제어를 위한 요소
3. 회전 혹은 직선 운동의 기계동력을 필요로 하는 부하

공학적 응용분야에는 기계식, 전기식, 그리고 유압식 동력 시스템이 있고 그림 1.2는 동력 시스템의 분류를 보여준다.

1.2.1 기계식 동력 시스템

기계식 동력 시스템은 기계동력을 전달하고 제어하기 위해 기계 요소들을 사용한다. 대표적인 예로 소형 자동차의 구동부를 생각할 수 있다(그림 1.3 참조). 기어박스 (3)은 클러치 (2)를 통해 엔진 (1)에 연결된다. 기어박스의 입력축은 엔진과 같은 속도로 회전한다. 출력축 (4)은 선택된 기어 변환비에 따라 다른 속도로 회전한다. 동력은 유니버설 조인트 (5), 구동축 (6), 그리고 차동기어 (7)를 거쳐 바퀴 (8)로 전달된다.

다른 동력 시스템에 비해 기계식 동력 시스템은 낮은 가격, 상대적으로 구조, 보수 및 작동이 단순하다는 장점을 갖는다. 그러나 무게당 동력비가 작고 동력 전달 거리가 제한되어 있으며, 개조와 정밀한 제어가 어렵다.

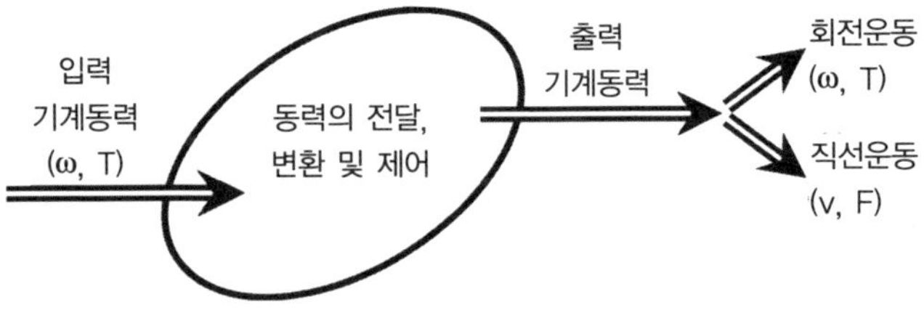

그림 1.1 동력 시스템의 기능

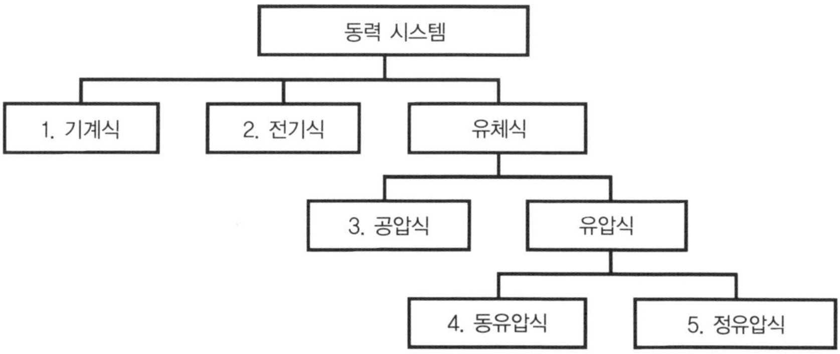

그림 1.2 동력 시스템의 분류

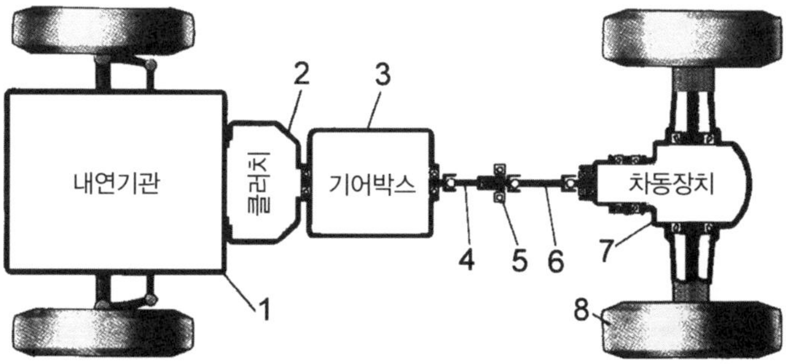

그림 1.3 자동차 구동장치

1.2.2 전기식 동력 시스템

전기식 동력 시스템은 동력 전달의 거리조정과 하드웨어 구성의 유연성에 제한이 없으며 제어성도 좋다. 그림 1.4는 전기 동력 시스템의 원리를 보여준다. 이 시스템은 높은 유연성과 매우 긴 동력 전달거리와 같은 장점을 제공하지만, 주로 회전 운동으로 동

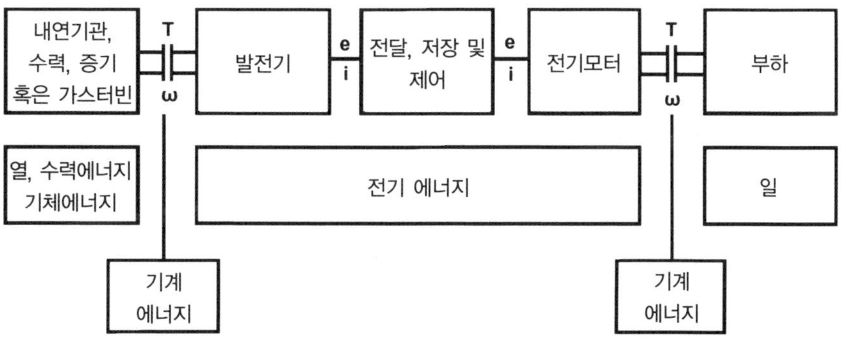

그림 1.4 전기식 동력 시스템의 동력 전달

력 전달이 이루어 진다. 높은 동력의 직선 운동은 회전 운동으로부터 기어시스템을 사용하거나 드럼과 줄을 이용하여 얻을 수 있다.

1.2.3 공압식 동력 시스템

공압식 동력 시스템은 동력 전달 매체로 압축공기를 사용하는 시스템으로서 작동원리는 유압식 동력 시스템과 유사하다. 공기압축기는 원동기의 기계 에너지를 압축 공기의 압력 에너지로 변환한다. 이러한 변환은 동력의 전달과 제어를 용이하게 한다. 압축공기를 사용하기 위한 전단계로 공급 공기 처리 공정이 요구된다. 압축공기 전처리 과정은 여과, 건조, 그리고 윤활유 운무의 주입으로 이루어진다. 압축된 공기는 탱크에 저장되고 강관이나 유연한 관을 통해 전달된다. 공압 동력은 압력제어밸브, 유량제어밸브, 그리고 방향제어밸브에 의해 조절된 후, 공압 실린더와 모터(팽창장치)에 의해 요구되는 기계동력으로 변환된다. 그림 1.5는 공압시스템의 동력 전달 과정을 보여준다.

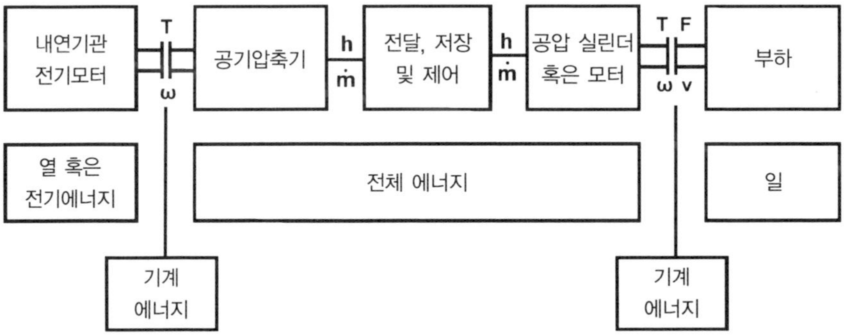

그림 1.5 공압식 동력 시스템에서의 동력전달

1.2.4 동유압식 동력 시스템

유압식 동력 시스템은 유체의 에너지를 증가시킴으로써 기계동력을 전달한다. 이 시스템에는 동유압방식과 정유압방식의 두가지 종류가 있다.

동유압식 동력 시스템은 유체의 운동 에너지를 증가시켜 동력을 전달한다. 일반적으로 속도가변 로터(rotordynamic) 펌프, 터빈, 그리고 추가적인 제어요소로 구성된다. 동유압식 동력 시스템의 응용은 회전운동에 국한되나, 높은 무게 대비 동력비와 좋은 제어 특성을 갖기 때문에 고정형 동력장치나 운송장비에서 기계식 동력전달장치를 대체하기도 한다.

동유압 또는 동수력 원리로 작동되는 동력 전달 기구에는 유체 커플링과 토크 컨버터라는 두가지 종류가 있다.

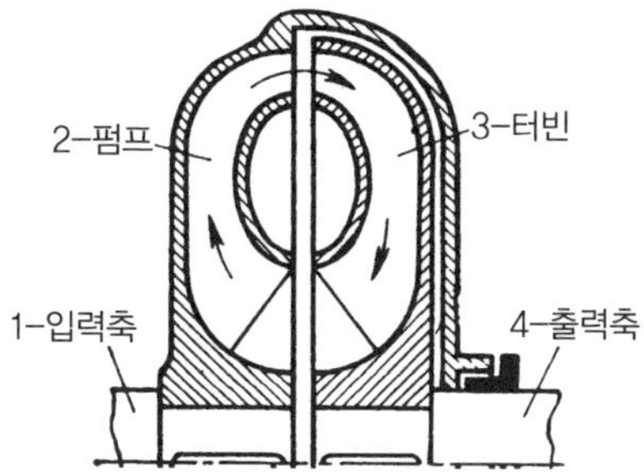

그림 1.6 유체 커플링

유체 커플링(그림 1.6 참조)은 기본적으로 유체 응용 클러치로서 입력축(1)에 의해 구동되는 펌프(2), 터빈(3), 그리고 터빈에 연결된 출력축(4)으로 구성된다. 펌프 임펠러가 회전하면 오일이 고속으로 터빈 날개에 충돌을 일으켜 펌프로부터 얻은 운동 에너지 대부분을 전달한다. 오일은 커플링 내부의 폐회로 유로를 따라 재순환하며, 동력은 입력축에서 출력축으로 전달된다. 출력토크는 입력토크보다 커질 수 없다.

토크 컨버터는 고정익(5)이 추가된 유체 커플링이다(그림 1.7 참조). 고정익은 하우징에 고정된 가이드 베인들로 구성된다. 토크 컨버터는 출력토크를 제어하여 우수한 전달 효율을 유지하면서 입력 토크보다 높은 출력 토크를 얻을 수 있다.

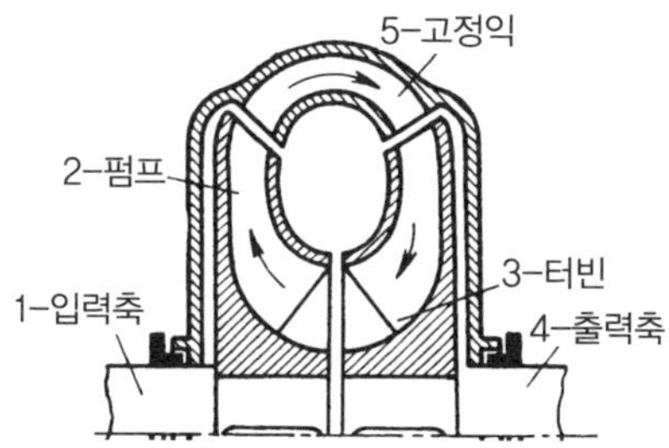

그림 1.7 토크 컨버터

1.2.5 정유압식 동력 시스템

정유압식 동력 시스템에서 동력은 주로 유체의 압력에너지를 증가시켜 전달되며, 생산설비, 수송기계, 항공기 등의 여러 분야에서 폭넓게 사용된다.그림 1.8은 일반적으로 유압동력 시스템으로 불리는 정유압식 동력 시스템의 작동 원리를 보여준다.

유압 에너지, 동력, 그리고 동력전달의 개념을 설명하면 다음과 같다. Δt의 시간 동안에 거리 y만큼 수직으로 하중을 들어 올리는 포크리프트를 가정한다(그림 1.9 참조). 포크리프트는 부하에 수직 방향 힘 F를 가한다. 마찰을 무시하면 정상상태

에서 이 힘은 화물의 무게와 같다($F=mg$). 포크리프트에 의해 한 일은

$$W=Fy \tag{1.1}$$

Δt 시간의 경과 후 들어 올려진 화물의 위치에너지는 E만큼 증가한다.

$$E=mgy=Fy \tag{1.2}$$

여기서, $E=$ 위치에너지, J
$F=$ 수직방향 작용힘, N
$g=$ 중력 가속도, m/s^2
$m=$ 화물의 질량, kg
$W=$ 일, J
$y=$ 수직방향 변위, m

위치에너지 E는 Δt 시간 동안 증가된다. 단위 시간당 화물에 전달된 에너지를 동력 N으로 표시하면,

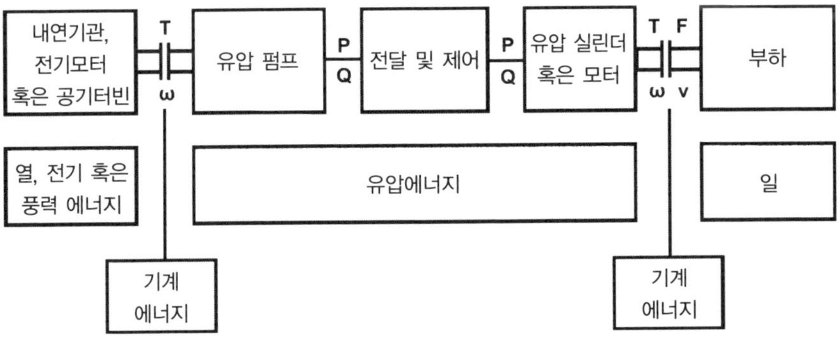

그림 1.8 유압식 동력 시스템에서의 동력전달

그림 1.9 포크리프트의 작동

$$N = Fy/\Delta t = Fv \tag{1.3}$$

여기서, N = 화물에 전달된 기계동력, W
v = 상승 속도, m/s

유압 실린더는 물체에 F의 힘을 작용하여 v의 속도로 이송한다. 그림 1.10은 유압 실린더의 작용을 보여준다. 그림의 유압 실린더는 압력에 의한 힘에 의해 상승하며 자중에 의해 하강, 복귀하는 단동 실린더이다. 펌프에서 공급되는 오일은 유량 Q(체적유량, m^3/s)와 압력 p의 크기로 유압 실린더에 흘러 들어간다. 실린더에서의 마찰을 무시하면 신장 방향으로 피스톤을 이송시키는 압력에 의한 힘은 $F = pA_p$로 표현된다.

Δt의 시간동안 피스톤은 수직방향으로 거리 y만큼 이동한다. 이 기간 동안 실린더에 유입된 오일의 체적은 $V = A_p y$이다.

따라서 실린더에 유입된 오일의 유량은

$$Q = \frac{V}{\Delta t} = \frac{A_p y}{\Delta t} = A_p v \tag{1.4}$$

이상적인 실린더를 가정하면 실린더에 공급된 유압동력은 다음과 같다.

$$N = Fv = pA_p Q/A_p = Qp \tag{1.5}$$

여기서 A_p = 피스톤 단면적, m^2
P = 입구 압력, Pa
Q = 유량, m^3/s
V = 피스톤이 밀어낸 체적, m^3

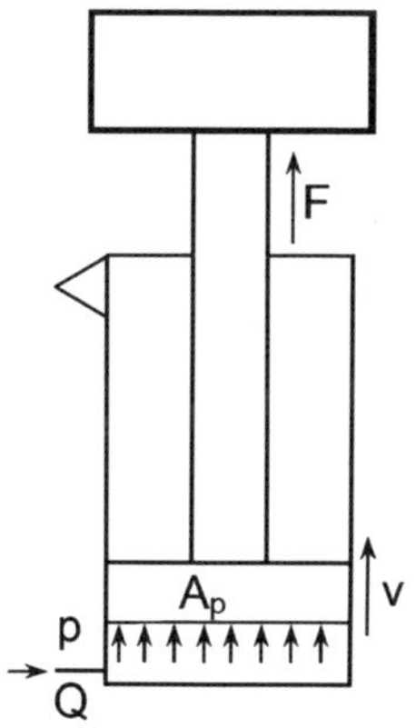

그림 1.10 유압 실린더에 의한 물체의 수직 이동

물체에 전달된 기계동력은 실린더에 공급된 유압동력과 같다. 이러한 등식 관계는 실린더내의 내부 누설이 없으며 마찰력 또한 없다는 가정을 전제한다. 정상상태의 작동에서 누설이 없다는 가정은 현실적이기는 하나, 실(seal)이 손상되면 무시할 수 없는 내부 누설이 발생한다. 공급유량의 일부가 누설되면 이송속도 v는 Q/A_p 보다 작아지게 된다. 그리고 압력에 의한 힘의 일부는 마찰력을 극복하는데 이용된다. 결과적으로 유압 실린더로부터의 기계적 출력은 입력된 유압동력보다 작게 된다($Fv < Qp$).

1.3 기본 유압동력 시스템

그림 1.11에는 기능적으로 나타낸 개념도와 표준 유압 기호로 표현된 간단한 유압시스템이 예시되어 있다. 이 시스템의 요소별 기능은 다음과 같다:

1. 원동기는 필요한 기계동력을 유압시스템에 공급한다. 펌프는 입력된 기계동력을 유압동력으로 변환한다.
2. 에너지 전달 유체는 파이프와 호스를 통해 전달된다. 유압동력은 여러 종류의 밸브들을 통해 조절된다. 유압 회로는 세가지 종류의 밸브 즉, 압력제어밸브, 방향제어밸브, 그리고 유량제어(교축체)밸브로 구성된다.

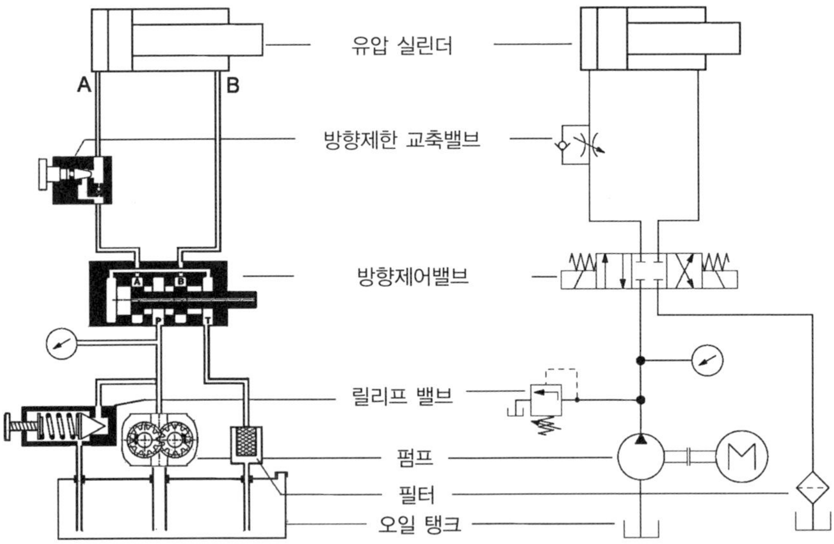

그림 1.11 유압시스템 구성; 개념도와 회로도

3. 조절된 유압동력은 유압 실린더에 전달되어 기계동력으로 변환된다. 일반적으로 유압 구동장치는 회전식과 직선구동식 모두 가능하다.

1.4 유압시스템의 장점과 단점

유압식 동력 시스템의 주요 장점은 다음과 같다:

1. 높은 무게 대비 동력비
2. 자체 윤활기능
3. 전동기와 달리 유압시스템에는 동력변환에서 포화현상이 나타나지 않는다. 전기모터의 최대 토크는 전류에 비례하지만 자기 포화에 의해 제한된다.
4. 높은 질량대비 힘과 높은 관성대비 토크에 의해 높은 가속과 신속한 반응이 가능하다.
5. 유압 실린더 내 오일의 높은 강성에 의해 중간 정지상태에서 부하의 견고한 지지가 가능하다.
6. 과부하에 대한 보호가 용이하다.
7. 축압기에 에너지 저장이 가능하다.
8. 기계시스템과 비교하여 동력전달의 유연성이 좋다.
9. 회전운동과 직선운동 모두 가능하다.
10. 폭발 위험으로부터의 안전성이 높다.

유압동력 시스템은 다음과 같은 단점도 갖는다:

1. 유압동력은 전기동력과 달리 자체적인 동력 발생 장치를 구비해야 한다.
2. 작은 부품 공차 및 고정밀 제조 공정으로 인해 생산비용이 높다.
3. 배관 내부 오일의 관성이 크며, 이로 인해서 응답시간이 증가한다.
4. 최고 및 최저 작동 온도에 한계가 있다.
5. 광물성 오일 사용시 발화 위험이 있다.
6. 오일을 철저히 여과 해야 한다.

1.5 동력 시스템 비교

표 1.1에는 여러 가지 동력 시스템이 간단하게 비교되어 있고, 표 1.2에는 기계식, 전기식 및 유압식 시스템에서의 동력 변수가 설명되어 있다.

시스템 특성	기계식	전기식	공압식	유압식
입력 에너지원	내연기관, 전기모터	내연기관, 유압, 공기 혹은 스팀터빈	내연기관, 전기모터 및 압력 탱크	내연기관, 전기모터 및 공기터빈
에너지 전달요소	기계부품, 레버, 축, 기어	전기 케이블, 전자기장	파이프, 호스	파이프, 호스
에너지 운반	강체, 탄성체	전자 흐름	공기	유압유
무게당 동력비	낮음	약간 높음	가장 높음	가장 높음
관성 대비 토크	낮음	약간 높음	높음	가장 높음
강성	높음	낮음	약간 높음	가장 높음
응답속도	약간 빠름	가장 빠름	약간 빠름	빠름
오염 민감성	가장 낮음	가장 낮음	약간 낮음	높음
상대적 비용	가장 낮음	가장 낮음	낮음	높음
제어	약간 좋음	가장 좋음	좋음	좋음
운동방식	주로 회전구동	주로 회전구동	직선 혹은 회전구동	직선 혹은 회전구동

표 1.1 동력 시스템의 비교

	작용 입력(Effort)		동력 흐름(Flow)		동력	
	변수	단위	변수	단위	변수	단위
기계식 선형	힘, F	N	속도, v	m/s	N = Fv	W
기계식 회전	토크, T	Nm	각 속도, ω	rad/s	N = ωT	W
전기식(DC)	전위차, e	V	전류, i	A	N = ei	W
유압식	압력, P	Pa	유량, Q	m^3/s	N = PQ	W

표 1.2 여러 동력 시스템의 작용 입력, 동력 흐름, 동력

1.6 연습문제

1. 동력 시스템의 기능을 설명하라.
2. 동력 시스템의 작동 원리를 종류별로 설명하라.
3. 기본적인 유압시스템의 회로를 표준기호를 사용하여 그리고, 각 기본요소의 기능을 간략하게 설명하라.
4. 유압동력 시스템의 장점과 단점을 설명하라.
5. 펌프, 방향제어밸브, 유압 실린더, 릴리프 밸브, 그리고 압력 게이지를 포함하는 간단한 유압 시스템의 회로를 그려라. 각 부품의 기능을 기술하고, 유압동력 시스템에서의 동력전달과 변환을 상세히 설명하라.
6. 아래 그림은 유압 실린더의 신장모드를 보여준다. 유압 전달 관로와 제어밸브에서의 손실을 무시하고 부하 F, 복귀유량 Q_T, 피스톤 속도 v, 실린더 기계동력 N_m, 그리고 펌프 유체동력 N_h를 계산하여라. 단, 시스템 압력 $p = 200$ bar, 펌프유량 $Q_p = 40$ L/min, 피스톤 직경 $D = 100$ mm, 피스톤 로드 직경 $d = 70$ mm이다.

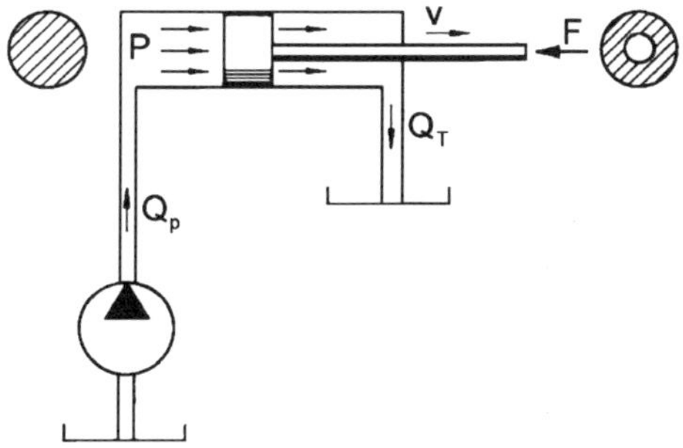

7. 아래 그림은 차동 유압 실린더의 신장모드를 보여준다. 배관과 제어밸브에서의 손실을 무시한다. 부하 F, 입구유량 Q_{in}, 복귀유량 Q_{out}, 피스톤 속도 v, 실린더 기계동력 N_m, 펌프 유압동력 N_h을 구하라. 단, 시스템 압력 $P = 200$bar, 펌프유량 $Q = 40$ L/min, 피스톤 직경 $D = 100$ mm, 피스톤 로드 직경 $d = 70$ mm이다.

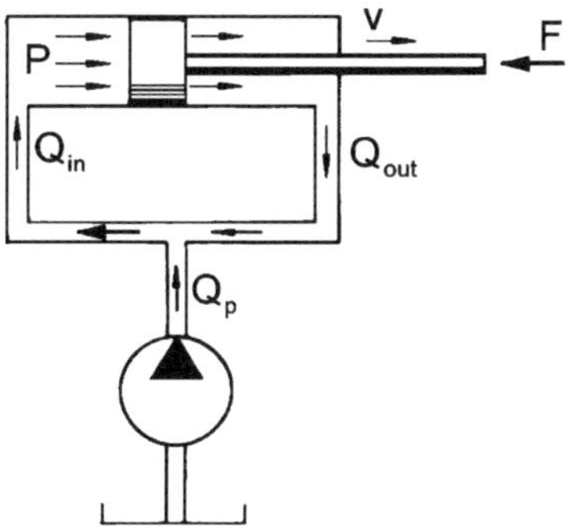

8. 물체를 상하로 이송하는 유압시스템의 유압회로가 아래와 같이 주어져 있다. 하강 속도는 교축-첵 밸브에 의해 제어된다. 시스템의 작동과정을 설명하라. 하중을 하강시키는 모드에서의 유압회로를 다시 그리고, 실린더 로드측 압력 P_L, 입구 유량 Q_{in}, 출구 유량 Q_{out}, 펌프 유량 Q_P, 펌프 동력 N_h, 그리고 교축밸브 면적, A_t를 계산하라. 교축밸브를 제외한 시스템 부품에서의 유압손실은 무시한다.

교축요소를 통과하는 유량 $Q = C_d A_t \sqrt{2\Delta P/\rho}$ 이다.

Q = 유량, m^3/s, C_d = 유량계수

A_t = 교축면적, m^2, ΔP = 압력차, Pa

ρ = 오일 밀도, kg/m^3

주어진 정보는 다음과 같다:

펌프 출구 압력 = 30 bar　　피스톤 속도 = 0.07 m/s

피스톤 면적 A_P = 78.5 cm²　　피스톤 로드측 면적 A_r = 40 cm²

오일 밀도 = 870 kg/m³　　유량계수 = 0.611

릴리프 밸브 초기 설정값 = 350 bar　　물체 무게 = 30 kN

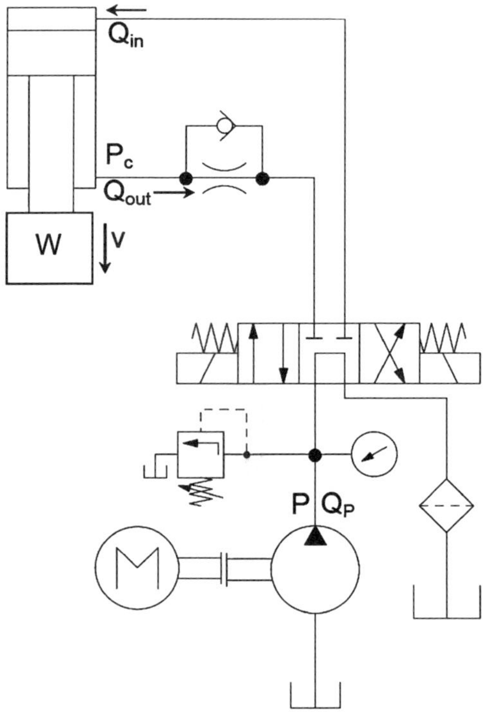

9. 문제 8의 회로를 상승모드에 대해 그려라. 동일한 펌프 유량, 동일 릴리프 밸브 설정, 그리고 동일한 실린더 크기를 적용하여 시스템이 들어올릴 수 있는 최대 부하를 계산하라. 이 모드에서 모든 시스템 작동 변수들을 계산하라. 교축밸브를 제외한 시스템 모든 요소에서의 유압손실은 무시한다.

1.7 기호 설명

A_p = 피스톤 면적, m^2
E = 위치에너지, J
F = 수직방향 힘, N
g = 중력 계수, m/s^2
m = 부하 질량, kg
N = 부하에 전달된 기계동력, W
P = 압력, Pa
Q = 유량, m^3/s
v = 상승속도, m/s
V = 실린더 체적, m^3
W = 일, J
y = 수직 변위, m

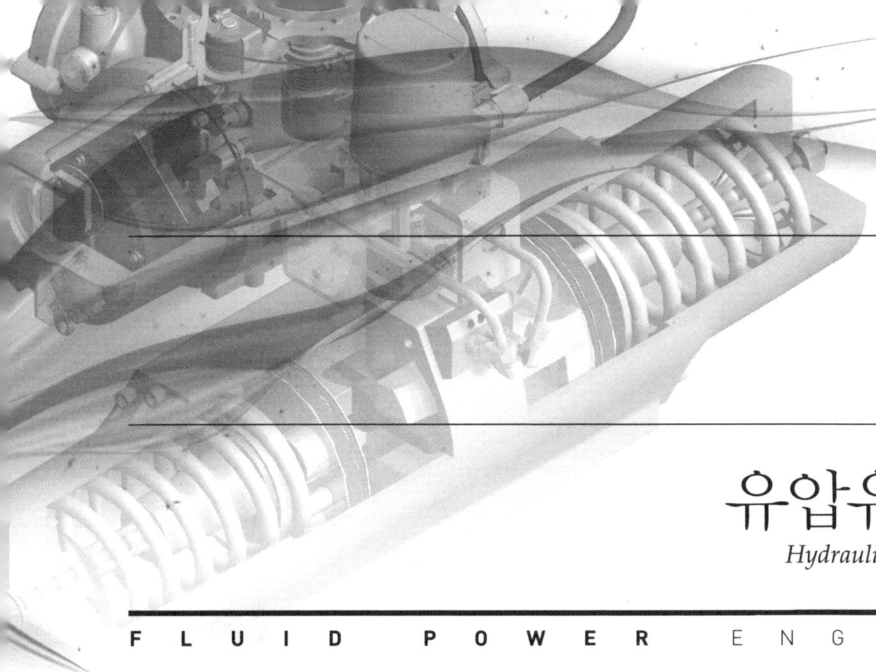

CHAPTER 2

유압유와 기초이론

Hydraulic Oils and Theoretical Background

FLUID POWER ENGINEERING

2.1 서론

유압유는 정유압식 동력 시스템에서 동력을 전달하는 매체로 사용된다. 동력 전달은 주로 유체의 압력에너지를 증가시킨 후 배관을 통해 이루어진다. 유압유는 동력 전달 기능과 더불어 윤활, 냉각, 세정의 기능도 갖는다. 초기 유압시스템에서는 오일 대신에 물이 작동 유체로 사용되었다. 물의 주된 장점은 쉽게 구할 수 있으며 값이 싸고 화재 위험이 없는 것이다. 반면에 윤활성이 나쁘며 녹을 발생시키는 단점을 가진다. 이러한 단점으로 인해 매우 특별한 목적외에는 그 사용이 제한되어 왔다.

광물성 오일은 20세기 초부터 존재하였으나 1920년대에 이르러서야 유압시스템에 사용되기 시작하였다. 1940년대에는 유압유용 광물성 오일의 물리 화학적 성질을 개선하기 위해 첨가제가 처음으로 사용되었다. 최초의 첨가제는 녹과 산화를 방지하기 위해 사용되었다. 그러나 광물성 오일은 쉽게 연소되며 고온에서 작동할 경우 화재 위험성이 증가한다. 이러한 위험성은 물 기반의 내화성 유압유의 개발을 촉진시켰다. 또한, 극한 작동 온도와 압력에 견디는 유압유가 필요해짐에 따라 합성 유압유가 개발되었다.

본 장은 유압유의 성질과 이것이 시스템 성능에 미치는 영향을 설명하는데 목적이 있다. 또한 본 교재의 주제들을 학습하는데 필요한 기초이론들을 설명하였다.

2.2 유압유의 기본 성질

2.2.1 점도

정의 및 공식들

점도는 유체의 성질을 나타내는 척도로, 층류를 이루는 두 개의 인접한 유체층이 서로에 대해 작용하는 저항을 의미한다. 단순히 말하면 **점도는 유동에 대한 저항이다.** 이것은 분자들 사이의 응집과 상호작용으로부터 발생된다. 두 개의 무한 평판 사이의 유체를 생각해 보자(그림 2.1 참조). 아랫판은 정지해 있고 윗판은 일정 속도 v로 움직인다. 윗판은 움직이면서 오른쪽으로 유체들을 끌어당기면서 이동하기 때문에 반대 방향인 왼쪽으로 마찰력을 받게 된다. 채널의 맨 위에 있는 유체는 크기는 같고 방향이 반대인 힘을 받게 된다. 이와 마찬가지로 아래 판도 유체가 오른쪽 방향으로 잡아당기려 하기 때문에 오른쪽 방향으로 마찰력을 받는다. 뉴톤(Newton)의 점성법칙에 따라서 유체는 아래와 같은 전단응력 τ를 받게 된다.

$$\tau = \mu \frac{du}{dy} \tag{2.1}$$

점도 혹은 **점성계수** μ는 유체 내에서 단위 크기의 속도구배를 일으키는데 필요한 전단응력의 크기이다. 즉, 속도구배에 대한 전단응력의 비로서 표현된다.

$$\mu = \frac{\tau}{du/dy} \tag{2.2}$$

여기서 τ = 전단응력, N/m^2
du/dy = 속도구배, s^{-1}
u = 유체 속도, m/s
y = 속도 벡터에 수직인 방향의 거리, m
μ = 점성계수, Ns/m^2,

μ는 흔히 푸아즈(P)의 단위로 표시되고 $1P = 0.1\ Ns/m^2$이다.

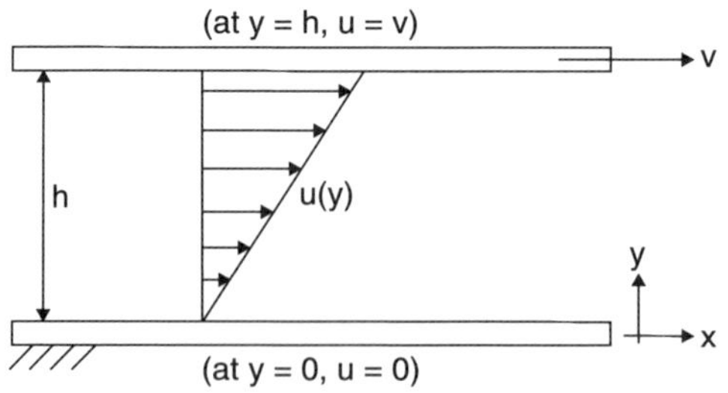

그림 2.1 두 개의 무한 평판 사이의 유체속도 변화

뉴톤 유체의 경우 점성계수 μ는 du/dy와 무관하다. 그러나 온도와 압력에 따라서는 변하게 된다.

동점도 혹은 **동점성계수** ν는 점성계수를 밀도로 나눈 비로서 정의된다.

$$\nu = \frac{\mu}{\rho} \tag{2.3}$$

여기서 ν = 동점성계수, m^2/s

ρ = 오일의 밀도, kg/m^3

동점성계수 ν는 흔히 스토크(St)로 표시되며, 1 St = 10^{-4} m^2/s, 혹은 1 cSt = 10^{-6} m^2/s = 1 mm^2/s이다.

점도 단위는 측정 방법에 따라 Redwood 혹은 Saybolt seconds, 혹은 Engler도가 드물게 사용되기도 하며, 필요할 때 환산표를 사용하면 된다.

오일의 점도는 그림 2.2에서 보는 바와 같이 온도에 의해 영향을 받는다. 온도가 올

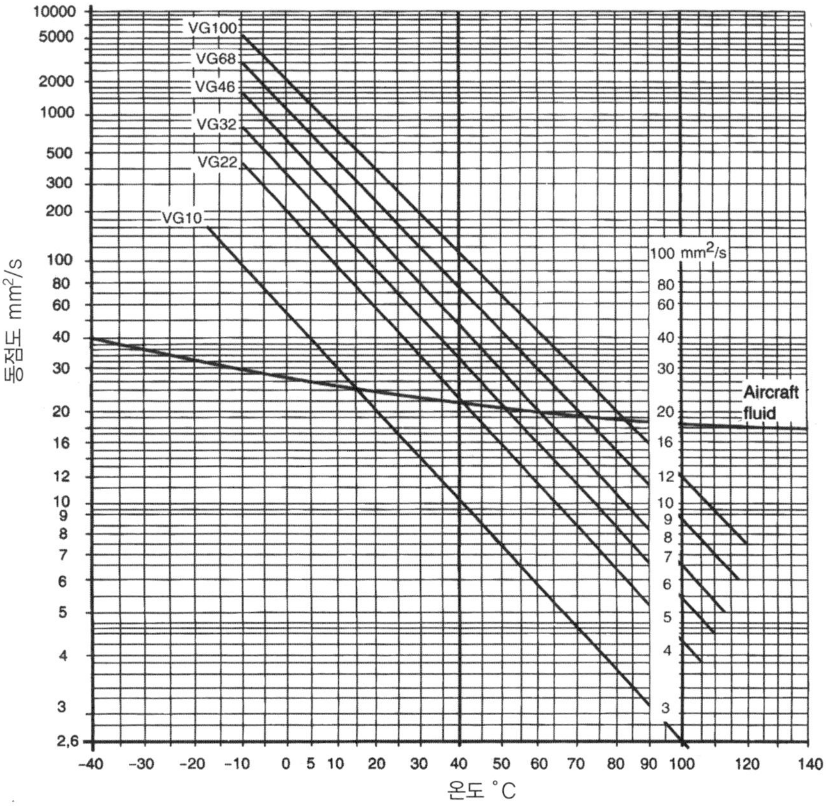

그림 2.2 온도에 의한 오일의 점도 변화 (*Bosch Rexroth AG. 게재 승인*)

라가면 점도는 내려가게 된다. 따라서 점도는 표준온도(ISO 규격으로는 40°C)에서 표시된다. VG32라고 표시되는 유압유는 40°C에서 32 cSt의 점도를 갖는 것을 의미한다.

유압시스템의 작동중 오일의 점도를 허용 범위내로 유지하는 것은 매우 중요하다. 오일의 점도지수(VI)는 온도의 변화가 오일의 점도에 미치는 영향을 표시하기 위해 산업계에서 사용되는 수치이다. 낮은 수치의 VI는 온도 변화에 따라 상대적으로 높은 점도 변화가 있음을 나타낸다. 반면 높은 수치의 VI는 넓은 온도 범위에 걸쳐 점도 변화가 작은 것을 의미한다. 가장 좋은 오일은 넓은 온도 범위에서 일정한 점도를 유지하는 것이다. VI의 중요성을 보여주는 예는 군용 항공기가 높은 VI의 유압유를 필요로 하는 것이다. 항공기용 유압시스템은 높은 고도에서는 –18°C 이하로부터 육상에서 45°C 이상까지 매우 넓은 대기온도 변화에 노출된다. 이러한 시스템의 유압유는 극한의 온도 범위에서도 정상적인 기능을 발휘하도록 충분히 높은 VI를 가져야 한다.

점도의 허용 범위와 작동 온도는 각 부품에 대해 제조사에 의해 결정된다. 예를 들어, 기어 펌프에 대해서 허용 온도 범위는 –15°C에서 80°C이며, 권장 점도 범위는 10~300 cSt이다.

점도에 대한 압력의 영향은 온도의 영향보다는 매우 낮다. 유체의 점도는 압력이 증가하면서 함께 증가한다(그림 2.3 참조). 이러한 특성은 넓은 압력 범위에서 작동하는 유압시스템을 설계할 때 반드시 고려되어야 한다. 그러나 300 bar 이내의 압력에서 동작하는 경우, 오일 점도에 대한 압력의 영향은 무시하는 것이 일반적이다.

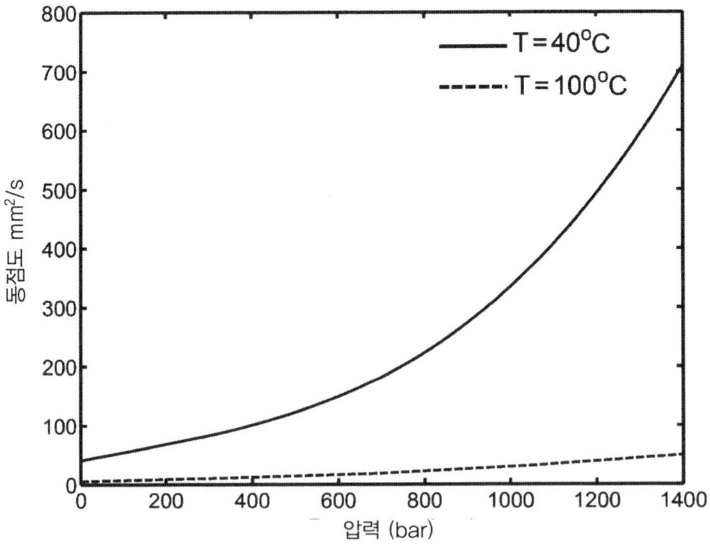

그림 2.3 일반 광물성 오일의 압력과 온도에 의한 동점도 변화

유압시스템에 대한 점도의 영향

오일의 점도는 유체 유동에 대해 그리고 유체내에서 이동하는 물체의 운동에 대해 저항을 일으키면서 유압동력 시스템의 성능에 영향을 미친다. 여기서는 다음과 같은 영향을 알아본다:

- 전달 관로에서의 유압 손실
- 좁은 관에서의 유동에 대한 저항
- 점성마찰력과 감쇠 효과

전달 관로에서의 유압손실, 유압저항 유압 전달관로에서의 유동은 관성력과 점성력의 비에 따라 층류 혹은 난류가 된다. 이 비를 레이놀즈수, Re로 나타낸다(그림 2.4). 층류유동에서는 관로 압력손실을 다음의 식을 이용하여 표현한다(2장의 부록 2B를 참조).

$$\Delta P = \lambda \frac{L}{D}\frac{\rho v^2}{2} \tag{2.4}$$

$$v = 4Q/\pi D^2 \tag{2.5}$$

$$\lambda = 64/\mathrm{Re} \tag{2.6}$$

$$\mathrm{Re} = vD/\nu = \rho v D/\mu \tag{2.7}$$

여기서 D = 파이프 내경, m
L = 파이프 길이, m
Re = 레이놀즈수
v = 평균 유체속도, m/s
ΔP = 압력손실, Pa
λ = 층류유동 마찰계수
ρ = 유체 밀도, kg/m³

압력손실 ΔP에 대한 다음 식은 식 (2.5)에서부터 식 (2.7)까지의 관계를 식 (2.4)에 대입하여 얻을 수 있다.

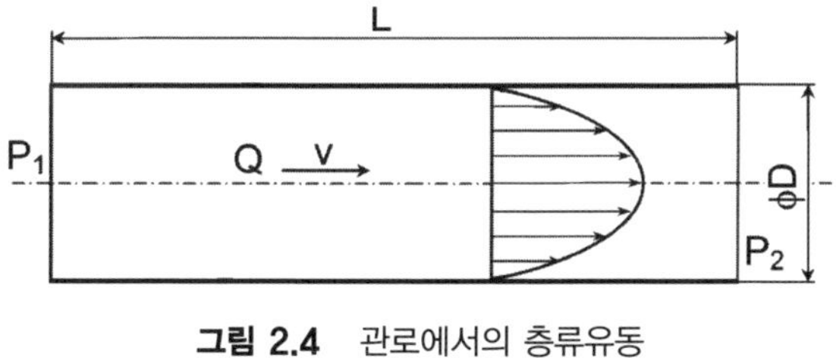

그림 2.4 관로에서의 층류유동

$$\Delta P = \frac{128\mu L}{\pi D^4} Q = RQ \qquad (2.8)$$

R은 유압 전달관로의 저항을 나타낸다. 이것의 영향은 전기회로에 전기 저항이 주는 영향과 동일하다. 둘 다 에너지를 소멸시키고, 같은 수학식($e = Ri$)으로 표현된다. 관로에서의 동력손실 ΔN은 다음과 같다.

$$\Delta N = QP_1 - QP_2 = Q\Delta P = RQ^2 = \frac{128\mu L}{\pi D^4} Q^2 \qquad (2.9)$$

좁은 틈새에서의 유동에 대한 저항

유압 부품에서의 내부 누설 유압동력 시스템은 700 bar까지의 높은 압력에서 동작한다. 유압 부품에서의 내부 누설은 높은 압력에서 작동하거나 마멸에 의해 마찰면 틈새가 증가할 때 나타나는 문제 중의 하나이다.

그림 2.5는 예를 들어 두 개의 동심 실린더형 물체인 스풀과 슬리브 사이의 반경방향 틈새를 통한 내부 누설을 보여준다.

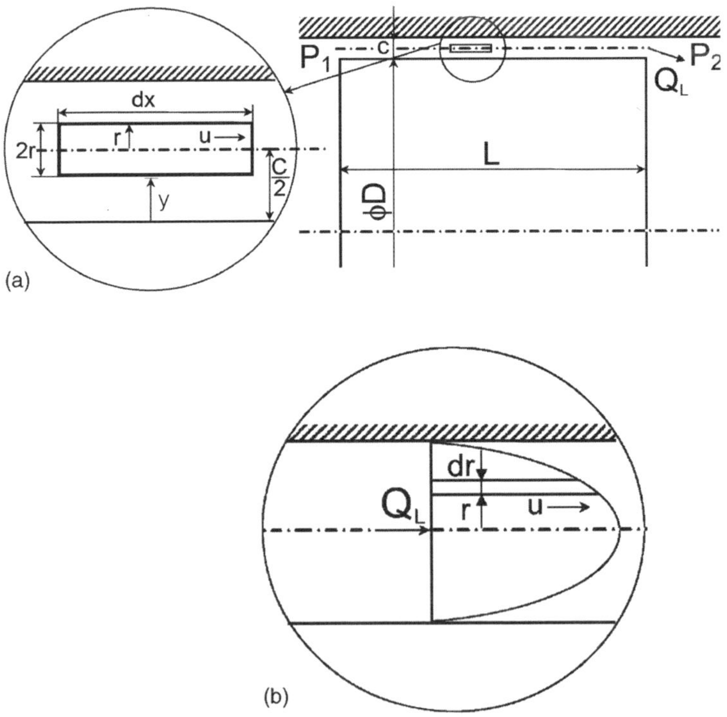

그림 2.5 (a) 반경방향 틈새를 통과하는 누설, (b) 반경방향 틈새내 유체의 속도분포

입구와 출구에서 발생되는 미소손실들을 무시하고 동심원 상태로 정지된 스풀을 가정하면, 반경방향 틈새 사이의 유체요소를 고려한 누설유동에 대한 수식은 다음과 같다. 정상상태에서는 유체요소의 속도가 일정하며 유체요소에 작용하는 힘도 평형상태에 있게 된다. 유체요소 표면에는 압력과 마찰에 의한 힘들이 작용한다.

압력에 의한 힘은 $$F_P = 2r\pi D\,dP \tag{2.10}$$

마찰력은 $$F_\tau = 2\pi D dx\,\tau \tag{2.11}$$

$$r = 0.5c - y\text{이므로 } \frac{du}{dy} = -\frac{du}{dr} \tag{2.12}$$

뉴톤 유체에 대해, 전단응력 $$\tau = \mu\frac{du}{dy} = -\mu\frac{du}{dr} \tag{2.13}$$

$$F_P = F_\tau\text{이므로 } \frac{du}{dr} = -\frac{r}{\mu}\frac{dP}{dx} \quad \text{또는} \quad du = -\frac{r}{\mu}\frac{dP}{dx}dr \tag{2.14}$$

압력구배 dP/dx는 일정하다고 가정하면

$$\frac{dP}{dx} = \frac{\Delta P}{L} \text{ 여기서 } \Delta P = P_1 - P_2 \tag{2.15}$$

반경방향 틈새내 속도분포는 식 (2.14)를 적분하여 구해진다.

$$u = \int -\frac{r}{\mu}\frac{dP}{dx}dr + a = a - \frac{r^2}{2\mu}\frac{dP}{dx} \tag{2.16}$$

경계면에서의 유체 속도는

$$u = 0 \text{ for } r = \pm c/2 \tag{2.17}$$

식 (2.15)와 식 (2.17)을 식 (2.16)에 대입하면 속도분포에 대한 다음 식을 얻게 된다.

$$u = \frac{1}{2\mu}\frac{\Delta P}{L}\left(\frac{c^2}{4} - r^2\right) \tag{2.18}$$

누설유량 Q_L은 다음과 같이 구해진다.

$$Q_L = \int_{-c/2}^{c/2} u\pi D dr = \frac{\pi D c^3}{12\mu L}\Delta P \tag{2.19}$$

또는

$$\Delta P = \frac{12\mu L}{\pi D c^3}Q_L = R_L Q_L \tag{2.20}$$

여기서 a =상수, m/s
c = 반경방향 틈새, m
D = 스풀직경, m
F_P = 유체요소에 작용하는 압력 힘, N
F_τ = 유체요소에 작용하는 전단력, N
L = 누설 통로의 길이, m
Q_L = 누설유량, m^3/s
r = 틈새 중간 위치로부터의 반경 거리, m
R_L = 누설에 대한 저항 Ns/m^5
y = 요소표면과 고체면 사이의 거리, m
u = 틈새사이의 유체 속도, m/s
ΔP = 반경방향 틈새에서의 압력차, Pa

누설량은 점도 μ에 반비례하고 반경방향 틈새의 세제곱에 비례함을 주목할 필요가 있다. 만일 틈새의 길이가 마멸로 인해 두 배가 된다면 누설유량은 8배로 증가한다. 누설에 의한 동력손실은 다음과 같이 계산된다.

$$\Delta N = Q_L \Delta P = \frac{\pi D c^3}{12\mu L}\Delta P^2 = \frac{\Delta P^2}{R_L} \text{ or } \Delta N = \left(\frac{12\mu L}{\pi D c^3}\right) Q_L^2 = R_L Q_L^2 \tag{2.21}$$

내부 누설유량은 유효 유량을 감소시키고 동력손실을 증가시키게 된다. 소실된 동력 ΔN은 열로 변환되며 오일을 과열시킨다. 따라서 오일의 점도를 전체 동작온도 범위에 걸쳐 허용 한계치 내로 유지하는 것이 중요하다. 이것은 적절한 점도지수의 유압유를 사용하며, 오일 냉각기를 설치함으로써 해결될 수 있다.

편심된 반경방향 틈새에서의 유체유동 스풀이 슬리브 내에 편심되어 있는 경우, 반경방향 틈새의 크기는 일정하지 않게 된다(그림 2.6 참조). 편심된 반경방향 틈새를 통한 유량은 다음과 같다.

$$Q = \frac{\pi D c^3}{12\mu L}\left[1 + \frac{3}{2}\left(\frac{\varepsilon}{c}\right)^3\right]\Delta P \tag{2.22}$$

길고 납작한 슬롯을 통한 유체유동 길고 납작한 슬롯 형태의 오리피스내에서 유체유동은 층류를 형성한다. 다음 식은 이 오리피스 내의 유량을 나타낸다(그림 2.7 참조).

$$Q = \frac{bh^3}{12\mu L}\Delta P \tag{2.23}$$

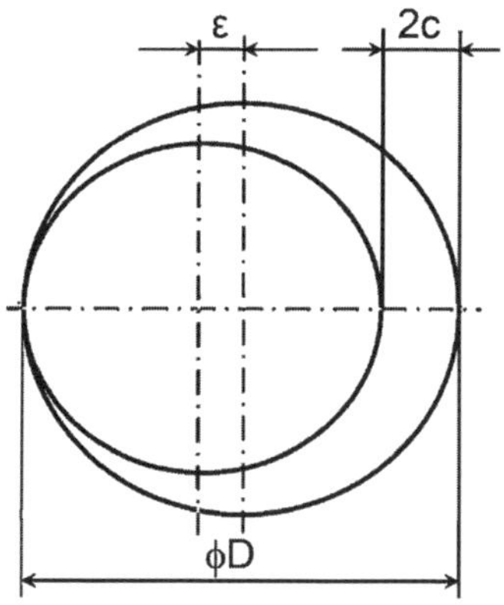

그림 2.6 편심된 피스톤의 반경방향 틈새

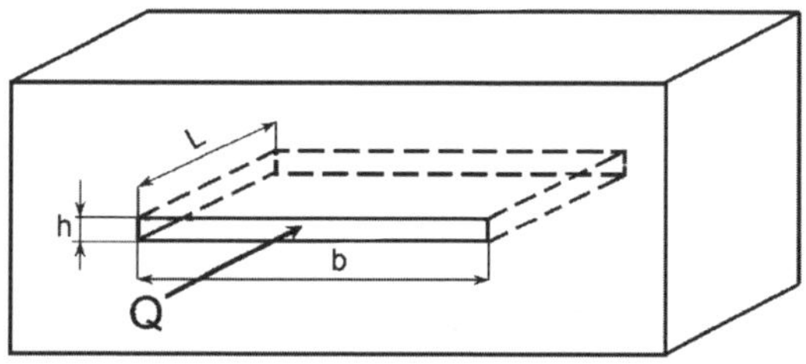

그림 2.7 길고 납작한 슬롯 형태의 오리피스

원형 노즐과 평판 사이의 틈새내 유체유동 그림 2.8과 같이 노즐의 끝부분과 평판 사이 틈새 내의 유량은 다음 식으로 표현된다.

$$Q = \frac{\pi(d_1 + d_2)h^3}{12(d_1 - d_2)\mu}\Delta P \tag{2.24}$$

점성마찰과 댐핑 효과 오일내에서 움직이는 물체는 오일의 점성에 의해 마찰력을 받게된다. 그림 2.9는 축방향으로 동작하는 스풀을 보여준다. 스풀의 원통면에는 전단응

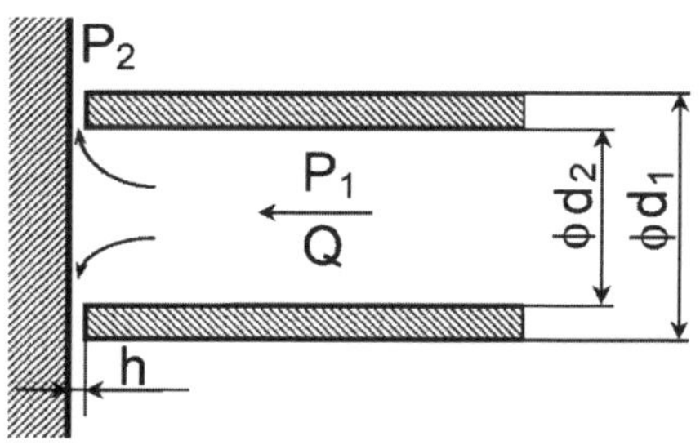

그림 2.8 평판과의 거리 h에 의해 제어되는 노즐

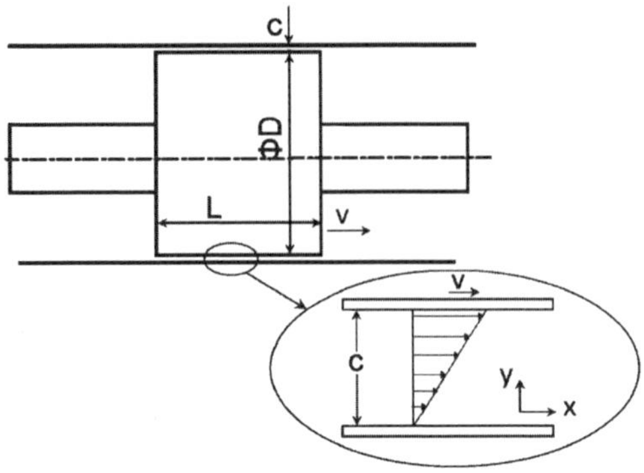

그림 2.9 스풀의 반경방향 틈새에서의 속도분포

력 τ가 작용한다. 작은 반경방향 틈새 (2 ~ 10 μm)내에서 속도분포가 선형적이라고 가정하면, 마찰력은 다음과 같다.

$$\tau = \mu \frac{du}{dy} = \mu \frac{v}{c} \tag{2.25}$$

$$F = \pi D L \tau = \frac{\pi \mu D L}{c} v = f_v v \tag{2.26}$$

$$f_v = \frac{\pi \mu D L}{c} \tag{2.27}$$

여기서 F = 마찰력, N

f_v = 마찰계수, Ns/m

L = 스풀 랜드의 길이, m

문제 스풀이 $T = f_\omega \omega$의 토크에 의해 각속도 ω로 회전한다면 점성마찰계수에 대한 식을 유도하라.

방향제어밸브의 스풀에 대해 오일의 점성이 나타내는 진동감쇠 효과를 알아보기로 한다(그림 2.10 참조). 스풀이 구동력 F, 스프링 힘, 그리고 마찰력 하에서 작동한다면 스풀의 운동은 다음 방정식에 의해 표현된다:

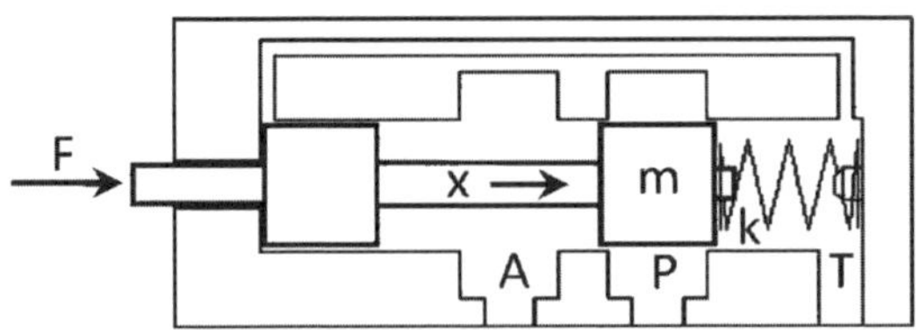

그림 2.10 스프링과 조합된 스풀 밸브

$$F = m\frac{d^2x}{dt^2} + f_v\frac{dx}{dt} + kx \tag{2.28}$$

여기서 F = 구동력, N
k = 스프링계수, N/m
m = 운동 질량, kg
x = 스풀변위, m

모든 초기 조건을 0으로 가정하고 운동방정식을 라플라스 변환하면, 다음의 전달함수를 얻게 된다.

$$G(s) = \frac{X(s)}{F(s)} = \frac{1}{ms^2 + f_v s + k} = \frac{K}{\dfrac{s^2}{\omega_n^2} + \dfrac{2\zeta}{\omega_n}s + 1} \tag{2.29}$$

여기서 ζ = 오일의 점도에 비례하는 진동감쇠계수; $\zeta = \frac{\pi\mu DL}{2c\sqrt{km}}$
k = 스프링계수, N/m
K = 이득; $K = 1/k$, m/N
ω_n = 고유진동 주파수; $\omega_n = \sqrt{k/m}$, rad/s

2.2.2 오일의 밀도

정의

밀도는 단위 부피당 질량으로 $\rho = m/V$의 식으로 표현된다. 유압유는 압축성과 열팽창계수가 낮기 때문에 정상적인 작동조건에서 오일의 밀도는 거의 일정하며, 광물성 유압유의 밀도는 850 kg/m^{3}에서 900 kg/m^3 사이의 값을 갖는다. 오일의 밀도는 유압시스템의 과도상태 및 정상상태 운전에 모두 영향을 준다. 교축 장치나 배관 내에서의 압력손실은 오일의 관성과 마찰손실에 의해 주로 좌우된다. 아래에서는 오일의 관성에 의한 영향을 설명하고자 한다.

유압시스템에 대한 밀도의 영향

오리피스 유동 짧은 튜브 혹은 칼날 모서리를 가진 오리피스는 유압식 동력제어의 기본 수단이 된다. 본 단원에서는 오리피스를 통과하는 유체의 유량에 대한 방정식을 유도하고 점도와 관성의 영향을 설명하고자 한다. 대부분의 경우에 오리피스 유동은 높은 레이놀즈수에서 일어난다. 이러한 유동을 난류유동이라고 부르나, 이 표현은 파이프 유동에서와 같은 의미를 갖지는 않는다.

그림 2.11을 보면 유체 입자는 칼날 모서리의 오리피스를 통과하면서 단면 1에서

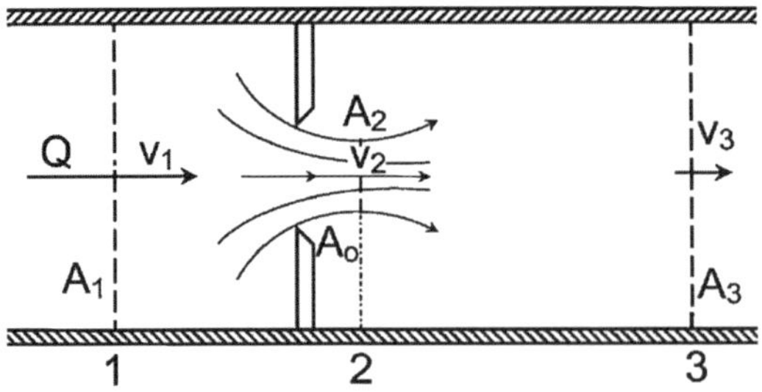

그림 2.11 칼날 모서리형 오리피스를 통과하는 유체 흐름

의 속도 v_1이 단면 2에서는 분사속도 v_2로 가속된다. 단면 1과 2 사이의 유체유동은 거의 유선을 따르는 퍼텐셜 유동이므로 두 단면 사이에 베르누이 방정식을 적용할 수 있다.

$$v_2^2 - v_1^2 = \frac{2}{\rho}(P_1 - P_2) \tag{2.30}$$

$(P_1 - P_2)$항은 낮은 상류의 속도 v_1에서 높은 분사속도 v_2로 유체를 가속시키는데 필요한 압력차이다. 분사 유체의 운동에너지는 압력에너지로 회복되지 않고 열에너지로 변환되어 유체의 온도를 증가시키므로 단면 2와 3에서의 압력은 거의 동일하다.

분사단면 A_2는 유체의 관성으로 인해 오리피스 면적 A_0보다 작게 된다. 분사유선을 따라 단면적이 최소가 되는 위치를 'vena contracta' 라고 부른다. 분사 단면의 수축계수는 다음과 같이 정의된다.

$$C_c = A_2 / A_0 \tag{2.31}$$

비압축성 유체를 가정하여 연속방정식을 적용하면 다음 관계를 얻는다.

$$A_1 v_1 = A_2 v_2 \tag{2.32}$$

식 (2.30)에서 식 (2.32)까지를 고려하면 분사속도 v_2에 대한 아래의 식을 얻는다.

$$v_2 = \frac{1}{\sqrt{1-(A_2/A_1)^2}} \sqrt{\frac{2}{\rho}(P_1 - P_2)} \tag{2.33}$$

실제의 분사속도는 점성마찰에 의한 에너지 손실 때문에 식 (2.33)에 의해 계산된 값보다 약간 작게 된다.

이러한 마찰의 영향은 C_v라는 속도계수(0.97에서 0.99 사이)를 도입하여 고려하며, C_v는 다음과 같이 정의된다.

$$C_v = \frac{\text{베나 콘트랙타에서의 실제 속도}}{v_2} \tag{2.34}$$

따라서 오리피스를 통과하는 유량은 다음 식으로 주어진다.

$$Q = A_2 C_v v_2 = \frac{C_v A_2}{\sqrt{1-(A_2/A_1)^2}}\sqrt{\frac{2}{\rho}(P_1 - P_2)} \tag{2.35}$$

또는

$$Q = C_d A_0 \sqrt{\frac{2}{\rho}(P_1 - P_2)} \tag{2.36}$$

여기서 유량계수 C_d는

$$C_d = \frac{C_v A_2/A_0}{\sqrt{1-(A_2/A_1)^2}} \quad \text{또는} \quad C_d = \frac{C_v C_c}{\sqrt{1-C_c^2(A_0/A_1)^2}} \tag{2.37}$$

C_c = 오리피스 형상에 따른 수축계수
C_d = 유량계수, 일반적으로 0.6에서 0.65 사이의 값
C_v = 속도계수, 일반적으로 0.97에서 0.99 사이의 값
v = 평균유속, m/s

유량계수는 주로 수축계수에 의해 좌우된다. 원형 오리피스의 유량계수는 Merritt(1967)에 의해 제안된 다음 식을 이용하여 계산할 수 있다.

$$C_c\left\{1+\frac{2}{\pi}\left(\frac{D}{C_c d}-\frac{C_c d}{D}\right)\tan^{-1}\left(\frac{C_c d}{D}\right)\right\} = 1 \tag{2.38}$$

여기서 D = 파이프 직경, m
d = 오리피스 직경, m

직경비(d/D)에 따른 수축계수의 변화는 그림 2.12에 나타나 있다. 칼날 모서리를 가진 오리피스의 경우 마찰손실은 무시할 수 있다. 즉, $C_v = 1$. 따라서 만일 오리피스 직경이 파이프 직경보다 훨씬 작다면($d \ll D$), $\tan^{-1}(C_c d/D)$ 값은 $C_c d/D$가 되어 식 (2.37)과 (2.38)으로부터 아래의 식이 구해진다.

$$C_d = C_c = \pi/(\pi+2) = 0.611 \tag{2.39}$$

칼날 모서리를 가진 오리피스는 성능이 예측 가능하기 때문에 선호된다. 이 오리피스에서의 압력손실과 동력손실은 주로 유체관성에 의해 좌우되고 유체점도는 압력손

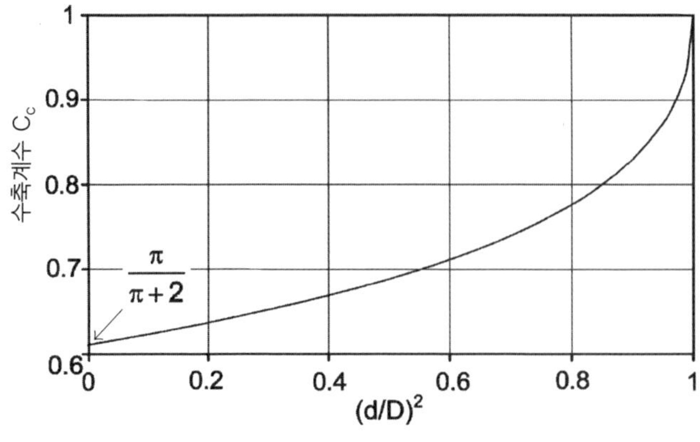

그림 2.12 칼날 모서리를 가진 오리피스의 직경비와 수축계수의 관계(계산결과)

실에 거의 영향을 미치지 않는다($C_v \approx 1$). 따라서 칼날 모서리를 가진 오리피스를 통과하는 유량은 점도와 무관하다. 반면에 가공비용이 높으므로 그 대안으로 짧은 튜브형 오리피스가 광범위하게 사용된다. 짧은 튜브형 오리피스를 통과하는 유체유동은 입구와 출구에서의 미소손실뿐만 아니라 마찰손실에도 영향을 받으므로 점도의 영향을 받는다. 짧은 튜브형 오리피스의 유량계수는 레이놀즈수와 오리피스 형상에 따라 달라진다. 다음 식은 난류와 층류 영역을 구분하여 유량계수를 계산할 때 사용될 수 있다 [Merritt(1967)]:

$$C_d = \left[1.5 + 13.74\left(\frac{L}{\mathrm{Re}\,d}\right)^{\frac{1}{2}}\right]^{-\frac{1}{2}} \qquad \text{For } \frac{\mathrm{Re}\,d}{L} > 50 \tag{2.40}$$

$$C_d = \left[2.28 + \frac{64L}{\mathrm{Re}\,d}\right]^{-\frac{1}{2}} \qquad \text{For } \frac{\mathrm{Re}\,d}{L} < 50 \tag{2.41}$$

$\mathrm{Re}\,d/L$에 따른 유량계수의 변화는 위의 식을 이용하여 그려진 그림 2.13에서 확인할 수 있다.

국부손실 미소손실이라고도 불리는 국부손실들은 속도 벡터의 크기 혹은 방향의 급격한 변화에 의해 발생한다. 교축부품, 엘보우, 그리고 T형 관이음은 대표적인 국부손실이 발생하는 부품들이다. 식 (2.42)는 국부손실 부품에서의 압력손실을 나타낸 것이다. 미소손실은 유체 밀도에 비례하고 국부손실계수 ζ는 국부손실 부위의 형상에 의해 좌우된다.

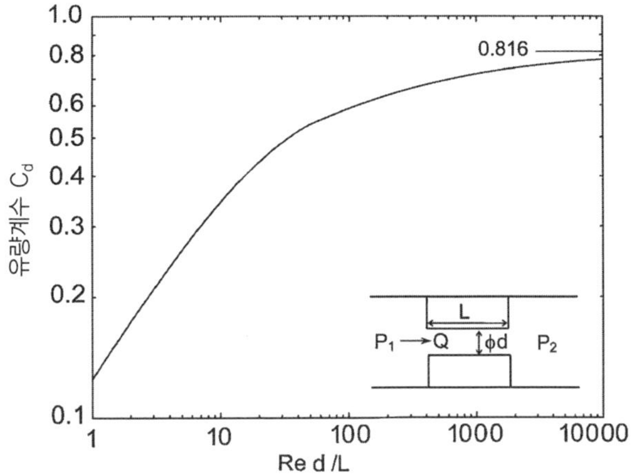

그림 2.13 레이놀즈수 및 오리피스 형상에 의한 짧은 튜브형 오리피스의 유량계수 변화(계산결과)

$$\Delta P = \zeta \frac{\rho v^2}{2} \tag{2.42}$$

유체관성 유압 전달관로의 동적 특성은 유체의 관성, 압축성, 그리고 마찰저항에 의해 영향을 받는다. 유체관성의 영향은 비압축성, 비점성유동을 가정할 때 다음과 같이 표현된다.

그림 2.14는 $\Delta P = P_1 - P_2$의 압력차를 받고 있는 한 개의 유체 원통을 보여준다. 배관내 유체 원통의 관성력에 대한 표현은 뉴턴의 제 2법칙에 의해 다음과 같다:

$$F = \mathrm{ma} \tag{2.43}$$

즉,

$$\Delta PA = \rho A L \frac{dv}{dt} \tag{2.44}$$

한편,

$$v = \frac{Q}{A} \tag{2.45}$$

따라서,

$$\Delta P = \frac{\rho L}{A}\frac{dQ}{dt} = I\frac{dQ}{dt} \tag{2.46}$$

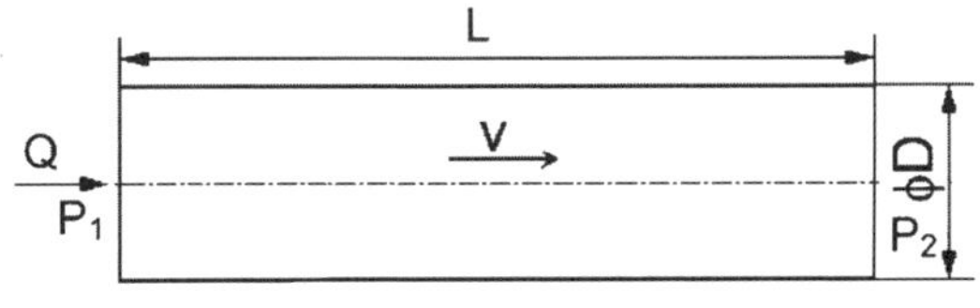

그림 2.14 $\Delta P = P_1 - P_2$의 압력차가 작용하는 유체 원통

유체관성 I는 다음과 같이 표현된다.

$$I = \frac{\rho L}{A} = \frac{4\rho L}{\pi D^2} \tag{2.47}$$

여기서 A = 원통의 단면적, m^2
D = 원통의 내경, m
I = 원통의 유체 관성, kg/m^4
L = 원통의 길이, m

유체관성은 유압 전달관로의 과도응답에 영향을 주나, 정상상태 거동에는 영향을 미치지 않는다.

2.2.3 오일의 압축성

정의

기체는 강한 압축이 가능한 반면 액체는 매우 낮은 압축성을 가진다. 따라서 오일들은 일반적으로 비압축성으로 가정되나, 이 가정은 오일의 압축성이 유압 시스템의 성능에 중요한 영향을 거의 미치지 않을 때 유효하다.

오일의 압축성은 압력이 변화할 때 체적이 변화되는 성질로 정의한다. 순수한 오일의 경우 오일의 체적과 압력 사이의 관계는 다음 식에 의해 표현된다.

$$B = -\frac{\Delta P}{\Delta V/V} = -\frac{dP}{dV/V} \quad \text{혹은} \quad \frac{B}{V} = -\frac{dP}{dV} = -\frac{dP}{dt}\bigg/\frac{dV}{dt} \tag{2.48}$$

여기서 ΔP = 압력 변화량, Pa
ΔV = 압력 변화에 따른 체적의 변화량, m^3
V = 초기 오일 체적, m^3
B = 오일의 체적탄성계수, 광물성 오일의 경우 B의 값은 1 ~ 2 GPa

유압유의 압축성은 유압시스템의 과도현상에 직접적인 영향을 미친다. 일반적으로 오일의 체적이 1% 줄어들면 압력은 10 내지 20 MPa 가량 증가하게 된다.

여기서, 유압유의 체적탄성계수는 유압유의 압력과 온도에 의해 영향을 받는다. 그림 2.15와 2.16은 일반 산업용 광물성 유압유의 체적탄성계수에 대한 오일의 압력 및 온도의 영향을 보여 준다. 체적탄성계수는 압력이 증가하면 증가하고, 온도가 증가하면 감소한다. 오일의 압력이 0에서 300 bar까지 증가하면 체적탄성계수는 약 21% 증가하는 반면, 온도가 40°C 증가하면 체적탄성계수는 25% 가량 감소한다. 그러나 일반적인 압력과 온도 범위에서는 체적탄성계수는 거의 일정하다고 가정된다.

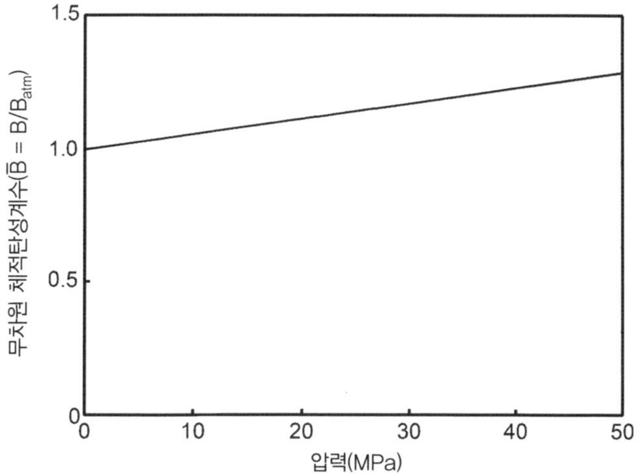

그림 2.15 일정 온도에서 일반 광물성 유압유의 압력에 대한 체력탄성계수의 변화

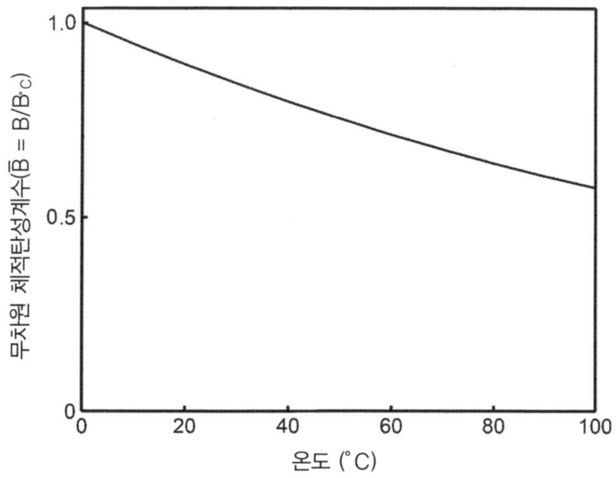

그림 2.16 일정 압력에서 일반 광물성 유압유의 온도에 대한 체적탄성계수의 변화

순수한 오일의 체적탄성계수는 특정한 온도와 압력 조건에서는 거의 일정하지만, 오일이 기포, 공기, 혹은 수증기를 함유하면 체적탄성계수는 기체의 높은 압축성으로 인해 감소한다. 만일 오일과 기체 혼합물의 전체 체적이 V_T이고 기체 체적은 αV_T, 그리고 오일의 체적은 $(1-\alpha)V_T$라고 하면, 이 혼합물의 등가체적탄성계수 B_e는 다음과 같이 구해진다.

기체의 압축에 의한 체적변화는 다음 식의 지배를 받는다.

$$PV^n = \text{const} \tag{2.49}$$

즉,

$$V^n dP + nV^{n-1} P\, dV = 0 \tag{2.50}$$

또는 $$B_g = -\frac{dP}{dV/V} = nP \tag{2.51}$$

만일 오일과 기체의 혼합물에 대해 압력 변화 ΔP가 가해지면 체적 변화는 다음과 같다.

$$\Delta V_g = -\frac{\alpha V_T}{nP}\Delta P \tag{2.52}$$

$$\Delta V_o = -\frac{(1-\alpha)V_T}{B}\Delta P \quad 2.53)$$

$$B_e = -\frac{\Delta P}{(\Delta V_o + \Delta V_g)/V_T} \tag{2.54}$$

따라서 $$B_e = \frac{nBP}{nP(1-\alpha)+B\alpha} \tag{2.55}$$

그리고 $$\bar{B} = \frac{B_e}{B} = \frac{nP}{nP(1-\alpha)+B\alpha} \tag{2.56}$$

또는 $$\frac{1}{B_e} = \frac{\alpha}{nP} + \frac{1-\alpha}{B} \tag{2.57}$$

여기서 α = 대기압에서 전체 체적 대비 기체 체적의 비
n = 폴리트로픽 지수 = 1 ~ 1.4
P = 시스템 절대압력, Pa
ΔV_g = 압축성에 의한 기체 체적의 변화량, m^3
ΔV_o = 압축성에 의한 오일 체적의 변화량, m^3
B_e = 혼합물의 유효 체적탄성계수, Pa

무차원 체적탄성계수, $\bar{B} = B_e/B$를 식 (2.56)을 이용하여 계산한 결과는 그림 2.17과 같다. 이 그림은 혼합된 공기가 혼합물의 체적탄성계수를 심각하게 낮출 수 있음을 보여준다. 더구나, 혼합된 공기는 디젤 효과뿐만아니라 소음, 진동, 그리고 높은 온도상승을 유발한다. 디젤 효과는 오일과 기체 혼합물의 순간적 연소로 인한 것이다. 만일 광물성 오일에 포함된 기포가 급속하게 압축되면, 급격히 뜨거워지면서 순간적인 연소가 발생할 수 있다. 따라서 특정부위에서는 매우 높은 온도 상승과 압력의 증가가 일어나며 유압 부품의 실(seal)을 손상시킬 수 있다. 또한, 작동유의 수명을 감소시킬 수 있다.

오일의 압축성 영향; 유압 커패시턴스

오일의 압축성은 유압 시스템의 동적 거동에 큰 영향을 미친다. 즉, 순간적 압력 변화와 그로 인한 유량, 힘, 그리고 가속도의 순간적 변화는 오일의 압축성에 의해 크게 영향을

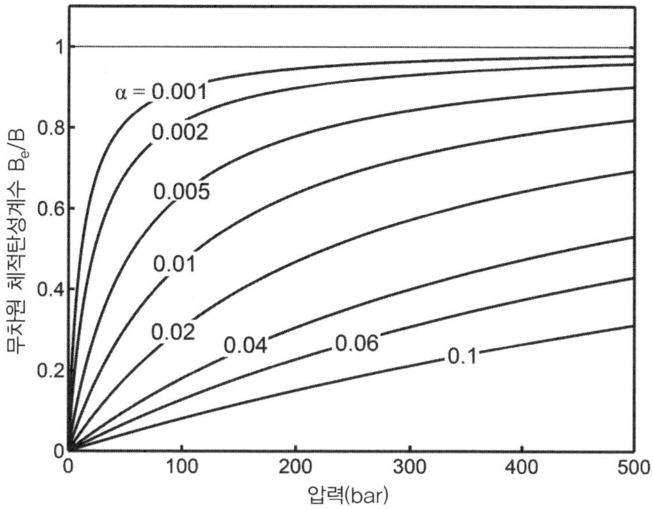

그림 2.17 혼합된 공기와 작동 압력에 의한 일반 광물성 유압유의 체적탄성계수 변화(계산결과)

받는다. 유압 전달관로의 동적 거동에 대한 오일 압축성의 영향은 유압 전달관로내 한 개의 유체 덩어리를 대상으로 수식화될 수 있다. 이 관로 모델은 오일 압축성의 영향만 받으며 관로에서의 압력을 P, 입구유량을 Q_1, 그리고 출구유량을 Q_2라고 가정한다(그림 2.18 참조).

입구와 출구의 유량 차이로 인한 관로에서의 오일 체적의 변화량 ΔV_Q은 다음과 같다.

$$\Delta V_Q = \int \left(\sum Q_{\text{in}} - \sum Q_{\text{out}} \right) dt \tag{2.58}$$

압축성 영향으로 인한 관로에서의 오일 체적의 변화량 ΔV_C은 다음과 같다.

$$\Delta V_C = -\frac{V}{B} \Delta p \tag{2.59}$$

식 (2.48)을 참조하면

$$\frac{dV_C}{dt} = -\frac{V}{B}\frac{dP}{dt} \tag{2.60}$$

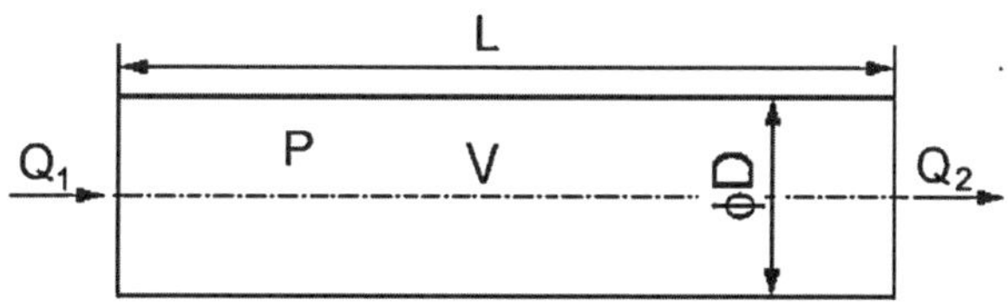

그림 2.18 압축성 오일의 단일 관로모델

한편, $$\Delta V_Q + \Delta V_C = \Delta V_L \tag{2.61}$$

관로 체적의 변화량 ΔV_L는 관 재료, 벽 두께, 직경 그리고 시스템 압력의 영향을 받는다. 즉, $\Delta V_L = f(P)$이며, 만일 강체로 된 벽면 조건을 가정하면, $\Delta V_L = 0$이다.

이 경우 $$\frac{dV_Q}{dt} + \frac{dV_C}{dt} = 0 \tag{2.62}$$

즉, $$\sum Q_{\text{in}} - \sum Q_{\text{out}} - \frac{V}{B}\frac{dP}{dt} = 0 \tag{2.63}$$

식 (2.63)을 관로내 한 개의 유체 덩어리에 적용하면 다음을 얻는다.

$$Q_1 - Q_2 - \frac{V}{B}\frac{dP}{dt} = 0 \tag{2.64}$$

따라서 $$\Delta P = \int \frac{B}{V}\left(Q_1 - Q_2\right) dt \quad \text{혹은} \quad P = P_i + \int \frac{B}{V}\left(Q_1 - Q_2\right) dt \tag{2.65}$$

이 연속방정식은 유압 시스템의 모델링에 항상 사용된다. $(Q_1 - Q_2 = Q_C)$의 차이는 오일의 압축성에 의한 것이다. 여기서,

$$Q_C = \frac{V}{B}\frac{dP}{dt} = C\frac{dP}{dt} \tag{2.66}$$

$$C = \frac{\pi D^2 L}{4B} \tag{2.67}$$

C값은 관로의 유압 커패시턴스로 정의된다. 이 유압 커패시턴스는 에너지를 저장하는 효과를 가지며, 전기 정전용량에 대한 식 $i = C\, de/dt$의 C와 유사하다.

관로 벽면의 변형을 무시할 수 없는 경우, 압축용량의 계산에서 벽면의 변형이 고려되어야 한다. 관로의 체적 변화, ΔV_L은 관로 길이, 관로 재질, 벽두께, 직경, 그리고 시스템 압력에 의해 좌우된다. 관로 벽은 반경과 축방향 압력 힘의 복합적 영향에 의해 변형된다. 압력증분 ΔP에 의한 관로의 체적 변화는 다음과 같이 표현된다.

그림 2.19는 반경방향으로 작용하는 압력 힘의 영향을 나타낸다. 반경방향의 벽면 변형에 의한 체적 변화인 ΔV_{LR}은 아래와 같이 유도된다.

인장응력 $$\sigma = \frac{\Delta PDL}{2hL} = \frac{\Delta PD}{2h} = E\varepsilon_r \tag{2.68}$$

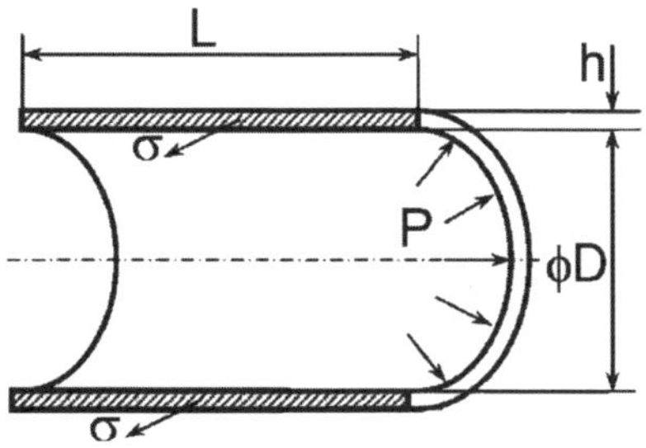

그림 2.19 관로 벽면의 반경방향 변형

변형률 $$\varepsilon_r = \frac{\pi(D+\Delta D)-\pi D}{\pi D} = \frac{\Delta D}{D} \tag{2.69}$$

직경변화 $$\Delta D = \frac{\Delta P D^2}{2Eh} \tag{2.70}$$

체적변화 $$\Delta V_{LR} = \frac{\pi}{4} L\left\{(D+\Delta D)^2 - D^2\right\} = \frac{\pi L}{4}\Delta D(2D+\Delta D) \tag{2.71}$$

유압식 동력 시스템에 사용되는 배관의 실제치수와 변수들을 고려하면, ΔD는 $2D$에 비하면 매우 작다. 따라서 식 (2.71)은 다음과 같이 단순화 될 수 있다.

$$\Delta V_{LR} = \frac{\pi L}{4}\Delta D(2D) = \frac{\pi}{4} D^2 L\left(\frac{D}{Eh}\right)\Delta P \tag{2.72}$$

그림 2.20은 축방향 압력 힘의 영향을 보여준다. 축방향 벽면 변형에 의한 체적변화는 다음과 같이 계산 된다:

인장응력 $$\sigma = \frac{\pi D^2 \Delta P}{4\pi D h} = \frac{D\Delta P}{4h} = E\varepsilon_a \tag{2.73}$$

변형률 $$\varepsilon_a = \frac{\Delta L}{L} \tag{2.74}$$

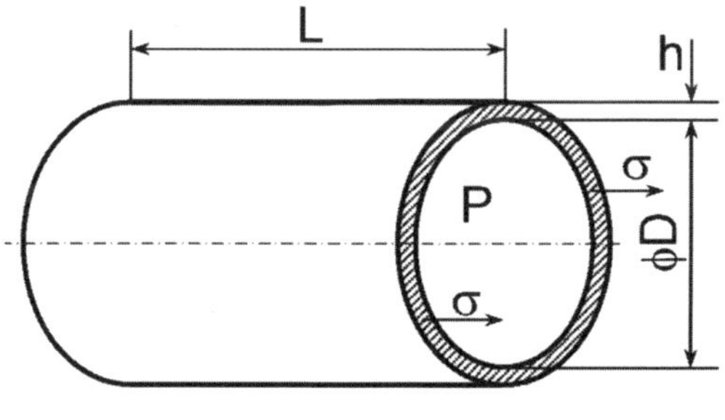

그림 2.20 관로 벽면의 축방향 변형

길이변화 $$\Delta L = \frac{\Delta PDL}{4Eh} \tag{2.75}$$

체적변화 $$\Delta V_{LA} = \frac{\pi}{4}D^2\Delta L = \frac{\pi}{4}D^2L\left(\frac{D}{4Eh}\right)\Delta P \tag{2.76}$$

따라서 관로체적의 전체변화는 식 (2.77)과 같다.

$$\Delta V_L = \Delta V_{LR} + \Delta V_{LA} = \frac{\pi}{4}D^2L\left(\frac{5D}{4Eh}\right)\Delta P = V\Delta P\left(\frac{5D}{4Eh}\right) \tag{2.77}$$

식 (2.58), (2.59)및 (2.77)을 식 (2.61)에 대입하면 다음 관계를 얻게 된다:

$$\int\left(\sum Q_{\text{in}} - \sum Q_{\text{out}}\right)dt - \frac{V}{B}\Delta P = V\Delta P\left(\frac{5D}{4Eh}\right) \tag{2.78}$$

$$\int\left(\sum Q_{\text{in}} - \sum Q_{\text{out}}\right)dt = V\left(\frac{1}{B} + \frac{5D}{4Eh}\right)\Delta P = C\Delta P \tag{2.79}$$

여기서 $$C = V\left(\frac{1}{B} + \frac{5D}{4Eh}\right) \tag{2.80}$$

예제 2.1 아래의 유압 실린더의 각 체임버에 대해 연속방정식을 유도하라.

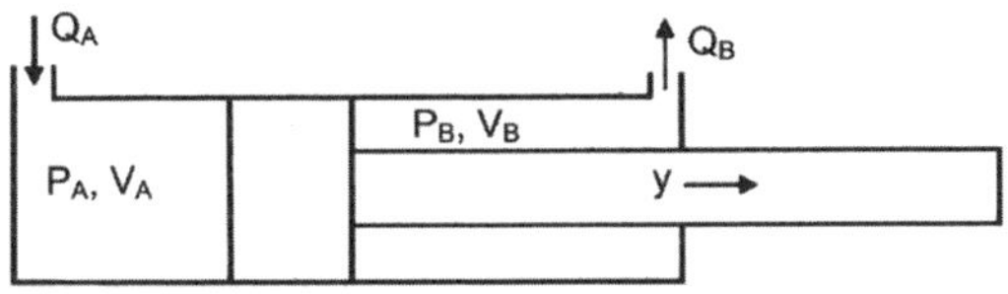

$$Q_A - A_P\frac{dy}{dt} = \frac{V_A}{B}\frac{dP_A}{dt}, \quad \text{여기서} \quad V_A = V_{Ao} + A_p y$$

$$A_r\frac{dy}{dt} - Q_B = \frac{V_B}{B}\frac{dP_B}{dt} \quad \text{여기서} \quad V_B = V_{Bo} - A_r y$$

여기서 A_P = 피스톤 헤드측 면적, m^2
A_r = 피스톤 로드측 면적, m^2
V_A = A 체임버의 오일의 체적, m^3
V_{Ao} = 피스톤측 체임버(chamber)의 초기 체적, m^3
V_B = B 체임버의 오일 체적, m^3
V_{Bo} = 로드측 체임버(chamber)의 초기 체적, m^3
y = 피스톤 변위, m

2.2.4 열팽창

일반적으로 오일의 체적은 온도에 따라 다음 식과 같이 변화 한다.

$$\Delta V_T = \alpha V \Delta T \tag{2.81}$$

여기서 V = 오일의 초기 체적, m^3

α = 일반적인 광물성 오일에 대한 열팽창계수, $\alpha = 0.0007\ K^{-1}$

ΔT = 온도 변화, °C

ΔV_T = 열팽창에 의한 오일의 체적 변화, m^3

장기간 견고한 용기에 밀폐된 오일의 경우, 오일 온도가 증가하면 압력이 매우 크게 증가할 수 있다. 유압 실린더에 가둬진 오일의 체적을 고려하는 경우, 실린더의 열팽창은 오일의 열팽창에 비해 무시할 수 있다. 따라서 온도가 올라가도 오일 체적은 그대로이므로 오일의 압축 체적과 열팽창 체적은 상쇄된다. 온도 변화 ΔT로 인한 압력 변화 ΔP는 다음과 같다. 오일의 전체 체적이 일정하다고 가정하면 $\Delta V = 0$이므로

$$\Delta V = \Delta V_T + \Delta V_C = 0 \tag{2.82}$$

$$\Delta V_C = -\frac{V}{B}\Delta p \tag{2.83}$$

$$\alpha V \Delta T - \frac{V}{B}\Delta P = 0 \tag{2.84}$$

또는

$$P = \alpha B \Delta T \tag{2.85}$$

여기서 ΔV_C는 오일 압축성에 의한 체적의 변화, m^3

예제 2.2 견고한 용기에 갇힌 $\alpha = 0.0007$ 그리고 $B = 1$ GPa의 액체가 50°C의 온도증가에 놓여 있다. 만일 용기의 온도팽창을 무시할 수 있다고 가정하면, 오일의 압력은 35 MPa 증가한다.

2.2.5 증기압력

모든 액체는 그 표면 밖의 공간으로 분자들을 방출하면서 증발하려고 한다. 만일 제한된 공간이라면 분자들에 의한 분압은 단위 시간당 분자들이 액체를 떠나는 양과 액체로 다시 들어오는 양이 같아질 때까지 증가한다. 이러한 평형상태에서의 증기압력이 포화증기압력 (SVP)이다. 분자 활동은 온도가 증가하면 활발해진다. 또한 포화증기압 (SVP)보다 낮은 압력으로 주위 압력을 낮추면 매우 급격한 증발 즉, 끓음 현상이 발생한다. 더 높은 포화증기압은 더 많은 증발율로 이어진다. **포화증기압 혹은 간단히 표기하여 증기압**은 액체가 끓기 시작하는 압력으로 정의된다. 오일의 온도가 상승하면 이 압력은 높아진다.

포화증기압으로 오일 압력이 낮아지면 유압시스템에서 공동현상이 발생한다. **공동현상**이란 오일 속에서 증기로 채워진 공동의 생성과 붕괴를 의미한다. 증기 공동의 붕괴는 오일이 국부적으로 매우 빠르게 흐르게 한다. 용적식 펌프의 경우, 흡입압력이 오일의 증기압 이하로 낮아지면 공동현상이 발생한다. 펌프의 흡입관로 내에 형성된 증기공동은 펌프를 통과하면서 높은 압력 영역으로 이동하여 붕괴된다. 이때 매우 짧은 시간에 높은 속도로 가속된 오일이 펌프 부품의 침식을 일으킬 만큼 매우 높은 충격과 압력(7,000 bar까지)을 부품 표면에 가하게 된다(4.4절 참조).

2.2.6 윤활과 내마멸 특성

오일은 모든 움직이는 부품들의 접촉표면에 얇고 연속적인 윤활막을 입힐 수 있는 능력이 있어야 한다. 윤활 피막은 높은 부하력, 부족한 오일 공급, 그리고 낮은 점도로 인해 파괴될 수 있다. 이것은 침식으로 인한 마멸을 일으키게 된다. 오일의 윤활능력과 피막 강도는 화학적 성질과 직접적으로 연관되어 있으며, 특정한 화학적 첨가제에 의해 개선될 수 있다. 마멸은 침식 외에도 피로, 부식 등에 의해 발생된다.

2.2.7 적합성

오일은 베어링, 실, 페인트 등과 같이 유압시스템에 사용되는 다른 재료에 대해 충분한 적합성이 있어야 한다. 즉, 이들 재료의 어떤 성분과도 반응하지 말아야 하고 물리적 성질이 변하지 말아야 한다. 더욱이 오일이 유압시스템으로부터 새어 나오면 전선, 기계 부품 등과 같은 다른 시스템 부품과도 접촉하게 되므로 이러한 부품의 재료와도 적합성을 가져야 한다.

2.2.8 화학적 안정성

화학적 안정성은 유압 작동유의 중요한 성질이다. 이것은 장기간에 걸친 산화 및 열화에 저항하는 능력으로 정의된다. 모든 작동유는 가혹한 작동 조건하에서 원치 않는 변화를 겪게 된다. 아연, 납, 황동, 그리고 구리 같은 금속들은 특정한 작동유와 바람직하지 않은 화학반응을 일으킨다. 이러한 반응은 슬러지, 수지, 카본 같은 침전물을 생성하며, 밸브 통로를 막고, 밸브나 피스톤에 달라붙게 만든다. 이러한 침전물이 형성되면 작동유의 물리 화학적 성질이 변하게 된다. 즉, 작동유의 색이 짙어지고 점도가 증가하며 유해한 산이 만들어진다. 작동유의 안정성은 적합한 산화방지제를 첨가함으로써 개선될 수 있다.

2.2.9 산화 안정성

산화 안정성은 작동유가 공기 중의 산소에 반응하여 화학적 성질이 악화되는 것을 억제하는 능력이다. 특히 고온에서 사용되는 유압오일의 품질에 대한 매우 중요한 척도가 되며 노화에 대한 저항능력을 결정한다. 산화에 의한 유압유의 악화는 심각한 점도의 증가를 가져오고, 부식성의 유기산을 만들며, 주요 부품의 표면에 수지성 산화물을 입히는 결과를 초래한다.

2.2.10 거품 발생

모든 유체는 용해된 공기를 함유한다. 용해된 공기의 양은 온도와 압력에 의해 좌우된다. 일반적으로 광물성 오일은 체적 기준으로 10%까지 용해된 공기를 포함할 수 있다. 오일의 온도가 증가하거나 압력이 내려가면 용해된 공기는 방출된다. 이러한 방출된 공기는 분산된 기포 형태로 오일 중에 존재한다. 유입된 공기를 포함하는 오일이 저장탱크에 돌아오면 공기는 표면으로 올라오고 거품을 형성한다. 탱크와 오일 귀환 관로를 잘못 설계하면 공기방울과 거품이 만들어지게 된다. 거품이 생성되면 유압시스템에 심각한 문제를 야기한다. 따라서 모든 유압유에는 거품이 신속하게 없어지도록 하는 소포제가 첨가된다.

2.2.11 청정도

유압시스템에서의 청정도에는 많은 주의를 기울여야 한다. 항공분야와 같은 특수한 환경의 유압시스템은 오염에 매우 민감하다. 작동유의 청정도는 오염 물질이 부품고장을 일으키고, 밸브의 동작을 방해하며, 부품의 마멸을 일으키고 서보밸브의 응답시간이 길어지게 하므로 매우 중요하다. 공기, 물, 용해제 등이 오염 물질로 분류된다.

공기에 의한 오염

Henry의 법칙에 의하면, 임의의 체적을 갖는 임의의 액체 내에 용해된 임의의 기체의 양은 일정온도에서 그 액체와 평형상태에 있는 기체의 분압에 비례한다. 즉, 유압유내의 공기의 용해도는 유면 위의 절대압력에 선형적으로 비례하며, 정상적으로는 온도가 상승하면 감소하게 된다.

용해도는 *0°C* 및 표준 대기압에서 단위체적의 용해제에 녹아있는 기체체적으로 정의되는 Bunsen 계수로 평가된다. 그림 2.21은 일반적인 광물성 유압유의 공기용해도를 보여준다. 광물성 오일의 공기용해도는 다른 종류의 유압유에 비해 상대적으로 높다.

공기가 유압유 내에 용해되어 있는 동안에는 심각한 영향을 미치지 않는다. 그러나 용해되지 않은 상태의 공기는 다음과 같은 면에서 심각한 문제를 일으킨다:

- 유압유와 공기 혼합물의 체적탄성계수 감소
- 유입된 공기의 체적비율에 해당하는 양만큼 유압유의 밀도 감소
- 유압유 점도의 미세한 증가
- 유압시스템에서의 과도한 공기유입은 가동상태의 신뢰성 저하, 높은 소음 레벨, 펌프와 기타 부품들의 손상을 유발

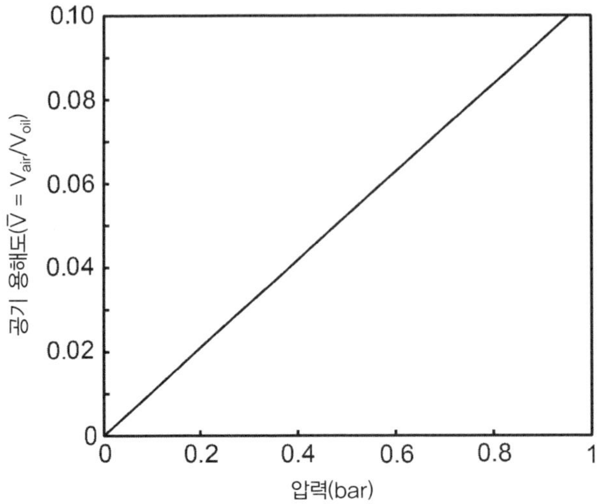

그림 2.21 일정 온도에서 일반 광물성 유압유 내 공기 용해도와 절대압력의 관계

유압펌프를 통과하는 공기 기포는 단열상태에서 급속히 압축되어 온도가 상승한다. 예를 들어, $T_i = 288.15$ K, $P_i = 100$ kPa(절대압력)의 표준 대기조건에서 미용해 공기의 초기체적이 V_i라고 하자. 압력이 P로 증가하면, 체적은 V가 되며 온도는 ΔT만큼 증가한다. 온도증분은 다음과 같이 계산된다:

$$P_i V_i^k = P_2 V_2^k = PV^k = \text{일정} \tag{2.86}$$

여기서 k는 단열지수 ($k = 1.4$)이며 압력은 절대압력이다.

즉,
$$\frac{P}{P_i} = \left(\frac{V_i}{V}\right)^k \quad \text{혹은} \quad \frac{V}{V_i} = \left(\frac{P_i}{P}\right)^{1/k} \tag{2.87}$$

또한,
$$P_i V_i = mRT_i \quad \text{그리고} \quad P_2 V_2 = mRT_2 \tag{2.88}$$

따라서,
$$\Delta T = T - T_i = T_i\left(\frac{P}{P_i}\frac{V}{V_i}\right) - T_i = T_i\left\{\left(\frac{P}{P_i}\right)^{\frac{k-1}{k}} - 1\right\} \tag{2.89}$$

식 (2.87)과 (2.89)는 급격한 압력상승에 의한 체적감소와 온도증가를 계산하기 위해 사용될 수 있다. 계산 결과는 그림 2.22와 2.23에서 보는 바와 같다. 이들 그림은 압력을 250 bar로 증가시키면 온도는 약 1,100°C로 증가하는 반면, 체적은 초기 값의 2%로 감소함을 보여준다. 결과적으로, 가열된 기포주위의 오일막은 심각한 열화로 인한 성능저하와 산화를 겪게 된다.

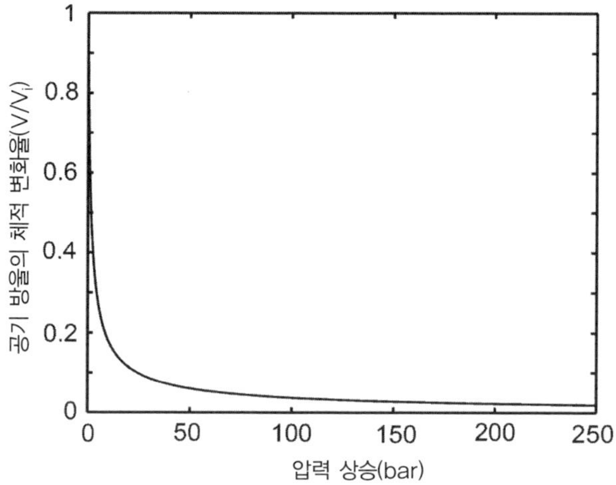

그림 2.22 압력 상승에 의한 공기 방울의 체적 변화(계산결과)

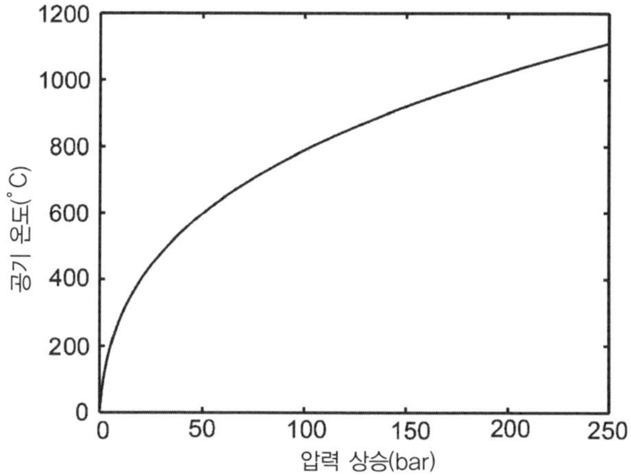

그림 2.23 압력 상승에 의한 공기온도의 변화(계산결과)

미용해 공기는 다음과 같은 이유로 인해 유압유 내에 존재하게 된다:

- 국부적 압력감소로 인해 용해된 공기의 방출
- 흡입관로 파이프 연결구, 마개 등에서의 공기유입
- 오일 탱크에서 공기에 노출된 상태로 자유롭게 쏟아지며 공기와 섞이는 귀환 오일
- 오일 탱크내 오일의 수위가 낮거나, 오일의 체류 시간이 짧은 경우
- 탱크 설계의 불량
- 적절하지 못한 유지, 보수

작동유는 가능하면 공기를 흡수하지 말아야 하고, 흡수하더라도 가능한 빨리 다시 방출하여야 한다. 이러한 요구조건은 화학첨가제를 사용하여 충족될 수 있다.

물에 의한 오염

물기저 유압유를 사용하지 않는 유압시스템은 오일에 포함된 물을 제거하는 것이 필수적이다. 그러나 이를 달성하기는 쉽지 않다. 다음은 물에 의해 오일이 오염되는 주요 원인들이다:

- 통기구(breather)를 통해 유입된 습한 공기의 응축. 일반적인 광물성 오일이 습한 공기로부터 수분을 흡수할 수 있는 능력은 그림 2.24에 나타난 바와 같이 공기의 습도에 비례한다.
- 수냉식 열교환기에서 누수 발생.
- 수분 함유 유압유를 오일 탱크에 보충.

오일의 수분 오염은 다음과 같은 나쁜 영향을 끼친다:

- 녹의 생성과 이로 인한 기계적 손상 유발.
- 녹 입자는 산화 슬러지를 생성하고, 유압 부품들의 심각한 오작동을 일으킬 수 있는 침전물을 증대시킬 수 있다.
- 유압유와 함께 순환하는 녹 입자들은 마찰 마멸을 일으킬 수 있다.
- 동작부 실에 발생된 녹의 퇴적은 실의 마멸을 가속시키고 유압유의 누설을 증가시킨다.
- 오일에 용해된 수분은 볼 베어링과 응력을 받는 합금철 부품의 피로강도를 낮춘다.

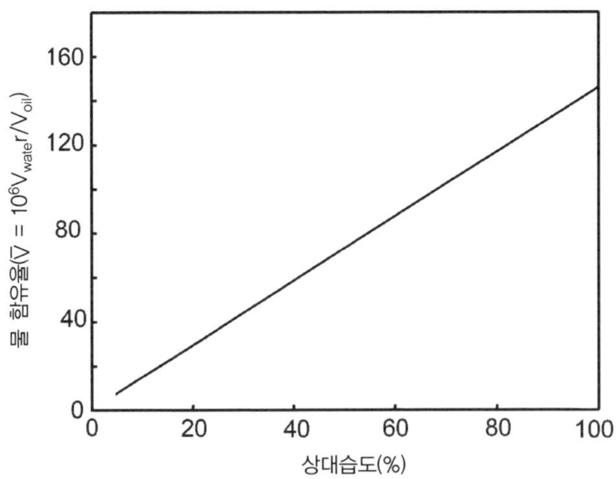

그림 2.24 일정 온도에서 일반 광물성 유압유의 수분 농도와 상대습도의 관계

다음은 수분 함유량을 줄이기 위한 대처 방법들이다.

- 오일 탱크의 최저점에 위치한 배수구를 통해 정기적으로 미용해된 물과 슬러지를 배출한다. 이를 위해 오일 탱크의 적절한 설계와 바닥 경사가 중요하다.
- 유압유는 물로부터 분리될 수 있는 능력을 가져야 한다. 매우 높은 순도의 광물성 오일과 특정한 합성유는 높은 수분 분리능력을 갖는다.
- 유압유로부터 수분 제거 기능을 가진 필터를 사용한다. 그러나 이 방법은 필터의 수분 제거 능력에 한계가 있기 때문에 상당한 양의 물에 의해 연속적으로 오염되고 있는 시스템의 경우에는 경제적이지 않다.

용해제에 의한 오염

용해제 오염은 외부 유체 오염의 심각한 경우로 근본적인 오염물은 염소화 용매이다. 염소화 용매가 미량의 물과 결합하면 이들은 화학적으로 염산으로 변한다. 이 염산은 유압 부품의 내부 금속표면을 손상시키고 녹과 같이 심각한 부식을 일으킨다.

이물질 유체에 의한 오염

유압시스템은 물이나 염소화 용매가 아닌 이물질 유체에 의해서도 오염될 수 있다. 이러한 오염은 윤활유, 엔진 연료, 혹은 수리 중 실수로 잘못 주입된 부적합한 유압유에 의해 발생되며, 그 영향은 오염 물질의 종류, 양, 그리고 잔류 기간에 따라 증가한다.

2.2.12 열적 특성

유체의 유동점은 유체가 흐르기를 멈추는 온도보다 3°C 높은 온도이다. 일반적으로 유체가 사용되는 최저온도는 **유동점**보다 적어도 10°C가 높아야 한다.

인화점은 액체가 충분한 양의 증기를 발산하여 화염을 접근시키면 순간적으로 점화하거나 불이 붙는 온도이다. 유압유는 높은 발화점을 갖는 것이 바람직하다. 왜냐하면 높은 발화점은 연소에 대한 저항과 정상온도에서 낮은 증발성을 의미하기 때문이다. 요구되는 발화점은 가장 가벼운 오일에 대한 150°C에서부터 가장 무거운 오일에 대해 265°C까지 달라진다.

발화점은 액체가 충분한 양의 증기를 발생시켜 스파크나 화염에 노출되면 점화된 후 지속적으로 연소하는 온도이다. 인화점과 같이 높은 발화점은 기본적인 요구사항이다.

비열량은 단위질량 물질의 온도를 1° 올리는데 필요한 열에너지의 양이다. 이것은 일반적으로 kJ/kgK 혹은 kcal/kg로 표시된다. 정압에서 비열량(C_P)은 온도와 연관되고 비열량 자체는 압력에는 거의 영향을 받지 않는다. 광물성 오일과 합성 탄화수소의 경우 50°C의 온도에서 $C_P = 2060$ J/kgK의 값을 가진다.

열전도도는 열에너지를 전달할 수 있는 능력이며 보통 W/mK의 단위로 표시된다.

광물성 오일과 합성 탄화수소의 경우 열전도도는 약 0.12 W/mK이다.

2.2.13 산도

이상적인 유압유는 금속의 부식을 일으키는 산 성분이 없어야 한다. 대부분의 유압유는 가혹한 작동조건하에서 부식성이 없는 상태를 유지하기 어렵다. 유압유의 산도는 처음에는 만족스러워도 사용 후에는 점차 악화되면서 부식성을 띠게 되는 경향이 있다.

2.2.14 독성

독성은 독극성의 성질, 상태 혹은 정도로 정의된다. 어떤 작동유들은 심각한 독성 위험이 있는 화학물질을 포함한다. 이러한 독성 혹은 독극성의 화학물질은 호흡기, 피부 혹은 눈이나 입을 통해 몸으로 유입될 수 있다. 그 결과로 질병을 유발하며 경우에 따라서는 사망에 이르게 한다. 유압유의 제조사들은 독성 화학 물질을 포함하지 않는 오일을 생산하기 위해 노력하므로 대부분의 유압유에는 해로운 화학물질이 들어 있지 않다. 그러나 일부 발화 방지 유체는 독성이 있으며, 이것들을 취급할 때에는 적절한 보호장치와 주의가 필요하다.

2.2.15 환경적으로 수용 가능한 유압유

최근 환경 오염을 방지하기 위해 많은 노력이 이루어져 왔다. 유압유들은 굴삭기, 불도저, 이동식 크레인, 그리고 옥외 장비등에 많은 양이 사용되므로 오일의 누설은 환경과 지하수를 심각하게 오염시킬 수 있다. 광물성 오일은 비교적 안정된 탄화수소계 화합물이며, 자연상태에서 마이크로 유기물에 의해 매우 천천히 분해된다. 따라서 보편적인 광물성 유압유에 의한 오염은 매우 긴 기간에 걸쳐 생태평형을 교란시킬 수 있다. 이러한 사실은 자연분해 가능한 제품에 대한 관심을 증가시켜 왔다. 미생물 자연분해는 산소의 도움과 함께 미생물을 통해 유압유를 유기물 재질로 분해하고 분해된 생산물로부터 양분을 추출하는 과정이다. 아래의 수치는 상업적으로 가용하고 환경적으로 수용 가능한 유압유로서 태양광, 물, 그리고/또는 미생물 활동에 노출되면 자연 상태로 생분해되도록 설계된 합성기저 오일의 기본 제원이다.

ISO VG	32/46	100°C 점도	7.3 cSt
40°C 점도	40.1 cSt	점도지수(VI)	149
비중	0.965	인화점	256°C
발화점	282°C	유동점	–56°C

생분해성; 21일내 생분해되는 비율 80%

2.3 유압유의 분류

2.3.1 일반 유압유

다음은 일반적으로 사용되는 유압유들이다.

- 순수 정제된 광물성 오일
- 방청 및 항산화 성질이 개선된 정제된 광물성 오일
- 방청, 항산화 및 내마멸 성질이 개선된 정제된 광물성 오일
- 방청, 항산화 및 점도–온도 성질이 개선된 정제된 광물성 오일
- 방청, 항산화, 내마멸 및 점도–온도 성질이 개선된 정제된 광물성 오일
- 특별한 내화성이 없는 합성유
- 높은 성분의 물 기저 오일(20%까지는 오일 + 최소 80%의 물)
- 수중 화학물 용해액(80% 이상 물)
- 유중수형 오일(60% 오일 + 40% 물)
- 물/고분자–물 글리콜(최소 35%, 최대 80% 물)
- 순수 화학 유체; 물이 포함 안됨.
- 인산 에스테르
- 염화 탄화수소
- 인산 에스테르와 염화 탄화수소의 혼합물

2.3.2 광물성 오일

광물성 오일은 가장 널리 사용되는 유압유이다. 이 오일은 상대적으로 저렴하고, 쉽게 구할 수 있으며, 적당한 점도 등급으로 제공될 수 있다. 양호한 윤활성을 가지고 부식성이 없으며 부틸고무를 제외한 대부분의 실링 재료에 적합하다.

광물성 오일은 적당한 작동온도에서 화학적으로 안정하다. 그러나 고온에서는 화학적 파괴가 일어난다. 우수 등급의 광물성 오일은 마멸, 산화 및 거품 생성을 방지하며, 점도지수와 윤활성 개선을 위해 첨가제들을 포함한다. 그러나 첨가제를 포함하여도 개선시킬 수 없는 광물성 오일의 단점도 있다. 두 가지 주요 단점은 가연성과 고압에서의 점도 증가이다. 화재 위험을 고려하여 사출성형 기계, 석탄 광산 및 용광로 근처 같은 위험한 지역에서는 광물성 오일의 사용을 금지시킨다. 점도-압력 특성으로 인해 1,000 bar 이하의 압력으로 사용범위가 제한된다(그림 2.3 참조).

2.3.3 난연성 유체

수중유 유화액

이 유압유는 물에 분산된 작은 오일 방울들로 구성된다. 주로 2~5% 사이의 수중 유화

희석액이며, 유체의 특성은 오일보다는 물에 가깝다. 이 유체는 매우 높은 난연성을 가지며 비압축성이고, 좋은 냉각성질을 갖는다. 주요 단점은 낮은 윤활성과 낮은 점도이다.

유중수 유화액

유중수 유화액은 가장 보편적인 난연성 유체로서 작은 물방울이 분산된 오일이다. 이로 인해 윤활성은 매우 감소하나, 펌프를 저속으로 구동시킴으로써 제한적으로 극복된다. 따라서 필요 유량을 얻기 위해 큰 용적형 펌프가 필요하게 된다. 보통 희석 정도는 오일 60% + 물 40%이다. 최적의 수명을 위해 작동온도는 25°C를 넘지 말아야 하나, 50°C까지는 간헐적인 작동이 허용된다.

더 높은 온도에서는 오일 내 수분이 증발하여 유화액의 난연 성질을 떨어뜨린다. 장시간 시스템이 무부하로 동작하면 오일과 물이 분리되는 경향이 있다. 그러나 정상 가동 시 펌프가 유체를 다시 유화시킨다.

물–글리콜 유체

이 유체는 연소성이 매우 낮기 때문에 항공기에 사용할 목적으로 개발되었다. 그러나 물 함유로 인해 고온에서는 사용될 수 없어 사용이 제한된다. 이 유체의 윤활능력은 광물성 오일보다 열등하며 화학적으로는 대부분의 도료를 손상시킨다. 그러나 전단에 대해 매우 안정적이고 결빙이 안 되는 성질은 특별히 저온에서의 사용에 적합하다.

합성유

인산 에스테르 같은 합성유는 매우 강한 난연성을 갖는다. 큰 화재가 발생할 수 있는 플라스틱 사출 장비와 다이캐스팅장비에 사용되며 윤활 능력은 광물성 오일과 거의 유사하다.

인산 에스테르와 함께 사용되는 탄성중합체는 신중하게 선택해야 한다. 특정 실리콘 고분자나 부틸고무에는 적합하나 특정 금속, 특히 알루미늄과 대부분의 도료는 화학적으로 침투되기 쉽다. 합성유는 다음과 같은 관점에서 광물성 오일과 비교하여 우수하다:

- 열안정성
- 산화 안정성
- 점도–온도 성질, 점도지수(VI)
- 낮은 온도에서의 유동성
- 작동 온도 한계
- 난연성

그러나 광물성 오일은 다음의 관점에서 장점을 가진다.

- 가수분해 안정성
- 부식 보호
- 무독성
- 탄성 중합체 등과의 적합성
- 첨가제의 용해성
- 마찰 특성
- 비용과 가용성

2.4 첨가제

대부분 등급의 유압유는 정제된 탄화수소 기저 오일(석유계 오일)과 기저성질을 개선하기 위한 적절한 첨가제로 구성된다.

유압유에서 사용되는 주요 첨가제들의 종류는 다음과 같다:

- **산화방지제**는 산소/공기와의 화학적 반응에 견디고, 부차적 성능저하를 막기 위해 사용된다. 특히 높은 온도에서 사용될 때 필수적이다.
- **부식억제제**는 녹을 형성하는 전기화학적 반응에 필요한 산소와 물의 침투를 효과적으로 차단하는 분자 층을 금속표면에 형성한다.
- **소포제**는 거품의 표면에 이질의 미세한 부분막들을 형성하고, 이 작은 막들의 낮은 표면장력으로 인해 기포가 붕괴되도록 유도한다.
- 높은 열안정성을 갖는 내마멸성 **첨가제**
- **점도지수 개선제**
- **유동점 억제제**
- **마찰개선제**는 특정한 조건에서 스틱 슬립 현상이 발생하지 않고 부드러운 운전이 가능하게 한다.
- **세정제**는 표면 침전물을 제거하는 작용을 한다.

2.5 유압유에 대한 요구조건들

다음은 유압유에 대한 주요 요구조건들이다:

- 전체 작동온도 범위에 걸친 만족스런 유동성
- 온도 변화에서도 적당한 점도의 유지를 보장하는 높은 점도지수
- 마멸을 줄이고 유압 부품의 수명을 증가시키기 위한 양호한 윤활성

- 공동현상을 피하기 위한 낮은 증기압
- 유압시스템에 사용되는 어떤 재료와도 화학반응을 일으키거나 물리적 성질을 악화시키지 않는 적합성
- 오일의 수명을 증대시키며 성능저하를 막기 위한 화학적 안정성
- 효과적인 부식억제제를 첨가함으로써 얻어지는 내부식성
- 급속한 기포 제거 및 공기 분리능력
- 부품들 사이의 마찰과 유압손실로 인해 생성된 열을 신속하게 소산시키기 위한 높은 열전도성
- 특수한 경우에 요구되는 난연성
- 전기적 절연성
- 친환경성

표 2.1은 두 개의 일반적인 광물 기저 유압유의 제원을 보여준다.

		VG32	VG68
밀도 (at 15°C), kg/m^3		869	878
유동점, °C		–45	–36
발화점, °C		212	252
최저 기동 온도, °C		–32	–21
예상 작동 범위, °C		–14 to 67	0 to 87
동점도, cSt	at 40°C	32.2	67.9
	at 100°C	6.4	10
점도지수		156	132

표 2.1 일반 사계절용 광물성 유압유의 제원

2.6 연습문제

1. 일정한 직경의 유압 전달관로에서 층류유동의 압력손실과 동력손실에 대한 수식을 유도하라.
2. 유압 전달관로의 저항 R에 대한 수식을 유도하고 두 관이 병렬과 직렬로 연결될 때 각각의 유효 저항을 구하라.
3. 관로의 유압관성에 대한 식을 유도하라.
4. 직렬 또는 병렬로 연결된 두 관로의 유압관성을 각각 구하라.
5. 오일의 체적탄성계수를 정의하고, 오일-공기 혼합물의 등가 탄성계수를 유도하라.

6. 병렬 또는 직렬로 연결된 두 개의 유압관로의 유압 커패시턴스에 대한 식을 유도하라.

7. 강체 용기에 담긴 액체의 온도가 ΔT증가할 때 압력증가에 대한 식을 유도하라.

8. 유압시스템의 기능에 미치는 포화증기압의 영향을 간략하게 설명하라.

9. 체적탄성계수 $B = 1.4$ GPa인 액체의 압력이 10 MPa만큼 증가하였을 때 체적변화율을 계산하라.

10. 유압파이프의 직경 D, 길이 L, 벽두께 h, 재료의 체적탄성계수 E, 오일의 체적탄성계수 B라고 할 때, 관로의 유압 커패시턴스는 다음과 같음을 증명하라:

(a) $C = \dfrac{\pi D^2 L}{4B}$, 파이프 벽의 변형 무시

(b) $C = \dfrac{\pi D^2 L}{4}\left(\dfrac{1}{B} + \dfrac{D}{Eh}\right)$, 파이프 재질의 반경방향 변형 고려시

(c) $C = \dfrac{\pi D^2 L}{4}\left(\dfrac{1}{B} + \dfrac{5D}{4Eh}\right)$, 파이프의 반경 및 축방향 변형 고려시

11. $D = 10$ mm, $L = 3$ m, $B = 1.3$ Gpa, 벽두께 $h = 1$ mm, 벽재질의 탄성계수 $E = 210$ GPa로 주어지고, 압력 변화율 $dP/dt = 13.4$ MPa/s인 경우에 관로의 입구유량과 출구유량의 차이를 계산하라.

12. (a) $L_1 = L_2 = 10$ mm, $D = 8$ mm, $c = 2$ μm, $\mu = 0.02$ Ns/m^{2}으로 주어진 경우, 아래의 스풀 밸브에 대한 점성마찰계수를 유도하고 그 값을 계산하라.

(b) 스풀이 회전운동을 할 때, 점성마찰계수에 대한 식을 유도하고 값을 계산하라.

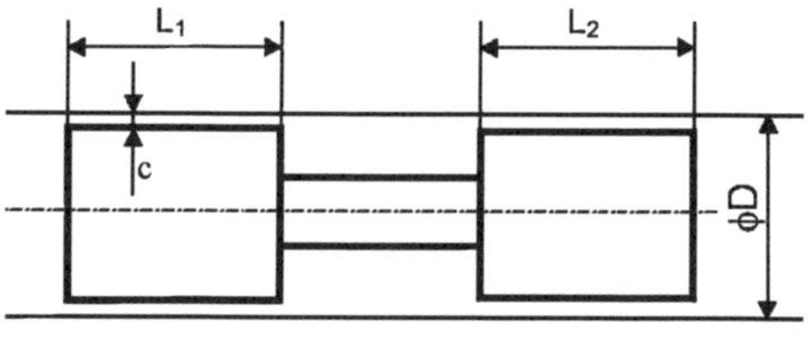

13. $D = 12$ mm, $c = 7$ μm, $L = 20$ mm, $\mu = 0.018$ Ns/m^2, $P_P = 21$ MPa, $P_T = 0$의 경우, 반경방향 틈새 누설 Q_L과 누설에 대한 저항 R_L을 계산하라. c의 값을 100 μm까지 변화시켜 다시 계산하고 $Q_L(c)$ 관계를 그려라.

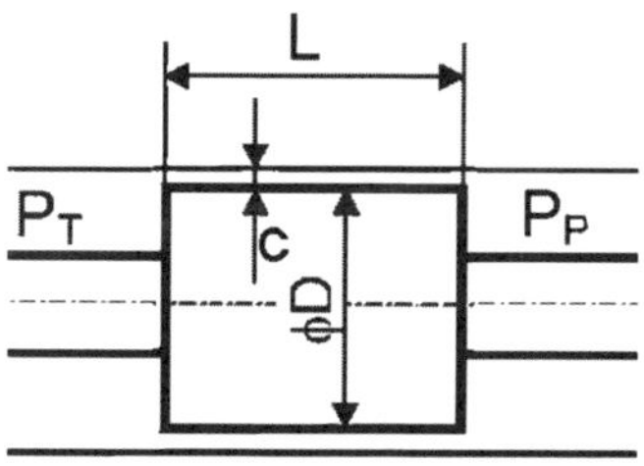

14. 아래의 밸브에 대하여 (a) 스풀 양단에 가해진 차압과 스풀변위간의 전달함수 $X(s)/\Delta P(s)$를 유도하라. 여기서 $\Delta P = P_1 - P_2$이다.

(b) ΔP가 4 bar 크기의 계단함수일 때 과도응답을 계산하고 그려라.

단, 스풀 질량 $m = 0.07$ kg, 스풀 직경 $D = 8$ mm
스프링계수 $k = 20$ kN/m, 반경방향 틈새 $c = 4$ μm
스풀 랜드 길이 $L = 10$ mm, 오일 밀도 $\rho = 866$ kg/m^3
오일 점도 $\mu = 0.2$ Ns/m^2

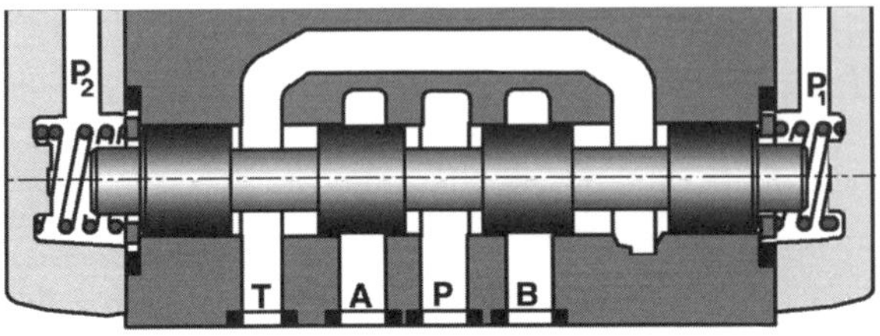

15. 교축밸브 A_t의 상류압력을 계산하라. 관로에서 층류유동을 가정하고 이 가정을 확인하라.

단, 펌프유량 $Q = 14$ L/min, 오일 밀도 $\rho = 866$ kg/m^3,
점도 $\mu = 0.0185$ Ns/m^2, 교축밸브 면적 $A = 3$ mm^2
유량계수 $C_D = 0.611$, 기타 제원들 $D_1 = 14$ mm, $D_2 = 8$ mm,
$D_3 = 10$ mm, $L_1 = 1.3$ m,
$L_2 = 2$ m, $L_3 = 1.5$ m

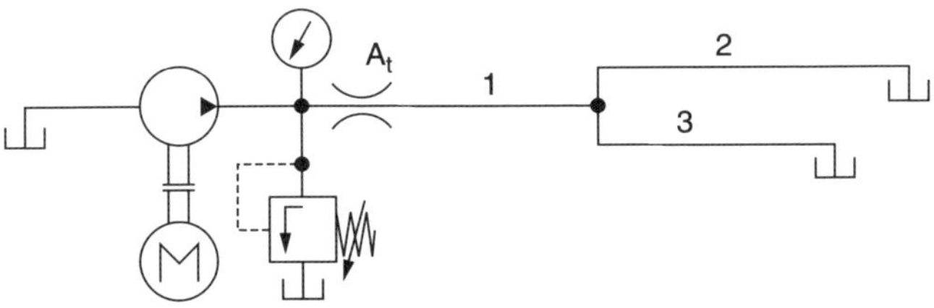

16. 유압탱크가 개방상태이고 흡입관로의 길이가 1 m, 직경이 15 mm일 경우, 60 L/min를 송출하는 펌프의 입구압력을 계산하라. 단, 동점성계수 $\nu = 0.2$ cm^2/s, 오일 밀도 $\rho = 900$ kg/m^{3}이다.

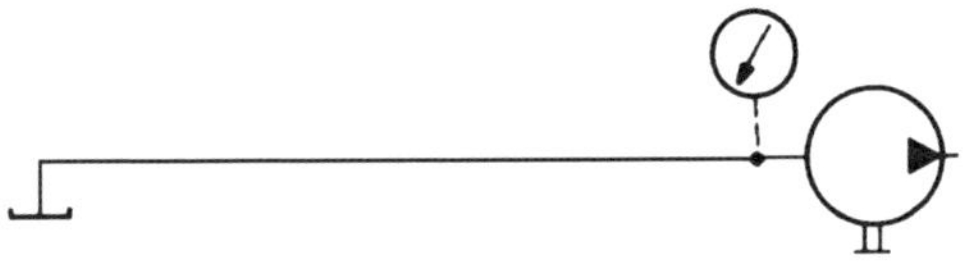

17. 유량 $Q = 10$ L/min, 오일 밀도 $\rho = 850$ kg/m^3, $L_1 = L_2 = 4$ m, $D_1 = 13$ mm, $D_2 = 8$ mm, 유체 동점성계수 $\nu = 20$ cSt의 경우, 아래에 주어진 관로에서의 압력손실을 계산하라.

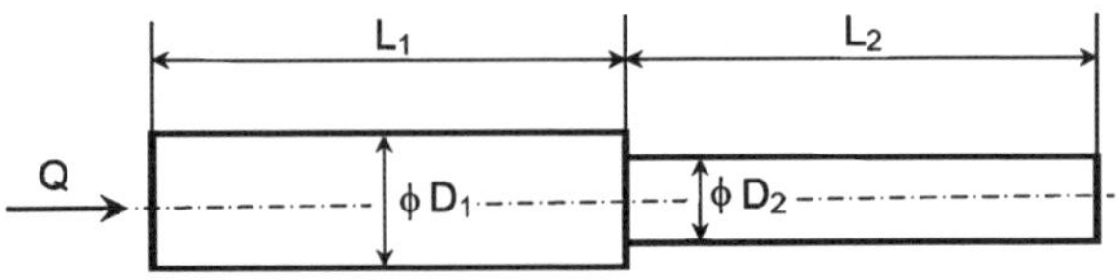

18. 아래 시스템에서 힘 F가 100 kN으로 증가할 경우 피스톤의 변위를 계산하라. 단,

피스톤 면적 $A_p = 0.0176\ m^2$,	파이프 벽면 두께 $h = 1$ mm,
파이프 관로직경 $d = 13$ mm,	파이프 길이 $L = 5$ m,
유체 체적탄성계수 $B = 1.4$ GPa,	실린더 벽면 두께 $t = 6$ mm,
초기 피스톤 위치 $x_0 = 0.5$ m,	금속의 탄성계수 $E = 210$ GPa,

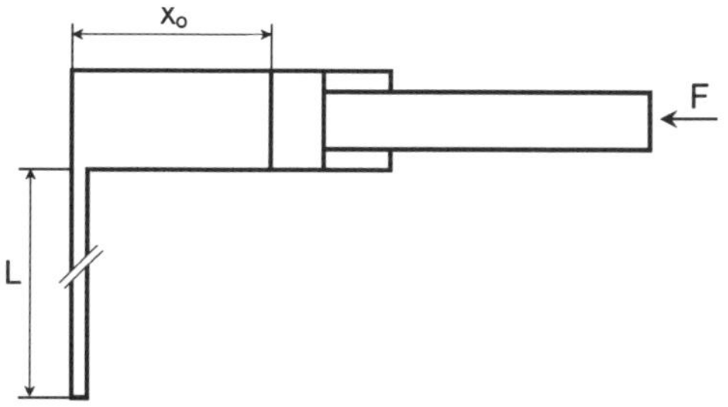

2.7 기호 설명

A = 원통의 단면적, m^2
a = 상수, m/s
A_p = 피스톤 헤드측 면적, m^2
A_r = 피스톤 로드측 면적, m^2
B = 체적탄성계수, Pa
B_e = 혼합물의 유효 체적탄성계수, Pa
c = 반경방향 틈새, m
C = 유압 커패시턴스, m^5/N
D = 오리피스 직경, 원통의 내경, 스풀 직경, m
F = 힘, N
f_v = 마찰계수, Ns/m
F_p = 유체 요소에 작용하는 압력 힘, N
F_τ = 유체 요소에 작용하는 전단력, N
k = 스프링계수, N/m
L = 파이프 길이, 스풀 랜드 길이, 누설 통로의 길이, m
m = 운동 질량, kg
n = 폴리트로픽 지수
P = 압력, Pa
Q_L = 누설유량, m^3/s
r = 틈새 중심으로부터의 반경방향 거리, m

Re = 레이놀즈수
R_L = 누설에 대한 저항, Ns/m^5
u = 유체 속도, m/s
v = 평균 유체 속도, m/s
V = 오일 체적, m^3
V_A = A 체임버의 체적, m^3
V_B = B 체임버의 체적, m^3
V_T = 오일과 가스 혼합물의 전체 체적, m^3
x = 스풀 변위, m
y = 속도 벡터에 수직인 방향의 거리, m
y = 피스톤 변위, m
α = 대기압에서 혼합물에 포함된 가스 체적의 비
α = 체적 열팽창계수, K^{-1}
ΔP = 반경방향 틈새에서의 압력차, Pa
ΔT = 온도 변화, °C
ΔV_C = 압축성에 의한 오일 체적의 변화, m^3
ΔV_T = 열팽창에 의한 오일 체적의 변화, m^3
λ = 마찰계수
μ = 동점성계수, Ns/m^2
ρ = 오일 밀도, kg/m^3
τ = 전단응력, N/m^2
ν = 점성계수, m^2/s

부록 2A 전달함수

선형시스템의 전달함수는 초기조건이 0일 때 라플라스 변환된 시스템 출력을 라플라스 변환된 시스템 입력으로 나눈 것으로 정의된다. 일반적으로 전달함수는 $G(s)$로 표현된다. 선형시스템의 전달함수를 구하기 위해서는 미분방정식을 라플라스 영역으로 변환해야 하며, 이는 (d/dt)를 s로 치환함으로써 이루어진다. 결과적으로 전달함수는 다음과 같은 형태를 갖는다:

$$G(s) = \frac{P(s)}{Q(s)}, \text{ 여기서 } P(s)\text{와 } Q(s)\text{는 } s\text{의 다항식} \tag{2A.1}$$

주어진 시스템이 물리적으로 의미가 있으려면, $P(s)$의 차수가 $Q(s)$의 차수보다 크지 않아야 한다.

초기조건이 0인 다음의 미분방정식에 의해 기술되는 입력 $x(t)$와 출력 $y(t)$간의 선

형방정식을 생각해 보자.

$$a_4 \frac{d^4y}{dt^4} + a_3 \frac{d^3y}{dt^3} + a_2 \frac{d^2y}{dt^2} + a_1 \frac{dy}{dt} + a_0 y = b_2 \frac{d^2x}{dt^2} + b_1 \frac{dx}{dt} + b_0 x \tag{2A.2}$$

식 (2A.2)에 라플라스 변환을 적용하면,

$$\left(a_4 s^4 + a_3 s^3 + a_2 s^2 + a_1 s + a_0\right) Y(s) = \left(b_2 s^2 + b_1 s + b_0\right) X(s) \tag{2A.3}$$

그러면,

$$G(s) = \frac{Y(s)}{X(s)} = \frac{b_2 s^2 + b_1 s + b_0}{a_4 s^4 + a_3 s^3 + a_2 s^2 + a_1 s + a_0} \tag{2A.4}$$

전달함수는 다음과 같이 얻어질 수 있다.

- 시스템 거동을 표현하는 방정식을 구한다.
- 비선형의 관계가 있으면, 선형화나 단순화 가정으로 선형 방정식을 얻도록 한다.
- 치환을 통해 관심대상이 아닌 변수를 제거하고 입력과 출력 변수들 사이의 관계만 남겨둔다.
- 예를 들어 $x(t=0) = x_o\ (\neq 0)$와 같이 초기치가 0이 아닌 변수가 있으면 $x_1 = x(t) - x_o$와 같은 새 변수를 대입한다. 새 변수 x_1의 초기값은 0이 된다.
- 라플라스변환을 적용하여 원하는 전달함수를 구한다.

부록 2B 파이프에서의 층류유동

층류유동에서는 개별적 유체 입자들의 이동 궤적이 서로 겹치지 않는다. 따라서 파이프 내의 유동은 서로 미끄러지는 동심 실린더들의 조합으로 생각될 수 있다. 파이프의 가운데에서 정상상태로 흐르는 길이 dx 그리고 반경 r의 유체실린더를 생각하기로 한다.

그림 2B.2에서와 같이 파이프 내를 흐르는 그림 2B.1에 나타난 실린더 형태의 유체요소를 고려하면, 정상상태에서는 유체속도가 일정하다. 즉, 시간에 따라서 변하지 않는다. 유체요소에 작용하는 힘들이 평형상태를 이루므로 실린더에 작용하는 전단력은 압력에 의한 힘과 같다.

$$2\pi r dx\,\tau = dpA = dp\pi r^2 \tag{2B.1}$$

또는

$$\tau = \frac{r}{2}\frac{dp}{dx} \tag{2B.2}$$

여기서 dp/dx는 압력구배이다. 이것은 x의 함수이다[$\neq f(r)$].

이 방정식은 전단응력이 거리 r에 선형적으로 비례함을 보여준다. 뉴톤 유체에 대

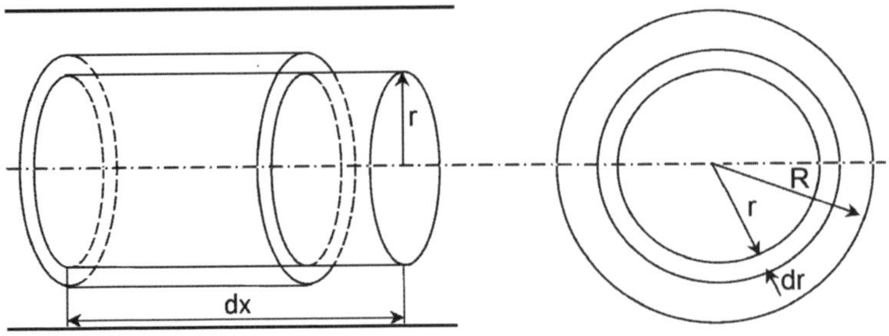

그림 2B.1 파이프 중심부를 흐르는 실린더 형태의 유체 요소

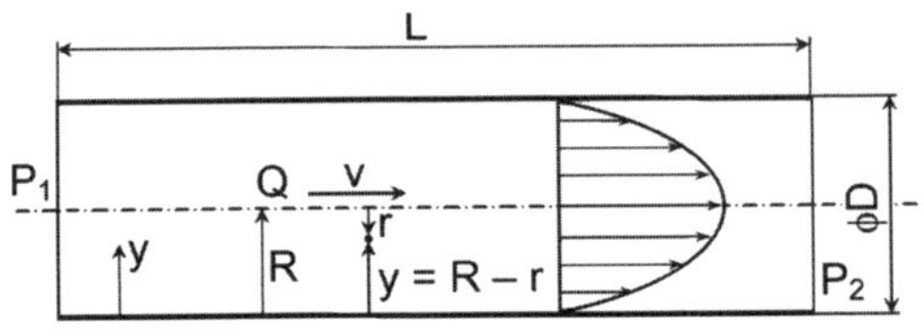

그림 2B.2 파이프 관로내 층류유동

해 속도분포는 다음과 같이 계산될 수 있다:

$$\tau = \mu\, du/dr \tag{2B.3}$$

$$y = R - r,\ du/dy = -du/dr \text{ 그리고 } \tau = -\mu\, du/dr \tag{2B.4}$$

$$\tau = \frac{r}{2}\frac{dp}{dx} = -\mu\frac{du}{dr} \tag{2B.5}$$

또는

$$\frac{du}{dr} = -\frac{r}{2\mu}\frac{dp}{dx} \tag{2B.6}$$

식 (2B.6)을 적분하면, 중심에서 r의 위치에 있는 지점의 속도에 대해 다음의 표현이 얻어진다.

$$u = -\frac{1}{2\mu}\frac{dp}{dx}\int r\,dr = -\frac{dp}{4\mu dx}r^2 + C \tag{2B.7}$$

파이프 벽면에서는 $r = R$ 그리고 $u = 0$이므로 적분상수값 C는 식 (2B.7)에서 다음과 같이 구해진다.

$$C = \frac{R^2}{4\mu}\frac{dp}{dx} \tag{2B.8}$$

파이프 중심으로부터 r의 지점에서 속도에 대한 표현은 다음과 같다:

$$u = \frac{R^2 - r^2}{4\mu}\frac{dp}{dx} \tag{2B.9}$$

파이프 중심축 즉, $r = 0$에서의 최대속도는 다음과 같다:

$$u_{max} = \frac{R^2}{4\mu}\frac{dp}{dx} = \frac{D^2}{16\mu}\frac{dp}{dx} \tag{2B.10}$$

즉, 속도분포는 $y = ax^2 + b$의 형태와 같이 포물선 형태를 띤다. 파이프 내의 유량은 다음과 같이 구해진다.

$$dQ = u(2\pi r dr) = \frac{\pi(R^2 - r^2)}{2\mu}\frac{dp}{dx} r\,dr \tag{2B.11}$$

길이 L의 파이프에 대해 압력구배는 다음과 같이 표현될 수 있다.

$$\frac{dp}{dx} = \frac{\Delta p}{L} \tag{2B.12}$$

그러면,

$$Q = \frac{\pi\Delta p}{2\mu L}\int_0^R (R^2 - r^2)\,r\,dr = \frac{\pi\Delta p}{2\mu L}\left(\frac{R^4}{2} - \frac{R^4}{4}\right) \tag{2B.13}$$

$$Q = \frac{\pi R^4}{8\mu L}\Delta p = \frac{\pi D^4}{128\mu L}\Delta p \tag{2B.14}$$

또는

$$\Delta P = \frac{128\mu L}{\pi D^4} Q = RQ \tag{2B.15}$$

R값은 유압 전달관로의 저항을 나타낸다.

식 (2B.15)는 파이프내 층류유동에 대한 하겐–포아젤(Hagen-Poiseuille) 식이다. 압력손실은 층류유동일 때 (Re < 2,300), 유량에 직접 비례함을 보여준다. 이것은 실험에 의해서도 검증된 것이다.

평균속도 $v = \frac{4}{\pi D^2} Q$, 혹은 $Q = \frac{\pi}{4} D^2 v$ (2B.16)

$$\Delta P = \frac{32\mu L}{D^2} v = \frac{64}{\rho v D/\mu}\frac{L}{D}\frac{\rho v^2}{2} \tag{2B.17}$$

따라서,

$$\Delta P = \lambda \frac{L}{D}\frac{\rho v^2}{2} \tag{2B.18}$$

여기서, $\lambda = \frac{64}{\text{Re}}$ = 마찰계수

$$\text{Re} = \text{레이놀즈수}; \ \text{Re} = \frac{vD}{\nu} = \frac{\rho v D}{\mu}$$

층류유동에서 평균속도 v는 다음과 같이 계산된다.

$$v = \frac{Q}{\pi D^2/4} = \frac{\Delta p}{32\mu L} D^2 = \frac{1}{2} u_{max} \quad \text{혹은} \quad v = 0.5 u_{max} \qquad (2B.19)$$

따라서, 파이프 층류유동의 경우,

- 전단응력은 반경 r에 선형적으로 비례한다.
- 속도분포는 포물선 형태를 띤다.
- 속도는 파이프 중심축에서 최대이고, 파이프 벽면에서 0이 된다.
- 평균속도는 최대값의 절반이다.

여기서, A = 면적, m^2
D = 파이프 내경, m
dx = 유체요소의 길이, m
P = 압력, Pa
r = 실린더 유체요소의 반경, m
R = 파이프 반경, m
R = 유압 저항, Pa s/m^5
u = 유체의 속도, m/s
v = 유체의 평균속도, m/s
τ = 전단응력, N/m^2
μ = 절대점도, Pa s

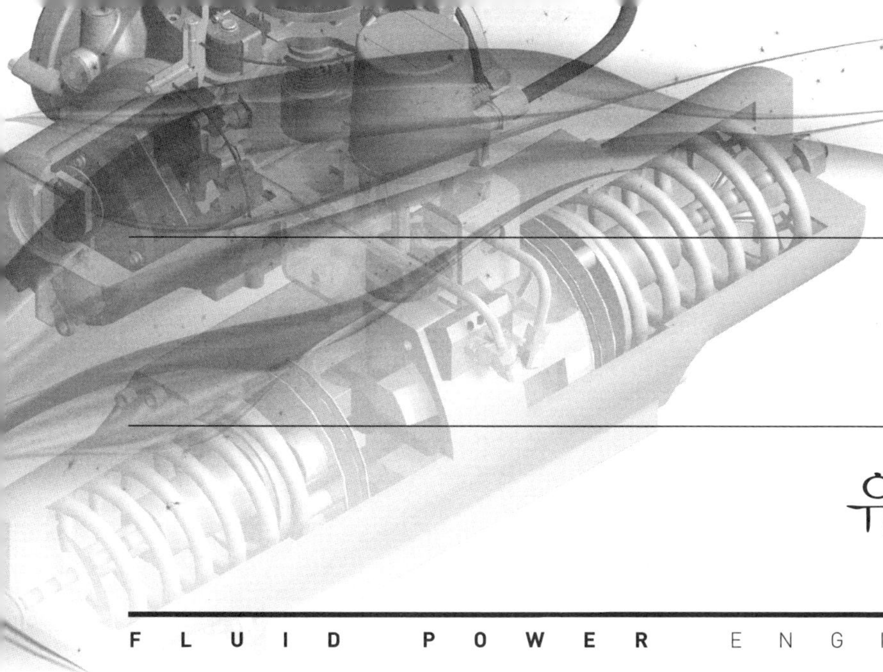

CHAPTER 3

유압 전달관로

Hydraulic Transmission Lines

FLUID POWER ENGINEERING

3.1 서론

유압 시스템은 유압동력의 전달을 위해 유압유를 사용한다. 유압 시스템의 요소들은 유압유가 통과하는 관로들로 연결된다. 이러한 관로들은 강체 파이프나 연질 호스로 이루어진다. 강체 파이프는 고정되어 진동이 없는 요소들을 연결할 때, 호스는 움직이는 부품을 연결할 때 사용된다. 동축 조인트는 상대적으로 회전하는 요소들 사이에 유압유를 전달하기 위해 사용된다.

유압 관로는 다음과 같이 유압 시스템의 정상상태와 과도거동에 중요한 영향을 미친다.

- 마찰손실; 관로의 유압 저항
- 국부적 또는 이차적인 압력손실
- 오일 압축성과 파이프 재료의 탄성; 관로의 유압 커패시턴스
- 오일 관성; 관로내 오일의 유압 관성

3장에서는 전달관로의 정적, 동적인 성능과 파이프와 호스 그리고 이들의 연결부품들을 소개한다.

3.2 유압 파이프

다음은 적당한 파이프의 선택과 관련된 기본 인자들이다:

- 재료
- 연결구
- 직경
- 길이
- 전달 유체 적합성
- 온도
- 압력 등급
- 설치 방법

고압 파이프는 대부분 탄소강으로 제조된다. 제조사들은 넓은 범위의 유량과 압력에 대응하기 위해 다양한 치수와 두께의 파이프를 생산한다. 표 3.1은 많이 사용되는 파이프의 대표적 사양들을 보여준다.

적당한 파이프 직경은 주어진 최대유량에 대해 유체속도를 지정함으로써 결정된다.

$$d = \sqrt{\frac{4Q_{\max}}{\pi v}} \tag{3.1}$$

여기서 d = 파이프 내경, m

$Q_{\max}$ = 최대 유량, m^3/s,

v = 평균 유체 속도, m/s

강체 파이프 내 평균 유체속도의 권장치는 일반적으로 고압 관로에 대해서 2~6 m/s이며, 흡입, 귀환, 그리고 저압 관로에 대해서 0.6~1.2 m/s이다. 파이프의 내경은 그림 3.1에 주어진 도표를 이용하여 선정할 수 있으며, 파이프 벽두께는 표 3.1에 제시된 대로 작동압력에 의해 정해진다.

적당한 관이음과 연결구의 선택은 파이프로 연결된 설비의 안전한 사용뿐만 아니라 정확한 동작을 위해 필수적이다. 연결구의 잘못된 선택은 누설, 파열 등의 고장을 일으킨다. 그림 3.2와 3.3은 대표적인 관이음과 연결구를 보여준다.

파이프의 적절한 설치는 파이프의 올바른 작동과 안전한 사용에 필수적이다. 아래에 나열된 사항은 그림 3.4에 보인 것처럼 유압 파이프의 적절한 설치를 위해 고려되어야 한다:

- 파이프는 관이음의 수를 줄이기 위해 굽혀질 수 있어야 한다. 이때 적절한 파이프 굽힘 장비를 사용한다(그림 3.4의 사례 1,2,3 참고).

파이프 직경 ϕ D (mm)	벽 두께 (mm)	작동 압력 (bar)	파열압력 (bar)	파이프 직경 ϕ D (mm)	벽 두께 (mm)	작동 압력 (bar)	파열압력 (bar)
4	1,0	300	1500	22	2,5	260	890
6	1,0	250	1300	25	2,0	150	600
6	1,5	480	1500	25	2,5	200	780
6	2,0	730	2600	25	3,0	240	940
8	1,0	180	980	25	4,0	340	1200
8	1,5	340	1500	28	2,0	130	570
8	2,0	510	2000	28	2,5	180	700
8	2,5	710	2400	28	3,0	210	840
10	1,0	150	780	30	2,0	120	520
10	1,5	270	1200	30	3,0	200	790
10	2,0	400	1500	30	4,0	280	1000
10	2,5	550	2000	35	2,0	100	450
12	1,5	220	980	35	3,0	170	670
12	2,0	320	1300	38	2,5	120	510
12	2,5	440	1600	38	3,0	170	620

표 3.1 고장력 유압 파이프의 일반적 사양

파이프 직경 ϕ D (mm)	벽 두께 (mm)	작동 압력 (bar)	파열압력 (bar)	파이프 직경 ϕ D (mm)	벽 두께 (mm)	작동 압력 (bar)	파열압력 (bar)
14	1,5	190	840	38	4,0	220	820
14	2,0	270	1100	38	5,0	280	1000
15	1,5	170	790	38	6,0	350	1200
15	2,0	250	1000	42	2,0	84	370
16	1,5	170	730	42	3,0	140	560
16	2,0	230	980	42	4,0	190	740
16	2,5	310	1200	50	3,0	120	420
16	3,0	400	1500	60	3,0	100	340
18	1,5	140	650	75	3,0	76	310
18	2,0	210	870	90	3,5	75	300
20	2,0	180	780	115	4,0	67	270
20	3,0	310	1200	140	4,5	63	250
20	4,0	440	1600	165	5,0	60	230
22	1,5	120	530	220	6,0	54	210
22	2,0	170	710	273	6,0	44	180

표 3.1 고장력 유압 파이프의 일반적 사양 (계속)

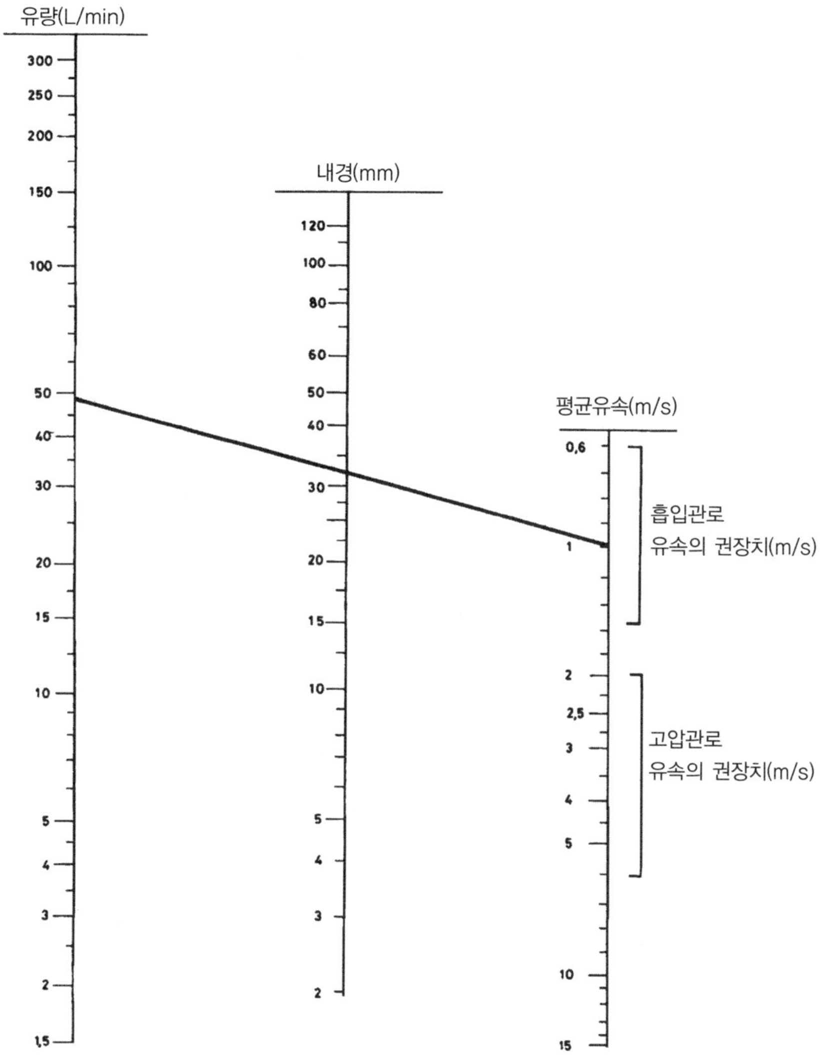

그림 3.1 파이프 내경 계산을 위한 도표

- 배관이 대칭을 이루도록 설계하면 배관의 설치가 용이하게 되며 정돈된 외관을 보여준다(사례 1).
- 가능하면 직선 연결을 피한다(사례 1, 2).
- 파이프 관로로부터 응력을 제거하기 위해 특별히 유의해야 한다. 긴 파이프는 브래킷과 클립으로 지지한다. 무거운 관이음, 밸브 등과 같이 파이프 관로에 설치되는 모든 부품들은 파이프의 피로 현상을 방지하기 위해 볼트 체결로 고정되어야 한다.

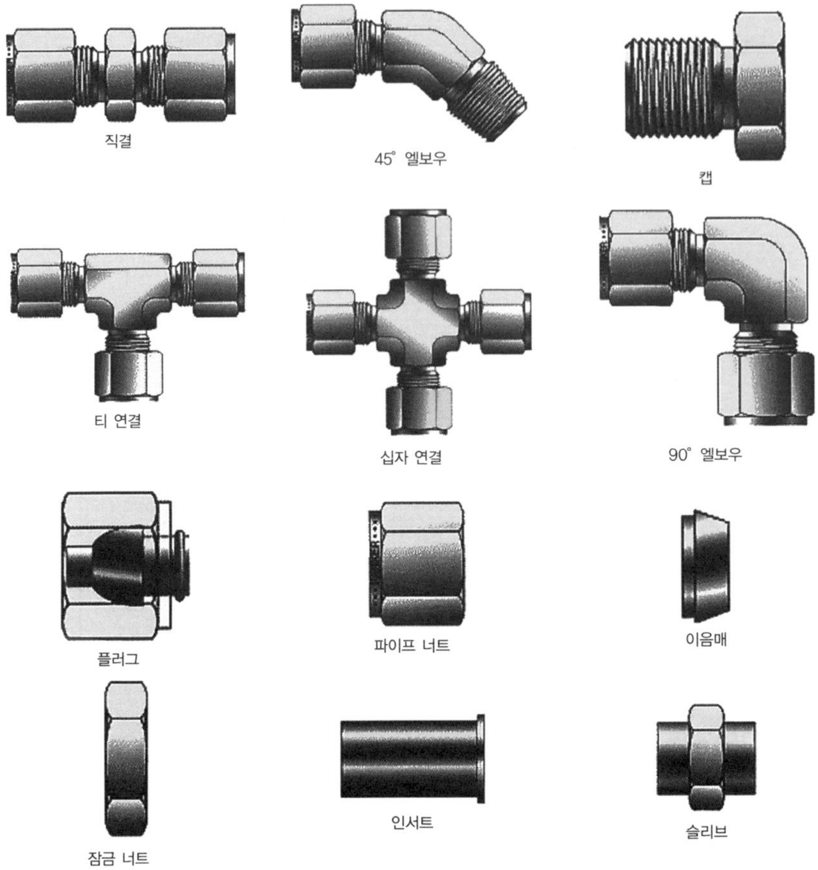

그림 3.2 많이 사용되는 관이음 및 연결구

- 파이프들은 관이음의 중심선과 틀어지거나 인장력이 걸리지 않도록 조립되도록 한다.

3.3 호스

호스는 서로 진동하거나 움직이는 유압 부품들을 연결하기 위해 사용된다. 호스는 배관의 유연성을 제공하고 고압에서도 동작할 수 있다. 적당한 호스 직경은 최대 유량과 유체 속도의 선정에 의해 결정된다.

$$d = \sqrt{\frac{4Q_{\max}}{\pi v}} \tag{3.2}$$

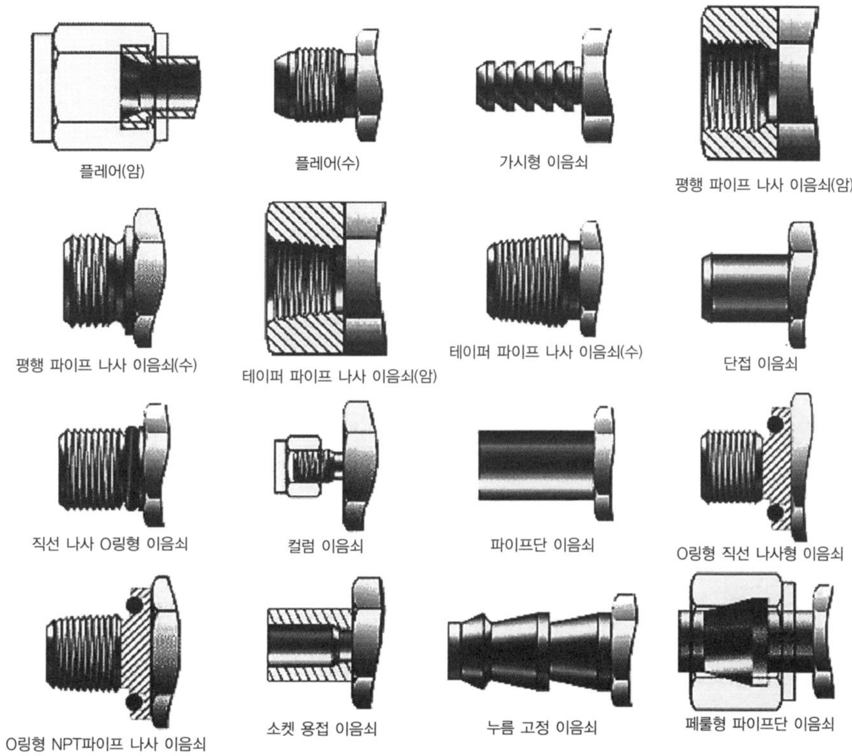

그림 3.3 많이 사용되는 이음쇠

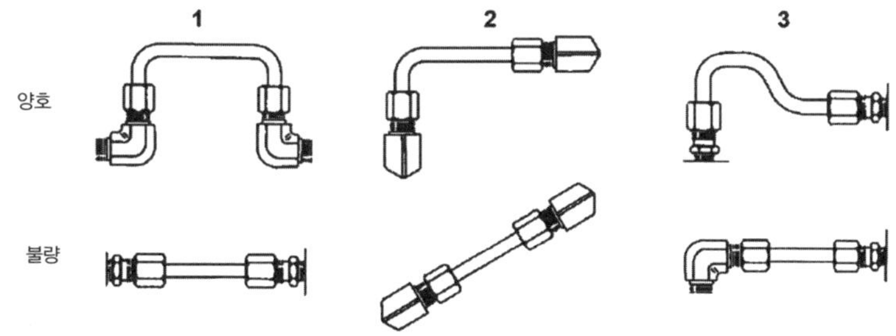

그림 3.4 파이프 설치 사례

여기서 d = 호스 내경, m,

Q_{max} = 최대 유량, m^3/s,

v = 평균 유체 속도, m/s이다.

연질 호스 내 평균 유속의 권장치는 고압관로에 대해서는 2.1에서 4.6 m/s 이내, 흡입, 귀환, 그리고 저압관로에 대해서는 0.6에서 1.2 m/s 이내이다.

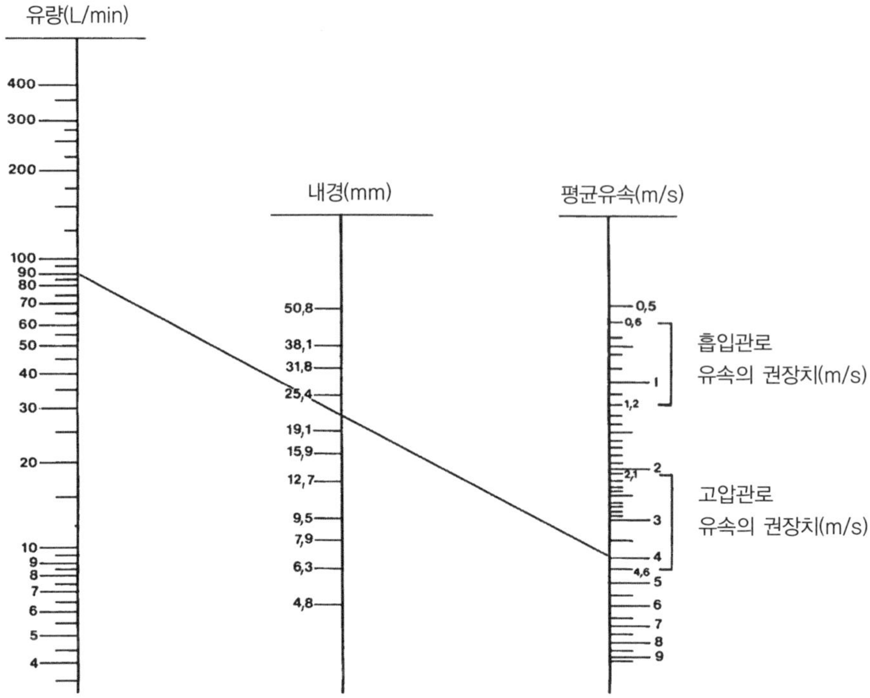

그림 3.5 호스 직경 계산을 위한 도표

호스 직경은 그림 3.5의 도표를 이용하여 구할 수 있다. 그림 3.6은 호스를 배관할 때 잘된 것과 잘못된 것에 대한 조언과 힌트를 제시한다.

표 3.2는 고압용 유압 호스의 대표적 구조 및 사용 조건들을 보여준다. 호스는 요구되는 강성과 내구성을 보장하도록 다음과 같이 여러 층의 소재들로 구성된다.

1. 오일과 탄화수소에 저항성이 있는 합성 고무파이프. 사용 온도는 40°C에서 120°C 이내이며, Viton소재의 내부 드레싱 층을 포함
2. 높은 내마멸성 금속 스크린 층
3. 내마찰 고무층에 의해 분리된 촘촘한 고장력 철선층
4. 내마멸성 합성고무 외피
5. 섬유층

1. 길이 변화를 고려한다

직선 호스 설치시 압력이 가해질 때 발생할 수 있는 길이 변화를 고려하여 호스 길이를 충분하게 길게 한다.

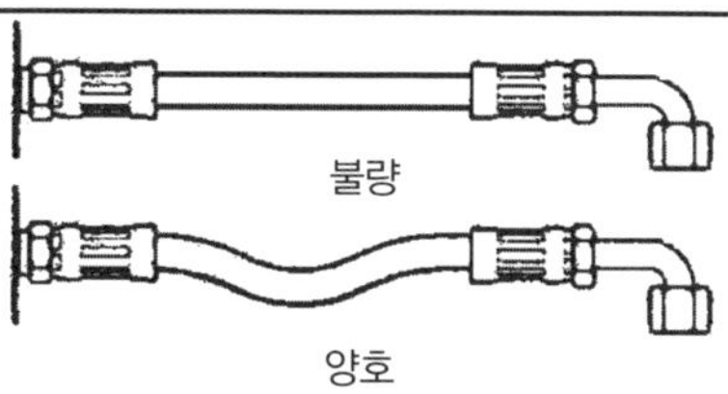

2. 꼬임을 방지하면서 방향을 바꾼다.

호스를 꼬이지 않게 한다. 이는 호스에 직선을 인쇄해서 방지할 수 있다. 꼬인 호스에 압력이 가해지면 적층 조직에 손상이 일어날 수 있다.

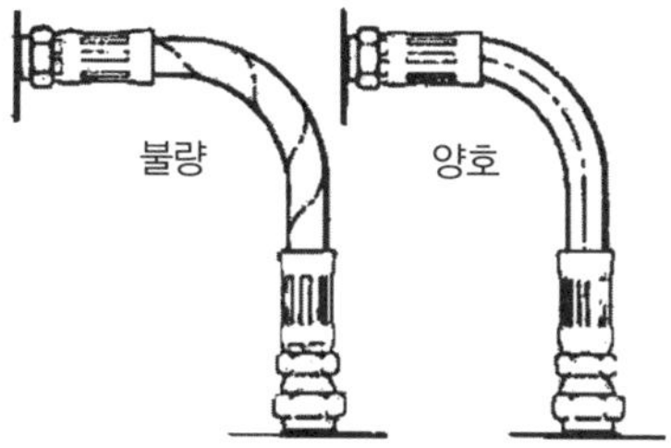

3. 위험환경으로부터 보호한다

주변의 고온은 호스의 수명을 단축시킨다. 열원으로부터 멀리하고 열전달을 차단한다.

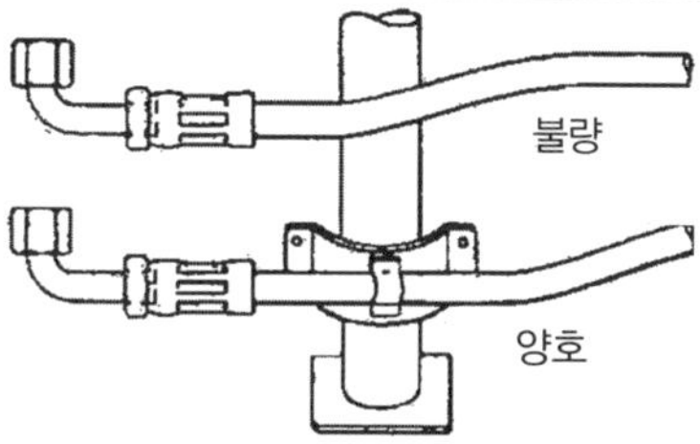

4. 기계적 응력을 피한다

호스에 응력이 발생되지 않도록 엘보우나 어댑터를 사용한다.

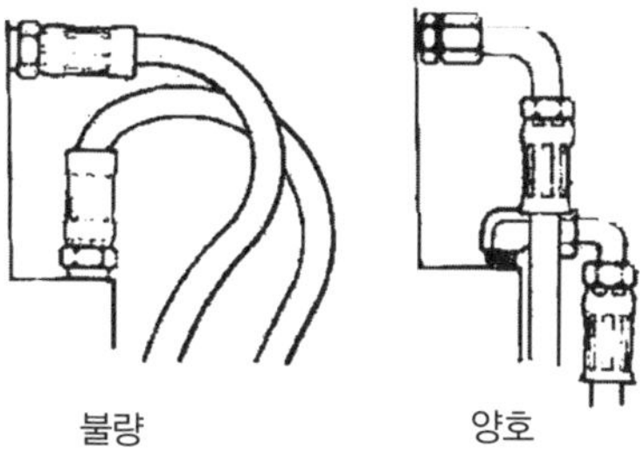

5. 적당한 곡률 반경을 확보한다

호스의 파열과 내부 유동저항의 증가를 피하기 위해 호스의 적절한 곡률 반경을 유지한다. 최소한의 곡률 반경은 옆 그림에 나타난 것처럼 호스 안쪽 곡면에서 측정된다.

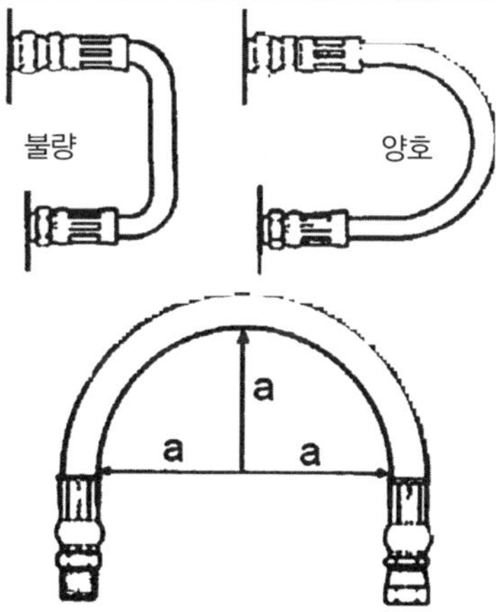

그림 3.6 호스 설치 요령

6. 호스가 쓸리지 않도록 고정한다

긴 호스를 지지하기 위해 클램프를 사용하거나 기계적 간섭으로부터 호스를 멀리 띄운다. 클램프는 호스가 움직여서 마멸되지 않도록 고정하는 데 사용된다.

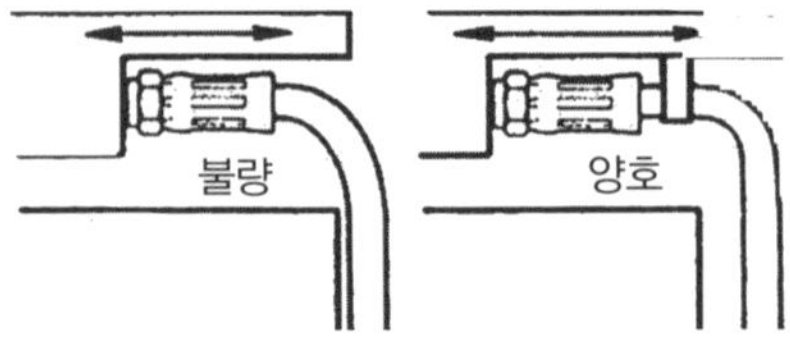

7. 호스의 부적절한 비틀림을 피한다.

기계 부품의 상대적 운동에 의해 호스가 꼬이는 것보다 굽혀지도록 설치한다. 항상 장비가 움직이는 평면에서 굽힘 변형이 일어나도록 설치한다.

그림 3.6 (계속)

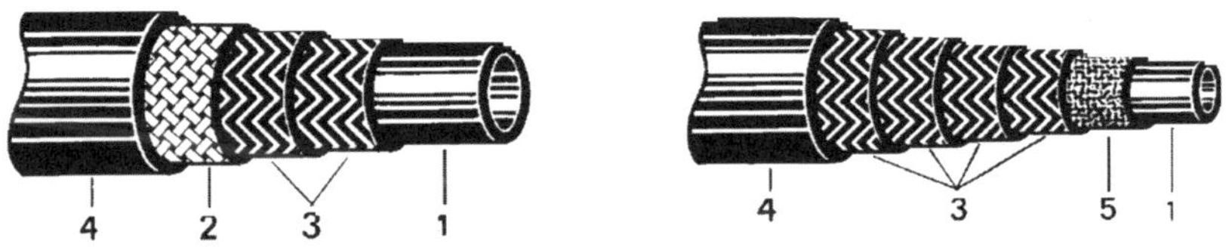

내경		외경	압력 (bar)		최소 곡률 반경
mm	inch	mm	최대 허용	파열	mm
9.52	3/8	21.4	350	1400	125
12.7	1/2	24.6	280	1100	180
19.1	3/4	31.7	210	850	240
25.4	1	39.7	210	850	305

표 3.2 일반적인 호스의 제원과 사용 압력

3.4 유압 관로의 압력손실과 동력손실

3.4.1 미소손실

유압시스템에서 미소손실(minor losses)은 유체 속도의 급격한 변화나 방향 변화에 의해 발생된다. 국부적으로 발생되는 미소 압력손실들은 다음 식으로 표현된다.

$$\Delta P = \xi \frac{\rho v^2}{2} \tag{3.3}$$

여기서 v = 유체속도, m/s,
ΔP = 압력손실, Pa,
ξ = 미소손실계수,
ρ = 유체밀도, kg/m^{3}이다.

층류유동에서는 국부적 교란에 의한 압력손실이 마찰손실에 비교하여 일반적으로 매우 작다. 난류유동에서는 국부적 손실계수가 기하학적 형상에 의해 주로 결정되고 레이놀즈수에 따라서는 거의 변화가 없다. 다음은 유압시스템에서 국부적 압력손실을 발생시키는 원인들이다.

- 점진적 또는 급격한 관로의 확대
- 점진적 또는 급격한 관로의 축소
- 완만한 또는 급격한 관로의 굴곡(엘보우)
- 분기
- 제어밸브

표 3.3은 대표적으로 국부적 손실을 초래하는 요소들에 대한 미소손실계수 값들을 보여준다.

그림 3.7과 3.8은 급확대 및 급축소 요소들을 각각 나타낸다. 급확대에 의한 미소압력손실은 다음 식으로 계산 된다:

$$\Delta P = \xi \frac{\rho v_1^2}{2}, \qquad \xi = \left(1 - \frac{A_1}{A_2}\right)^2 \tag{3.4}$$

혹은

$$\Delta P = \xi \frac{\rho v_2^2}{2}, \qquad \xi = \left(\frac{A_2}{A_1} - 1\right)^2 \tag{3.5}$$

국부적 손실 요소	ξ
임의로 구부러진 파이프 연결	0.3
표준 90° 엘보우	1.2~1.3
T 연결	3.5
파이프 입구	0.5~1
파이프 출구	1
스크린 필터	1.5~2.5

표 3.3 국부적 손실 요소들의 손실계수

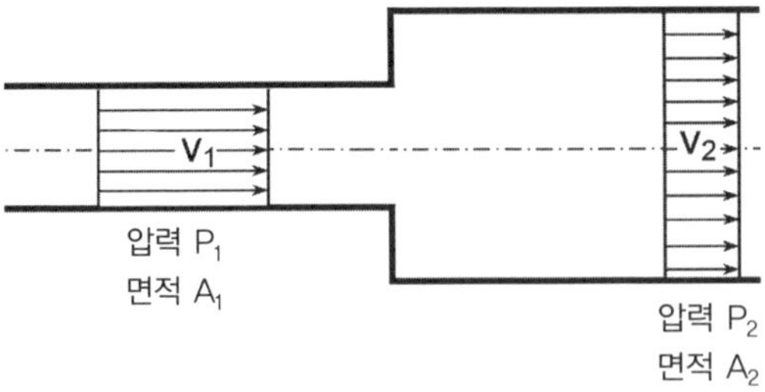

그림 3.7 급확대관

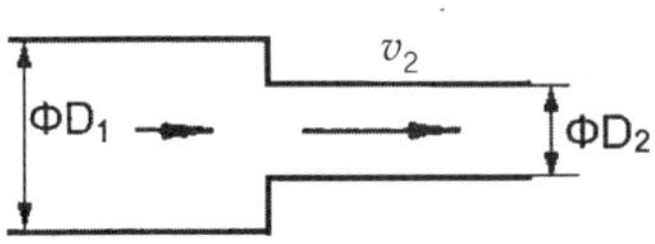

그림 3.8 급축소관

급축소에 대한 미소손실계수는 다음식과 같다.

$$\xi = 0.5\left(1 - \frac{D_2^2}{D_1^2}\right) \text{ 그리고 } \Delta P = \xi \frac{\rho v_2^2}{2} \tag{3.6}$$

급확대요소에 대한 미소손실계수의 값들은 표 3.4에 주어져 있다.

D_2/D_1	0.2	0.3	0.4	0.5	0.6	0.7	0.8
ξ	0.48	0.455	0.42	0.375	0.32	0.255	0.18

표 3.4 급축소관의 미소손실계수

3.4.2 마찰손실

파이프에서의 압력손실은 주로 형상, 표면조도, 유체 성질, 그리고 레이놀즈수에 의해 영향을 받는다.

유동의 대표적인 세가지 형태는 층류, 난류, 그리고 천이유동이다. 층류유동은 유체의 모든 입자들이 구별되고 분리된 유선을 따라 움직이는 점성유체의 유동이다. 뉴톤 유체에 대해서 파이프 단면에 걸친 속도분포는 파이프 벽면에서 0이 되며 파이프 중심에서 최대가 되는 포물선 형태이다(부록 2B 참조). 그림 3.9는 파이프에서 층류유동이 형성되는 과정을 보여준다. 층류유동이 완성될 때까지의 천이길이가 그림에 표시되어있다. 유동의 형태는 다음 식으로 표현되는 레이놀즈수(Re)에 의해 결정된다.

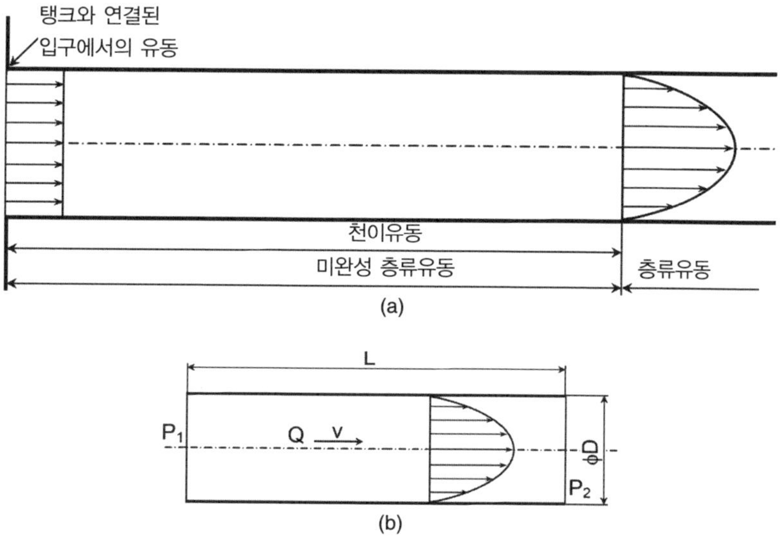

그림 3.9 파이프 입구의 층류유동 형성

$$\mathrm{Re} = \frac{vD}{\nu} = \frac{\rho v D}{\mu} \tag{3.7}$$

여기서 D = 파이프 내경, m
v = 평균 유속 = $4Q/\pi D^2$, m/s
μ = 점도, Pa s
ν = 동점성계수, m^2/s

파이프의 마찰손실은 다음 식에 의해 계산된다.

$$\Delta P = \lambda \frac{L}{D} \frac{\rho v^2}{2} \tag{3.8}$$

마찰계수는 표 3.5에 보이는 바와 같이 레이놀즈수에 따라 변한다.

층류유동에서 난류유동으로의 천이는 특정한 레이놀즈수에서 발생한다. 대략적으로 $\mathrm{Re} > 2300$이면 유동이 난류로 변한다고 말할 수 있다. 천이과정은 층류유동의 불안정성에 의한 현상이다. 임계 레이놀즈수가 일정하지 않은 것은 층류유동이 안정되게 형성될 수 없는 한계조건에서는 유체유동이 미세한 교란에 의해서도 쉽게 불안정해지는 것에 기인한다(펌프의 소음 같은 현상 발생).

층류유동의 경우, 식 (3.8)에 v와 Re를 대입하면 압력손실 ΔP에 대해 다음 식을 얻는다.

층류유동	$\lambda = \dfrac{64}{Re}$	Re < 2300	하겐-포아젤 공식, 1856
난류유동, 매끈한 관로	$\lambda = \dfrac{0.3164}{\sqrt[4]{Re}}$	2300 < Re < 10^5	블라시우 공식, 1915
	$\lambda = 0.0054 + 0.396(Re)^{-0.3}$	10^5 < Re < 0.2 × 10^6	허먼 공식, 1930
난류유동, 거친 관로	$\dfrac{1}{\sqrt{\lambda}} = -2\log\left(\dfrac{\varepsilon/D}{3.7} + \dfrac{2.51}{Re\sqrt{\lambda}}\right)$	난류유동의 모든 범위에 대해	콜브룩과 화이트, 1939
	무디 다이어그램 참조 (그림 3.10)		

표 3.5 관로 마찰계수의 계산식

$$\Delta P = \frac{128\mu L}{\pi D^4} Q = RQ \tag{3.9}$$

R은 유압 전달관로의 저항을 나타낸다.

3.5 유압 전달관로의 모델링

유압 전달관로는 실제로는 변수들이 분산된 시스템이다. 과도 상태에 있는 유체 운동은 가해진 압력뿐만 아니라 유체관성, 마찰, 압축성의 영향을 받는다. 오일의 속도, 압력, 온도는 파이프의 길이와 반경방향 위치에 따라서 변한다. 관로의 수학적 모델은 유체와 유동변수들의 변화를 모두 고려하면 매우 복잡하다. 따라서, 전달관로의 동적거동을 허용정확도내에서 표현하는 단순화된 수학적 모델이 필요하다. 비교적 정확한 모델은 다음의 가정을 바탕으로 얻어지는 **집중변수 모델**이다.

- 유동은 1차원의 층류유동이다(한 방향 유동).
- 유체 압력과 속도는 평균 값으로 취해지며 관로단면에서는 일정하다.
- 오일은 유체 관로 내에서 한 개의 덩어리(단일 집중모델) 또는 여러 개의 덩어리(다중집중모델)로 이동한다.
- 관로저항, 관성, 그리고 커패시턴스의 영향은 개별적으로 작용하며 각자 그림 3.11의 관로에서 세 개로 구분된 영역 중 하나에 집중된다. 전체 관로에서 저항의 역할은 첫 번째 부분에 집중되고, 관성의 영향은 둘째 부분, 그리고 관로 커패시턴스의 영향은 셋째 부분에 집중된다고 가정한다.

첫 번째 부분에서 유체는 마찰력의 작용 하에 한 덩어리로 이동한다. 따라서, 이 부

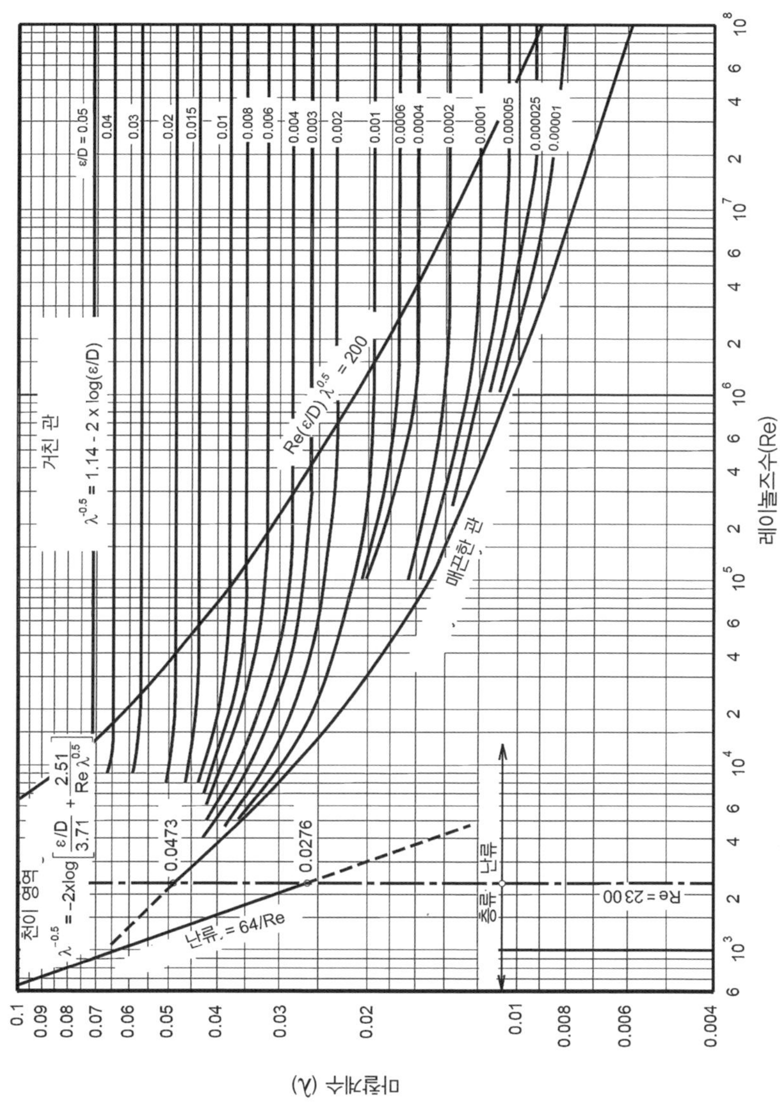

그림 3.10 무디 다이어그램 [*Zayed (1999)*]

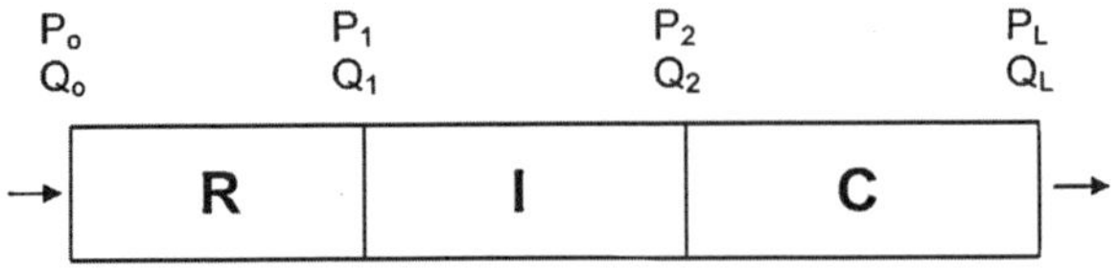

그림 3.11 단일 집중모델

분의 운동은 압력 P와, 유량 Q의 관계를 그 양단에 대해 정의한 다음 방정식에 의해 표현된다:

$$P_o - P_1 = RQ_1 \tag{3.10}$$

$$Q_o = Q_1 \tag{3.11}$$

이들 방정식에 라플라스 변환을 적용하면 다음 방정식을 얻는다:

$$\begin{bmatrix} P_o(s) \\ Q_o(s) \end{bmatrix} = \begin{bmatrix} 1 & R \\ 0 & 1 \end{bmatrix} \begin{bmatrix} P_1(s) \\ Q_1(s) \end{bmatrix} = \mathbf{R} \begin{bmatrix} P_1(s) \\ Q_1(s) \end{bmatrix} \tag{3.12}$$

여기서 R = 전체 관로저항 = $128\mu L/\pi D^4$, Ns/m^5
$\mathbf{R}$ = 저항 행렬이다.

다음 식은 관성력 I의 작용 하에 있는 두 번째 오일덩어리의 운동을 표현한다:

$$P_1 - P_2 = I\frac{dQ_2}{dt} \tag{3.13}$$

$$Q_1 = Q_2 \tag{3.14}$$

이들 방정식에 라플라스 변환을 적용하면 다음 방정식을 얻는다:

$$\begin{bmatrix} P_1(s) \\ Q_1(s) \end{bmatrix} = \begin{bmatrix} 1 & Is \\ 0 & 1 \end{bmatrix} \begin{bmatrix} P_2(s) \\ Q_2(s) \end{bmatrix} = \mathbf{I} \begin{bmatrix} P_2(s) \\ Q_2(s) \end{bmatrix} \tag{3.15}$$

여기서 I = 전체 관로 관성 = $4\rho L/\pi D^2$, kg/m^4,
$\mathbf{I}$ = 관성행렬이다.

마지막 부분에서 오일 압축성의 영향을 고려하면, 다음 식이 얻어진다:

$$Q_2 - Q_L = C\frac{dP_L}{dt} \tag{3.16}$$

$$P_2 = P_L \tag{3.17}$$

이들 방정식에 라플라스 변환을 적용하면 다음 방정식을 얻는다:

$$\begin{bmatrix} P_2(s) \\ Q_2(s) \end{bmatrix} = \begin{bmatrix} 1 & 0 \\ Cs & 1 \end{bmatrix} \begin{bmatrix} P_L(s) \\ Q_L(s) \end{bmatrix} = \mathbf{C} \begin{bmatrix} P_L(s) \\ Q_L(s) \end{bmatrix} \tag{3.18}$$

여기서 C = 전체 관로 커패시턴스 $= \pi D^2 L/4B, \mathrm{m^3/Pa}$

$\mathbf{C}$ = 커패시턴스 행렬

관로변수들인 P_o, Q_o, P_L, 그리고 Q_L을 연관시키는 전달 행렬은 내부변수들인 P_1, P_2, Q_1, 그리고 Q_2를 소거함으로써 얻을 수 있다.

$$\begin{bmatrix} P_o(s) \\ Q_o(s) \end{bmatrix} = \mathbf{R} \begin{bmatrix} P_1(s) \\ Q_1(s) \end{bmatrix} = \mathbf{RI} \begin{bmatrix} P_2(s) \\ Q_2(s) \end{bmatrix} = \mathbf{RIC} \begin{bmatrix} P_L(s) \\ Q_L(s) \end{bmatrix}$$

또는

$$\begin{bmatrix} P_o(s) \\ Q_o(s) \end{bmatrix} = \begin{bmatrix} ICs^2 + RCs + 1 & Is + R \\ Cs & 1 \end{bmatrix} \begin{bmatrix} P_L(s) \\ Q_L(s) \end{bmatrix} \tag{3.19}$$

윗식은 오일을 하나의 덩어리로 가정하여 과도 상태에서 관로 양단의 압력과 유량들의 관계를 표현한다.

예제 3.1 한 쪽이 막힌 관로 양단에서의 압력과 유량을 표현하는 전달함수를 구하라.

한 쪽이 막힌 관로에 대해, $Q_L = 0$이므로

$$P_o = (ICs^2 + RCs + 1)P_L$$

$$Q_o = Cs\,P_L$$

또는

$$\frac{P_L}{P_o} = \frac{1}{ICs^2 + RCs + 1}, \quad \frac{P_L}{Q_o} = \frac{1}{Cs}$$

예제 3.2 한 쪽 끝이 대기압에 노출된 개방관로의 양단에서의 압력과 유량을 표현하는 전달함수를 구하라.

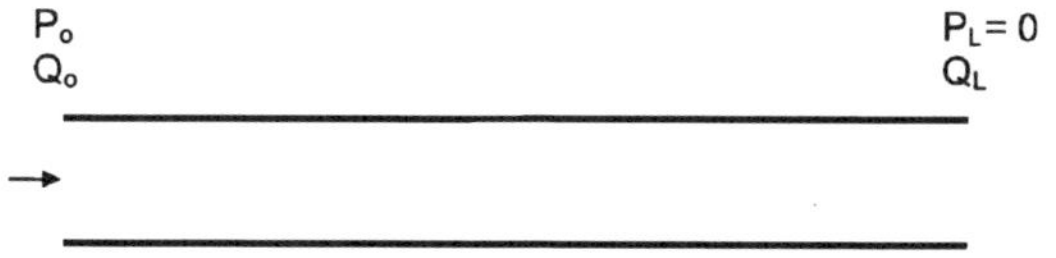

한 쪽이 개방된 관로의 경우, $P_L = 0$이므로

$$Q_o = Q_L, \quad P_o = (Is + R)Q_L$$

또는

$$\frac{Q_L}{P_o} = \frac{1}{Is + R}$$

3.6 연습문제

1. 유압 전달관로에서 발생되는 손실들을 종류별로 설명하라.
2. 유압 전달관로에서 마찰에 의한 동력손실을 어떻게 계산하는지 상세히 설명하라.
3. 집중변수를 가정하여 유압 전달관로의 모델링을 상세히 설명하라. 가정한 조건들을 상세히 기술하고 입구와 출구 압력 그리고 유량의 관계를 표현하는 전달함수를 유도하라.
4. 방정식 (3.19)는 집중변수를 가정하여 관로에서의 압력과 유량 사이의 관계를 설명한다. I, R, 그리고 C에 대한 수식을 적어라.
5. (a) 한 쪽이 개방된 관로의 전달함수 $Q_L/P_o(s)$를 유도하고, 각 변수들에 대한 수식을 구하라.
   (b) 한 쪽이 대기압에 개방된 유압 관로가 다음과 같은 값들을 가진다:
   파이프 길이 $L = 3.5$ m, 파이프 직경 $D = 8$ mm, 오일 밀도 $\rho = 850$ kg/m^3, 오일 점도 $\mu = 0.018$ Ns/m^2, 그리고 오일 체적탄성계수 $B = 1.3$ GPa이다.
   전달함수의 계수들을 계산하고, 0.5 bar의 계단식 압력 변화에 대한 반응을 크기와 함께 그려라.
6. (a) 한 쪽이 막힌 관로의 전달함수 $P_L/P_o(s)$를 유도하라. 그리고 각 변수들에 대한 수식을 구하라.
   (b) 한 쪽이 막힌 유압 관로는 다음 값들을 갖는다.
   $L = 3$ m, $D = 10$ mm, $\rho = 867$ kg/m^3, $\mu = 0.13$ Ns/m^2, 그리고 $B = 1$ GPa이다. 전달함수의 계수들을 계산하고, 100 bar의 계단식 압력 변화에 대한 반응을 크기와 함께 그려라.

3.7 기호 설명

C = 전체 관로 커패시턴스, m^3/Pa
$\mathbf{C}$ = 커패시턴스 행렬
d, D = 파이프 내경, m
I = 전체 관로 관성, kg/m^4
$\mathbf{I}$ = 관성행렬
Q_{max} = 최대 유량, m^3/s

R = 전체 관로 저항, Ns/m^5
$\mathbf{R}$ = 저항 행렬
v = 평균 유속, m/s
ΔP = 압력손실, Pa
μ = 점도, Ns/m^2
ξ = 미소손실계수
ρ = 유체 밀도, kg/m^3
ν = 동점성계수, m^2/s

부록 3A 라플라스 변환

시간 t의 함수로 표현된 미분방정식에 라플라스 변환을 적용하면, 복소수 s의 함수로 표현된 새로운 방정식을 얻게 된다. 라플라스 변환은 시간에 관한 함수를 시간 영역에서 주파수 (혹은 라플라스) 영역으로 변환한다. 변환된 방정식은 단순한 대수방정식 형태가 되어, 대수학적 처리가 가능해진다.

라플라스 정변환

라플라스 정변환은 다음 식으로 표현된다.

$$X(s) = \mathbf{L}\,[x(t)] = \int_0^{\infty} x(t)e^{-st}dt \tag{3A.1}$$

라플라스 역변환

라플라스 역변환은 라플라스 영역에서 시간 영역으로 변환해 주는 적분 연산자이다.

$$x(t) = \frac{1}{2\pi i} \lim_{R\to\infty} \int_{\sigma_1 - iR}^{\sigma_1 + iR} X(s)e^{st}ds \tag{3A.2}$$

시간 영역의 모든 함수는 라플라스 정변환이 되지만, 라플라스 영역의 함수 중에는 역변환이 없는 경우도 있다.

라플라스 변환의 성질

다음은 라플라스 변환의 기본 성질이다:

1. $\mathbf{L}\,[f_1(t) \pm f_2(t)] = F_1(s) \pm F_2(s)$ (3A.3)
2. $\mathbf{L}\,[af(t)] = aF(s)$ (3A.4)
3. $\mathbf{L}\,[e^{-at}f(t)] = F(s+a)$ (3A.5)

4. 초기값 정리 $f(0^+) = \underset{t\to 0}{Lim}\, f(t) = \underset{s\to\infty}{Lim}\, sF(s)$ (3A.6)

5. 최종값 정리 $f(\infty) = \underset{t\to\infty}{Lim}\, f(t) = \underset{s\to 0}{Lim}\, sF(s)$ (3A.7)

6. $$\mathbf{L}\left[\frac{d^n f(t)}{dt^n}\right] = s^n F(s) - s^{n-1} f(0^+) - s^{n-2}\frac{df}{dt}(0^+) - s^{n-3}\frac{d^2 f}{dt^2}(0^+) - \cdots - \frac{d^{n-1} f}{dt^{n-1}}(0^+) \tag{3A.8}$$

$$\mathbf{L}\left[\frac{df(t)}{dt}\right] = sF(s) - f(0^+) \tag{3A.9}$$

$$\mathbf{L}\left[\frac{d^2 f(t)}{dt^2}\right] = s^2 F(s) - sf(0^+) - \dot{f}(0^+) \tag{3A.10}$$

7. $$\mathbf{L}\left[\int f(t)dt\right] = \frac{1}{s}\left[F(s) + \int f(t)dt\Big|_{0^+}\right] \tag{3A.11}$$

라플라스 변환표

라플라스 변환은 수학 전문서적 등에 표로 주어져 있다. 다음은 주요 함수들의 라플라스 변환 형태이다.

$F(s)$	$f(t)$
1	$\delta(t)$
$\frac{k}{s}$	k
$\frac{k\,(n!)}{s^{n+1}}$	$k\, t^n$
$\frac{k}{s+a}$	$k\, e^{-at}$
$\frac{k}{(s+a)^2}$	$k\, t\, e^{-at}$
$\frac{k\,(n!)}{(s+a)^{n+1}}$	$k\, t^n\, e^{-at}$
$\frac{k\,\omega}{s^2+\omega^2}$	$k \sin\omega t$
$\frac{k\,s}{s^2+\omega^2}$	$k \cos\omega t$

부록 3B 유압 전달관로의 모델링과 시뮬레이션

이 부록에서는 유압 전달관로에 대한 집중변수모델의 유도와 시뮬레이션 과정을 설명한다. 이 모델에는 점성마찰, 유체관성, 유체 압축성, 그리고 관벽의 탄성의 영향이 고려되었다. 유체 속도와 압력은 관로 단면의 평균치로 간주한다. 모델의 단순화는 앞서 언급한 대로 매개변수들의 영향을 분리하여 고려함으로써 이루어진다. 시뮬레이션 프로그램으로 계산된 계단 입력 응답을 실험결과와 비교하여 모델의 정확성을 검증하였다.

집중변수 모델은 3.5절에 주어진 가정을 고려하여 유도된다. 관로의 저항, 관성, 그리고 커패시턴스의 영향은 그림 3B.1에 보인 바와 같이 관로의 독립적인 세 개의 부분 중 하나에 국한된다고 가정한다. 전체 관로저항의 영향은 첫 번째 부분에 국한되며, 전체 관로의 관성 영향은 둘째 부분에 그리고 관로 커패시턴스의 영향은 세 번째 부분에 집중된다.

단일 집중모델

다음은 단일 집중모델을 기술하는 방정식들이다;

$$P_o - P_1 = RQ_o \tag{3B.1}$$

$$P_1 - P_L = I\frac{dQ_o}{dt} \tag{3B.2}$$

$$Q_o - Q_L = C\frac{dP_L}{dt} \tag{3B.3}$$

식 (3.19)를 참조하여 3.5절에서 유도된 단일 집중모델의 전달함수는 다음과 같다.

$$\begin{bmatrix} P_o(s) \\ Q_o(s) \end{bmatrix} = \mathbf{RIC} \begin{bmatrix} P_L(s) \\ Q_L(s) \end{bmatrix} = \begin{bmatrix} ICs^2 + RCs + 1 & Is + R \\ Cs & 1 \end{bmatrix} \begin{bmatrix} P_L(s) \\ Q_L(s) \end{bmatrix} \tag{3B.4}$$

관로저항 R, 관성 I, 그리고 커패시턴스 C는 식 (2.9), (2.47), 그리고 (2.80)으로 각각 주어진다.

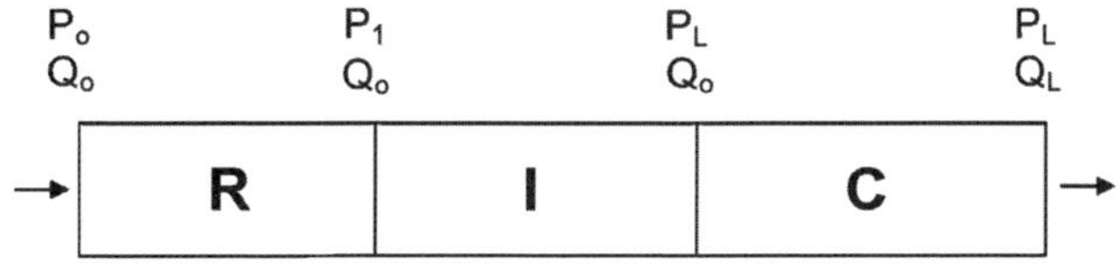

그림 3B.1 단일 집중모델

두 개의 집중모델

한 개 이상의 집중모델을 가정하면, n개의 집중모델에서 각각의 집중 유압저항, 관성, 커패시턴스는 다음과 같은 식으로 표현된다:

집중 저항 $$R_n = \frac{128\mu(L/n)}{\pi D^4} \tag{3B.5}$$

집중 관성 $$I_n = \frac{4\rho(L/n)}{\pi D^2} \tag{3B.6}$$

집중 커패시턴스 $$C_n = \frac{\pi D^2(L/n)}{4}\left(\frac{1}{B} + \frac{5D}{4Eh}\right) \tag{3B.7}$$

다음은 두 개의 집중모델을 기술하는 방정식들이다:

$$P_o - P_{11} = R_2 Q_o \tag{3B.8}$$

$$P_{11} - P_{1L} = I_2 \frac{dQ_o}{dt} \tag{3B.9}$$

$$Q_o - Q_{1L} = C_2 \frac{dP_{1L}}{dt} \tag{3B.10}$$

$$P_{1L} - P_{21} = R_2 Q_{1L} \tag{3B.11}$$

$$P_{21} - P_L = I_2 \frac{dQ_{1L}}{dt} \tag{3B.12}$$

$$Q_{1L} - Q_L = C_2 \frac{dP_L}{dt} \tag{3B.13}$$

두 개의 집중모델의 전달함수는 다음과 같이 유도된다:

$$\begin{bmatrix} P_o(s) \\ Q_o(s) \end{bmatrix} = [\mathbf{R_2 I_2 C_2}]^2 \begin{bmatrix} P_L(s) \\ Q_L(s) \end{bmatrix} = \begin{bmatrix} I_2 C_2 s^2 + R_2 C_2 s + 1 & I_2 s + R_2 \\ C_2 s & 1 \end{bmatrix}^2 \begin{bmatrix} P_L(s) \\ Q_L(s) \end{bmatrix}$$
$$= \begin{bmatrix} a_{11} & a_{12} \\ a_{21} & a_{22} \end{bmatrix} \begin{bmatrix} P_L(s) \\ Q_L(s) \end{bmatrix} \tag{3B.14}$$

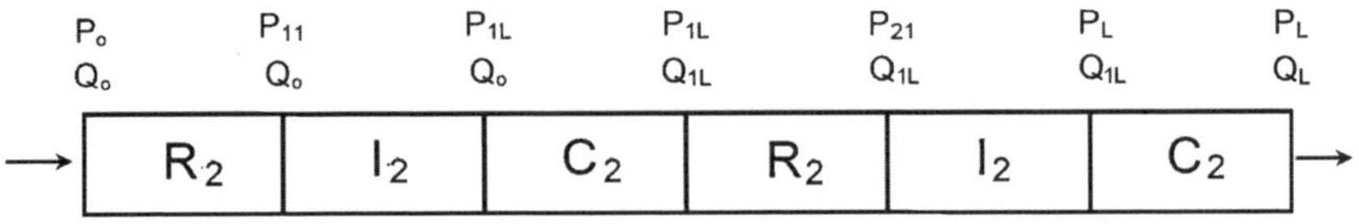

그림 3B.2 두 개의 집중모델

그리고,

$$\mathbf{R_2} = \begin{bmatrix} 1 & R_2 \\ 0 & 1 \end{bmatrix}, \qquad \mathbf{I_2} = \begin{bmatrix} 1 & I_2 s \\ 0 & 1 \end{bmatrix} \quad \text{and} \quad \mathbf{C_2} = \begin{bmatrix} 1 & 0 \\ C_2 s & 1 \end{bmatrix} \tag{3B.15}$$

$$a_{11} = I_2{}^2 C_2{}^2 s^4 + 2I_2 R_2 C_2{}^2 s^3 + (R_2{}^2 C_2{}^2 + 3I_2 C_2)s^2 + 3R_2 C_2 s + 1 \tag{3B.16}$$

$$a_{12} = I_2{}^2 C_2 s^3 + 3I_2 R_2 C_2 s^2 + (R_2{}^2 C_2 + 2I_2)s + 2R_2 \tag{3B.17}$$

$$a_{21} = I_2 C_2{}^2 s^3 + R_2 C_2{}^2 s^2 + 2C_2 s \tag{3B.18}$$

$$a_{22} = I_2 C_2 s^2 + R_2 C_2 s + 1 \tag{3B.19}$$

세 개의 집중모델

세 개의 집중모델의 동적거동을 설명하는 수학적 관계는 두 개의 집중모델을 기술하는 것과 유사하게 유도될 수 있다. 세 개의 집중모델의 경우 전달 행렬은 다음과 같다:

$$\begin{bmatrix} P_o(s) \\ Q_o(s) \end{bmatrix} = [\mathbf{R_3}\ \mathbf{I_3}\ \mathbf{C_3}]^3 \begin{bmatrix} P_L(s) \\ Q_L(s) \end{bmatrix} = \begin{bmatrix} I_3 C_3 s^2 + R_3 C_3 s + 1 & I_3 s + R_3 \\ C_3 s & 1 \end{bmatrix}^3 \begin{bmatrix} P_L(s) \\ Q_L(s) \end{bmatrix}$$

$$= \begin{bmatrix} b_{11} & b_{12} \\ b_{21} & b_{22} \end{bmatrix} \begin{bmatrix} P_L(s) \\ Q_L(s) \end{bmatrix} \tag{3B.20}$$

그리고 $$\mathbf{R_3} = \begin{bmatrix} 1 & R_3 \\ 0 & 1 \end{bmatrix}, \qquad \mathbf{I_3} = \begin{bmatrix} 1 & I_3 s \\ 0 & 1 \end{bmatrix} \quad \text{and} \quad \mathbf{C_3} = \begin{bmatrix} 1 & 0 \\ C_3 s & 1 \end{bmatrix} \tag{3B.21}$$

$$\begin{aligned} b_{11} &= I_3{}^3 C_3{}^3 s^6 + 3I_3{}^2 R_3 C_3{}^3 s^5 + (3I_3 R_3{}^2 C_3{}^3 + 5I_3{}^2 C_3{}^2)s^4 \\ &\quad + (10I_3 R_3 C_3{}^2 + R_3{}^3 C_3{}^3)s^3 + (6I_3 C_3 + 5R_3{}^2 C_3{}^2)s^2 \\ &\quad + 6R_3 C_3 s + 1 \end{aligned} \tag{3B.22}$$

네 개의 집중모델

네 개의 집중모델의 전달 행렬은 다음과 같이 유도된다.

$$\begin{bmatrix} P_o(s) \\ Q_o(s) \end{bmatrix} = [\mathbf{R_4}\ \mathbf{I_4}\ \mathbf{C_4}]^4 \begin{bmatrix} P_L(s) \\ Q_L(s) \end{bmatrix} = \begin{bmatrix} I_4 C_4 s^2 + R_4 C_4 s + 1 & I_4 s + R_4 \\ C_4 s & 1 \end{bmatrix}^4 \begin{bmatrix} P_L(s) \\ Q_L(s) \end{bmatrix}$$

$$= \begin{bmatrix} c_{11} & c_{12} \\ c_{21} & c_{22} \end{bmatrix} \begin{bmatrix} P_L(s) \\ Q_L(s) \end{bmatrix} \tag{3B.23}$$

그리고 $$\mathbf{R_4} = \begin{bmatrix} 1 & R_4 \\ 0 & 1 \end{bmatrix}, \quad \mathbf{I_4} = \begin{bmatrix} 1 & I_4 s \\ 0 & 1 \end{bmatrix} \quad \text{and} \quad \mathbf{C_4} = \begin{bmatrix} 1 & 0 \\ C_4 s & 1 \end{bmatrix} \tag{3B.24}$$

$$\begin{aligned} c_{11} = {} & I_4{}^4 C_4{}^4 s^8 + 4 I_4{}^3 R_4 C_4{}^4 s^7 + (6 I_4{}^2 R_4{}^2 C_4{}^4 + 7 I_4{}^3 C_4{}^3) s^6 \\ & + (21 I_4{}^2 R_4 C_4{}^3 + 4 I_4 R_4{}^3 C_4{}^4) s^5 \\ & + (15 I_4{}^2 C_4{}^2 + 21 I_4 R_4{}^2 C_4{}^3 + R_4{}^4 C_4{}^4) s^4 \\ & + (7 R_4{}^3 C_4{}^3 + 30 I_4 R_4 C_4{}^2) s^3 + (15 R_4{}^2 C_4{}^2 + 10 I_4 C_4) s^2 \\ & + 10 R_4 C_4 s + 1 \end{aligned} \tag{3B.25}$$

고차 모델

전달관로의 고차 모델은 많은 수의 유체 집중 덩어리를 가정함으로써 유도될 수 있다.

유압 전달관로의 동적인 거동은 과도응답이나 주파수응답을 계산함으로써 분석된다. 이러한 계산은 상세한 수학적 모델을 시용하거나 전달 행렬로부터 유도된 전달함수를 사용하여 수행될 수 있다.

사례 연구

집중변수모델은 유압 전달관로의 과도응답을 계산하기 위해 사용된다. 고려대상인 관로는 다음의 제원들을 가진다:

관로 길이	$L = 18\ \text{m}$
관로 직경	$D = 0.01\ \text{m}$
오일의 점도	$\mu = 0.1215\ \text{Ns/m}^2$
오일 밀도	$\rho = 868\ \text{kg/m}^3$
오일의 체적탄성계수	$B_e = 1.96 \times 10^9\ \text{N/m}^2$
관로저항	$R = \dfrac{128\mu L}{\pi D^4} = 8.912 \times 10^9\ \text{Pa s/m}^3$
관로 관성	$I = \dfrac{\rho L}{A} = \dfrac{4\rho L}{\pi D^2} = 1.9893 \times 10^8\ \text{kg/m}^4$
관로 커패시턴스	$C = \dfrac{V}{B_e} = \dfrac{\pi D^2 L}{4}\left(\dfrac{1}{B} + \dfrac{5D}{4Eh}\right) = 7.213 \times 10^{-13}\ m^5/N$

이 관로는 일정한 압력원에 연결되어 있고, 방향제어밸브 (a)와 (b)에 의해 귀환 관로에 연결된다(그림 3B.3 참조). 실험은 다음의 순서로 진행된다:

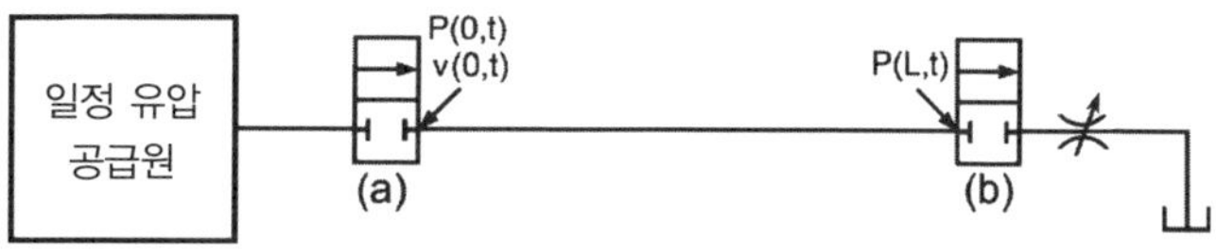

그림 3B.3 관로 연결 회로

- 방향제어밸브 (a)를 닫는다.
- 방향제어밸브 (b)를 열었다가 다시 닫는다. 따라서 시험 관로에서의 압력은 탱크 압력과 같아진다.
- 배관 입구부가 일정 압력원 (447 bar)과 연결되도록 방향제어밸브(a)를 급속 개방한다. 관로 끝단의 압력 $P(L)$을 기록한다.

단일, 두 개, 세 개, 네 개의 집중모델들을 사용하여 관로 끝단 압력 $P(L,t)$의 동적인 변화를 SIMULINK 프로그램으로 계산한 결과는 그림 3B-4와 같다. 이 그림들은 또한 Lallement, J.가 1976년도에 발표한 실험 결과를 대비하여 보여준다.

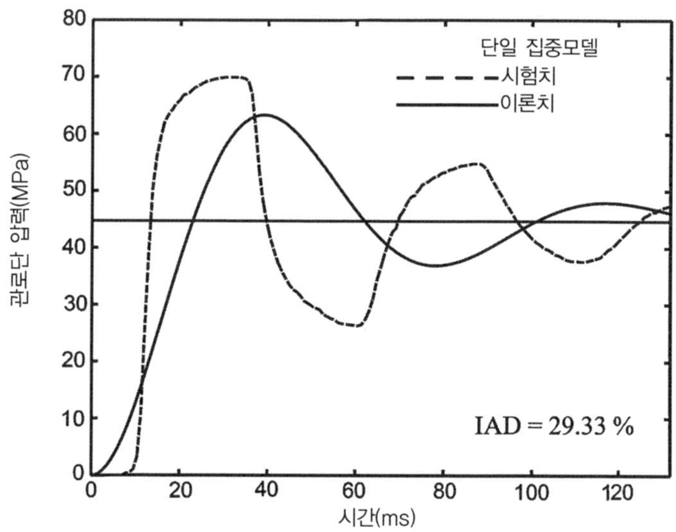

(a)

그림 3B.4 (a) 44.7 MPa의 계단식 압력 변화에 대해 단일 집중모델로 표현된 끝단이 막힌 유압 전달관로의 반응, (b) 44.7 MPa의 계단식 압력 변화에 대해 두 개의 집중모델로 표현된 끝단이 막힌 유압 전달관로의 반응, (c) 44.7 MPa의 계단식 압력 변화에 대해 세 개의 집중모델로 표현된 끝단이 막힌 유압 전달관로의 반응, (d) 44.7 MPa의 계단식 압력 변화에 대해 네 개의 집중모델로 표현된 끝단이 막힌 유압 전달관로의 반응, (e) 44.7 MPa의 계단식 압력 변화에 대해 네 개의 집중모델로 표현된 끝단이 막힌 유압 전달관로의 반응 모사 결과

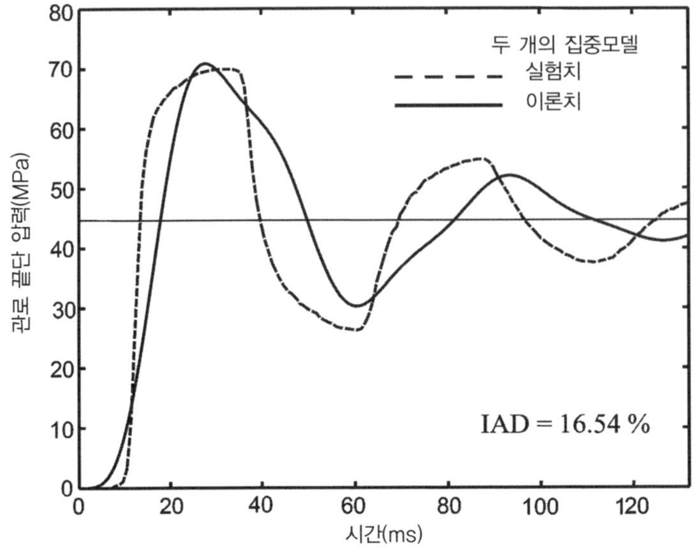

(b)

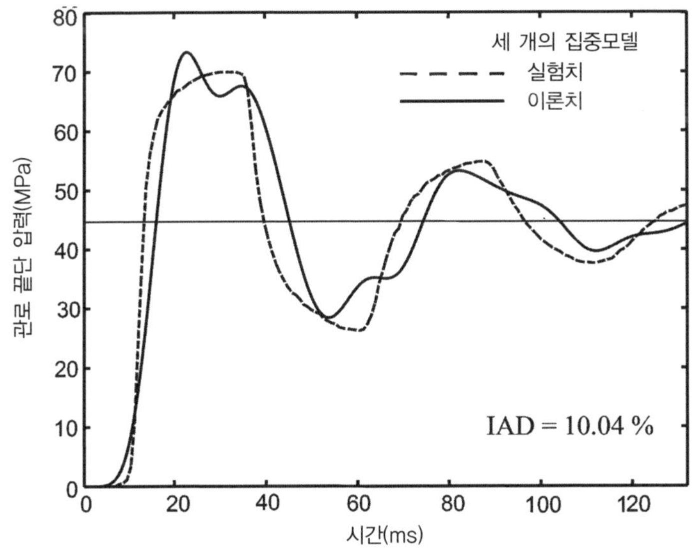

(c)

그림 3B.4 *(계속)*

이론적 계산결과와 실험 결과의 차이는 다음 식으로 정의된 절대값 차이의 적분(IAD)의 백분율을 계산하여 평가할 수 있다.

$$\mathrm{IAD} = \frac{\int_0^T \left| P_{\mathrm{Lth}} - P_{\mathrm{Lexp}} \right| dt}{P_{\mathrm{Lss}} T} \times 100\% \tag{3B.26}$$

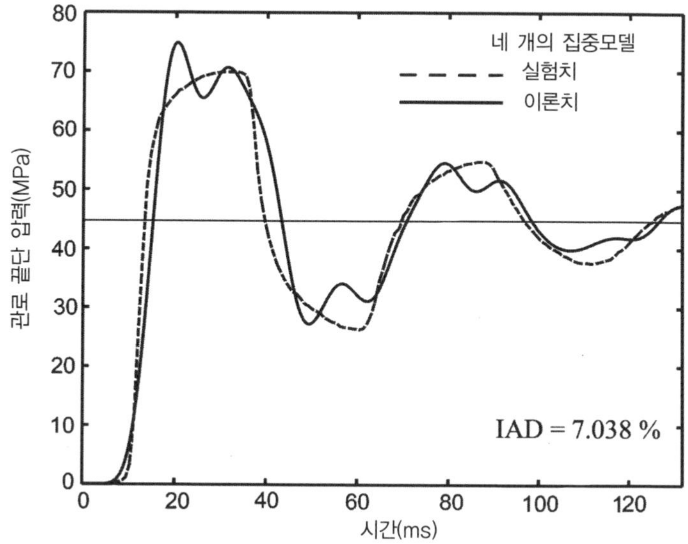

(d)

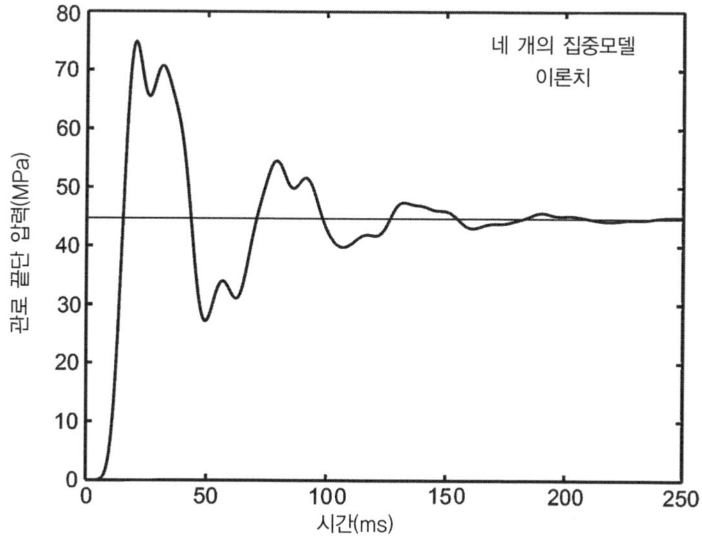

(e)

그림 3B.4 (*계속*)

여기서 IAD = 절대적 차이의 적분, %

P_{Lexp} = 막힌 단에서 실험적으로 측정된 압력, Pa

P_{Lss} = 막힌 단에서의 정상상태 압력, Pa

P_{Lth} = 막힌 단에서의 이론 압력, Pa

T = 반응 지속 시간, s

그림 3B.4의 결과는 세 개 및 네 개의 집중모델이 실험결과와 만족스럽게 일치함을 보여준다. 계산된 절대 차이의 적분값은 집중 덩어리의 수가 증가할수록 크게 감소하였다.

막힌 관로의 주파수응답을 다음의 제원들을 갖는 관로에 대해 네 개의 집중모델을 가정하여 계산하면 다음과 같다. $L = 18$ m, $\rho = 868$ kg/m^3, $B = 1.6$ Gpa, $\mu = 0.059$ Ns/m^2, $\varphi D = 10$ mm. 이 계산에는 아래와 같이 유도된 전달함수를 이용하였다.

$$\frac{P_L}{P_o} = \frac{1}{C_{11}} \tag{3B.27}$$

분모의 다항식 C_{11}은 식 (3B.25)에 의해 주어진다. 주파수응답 계산결과 중 진폭은 그림 3B.5과 같다. 이 그림은 Lallement J.가 1976년도에 발표한 실험결과도 함께 보여준다. 이러한 결과는 네 개의 집중모델이 공진주파수와 진폭의 관점에서 관로 공진의 첫째 주 모드를 매우 정확하게 표현할 수 있음을 보여준다.

유압시스템을 다룰 때에 전체 시스템을 합리적으로 표현하는 시뮬레이션 프로그램을 개발하려면 단순화된 관로 모델이 필요하다. 분산된 변수모델은 정확하기는 하나 일반적으로 전체 시스템 모델을 매우 복잡하게 만든다.

그러므로 다음과 같이 유압시스템 모델을 단순화하는 것이 일반적이다:

- 전달관로 거동은 가능하다면 무시할 수 있다고 가정한다.

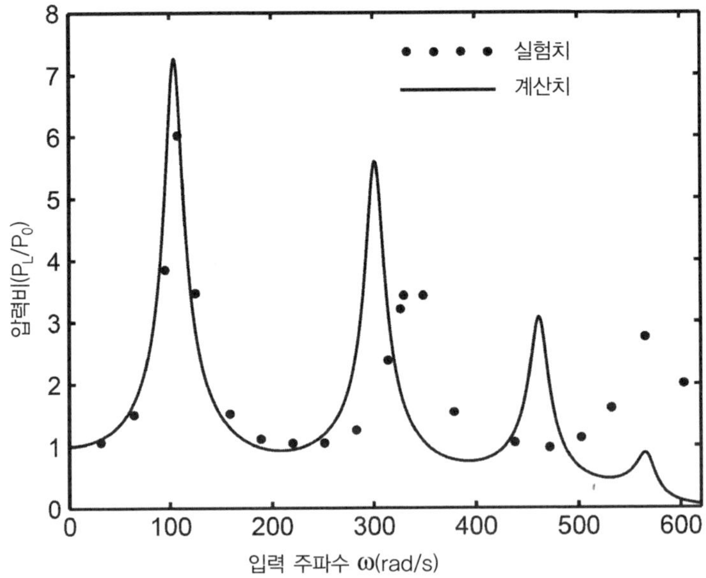

그림 3B.5 한쪽이 막힌 유압 전달관로의 주파수응답에 대한 실험 및 계산결과

- 관로 관성은 이웃하는 운동요소의 관성에 포함시킨다.
- 관로 커패시턴스(오일 압축성과 벽면 변형의 영향)는 구동기 또는 이웃하는 밸브의 커패시턴스에 포함시킬 수 있다.

따라서, 전달관로를 집중변수로 표현하는 것을 포함한 시스템 모델은 수학적 표현과 시뮬레이션 프로그램을 너무 복잡하게 만들지 않고 관로의 물리적 특성을 표현하는 것이 바람직하다.

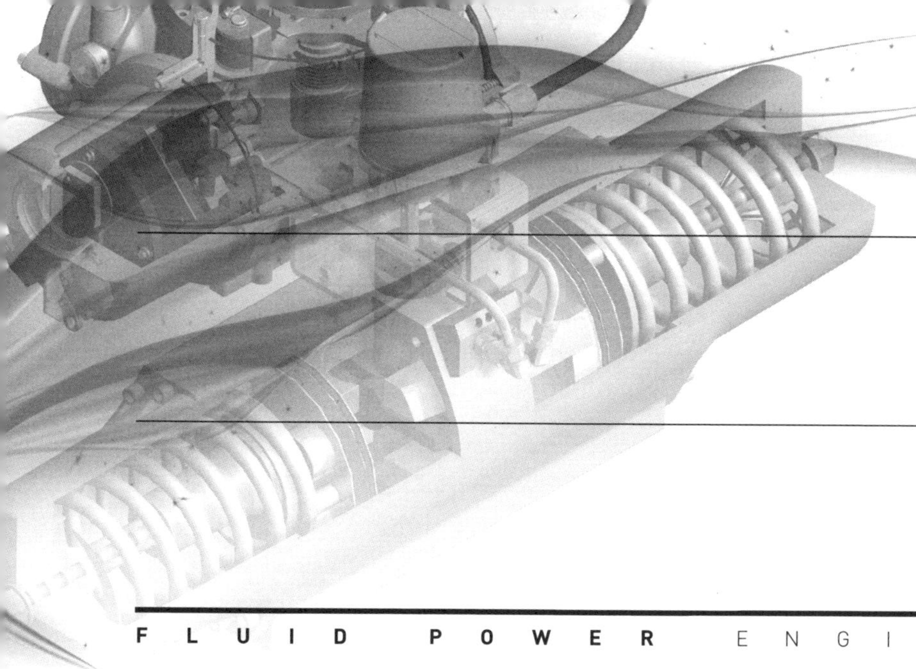

CHAPTER 4

유압 펌프

Hydraulic Pumps

FLUID POWER ENGINEERING

4.1 서론

유압 펌프는 펌프를 통과하여 흐르는 작동유의 에너지를 증가시키는 역할을 한다. 주요 펌프의 종류로는 용적식 펌프, 동적 펌프, 그리고 특이한 원리를 응용한 펌프가 있다. 용적식 펌프는 작동유가 채워진 체임버를 압축시켜 작동유를 토출한다. 이런 방법으로 유체 압력이 증가되고 작동유는 펌프 체임버로부터 토출된다. 동적 펌프는 주로 작동유와 로터 사이의 운동량 교환을 통해 작동유의 동적 에너지를 증가시킨다. 제트 펌프나 에어리프트 펌프와 같은 특이형 펌프는 동력전달에는 적합하지 않다.

동적 펌프는 회전체(로터)가 펌프의 핵심 부품이라는 의미를 강조하여 이름지어졌다. 로터가 회전하면 로터에 부착된 날개가 연속적으로 움직여 유체의 지속적인 흐름을 발생시킨다. 로터에서 유체로의 에너지 전달은 로터와 유체 사이의 동적 유동에 의하여 이루어진다.

용적식 펌프는 하나 이상의 펌프 체임버로 구성된다. 이들 체임버들은 거의 완벽하게 밀폐되며, 그 체적은 펌프 구동축의 회전에 따라 주기적으로 변한다. 유체는 펌프 체임버들의 지속적인 팽창과 압축에 의해 흡입부로부터 공급부로 토출된다. 용적식 펌프의 작동은 다음 단계로 설명될 수 있다.

1. 펌프의 팽창시 펌프 체임버는 흡입부와 연결되고 체임버 내부에 진공이 발생되어 작동유가 강제 흡입된다.
2. 체임버의 체적이 최대가 되었을 때 흡입부로부터 분리된다.
3. 압축시 체임버는 공급부와 연결된다. 그리고 작동유는 펌프 토출부로 토출되고 토출부의 저항을 이겨내는데 필요한 압력을 받게 된다.

4. 송출 행정은 체임버의 체적이 최소일 때 종료된다. 그 후 체임버는 공급부로부터 분리된다.

이와 같은 공정은 펌프를 움직이는 축이 회전할 때마다 연속적으로 반복된다. 또한, 작동유의 토출저항과 부하, 시스템 저항을 극복할 수 있는 압력으로 작동유가 가압된다.

용적식 펌프의 동작은 그림 4.1의 단일 피스톤 펌프를 예로 들어 설명할 수 있다. 크랭크(5)에 의하여 작동되는 피스톤(4)이 상사점과 하사점 사이를 왕복한다. 흡입 행정 동안 피스톤은 오른쪽으로 움직이고 작동유는 매우 낮은 크래킹 압력의 첵 밸브(2)를 통하여 오일 탱크(1)로부터 흡입된다. 그리고 공급 행정 동안 피스톤은 왼쪽으로 움직이고 첵 밸브(3)를 통하여 오일을 토출한다. 펌프는 물체를 들어올릴 수 있는 압력 P의 오일을 공급해야 한다. 따라서 피스톤에는 오일 압력에 의해 부하력이 작용하고, 크랭크축은 부하력에 비례하는 토크를 받는다. 실린더(6)는 차단 밸브(7)가 열리면 하중에 의하여 하강된다.

4.2 이상적 펌프의 분석

펌프의 배제용적은 누설이 없다고 가정하고 오일의 압축성을 무시했을 때, 일회전당 펌프에 의하여 공급되는 오일의 체적으로 정의된다. 배제용적은 펌프 체임버 용적의 최대값과 최소값, 펌프 체임버의 수, 구동축의 일 회전당 펌프 행정의 횟수에 의해 결

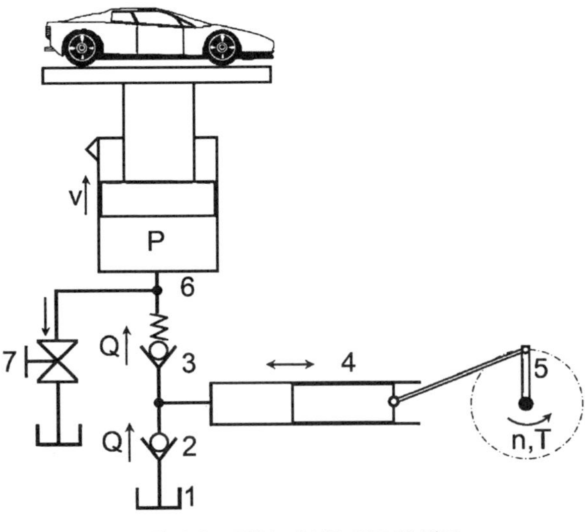

그림 4.1 단일 피스톤 펌프의 작동

정된다. 배제용적은 펌프의 기하학적 형상에 의해 결정되며 이론 배제용적(V_g)은 다음 식과같이 표현된다.

$$V_g = (V_{max} - V_{min})zi \tag{4.1}$$

여기서 i = 회전당 행정수
V_g = 이론 배제용적, m^3/rev
V_{max} = 최대 체임버 용적, m^3
V_{min} = 최소 체임버 용적
z = 펌프 체임버 수

이상적인 펌프 즉, 누설이 전혀 없다고 가정하면, 펌프 유량은 다음 식으로 주어진다.

$$Q_t = V_g n \tag{4.2}$$

여기서 Q_t = 펌프 이론유량, m^3/s
n = 회전 속도, rev/s

그림 4.2는 유압식 동력 시스템에서 용적식 펌프의 전형적인 배열을 보여준다. 이상적인 펌프의 가정 하에 입력된 기계식 동력은 다음 식과 같이 유압 동력의 증가량과 같다.

$$2\pi n T_t = Q_t(P - P_i) = V_g n \Delta p \tag{4.3}$$

$$T_t = \frac{V_g}{2\pi}\Delta P \tag{4.4}$$

여기서 T_t = 펌프 이론 토크, Nm
ΔP = 펌프에 의한 압력증가, Pa

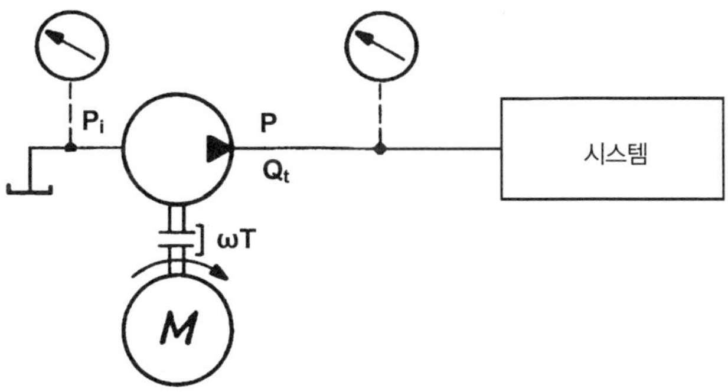

그림 4.2 유압식 동력 회로에서 전형적인 용적식 펌프의 배열

예제 4.1 12.5 cm³의 이론 배제용적을 갖는 기어 펌프가 1800 rev/min의 속도로 16 MPa에서 오일을 공급하고 있다. 이상적인 펌프로 가정했을 때, 펌프 유량(Q_t), 유압 동력 증가(ΔN), 펌프 출력부의 유압 동력(N_{out}) 그리고 구동 토크(T_t)를 구하라. 이때 흡입 포트의 압력은 200 kPa이다.

$$Q_t = V_g n = 12.5\times10^{-6}\times\frac{1800}{60} = 3.75\times10^{-4}\ m^3/s = 22.5\ \text{liters/min}$$

$$T_t = \frac{V_g}{2\pi}\Delta P = \frac{12.5\times10^{-6}}{2\pi}(16\times10^6 - 2\times10^5) = 31.4\ \text{Nm}$$

$$\Delta N = Q_t\,\Delta P = 37.5\times10^{-5}\times(16\times10^6 - 2\times10^5) = 5925\ \text{W}$$

$$N_{out} = Q_t\,P = 37.5\times10^{-5}\times16\times10^6 = 6000\ \text{W}$$

유압식 동력 시스템에서의 동력 전달과 변환은 그림 4.3a의 시스템을 예로 들어 설명될 수 있다. 이 시스템은 내부 누설과 마찰손실 그리고 미소손실이 없는 이상적인 시스템이라고 가정한다. 원동기인 전기모터는 전력을 기계 동력으로 변환시킨다. 펌프는 기계 동력 ($2\pi nT$)을 유압 동력(PQ)으로 변환시킨다. 또한 회전속도를 이에 상응하는 유량($Q = V_g n$)으로 변환시키고, 유체를 가압한다. 이때 압력은 부하에 의해 결정된다. 아래 그림은 상승 작동모드에 대해 표현되어 있다. 이상적인 시스템에서는 방향제어밸브와 관로에서의 압력손실은 무시된다. 유압 회로가 릴리프 밸브의 크래킹 압력 이하에서 작동되면 유압 회로는 그림 4.3b처럼 단순하게 그릴 수 있다. 그림 4.4는 동력 전달 및 변환과정을 표현한다. 그림에서 반쪽 화살표로 표시된 굵은 선은 동력 전달 방향을 표시하고 점선은 인과 관계를 나타낸다. 화살표는 원인으로부터 결과의 방향으로 진행한다.

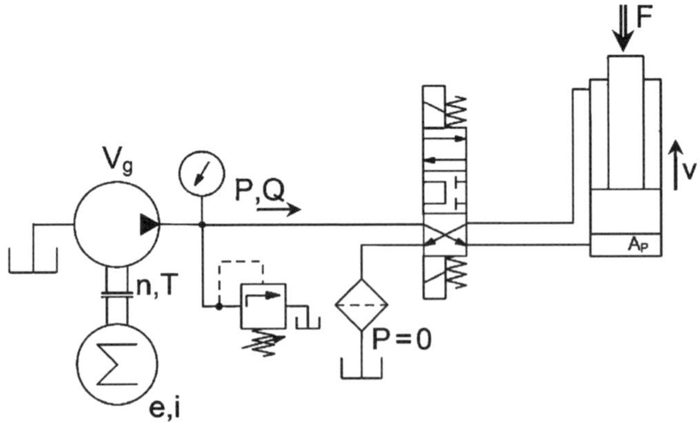

그림 4.3a 피스톤 상승 작동모드의 유압 시스템

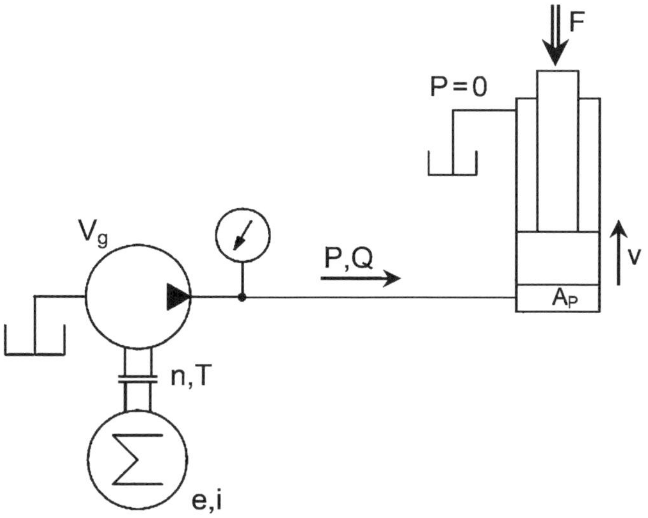

그림 4.3b 밸브와 관로의 압력손실을 무시한 피스톤 상승 회로

4.3 실제 펌프의 분석

펌프로부터 실제로 유체에 공급되는 유압 동력은 누설 손실, 마찰손실과 압력손실 등으로 인해 펌프에 입력된 기계 동력보다 감소한다. 실제의 펌프 유량(Q)은 이론유량(Q_t)보다 다음과 같은 이유로 감소한다.

- 내부 누설
- 펌프 공동현상과 공기 혼입
- 유체 압축성
- 유체관성에 의한 불완전 흡입

동력손실의 첫 번째 원인은 내부 누설이다. 펌프가 설계된대로 작동한다면 유량 손실은 주로 내부 누설(Q_L) 때문에 발생한다. 좁은 틈새를 통하여 흐르는 누설 유동은 층류

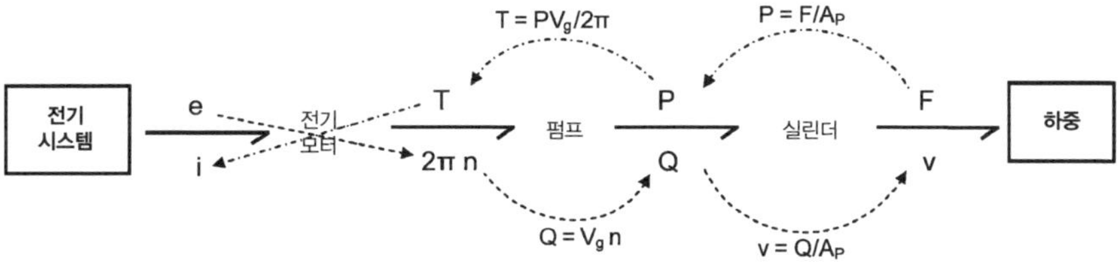

그림 4.4 유압식 동력 시스템에서의 동력 전달과 인과 관계

를 형성하며 압력차에 비례하여 변한다(그림 4.5 참조). 내부 누설에 대한 저항(R_L)은 오일의 점성(μ)에 비례하고 평균 틈새(c)의 세제곱에 반비례한다(2.2.1절 참조).

$$Q_L = P / R_L \tag{4.5}$$

$$Q = Q_t - Q_L \tag{4.6}$$

여기서 $R_L = K\mu / c^3$ 이다.

압력과 반경방향 틈새가 증가하면 누설유량은 증가하며 난류가 될 수도 있다. 그림 4.5는 부하 압력에 의한 펌프 유량의 변화를 보여준다.

누설의 영향은 다음과 같이 용적효율(η_v)로 표시된다.

$$\eta_v = \frac{Q}{Q_t} = \frac{Q_t - Q_L}{Q_t} = 1 - \frac{Q_L}{Q_t} = 1 - \frac{P}{R_L V_g n} \tag{4.7}$$

일반적으로 용적식 펌프의 용적효율은 0.8~0.99이다. 피스톤 펌프의 용적효율은 상대적으로 높고, 기어 펌프와 베인 펌프의 용적효율은 일반적으로 피스톤 펌프보다 많이 낮다.

마찰은 동력손실의 두 번째 원인이다. 펌프요소들 사이의 점성마찰과 기계적 마찰은 에너지를 소비한다. 구동 토크의 일부는 마찰력을 극복하기 위하여 소비되며 이를 마찰 토크(T_F)라 한다. 마찰 토크는 펌프 속도, 부하 압력 그리고 오일의 점성에 따라 변한다. 그러므로 요구되는 압력을 얻기 위하여 더 높은 토크가 펌프에 입력되어야 한다. 펌프의 마찰손실은 다음과 같이 정의된 기계효율(η_m)에 의하여 평가된다.

$$\eta_m = \frac{\omega(T - T_F)}{\omega T} = \frac{T - T_F}{T} \tag{4.8}$$

여기서, T는 실제로 입력된 펌프 구동 토크(Nm), T_F는 마찰 토크(Nm), $T - T_F$는 압력

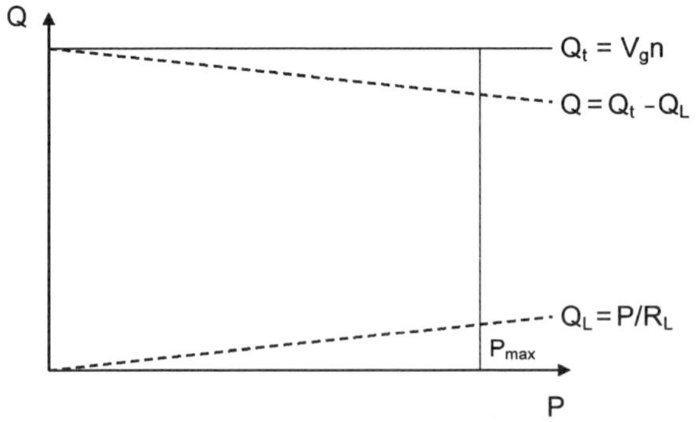

그림 4.5 펌프 유량 특성

으로 변환된 토크(Nm), ω는 펌프 속도(rad/s)이다.

세 번째 동력손실의 원인은 펌프 내부 통로들에서의 압력손실이다. 즉, 펌프 체임버 내부에서 형성된 압력(P_C)은 펌프 토출압력(P)보다 커야 한다. 이러한 압력손실은 주로 국부적인 손실들에 의해 발생된다. 50 rev/s 이하로 회전하는 펌프 내부에서와 같이 5 m/s 미만의 평균 유속에서 발생되는 압력손실은 무시할 수 있다. 이보다 높은 유속에서의 압력손실은 유량의 제곱에 비례한다. 내부 압력손실은 유압효율(η_h)로 평가된다.

$$\eta_h = \frac{QP}{QP_C} = \frac{P}{P_C} \tag{4.9}$$

여기서, P_C는 펌프 체임버 내부 압력(Pa)이고, P는 펌프 토출압력(Pa)이다.

펌프 전효율(η_T)은 다음과 같이 유도된다.

$$\eta_T = \frac{QP}{\omega T} = \frac{Q}{Q_t}\frac{T-T_F}{T}\frac{P}{P_C}\frac{Q_t P_C}{\omega(T-T_F)} = \eta_v\,\eta_m\,\eta_h\frac{Q_t P_C}{\omega(T-T_F)} \tag{4.10}$$

기계동력 $\omega(T-T_F)$을 같은 값의 유압 동력($Q_t P_C$)으로 치환하면,

$$\eta_T = \eta_v\,\eta_m\eta_h \tag{4.11}$$

정상상태의 동작에서 실제 용적식 펌프는 다음 관계식으로 표현된다.

$$Q = V_g n\eta_v \tag{4.12}$$

$$N_h = N_m\eta_T \quad \text{또는} \quad Q\Delta P = 2\pi n T\eta_T \tag{4.13}$$

$$T = \frac{V_g}{2\pi\eta_m\eta_h}\Delta P \tag{4.14}$$

여기서, N_h는 유압 동력(W), N_m는 기계동력(W), ΔP는 펌프 출구압력(P)과 입구압력(P_i)의 차(Pa)이다.

만약 펌프 입구 압력(P_i)이 구동압력(P)보다 매우 작다면 입구 입력 압력은 무시될 수 있고, 압력차(ΔP)는 펌프 출구 압력과 같다. 이때의 실제 펌프 구동 토크는 다음과 같다.

$$T = \frac{V_g}{2\pi\eta_m\eta_h}P \tag{4.15}$$

그림 4.6은 액시얼 피스톤 펌프의 일반적인 특성을 보여준다.

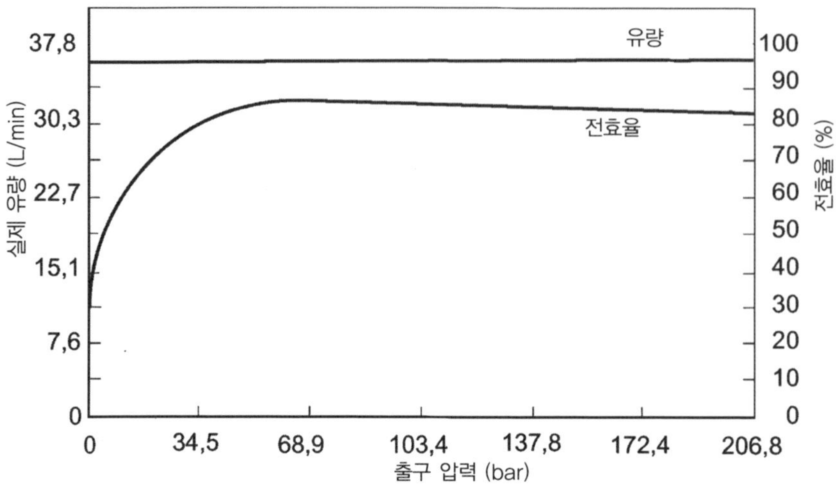

그림 4.6 액시얼 피스톤 펌프의 일반적인 효율 특성

4.4 용적식 펌프의 공동현상

펌프의 공동현상은 펌프 유량에 대한 입구 압력의 영향으로 설명된다. 펌프 입구 압력이 증기압보다 낮을 때 오일은 증발하거나 비등하고 펌프 입구의 작동유는 작동유와 유리된 가스 그리고 증기의 혼합체가 된다. 영이나 아주 낮은 출구 압력에서는 증기가 응축되지 않으므로 증기 방울은 붕괴되지 않는다. 그러나 작동유가 높은 압력의 펌프 출구로 이송되면 오일 내 증기가 빠르게 응축되어 증기 방울이 붕괴된다. 이로 인해 펌프의 순수 유량은 감소한다. 일반적으로 오일과 증기가 혼합된 유동에서 1%의 증기가 증가할 때 펌프의 용적효율은 1% 감소한다. 그림 4.7은 일정한 출구 압력에서 각기 다른 펌프 속도에서 유량에 대한 펌프 입구 압력의 영향을 보여준다.

또한 용적효율의 감소와 함께 붕괴된 증기방울의 공간을 채우기 위한 갑작스런 유동으로 인해 펌프 요소는 큰 충격압을 받게 된다. 이 충격압은 매우 커서 7000 bar까지 이르게 된다. 공동현상이 생기면 펌프 소음 레벨이 증가하여 매우 크고 날카로운 소음이 발생된다. 그리고 펌프 내부 요소들의 표면은 충격압력으로 홈이 파여 손상된다.

따라서 최고 작동 온도에서 펌프 입구 압력은 포화 증기 압력보다 높은 적당한 값을 유지해야 한다. 이 값을 공동현상 압력여유라 하고 그 값은 0.3~0.4 bar정도이다(그림 4.8 참조).

이러한 바람직하지 못한 공동현상은 가능하다면 다음과 같은 조치로 방지해야 한다:

- 흡입 관로의 직경을 늘리고 길이를 줄여서 펌프 입구 관로에서의 압력손실을 최소화

- 입구측에 필터나 다른 국부적 압력손실을 발생시키는 요소의 사용을 자제
- 다음 중 한 가지 방법으로 펌프 흡입압력을 증가시킴
  - 부스트 펌프 사용
  - 밀폐형 가압 오일 탱크 사용
  - 적당한 거리를 두고 탱크 아래에 펌프를 설치

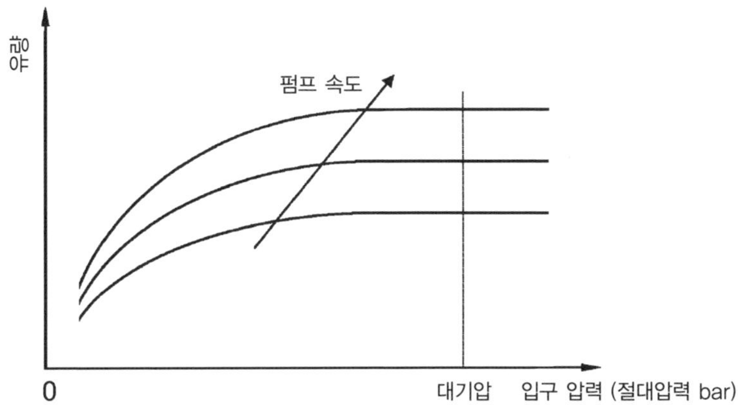

그림 4.7 용적식 펌프의 공동현상

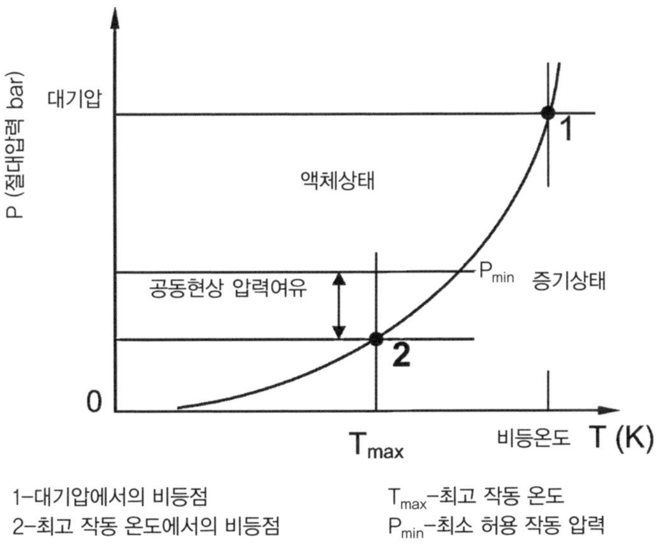

1–대기압에서의 비등점
2–최고 작동 온도에서의 비등점
T_{max}–최고 작동 온도
P_{min}–최소 허용 작동 압력

그림 4.8 최저 허용 흡입 압력의 결정

4.5 용적식 펌프의 유량맥동

이론적으로 펌프 유량은 $Q = V_g n$이며, 이것은 평균 펌프 유량이다. 실제로 펌프 유량은 일정하지 않다. 각 펌프 체임버는 체임버 용적의 감소량만큼 유량을 토출한다. 순수 펌프 유량은 임의의 시점에 토출구에 연결되어 있는 체임버들에 의해 토출된 유량의 순간 합계이다.

펌프 체임버의 토출 행정은 유량이 영에서 시작한다. 그 후 토출 행정의 중간점에서 최대가 될 때까지 유량이 증가하고 토출 행정의 끝에서 영이 될 때까지 유량은 다시 감소한다. 그러므로 여러 체임버로 구성된 펌프의 유량은 그림 4.9와 같이 맥동을 하게 된다. 유량맥동의 크기는 맥동계수에 의하여 다음과 같이 정의된다.

$$\sigma_Q = \frac{Q_{\max} - Q_{\min}}{Q_m} \times 100\% \tag{4.16}$$

여기서 σ_Q는 유량맥동계수, $Q_{\min}$는 펌프 유량의 최소값, $Q_{\max}$는 펌프 유량의 최대값, Q_m는 평균유량이다.

유량맥동은 압력맥동과 함께 실린더와 모터의 불균일 운동을 초래한다. 그림 4.10에서 펌프 출구의 교축저항만 고려하고 유체 압축성을 무시하면 펌프 출구에서의 압력은 다음과 같이 얻어진다.

$$P = \frac{\rho}{2C_d^2 A_t^2} Q^2 \tag{4.17}$$

$$P_m = \frac{\rho}{2C_d^2 A_t^2} Q_m^2 \tag{4.18}$$

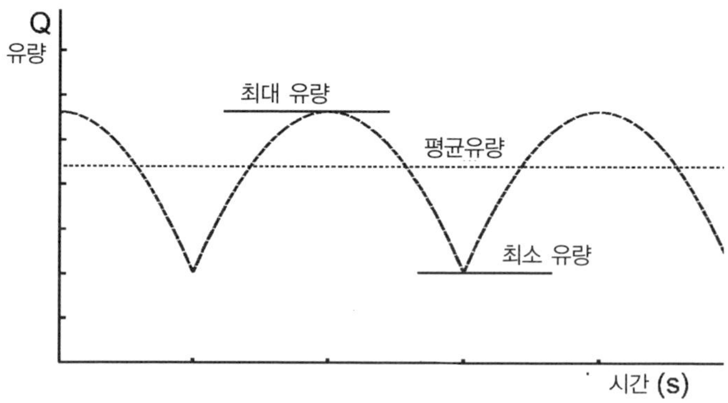

그림 4.9 용적식 펌프의 유량맥동

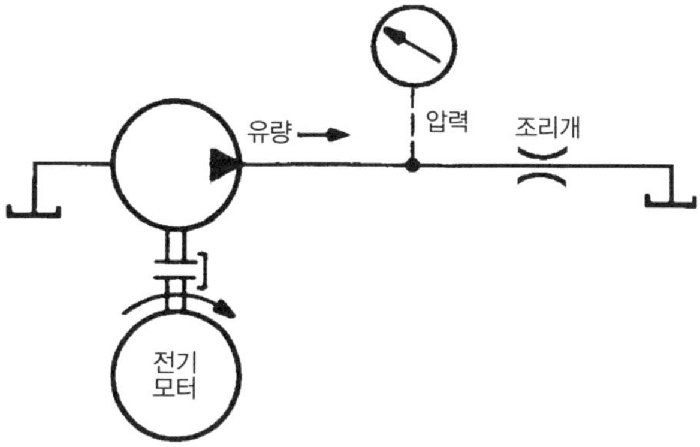

그림 4.10 조리개로 표현된 펌프 부하

$$P_{\max} = \frac{\rho}{2C_d^2 A_t^2} Q_{\max}^2 \tag{4.19}$$

$$P_{\min} = \frac{\rho}{2C_d^2 A_t^2} Q_{\min}^2 \tag{4.20}$$

$$\sigma_P = \frac{P_{\max} - P_{\min}}{P_m} \times 100\% \tag{4.21}$$

$$\sigma_P = \frac{Q_{\max}^2 - Q_{\min}^2}{Q_m^2} \times 100\% \tag{4.22}$$

여기서 σ_P는 압력맥동계수, $P_{\min}$은 최소 펌프 출구 압력(Pa), $P_{\max}$는 최대 펌프 출구 압력(Pa), P_m은 평균 출구 압력(Pa) 이다.

만약 유량이 $0.9Q_m$과 $1.04Q_m$ 사이를 맥동한다면, 유량맥동계수는 14%이고 압력맥동계수는 27.16%이다. 실제로 오일의 압축성을 고려하면 펌프 출구에 연결된 오일체적이 커짐에 따라 압력맥동은 감소한다.

4.6 펌프의 분류

그림 4.11은 가장 널리 사용되는 용적식 펌프 위주로 유압 펌프의 분류를 나타낸다. 다음 절에서는 이 펌프들의 구조와 작동원리, 그리고 특징에 대하여 살펴본다.

4.6.1 사축식 액시얼 피스톤 펌프

구조와 작동

그림 4.12는 전형적인 사축식 액시얼 피스톤 펌프를 보여준다. 펌프는 구동축(1)과 실

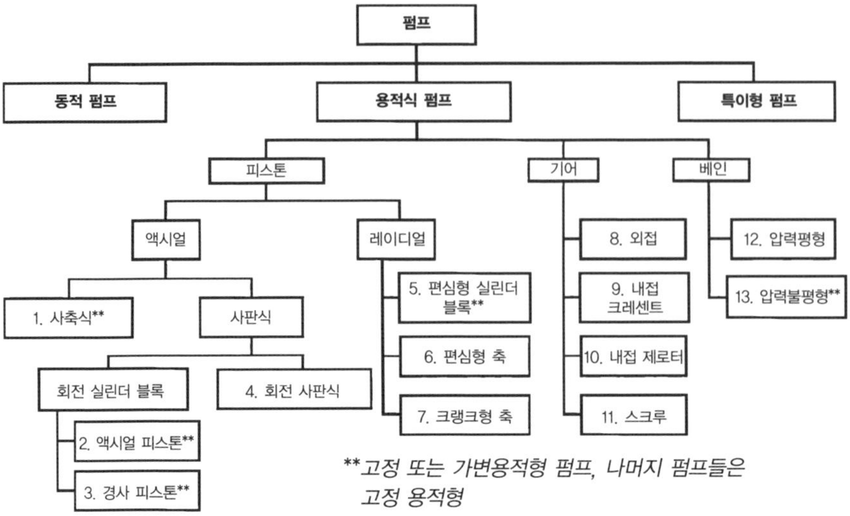

그림 4.11 유압 펌프의 분류

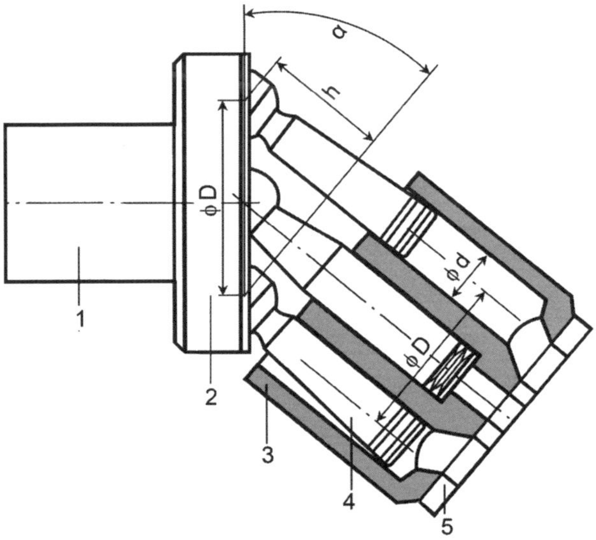

1. 구동축, 2. 피스톤 결합 디스크, 3. 실린더 블록, 4. 피스톤,
5. 포트 플레이트

그림 4.12 원추형 피스톤을 가진 사축식 액시얼 피스톤

린더 블록(3), 피스톤(4), 그리고 포트 플레이트(5)로 구성된다. 피스톤의 구형 끝부분들은 구동축과 연결된 디스크(2)와 결합되어 구동축이 회전할 때 실린더 블록도 회전하게 한다. 실린더 블록은 두 개의 콩팥 모양의 제어 포트를 가진 포트 플레이트(또는 밸브 플레이트)(그림 4.13 참조)와 접촉하면서 미끄럼 운동을 한다.

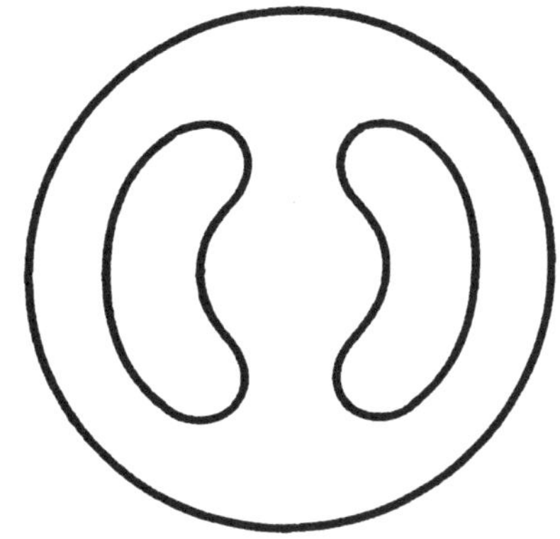

그림 4.13 포트 플레이트의 형상

구동축은 그림의 수평축을 중심으로 회전하고 실린더 블록의 회전축은 각 α 만큼 경사져있다. 따라서 피스톤은 실린더 블록과 함께 회전하며 실린더 블록에 대하여 왕복운동을 하게 한다. 왕복운동의 하사점에서 상사점으로 피스톤이 움직이면 흡입 행정이 이루어진다. 유체는 포트 플레이트의 흡입측 제어 포트를 통하여 실린더 블록 포트로 흡입된다. 구동축이 더 회전하여 피스톤이 상사점에서 하사점으로 움직이면 유체는 다른 제어 포트(고압측)를 통하여 토출된다. 토출 행정 동안 구동축은 부하 압력이 작용하는 피스톤을 움직이는 힘을 발생시키는 데 필요한 토크를 디스크에 전달한다.

펌프의 이론 배제용적은 다음과 같이 주어진다.

$$h = D \sin \alpha, \qquad V_g = zAh \tag{4.23}$$

$$= \frac{\pi}{4} d^2 D z \sin \alpha \tag{4.24}$$

여기서 A는 피스톤 면적(m^2), D는 피치 원 직경(m), d는 피스톤 직경(m), h는 피스톤 행정(m), z는 피스톤 수, α는 경사각(rad)이다.

액시얼 피스톤 펌프의 유량맥동

액시얼 피스톤 펌프의 경우 피스톤은 단순 조화운동을 한다. 각각의 피스톤에 의하여 토출되는 유량은 피스톤 속도와 피스톤 면적의 곱과 같다. 내부 누설, 유체관성 그리고 압축성의 영향을 무시하면 각 피스톤으로부터의 유량 합계는 정현파형으로 변화한다. 그림 4.14는 5-피스톤 펌프의 개별 피스톤에 의해 토출되는 유량을 보여준다. 펌프 토출유량은 펌프 출구에 연결된 피스톤들에 의하여 토출되는 유량의 합이다. 2개 또는 3개의 피스톤이 동시에 토출하게 되며, 총 펌프 유량은 그림 4.14와 같다. 펌프가 교축밸브에 의해 저항을 받는다고 가정하고(그림 4.10 참조) 펌프 출구 압력을 계산한 결과

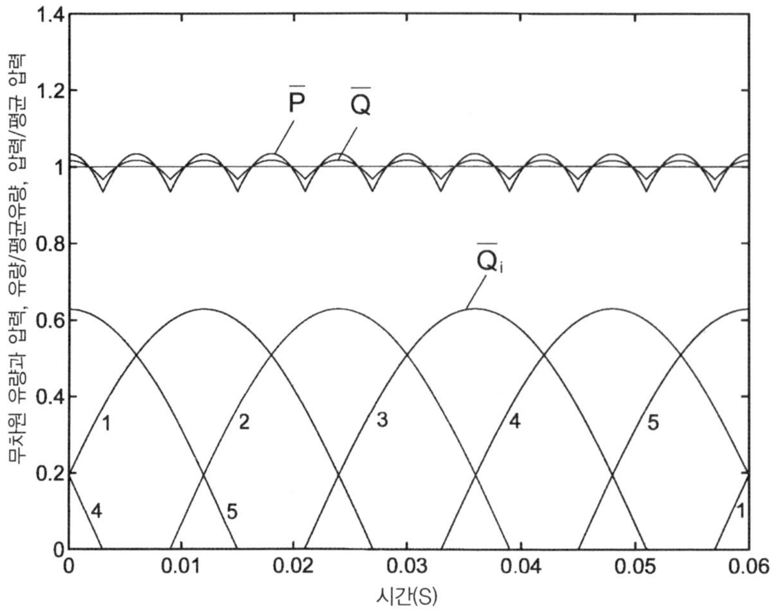

그림 4.14 내부 누설, 유체관성 그리고 압축성의 영향를 무시하고 계산된 5-피스톤 액시얼 피스톤 펌프의 유량맥동과 압력맥동

도 그림 4.14에 표시되어 있다. 여기서 압력과 유량은 평균 압력(P_m)과 평균유량(Q_m)으로 무차원화 하였다; $\bar{Q} = Q/Q_m$, $\bar{P} = P/P_m$, $\bar{Q}_i = Q_i/Q_m$.

그림 4.15는 다른 피스톤 수의 액시얼 피스톤 펌프에 대한 유량맥동을 그래프로 보여준다. 오일의 압축성을 무시하고 일정 면적의 칼날 모서리형 오리피스를 저항요소로 가정했을 때 계산된 압력맥동도 나타내었다. 시뮬레이션 결과로 얻은 유량 및 압력맥동계수는 그림에서 보는 바와 같이 피스톤의 수가 홀수이고 많을수록 유량맥동이 작아진다. 따라서 단순 조화 운동을 하는 피스톤을 갖는 액시얼 피스톤 펌프는 홀수개의 피스톤을 가진다.

4.6.2 액시얼 피스톤을 가진 사판식 펌프

그림 4.16은 사판식 펌프의 구조를 보여준다. 실린더 블록(5)과 피스톤(6)은 구동축(1)과 함께 회전한다. 각 피스톤은 슈, 또는 슬리퍼(3)와 결합되고, 피스톤과 슬리퍼는 리테이너 플레이트(4)의 홀을 관통한다. 따라서 리테이너 플레이트는 피스톤 및 실린더 블록과 함께 회전하며, 리테이너 플레이트의 고정 가이드(8)에 의하여 사판(2)과 평행한 평면에서 회전한다. 슬리퍼의 궤적은 사판과 리테이너 플레이트에 의하여 결정된다. 실린더 블록이 회전하는 동안 각 피스톤은 왕복운동을 한다. 이 과정에서 피스톤

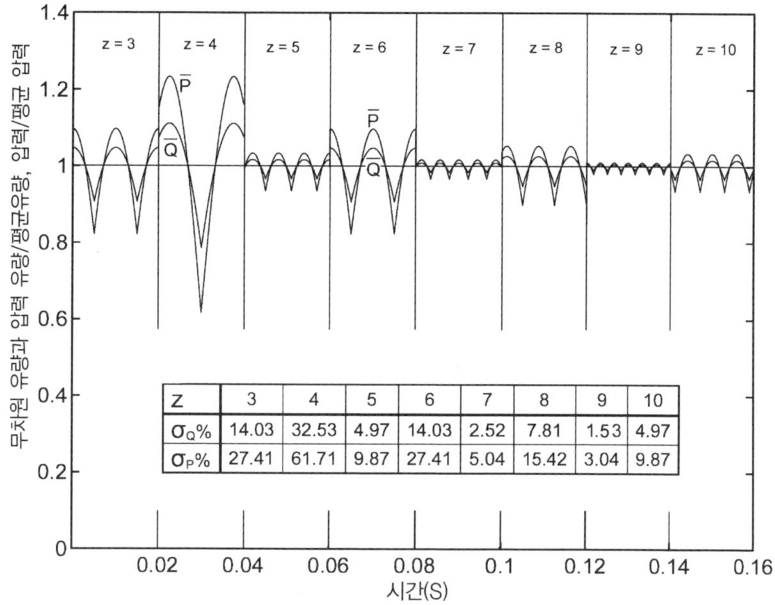

Z	3	4	5	6	7	8	9	10
σ_Q%	14.03	32.53	4.97	14.03	2.52	7.81	1.53	4.97
σ_P%	27.41	61.71	9.87	27.41	5.04	15.42	3.04	9.87

그림 4.15 내부 누설, 유체관성, 압축성의 영향을 무시했을 경우 유량 및 압력맥동에 대한 피스톤 수의 영향

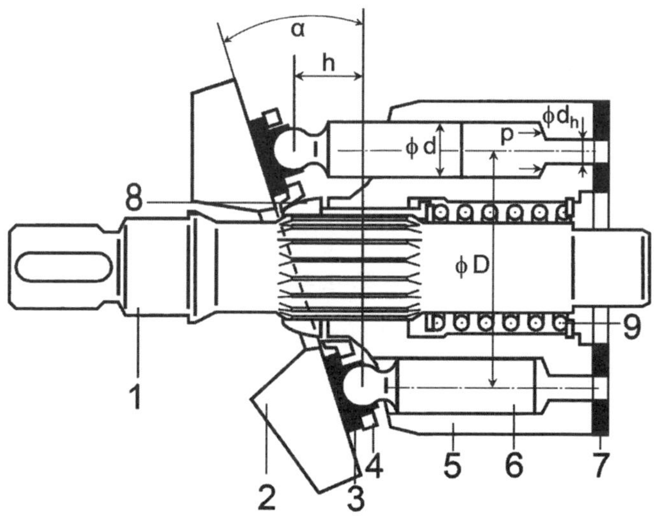

1. 구동축, 2. 사판, 3. 슬리퍼, 4. 리테이너 플레이트, 5. 실린더 블록, 6. 피스톤, 7. 포트 플레이트, 8. 리테이너 플레이트의 고정 가이드, 9. 실린더 블록 밀착 스프링

그림 4.16 사판식 액시얼 피스톤 펌프

면적과 행정의 곱에 상응하는 유체의 용적이 포트 플레이트(7)의 제어 포트를 통하여 흡입되거나 토출된다.

실린더 블록은 스프링(9)에 의하여 포트 플레이트에 밀착되어 펌프의 초기작동시 이들 사이의 틈새를 통한 누설을 최소화한다. 고압측 체임버에 압력이 형성되면 실린더 블록에 $\{0.25\,\pi(d^2 - d_h^2)P\}$의 밀착력이 발생된다. 이 힘은 오른쪽으로 작용하여, 실린더 블록과 포트 플레이트 사이 틈새의 압력분포에 의한 반발력의 반대 방향으로 작용한다. 밀착력은 틈새를 감소시키고 틈새 사이의 누설을 최소화한다. 펌프 이론 배제용적은 다음과 같이 표현된다.

$$V_g = \frac{\pi}{4} d^2 Dz \tan\alpha \tag{4.25}$$

여기서 α는 사판 경사각이다.

4.6.3 경사진 피스톤을 가진 사판식 펌프

경사진 피스톤을 가진 사판식 펌프의 실린더 블록은 펌프축에 경사진 실린더들로 구성된다(그림 4.17 참조). 이 경우 피스톤은 회전축에 φ 만큼 기울어진 방향으로 왕복한다. 이러한 구조는 피스톤 행정과 펌프 이론 배제용적을 증가시킨다. 또한 피스톤에 작용하는 원심력은 흡입 행정을 도와주는 피스톤 축방향의 분력(F_x)을 갖는다. 피스톤 행정과 펌프 이론 배제용적은 다음과 같다.

$$L_1 = \frac{D\sin(\alpha)}{2\cos(\varphi-\alpha)} \quad \text{and} \quad L_2 = \frac{D\sin(\alpha)}{2\cos(\varphi+\alpha)} \tag{4.26}$$

$$V_g = \frac{\pi}{8} d^2 Dz\sin(\alpha)\left\{\frac{1}{\cos(\varphi-\alpha)} + \frac{1}{\cos(\varphi+\alpha)}\right\} \tag{4.27}$$

4.6.4 회전사판을 가진 액시얼 피스톤 펌프

회전사판을 가진 액시얼 피스톤 펌프에서는 사판이 구동축과 함께 회전하고 실린더 블록은 고정되어 있다(그림 4.18 참조). 피스톤은 회전하는 사판에 의하여 상사점으로 움직이고, 반대 방향의 운동은 스프링에 의하여 이루어진다. 펌프 작동시 펌프 체임버는 첵 밸브를 통하여 흡입 및 출구 관로와 연결된다. 흡입 관로 첵 밸브는 펌프의 공동현상을 피하기 위하여 낮은 크래킹 압력에서 작동해야 한다. 펌프 배제용적은 식 (4.25)에 의해 얻어진다.

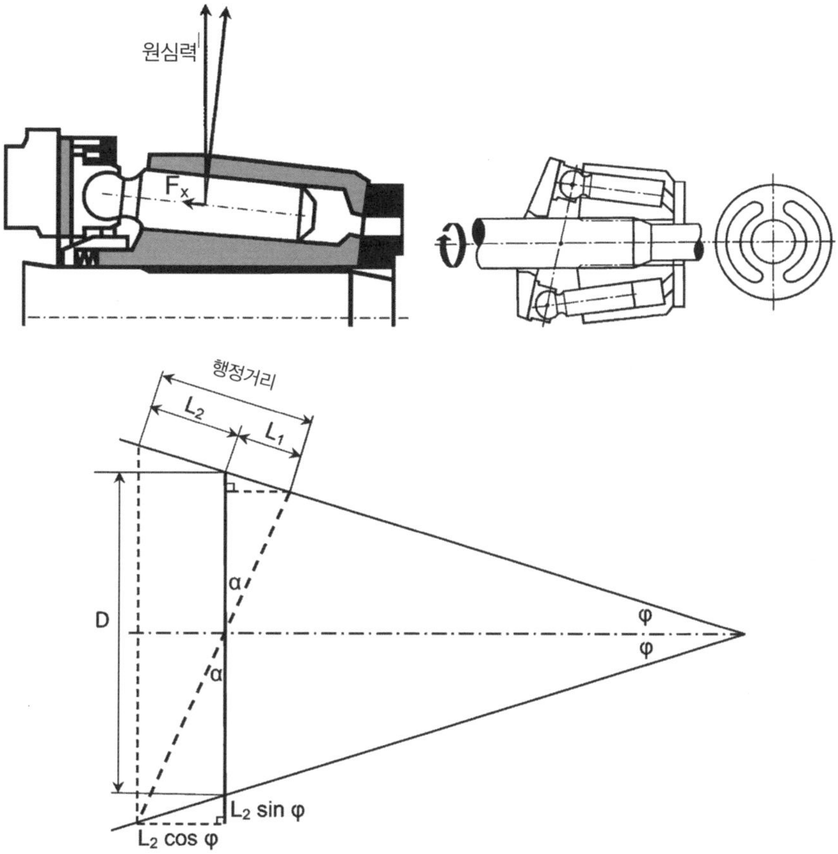

그림 4.17 경사진 피스톤을 가진 사판식 펌프

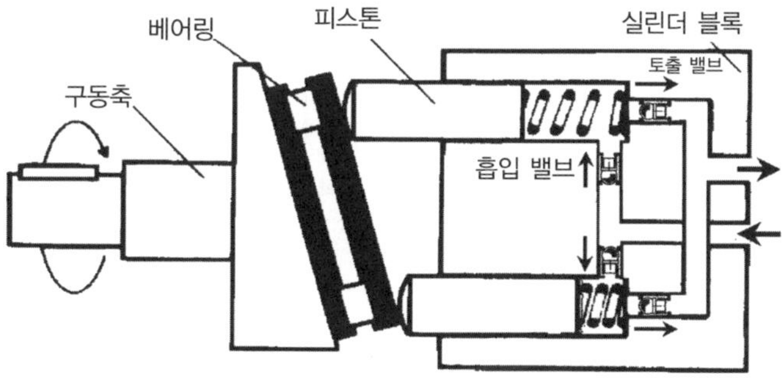

그림 4.18 회전사판(Wobble판)을 가진 액시얼 피스톤 펌프의 전형적인 구조

4.6.5 편심 캠 링을 가진 레이디얼 피스톤 펌프

레이디얼 피스톤 펌프는 주로 400 bar를 넘는 고압을 요구하는 응용분야에 사용된다. 예를 들면 프레스에서 작동 압력이 700 bar까지 요구되는 경우 레이디얼 피스톤 펌프가 사용될 수 있다. 그림 4.19는 편심 캠 링을 가진 레이디얼 피스톤 펌프의 구조를 보여준다.

이 그림은 실린더 블록에서 피스톤들이 반경(레이디얼)방향으로 정렬되어있는 가변용적형 펌프를 예로 든 것이다. 피스톤들은 리테이너 링과 슬리퍼에 의하여 캠 링의 내면과 접촉을 유지한다. 피스톤과 슬리퍼는 각각 볼 조인트(ball-and-socket joint)에 의하여 연결되어 있다. 피스톤의 행정과 이로 인한 펌프 이론 배제용적은 두 개의 제어 피스톤에 의하여 조절되는 캠 링(행정 링)의 편심에 의해 결정된다. 실린더 블록은 구동축에 의해 회전된다. 흡입 행정시 피스톤의 운동은 리테이너 링에 의하여 구속되고, 토출 행정시 피스톤은 캠 링에 의하여 움직인다. 피스톤 행정(h)은 편심량(e)의 두 배이다. 펌프 이론 배제용적은 다음과 같이 주어진다.

$$V_g = \frac{\pi}{2} d^2 e z \tag{4.28}$$

여기서 e는 편심량(단위 m)이다.

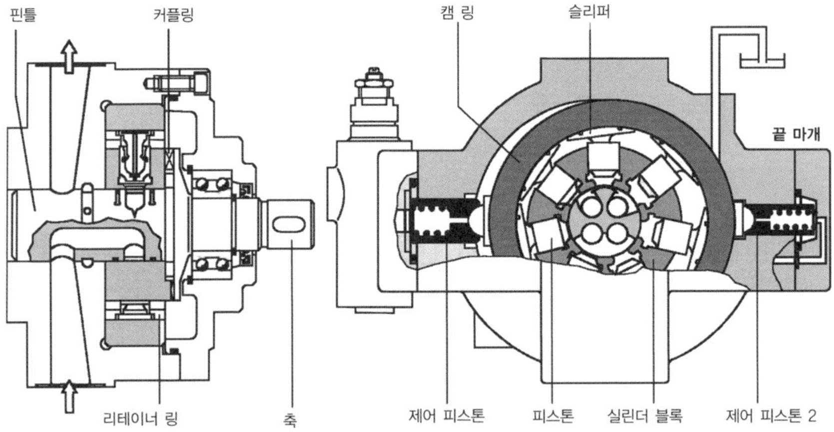

그림 4.19 편심 캠 링을 가진 레이디얼 피스톤 펌프 (*Gotz, 1984, Bosch Rexroth AG. 게재 승인*)

4.6.6 편심축을 가진 레이디얼 피스톤 펌프

그림 4.20은 편심축(캠)을 가진 레이디얼 피스톤 펌프의 구조이다. 피스톤이 반경방향으로 왕복하도록 캠(11)은 펌프 구동축에 대하여 편심되어 있다. 펌프는 피스톤(6), 실

린더 슬리브(7), 피봇(9), 압축 스프링(8), 흡입 밸브(4), 그리고 송출 밸브(5)로 이루어진다. 피봇은 하우징(1)에 나사로 고정되어 있고 피스톤은 슬리퍼에 의해 캠과 접촉한다. 압축 스프링은 슬리퍼를 캠에 밀착시키고 실린더 슬리브는 구면 피봇에 의해 지지된다. 이러한 펌프의 작동은 다음 4단계로 일어난다.

단계 1: 피스톤이 상사점에 있고 펌프 체임버(10)의 용적은 최소이다. 흡입 밸브(4)와 출구 밸브(5)는 닫혀있다.

단계 2: 축이 회전할 때 피스톤은 캠 축방향으로 움직인다. 펌프 체임버의 용적이 증가하고 진공압에 의하여 흡입 밸브가 열린다. 유체는 캠 표면의 홈을 통하여 피스톤 구멍을 거쳐 펌프 체임버로 흘러 들어간다.

단계 3: 피스톤은 하사점에 있고 펌프 체임버는 완전히 채워진다(최대 용적). 흡입 밸브와 토출 밸브는 닫힌다.

단계 4: 캠이 회전하면 피스톤은 반경방향의 바깥쪽으로 움직인다. 펌프 체임버의 유체는 압축된다. 증가된 유체 압력으로 인하여 송출 밸브가 열리고 유체는 출구와 연결된 링 채널(13)로 빠져나간다.

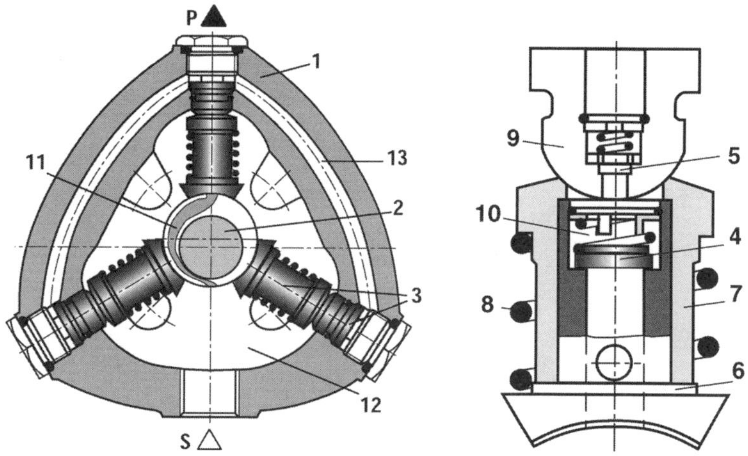

1. 하우징, 2. 구동축, 3. 피스톤 조립체, 4. 흡입 밸브, 5. 토출 밸브, 6. 피스톤, 7. 슬리브, 8. 스프링, 9. 피봇, 10. 펌프 체임버, 11. 캠, 12. 케이스 내부 공동, 13. 링 채널

그림 4.20 편심축을 가진 레이디얼 피스톤 펌프 (*Bosch Rexroth AG. 게재 승인*)

4.6.7 크랭크형 레이디얼 피스톤 펌프

그림 4.21은 전형적인 크랭크형 레이디얼 피스톤 펌프의 구조이다. 펌프는 피스톤과 크랭크 축을 포함한 고정 하우징으로 구성된다. 피스톤은 크랭크축에 의하여 움직이고, 펌프 체임버는 두 개의 첵 밸브를 통하여 흡입 및 토출 포트에 연결된다. 이론 배제용적

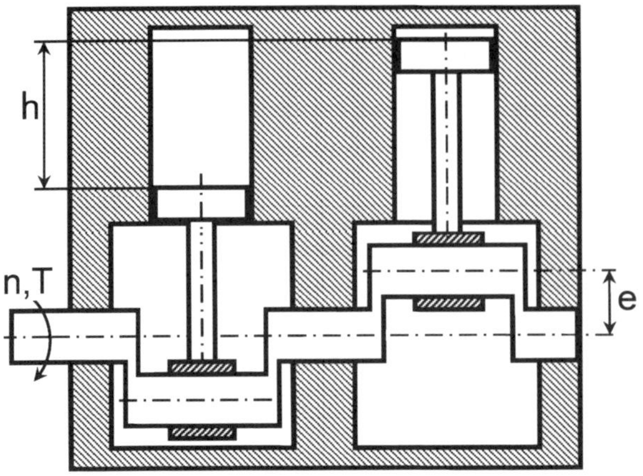

그림 4.21 크랭크형 레이디얼 피스톤 펌프

은 다음과 같이 얻어진다.

$$V_g = \frac{\pi}{4} d^2 hz = \frac{\pi}{2} d^2 ez \tag{4.29}$$

여기서 h = 피스톤 행정 = $2e$ (단위 m) 이다.

4.6.8 외접 기어 펌프

구조과 작동

기어 펌프는 두 개 이상의 회전 로터를 가지는 용적식 펌프이다. 주요 기어 펌프로는 외접 기어 펌프, 내접 기어 펌프, 스크류 펌프, 그리고 제로터 펌프의 네 종류가 있다. 그림 4.22의 외접 기어 펌프는 하우징(1), 플랜지(2), 구동축(3), 두 개의 측판(4), 베어링 부시(5), 두 개의 기어(9와 10), 그리고 디스크(6)로 이루어져 있다. 구동 기어(9)는 구동축(3)과 연결되어 있다. 펌프 체임버는 두 기어의 접촉면과 내부 하우징 벽면, 두 개의 측판 사이에서 형성된다. 기어가 회전하는 동안 풀린 기어들은 펌프 체임버를 개방한다. 이로 인한 흡입 관로의 진공 압력은 유체가 펌프 입구 포트(7)로 흐르게 한다. 이 유체는 펌프 체임버를 채우고, 회전하는 기어와 함께 흡입측에서 토출측으로 이송된다. 이때 기어가 다시 맞물리면서 펌프 체임버로부터 유체가 배출되고 흡입 영역으로 유체가 역류되는 것을 막는다.

두 개의 스퍼 기어를 가진 외접 기어 펌프의 경우 펌프 이론 배제용적은 다음과 같이 표현된다.

$$V_g = 2\pi b m^2 (z + \sin^2 \gamma) \tag{4.30}$$

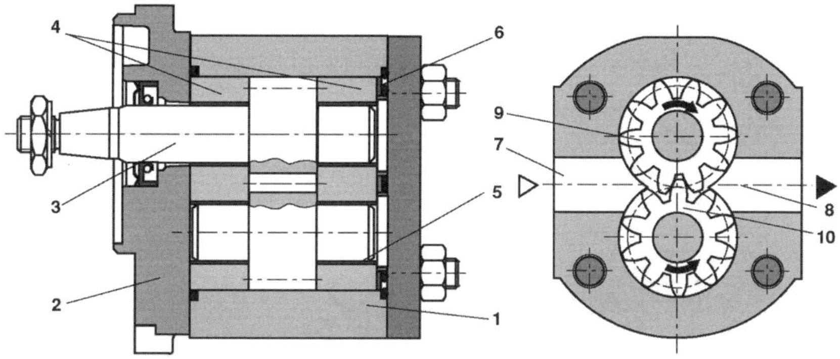

1. 하우징, 2. 플랜지, 3. 구동축, 4. 두 개의 베어링 측판, 5. 베어링 부시,
6. 디스크, 7. 입구 포트, 8. 출구 포트, 9. 구동 기어, 10. 피구동 기어

그림 4.22 외접 기어 펌프 (*Bosch Rexroth AG. 게재 승인*)

여기서 b는 기어의 폭(m), m은 기어의 모듈(m), z는 기어 잇수, γ는 기어의 압력각 (rad)이다.

외접 기어 펌프의 내부 누설

기어 펌프의 내부 누설은 주로 두 가지 틈새에서 발생한다.

- 기어의 끝에서 발생하는 말단 틈새 누설
- 기어 측면과 측판 사이에서 발생하는 측면 틈새 누설

말단 틈새 누설은 말단 틈새의 크기와 기어잇수, 펌프 출구 압력에 의해 영향을 받는다. 기어 잇수의 증가는 국부적 손실과 내부 누설에 대한 저항을 증가시킨다. 기어의 과도한 마멸은 말단 틈새를 통한 누설을 증가시킨다.

측면 틈새 누설은 기어 측면과 측판 사이의 틈새를 통하여 일어난다. 저압에서 작동하는 펌프는 이러한 누설이 그리 크지 않기 때문에 고정된 측판을 사용하나, 측판이 마멸되면 누설을 증가시킨다. 반면에, 고압에서 작동되는 펌프는 이 통로를 통하여 많은 누설을 발생시키므로 측면 누설에 대한 정유압 보상 장치가 필요하다. 이 경우 측판은 압력에 의해 기어에 압착된다(그림 4.22 참조). 펌프 출구 압력은 측판 면적(6)의 일부에만 작용하고 이 면적은 과다한 마찰 토크의 증가없이 압착에 필요한 힘만 발생시킬 수 있도록 설계된다. 그 결과, 측면 틈새는 시스템 압력에 따라 자동적으로 조절된다. 저압에서는 누설이 감소되며 측판에 작용하는 힘도 줄어든다. 기어 측면이 일정하게 압착되므로 측판의 마멸은 측면 틈새 누설에 영향을 주지 않는다.

기어 펌프의 맥동

펌프 출구의 유량은 펌프 체임버로부터의 유량이 변함에 따라 맥동한다. 맥동주파수는 다음과 같다.

$$f = 2zn \tag{4.31}$$

여기서 f는 유량맥동 주파수(Hz), n은 펌프 속도(rev/s), z는 기어의 잇수이다.

기어 펌프에 대하여 맥동계수는 다음 식으로 계산된다.

$$\sigma = \frac{\pi^2 \cos^2 \gamma}{4(z+1)} \times 100\% \tag{4.32}$$

즉, 기어당 10개의 이빨과 압력각 $\gamma = 25°$를 갖는 기어 펌프는 $\sigma = \pi^2 \cos^2 25 / \{4(10+1)\} = 0.184 = 18.4\%$의 맥동 유동 계수를 갖는다.

기어 펌프의 오일 폐입과 압착

펌프 작동시 기어이가 맞물림점에 왔을 때 오일은 두 개의 연속 기어이 사이의 공간에 폐입된다. 오일 폐입은 기어가 동시에 두 개의 접촉점에서 접촉이 이루어지는 곳에 일어난다. 기어가 좀더 회전하면 폐입된 오일의 체적은 감소하고 압력이 매우 크게 증가한다(그림 4.23 참조). 1%의 오일 체적이 감소하면 100~200 bar의 압력이 증가한다. 폐입된 오일의 과도한 압력 증가는 다음의 방법으로 방지할 수 있다.

- 고압측과 폐입 공간을 연결하기 위하여 측판에 홈파기(릴리프 홈)
- 0.4~0.5 mm의 일정한 백 래쉬를 갖도록 작은 수의 기어이를 갖는 기어 사용
- 헬리컬 기어 열(train)의 사용

기어 펌프 속도의 한계

기어 펌프에서 오일이 흡입되면 기어와 함께 회전하며 원심력을 받는다. 원심력은 유체를 밀어내어 펌프 체임버 밖으로 보내려 하기 때문에 최대 펌프 속도는 제한되며, 입구 압력은 원심력을 극복할 수 있을 만큼 높아야 한다. 최대 펌프 속도는 다음과 같이 구해진다.

즉, 한 유체 요소에 작용하는 압력과 원심력을 고려하되(그림 4.24 참조), ($rd\xi$)에 비해 크기가 작은 ($drd\xi$)를 무시하면 다음 관계가 유도된다.

$$(P + dP)brd\xi = Pbrd\xi + F_r \quad \text{혹은} \quad F_r = brd\xi dP \tag{4.33}$$

원심력(F_r)은

$$F_r = mr\omega^2 = \rho r d\xi b dr r\omega^2 \tag{4.34}$$

따라서

$$dP = \rho r\omega^2 dr \tag{4.35}$$

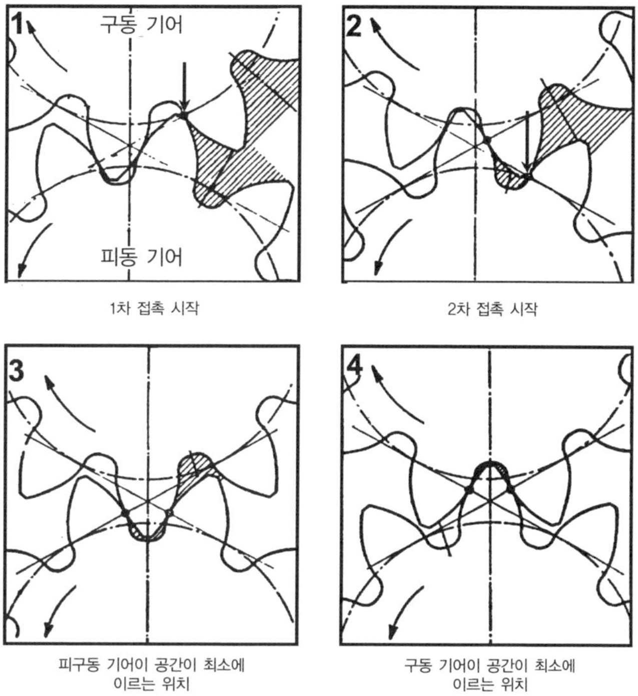

그림 4.23 백 래쉬가 없는 기어를 가지는 기어 펌프의 오일 폐입 과정

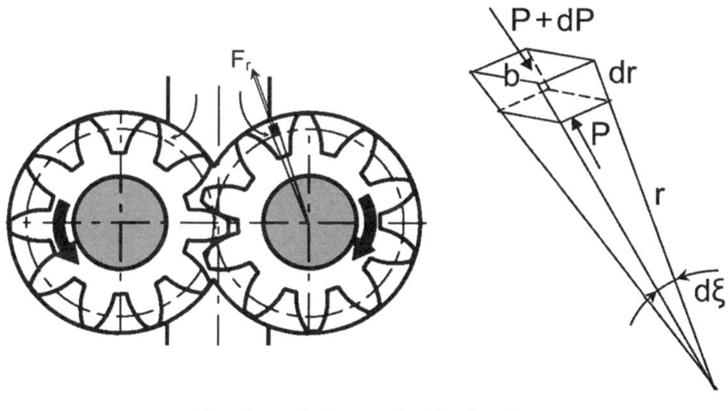

그림 4.24 유체 요소에 작용하는 원심력

적분하면

$$\int_0^{Pc} dP = \int_0^r \rho\omega^2 r dr \quad (4.36)$$

$$P_C = \rho r^2 \frac{\omega^2}{2} \quad (4.37)$$

즉, 펌프 입구 압력(P_i)은 원심력에 의한 압력(P_C)보다 커야 한다. 따라서 최대 펌프 속도는 다음과 같이 제한된다.

$$\omega = 2\pi n \quad (4.38)$$

$$P_i > P_C \quad (4.39)$$

$$n_{\max} < \frac{1}{\pi r}\sqrt{P_i / 2\rho} \quad (4.40)$$

여기서 P_i는 펌프 입구 압력(Pa), r은 기어의 어덴덤 반경(m), ρ는 오일 밀도(kg/m^3)이다.

어떤 펌프의 경우에는 베어링 윤활을 위해 최저 권장 속도를 지정하게 된다. 기어가 그림 4.25와 같이 압력에 의한 힘(F_P)과 기어 접촉력(F_C)의 하중을 받고있다면 이러한 힘들은 축베어링에 전달된다. 따라서 동유압방식으로 윤활되는 미끄럼 베어링의 경우에는 베어링 윤활을 유지할 수 있도록 최저 펌프 속도($n_{\min}$)가 제한된다.

4.6.9 내접 기어 펌프

그림 4.26은 누설 틈새 보상형 내접 기어 펌프의 구조를 보여준다. 이 펌프는 세그먼트(부채꼴 요소)(7.1), 세그먼트 캐리어(7.2), 실링 롤(7.3)로 이루어진 세그먼트 조립체(7), 하우징(1), 베어링 커버(1.1), 블랭킹 플레이트(1.2), 내접 기어(2), 외접 기어(피니언)을 가진 구동축(3), 축 베어링(4), 측판 또는 마멸판(5), 정지 핀(6)으로 구성되어 있다.

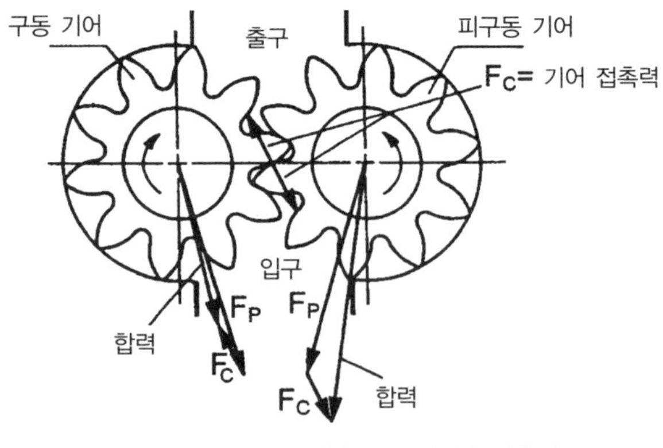

그림 4.25 기어에 작용하는 압력과 접촉력

흡입과 송출 과정

동유압 베어링으로 지지되는 피니언(3)은 내접 링 기어(2)를 구동한다. 회전하는 동안 기어가 풀리는 위치에 진공압이 발생되면 유체가 측판에 있는 구멍을 통하여 흡입된다. 세그먼트 조립체(7)은 흡입 체임버와 토출 체임버를 분리한다. 두 개의 기어가 토출 영역에서 맞물리면서 오일을 출구로 배출된다.

축방향 보상력

축방향 보상력(F_A)은 마멸판(5)의 외부에 위치한 압력 체임버에서 토출압력에 의하여 생성된다. 고정부와 회전부사이의 측면 틈새는 최소화되고 이로 인해 최소의 측면 틈새 누설만 발생한다.

반경방향 보상력

반경방향 보상력(F_R)은 세그먼트(7.1)과 세그먼트 캐리어(7.2) 사이에 발생한다. 세그

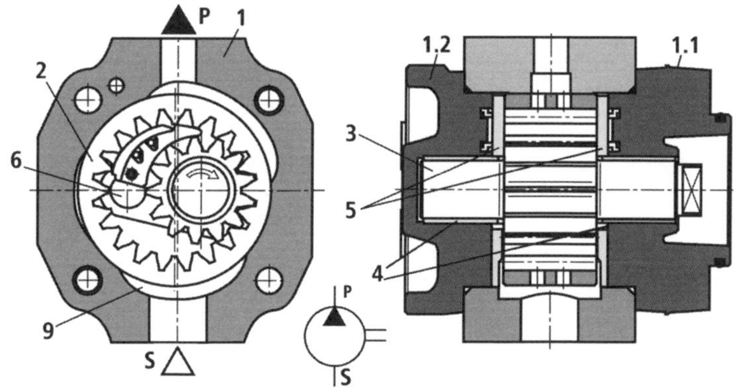

1. 하우징, 1.1 베어링 커버, 1.2 블랭킹 플레이트, 2. 내접 기어,
3. 구동축, 4. 축베어링 5. 마멸판, 6. 정지핀, 9. 유정압 베어링

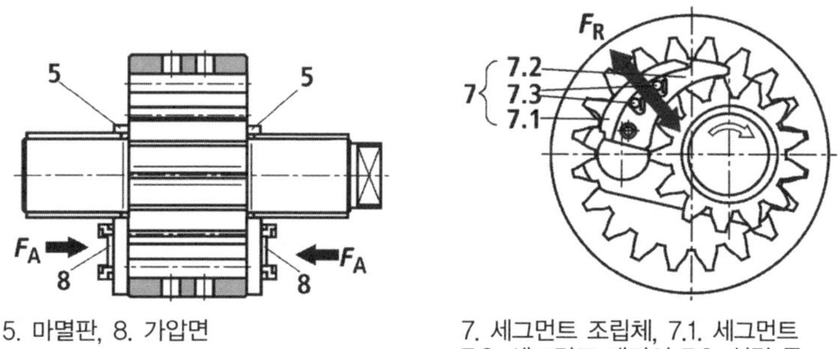

5. 마멸판, 8. 가압면

7. 세그먼트 조립체, 7.1. 세그먼트
7.2. 세그먼트 캐리어 7.3. 실링 롤

그림 4.26 내접 기어 펌프의 구조 (*Bosch Rexroth AG. 게재 승인*)

먼트와 세그먼트 캐리어 사이에 위치한 실링 롤(7.3)의 면적비와 위치는 내접 기어, 세그먼트 조립체(7), 그리고 외접 기어 사이의 누설을 차단하도록 설계된다. 실링 롤(7.3)에 속한 스프링이 시동시 기본적인 보상력을 제공한다.

그림 4.27은 각기 다른 이론 배제용적을 갖는 내접 기어 펌프들의 전형적인 압력-유량 특성을 보여준다.

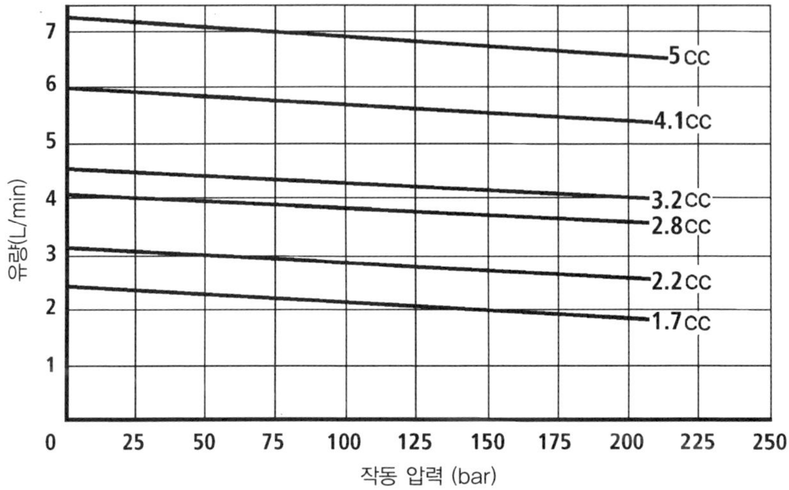

그림 4.27 1450 rpm에서 각기 다른 이론 배제용적을 갖는 내접 기어 펌프들의 유량 특성 (*Bosch Rexroth AG. 게재 승인*)

4.6.10 제로터 펌프

"제로터(Gerotor)"는 *ge*nerate *rotor*를 의미하며 특수한 내접 기어 요소의 상업적 명칭이다. 그림 4.28은 기어 모양의 전형적인 제로터를 보여준다. 내부 기어(또는 로터)(1)은 같은 회전 방향으로 외부 기어(2)를 구동한다. 이것은 초승달 모양의 실을 갖고 있는 내접 기어 펌프와 유사하다.

구동 기어는 외부(피구동)기어보다 한 개 적은 기어이를 가진다. 펌프 체임버는 틈새 여유를 무시한다면 지속적으로 접촉하는 두개의 인접한 기어이의 짝들에 의해 형성된다. 로터가 회전할 때 로터의 기어 끝은 정밀하게 가공되면 정확하게 외부기어의 내면을 따라간다. 팽창 체임버는 두 기어이 사이가 벌어질 때 생긴다. 체임버의 크기는 외부 로터의 암 기어이가 중앙 상사위치에 도달했을 때 최대가 된다. 나머지 반 바퀴의 회전 구간에서 체임버 공간이 줄어들고 유체가 외부 포트로 배출된다. 제로터 펌프의 이론 배제용적식은 다음과 같다.

$$V_g = bz(A_{\max} - A_{\min}) \tag{4.41}$$

여기서 b는 기어이 폭 (m)이고, z는 로터의 기어잇수이다.

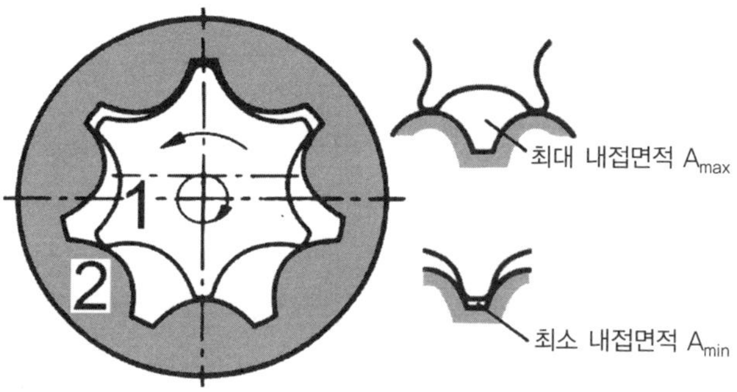

그림 4.28 제로터 펌프의 구조 (*Bosch Rexroth AG. 게재 승인*)

4.6.11 스크루 펌프

그림 4.29에서 스크루 펌프의 배출 체임버는 나사와 하우징으로 이루어진다. 2열 스크루 펌프의 이론 배제용적을 표현하는 식은 아래와 같다.

$$V_g = \frac{\pi}{4}(D^2 - d^2)s - D^2\left(\frac{\alpha}{2} - \frac{\sin 2\alpha}{2}\right)s \tag{4.42}$$

$$\cos(\alpha) = \frac{D+d}{2D} \tag{4.43}$$

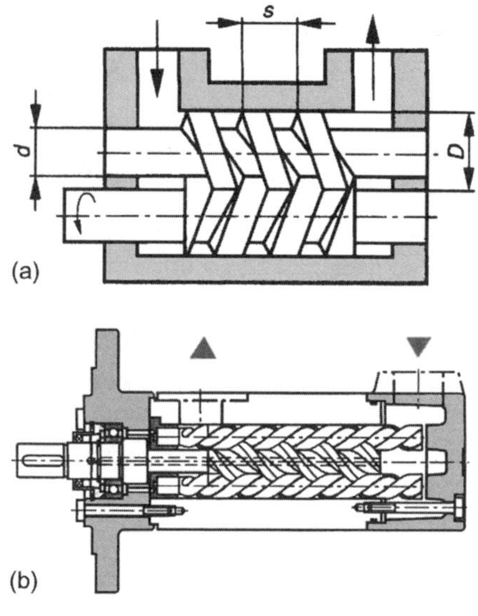

그림 4.29 (a) 2열 스크루 펌프, (b) 3열 스크루 펌프

4.6.12 베인 펌프

구조와 작동

그림 4.30은 고정용적형 베인 펌프의 구조이다. 로터(2)는 구동축(1)에 의해 캠 링 내부에서 회전한다. 베인(4)은 로터의 슬롯에 장착되어 원심력에 의해 반경방향으로 힘을 받아 캠 링의 내면과 접촉된다. 고압의 토출압력이 고압 구간에 위치한 베인의 밑면(뿌리)에 작용하면 베인과 캠 링 사이의 접촉력을 증대시켜 실링 효과를 높인다. 펌프 체임버는 두 개의 베인, 캠 링의 내면, 로터 외면, 그리고 측판(5)의 양쪽 내면으로 형성되어 타원형의 캠 링을 따라 회전하는 동안 그 용적이 변한다. 팽창시 펌프 체임버는 측판의 구멍을 통하여 흡입관로에 연결되어 오일이 체임버로 흡입된다. 그 후 펌프 체임버가 압축될 때에는 측판의 다른 구멍을 통하여 오일을 출구 관로로 배출한다. 이런 방식으로 각각의 체임버는 한 회전당 두 개의 펌프 행정을 수행한다.

펌프 배제용적은 다음 식으로 얻을 수 있다(그림 4.31 참조).

$$V_g = 2bz(A_{\max} - A_{\min}) \tag{4.44}$$

여기서 b는 로터 폭(m)이다.

타원형 캠 링으로 인하여 펌프의 구조는 면대칭이다. 두 개의 토출 포트와 두 개의 흡입 포트가 반대 방향에 위치하므로 로터는 압력평형을 이룬다. 이로 인해 베어링 하중은 최소화되고 마찰과 마멸이 줄어들며, 펌프 효율과 수명이 증가한다.

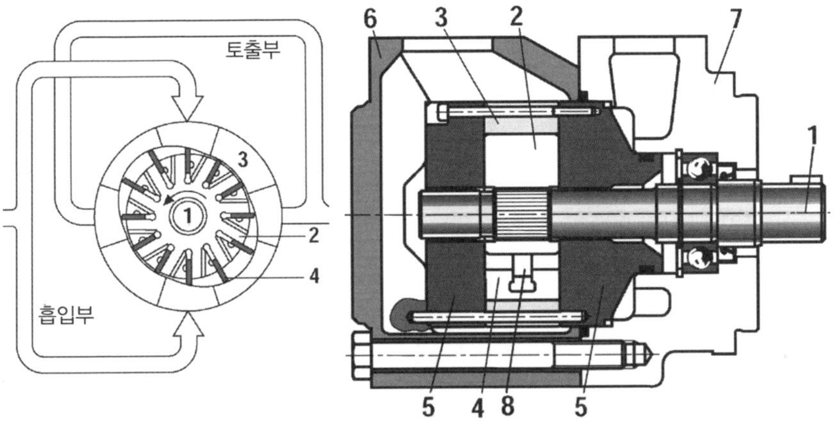

1. 축, 2. 로터, 3. 캠 링, 4. 베인, 5. 고정 측판, 6. 케이스, 7. 베어링 하우징, 8. 인트라 베인

그림 4.30 고정 측판을 가진 고정용적형 베인 펌프

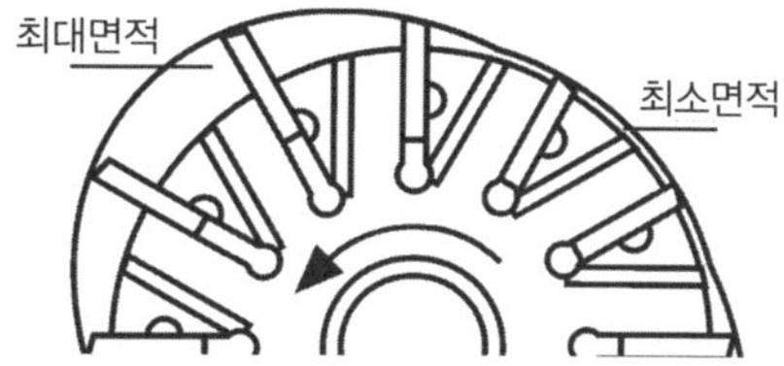

그림 4.31 최대 및 최소 체임버의 위치

측면 틈새 누설

베인 펌프의 내부 누설은 주로 로터 측면 틈새와 베인 말단의 틈새를 통하여 발생한다. 고정된 측판의 경우 측면 틈새 누설은 통제할 수 없다. 고정된 측판의 마멸은 보상되지 않으며 내부 누설을 증가시킨다. 가동 측판을 사용하면 다음과 같은 기능이 보완된다.

- 측판 틈새 누설의 최소화
- 로터의 열 팽창 보상
- 갑작스런 압력변화 대응

그림 4.32는 두 개의 가동 측판(1)을 가진 베인 펌프의 구조를 보여준다. 두 개의 토출 포트(2)가 축 대칭으로 배열되어 펌프 출구 관로와 연결된다. 고정 측판과 가동 측판 사이에는 펌프 체임버 내부의 압력에 대항하는 힘이 토출압력에 의해 발생된다. 이

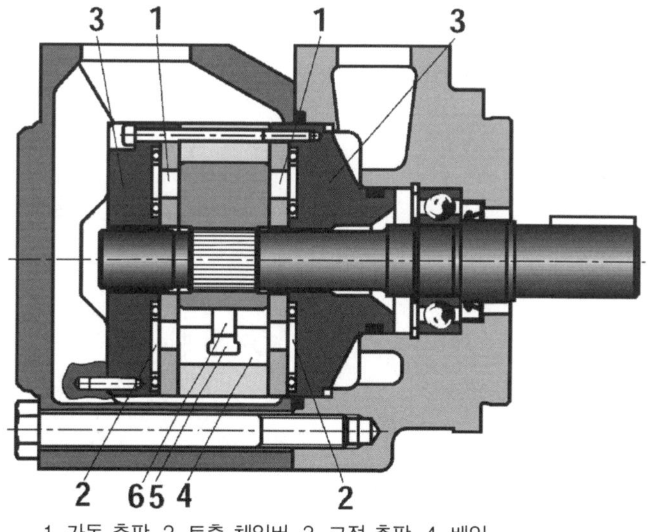

1. 가동 측판, 2. 토출 체임버, 3. 고정 측판, 4. 베인,
5. 인트라 베인 체임버, 6. 인트라 베인

그림 4.32 가동 측판을 가진 고정용적형 베인 펌프

로 인하여 로터와 측판사이의 최적 틈새가 유지되고 측면 틈새 누설은 최소화된다.

말단 틈새 누설

말단 틈새 누설은 베인 말단과 캠 링 내면 사이의 틈새를 통하여 발생된다. 그러므로 베인이 서로 다른 압력의 두 체임버를 분리할 때마다 베인 밑면은 가압되어야 한다(그림 4.34c와 4.34d 참조). 반면에, 동일한 압력의 두 체임버를 분리하는 경우에는 베인 밑면은 체임버 압력과 같은 압력이 가해진다(그림 4.34a와 4.34b 참조). 이때에는 베인에 압력평형이 이루어지고 단지 원심력의 작용으로만 반경방향으로 밀착된다. 이 동작구간에서는 마찰과 마멸이 최소화된다.

대부분의 압력평형 베인 펌프는 인트라 베인 형상을 가진다. 이 구조는 베인 끝의 접촉력을 최소화하면서 베인이 상승과 하강하는 동안 캠 링과 지속적인 접촉을 유지하게 한다. 그림 4.32에서 인트라 베인의 구조를 볼 수 있다. 단일 베인 대신 같은 두께의 두 개의 베인으로 구성되며, 작은 것(인트라 베인 6)은 주 베인 (4)의 내부에 삽입되어 내부 체임버(인트라 베인 체임버 5)를 형성한다.

인트라 베인의 작동은 그림 4.33과 4.34에 설명되어 있다. 그림 4.33은 로터(1), 주 베인(2), 캠 링(3), 인트라 베인 가압 통로(4), 베인 뿌리 가압 통로(5)를 보여준다. 통로 5는 베인 뿌리를 베인의 후방 체임버와 연결시킨다. 인트라 베인 내부 체임버는 통로 4와 측판에 있는 홈을 통하여 가압된다. 측판에 형성된 4개의 홈 중에서 두 개는 흡입 관로와 연결되고 다른 두 개는 토출 관로와 연결된다. 이들 홈은 인트라 베인을 토출 또는 흡입 관로에 연결시킨다. 4개의 홈은 가압 통로(4)를 접하여 아크형태로 배열된다. 베인은 4개의 작동상태를 거치게 된다.

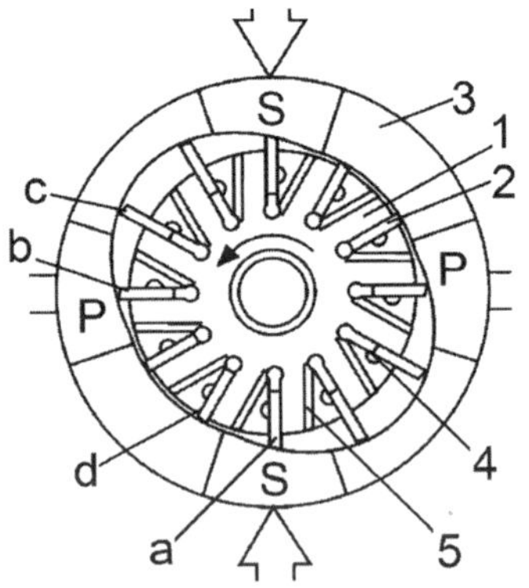

그림 4.33 인트라 베인의 역할(a, b, c, d는 그림 4.34에 나타낸 베인의 가압상태별 위치를 표시)

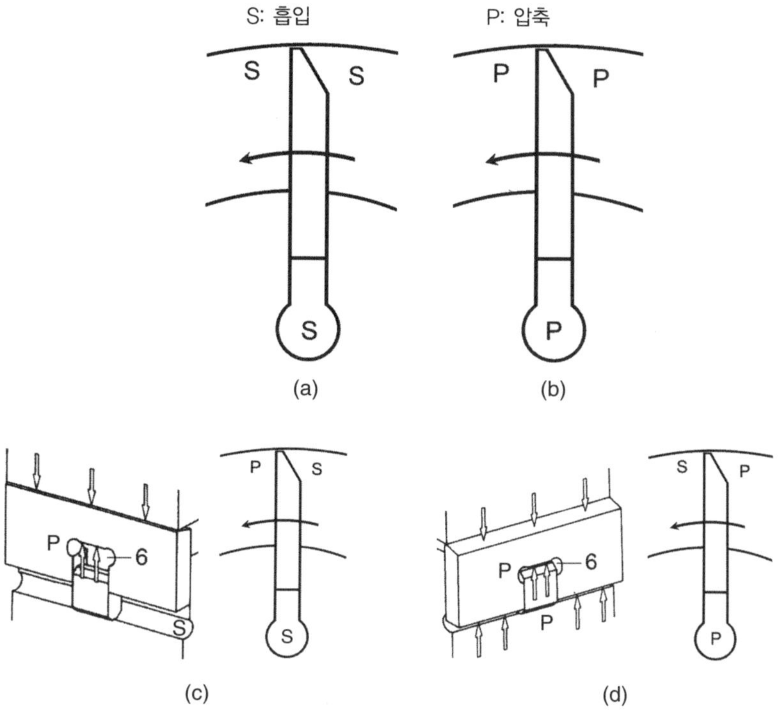

(c) (d)

그림 4.34 베인 뿌리와 인트라 베인의 가압

- 흡입 관로에서 베인이 두 개의 체임버를 분리한다. 베인 뿌리와 인트라 베인 체임버 모두 가압되지 않고 베인은 압력평형 상태에 놓인다(그림 4.34a 참조).
- 베인이 토출 관로에서 그림 4.34b와 같이 두 개의 체임버를 분리한다. 이 위치에서는 베인 뿌리와 인트라 베인이 가압되어 베인에 압력평형을 이루고 원심력이 반경방향으로 베인을 밀어낸다. 만약 베인 뿌리가 가압되지 않으면 베인은 말단면에 작용하는 압력에 의해 밀려 들어간다. 그렇게 되면 베인을 밀착시키기 위해 1회전당 4회씩 베인 뿌리가 가압될때마다 베인이 반경방향으로 튀어나가게 된다. 이 현상은 캠의 내면의 심각한 손상을 초래한다.
- 베인 앞쪽에만 고압이 작용하는 상태에서 베인이 두 개의 다른 압력 체임버를 분리한다(그림 4.34c 참조). 단일 베인 설계의 경우에는 충분한 말단 밀착을 위하여 뿌리가 가압되어야 한다. 이때 전방 체임버의 압력이 베인 끝 부위의 작은 면적에만 작용하기 때문에 베인에 작용하는 반경방향 힘이 매우 크게 된다. 이러한 구조를 가진 펌프는 이 영역에서 심각한 마멸을 일으킨다. 인트라 베인 구조의 큰 장점은 이 위치에서 베인 뿌리가 후방의 저압 체임버와 연결되어 가압

되지 않는다는 것이다. 단지 인트라 베인만 가압되기 때문에 베인이 받는 힘을 작게 유지할 수 있어 정상 작동시 베인의 마멸이 크게 감소된다.

- 고압이 베인 뒤쪽에만 작용하는 상태에서 베인이 두 개의 다른 압력 체임버를 분리한다(그림 4.34d 참조). 이 위치에서 베인 말단 면적의 대부분은 후방 체임버의 높은 압력에 노출된다. 따라서 베인 뿌리와 인트라 베인 모두 가압되어 요구되는 밀착력을 발생한다.

4.7 가변용적형 펌프

4.7.1 개요

가변용적형 펌프는 고정용적형 펌프에 비해 매우 고가이고 구조가 더 복잡하다. 그러나 아래의 두 가지 이유 때문에 가변용적형 펌프가 사용된다.

경제적 측면

부하 측에서 유압 동력(*PQ*)이 필요하지 않을 때 유압 동력의 발생을 최소화하기 위해서는 압력보상기를 가진 가변용적형 펌프를 사용하는 것이 가장 적절한 방법중 하나이다. 이런 펌프의 유량 특성은 그림 4.38과 같다.

또 다른 중요한 고려 사항은 유압시스템이 넓은 범위의 압력과 유량조건에서 작동된다는 점이다. 최대 유량과 최대 압력을 고려하면 매우 높은 동력의 원동기가 필요하나 일정 동력 제어기를 가진 용적형 펌프를 사용하면 원동기의 크기를 줄일 수 있다.

제어 측면

가변용적형 펌프에 다양한 제어기를 적용할 수 있으며, 유압 실린더나 유압 모터의 속도와 방향을 제어할 목적으로 펌프의 유량과 방향을 제어할 수 있다. 이러한 제어기로는 다음과 같은 종류가 있다.

- 펌프 배제용적의 오픈 루프 제어를 위한 유압 비례제어기
- 펌프 배제용적의 폐루프 제어를 위한 유압 서보 제어기
- 펌프 배제용적의 오픈 루프 제어를 위한 전기유압 비례제어기
- 펌프 배제용적의 오픈 루프 또는 폐루프 제어를 위한 전기유압 서보 제어기

4.7.2 압력보상 베인 펌프

구조와 작동

그림 4.35~4.37은 압력불평형 로터를 가진 가변용적형 베인 펌프의 구조를 보여준다.

그림 4.35의 펌프는 하우징(1), 로터 (2), 베인 (3), 캠 링(4), 조절나사 (6)으로 구성된다. 캠 링의 위치는 작은 제어 피스톤(10)과 큰 제어 피스톤 (11)에 의해 수평방향으로 제어된다. 캠의 수직 방향 위치는 조절나사 (7)에 의해 설정된다. 펌프 체임버 (8)는 베인과 로터, 캠 링, 측판(9)로 형성된다. 시동시 펌프 기능을 보장하기 위하여 캠 링은 스프링 (5)에 의해 편심 위치로 밀린다. 그리고 로터의 회전에 의하여 체임버(8)의 체적이 증가하면 흡입 포트(S)를 통하여 오일이 채워진다. 최대 체적에 도달했을 때 체임버는 흡입측과 차단된다. 그리고 로터가 더 회전하여 체임버가 토출측과 연결되면 체임버의 체적은 감소한다. 이때 오일은 토출 포트 (P)를 통하여 배출된다. 작은 제어 피스톤은 펌프의 토출 포트와 항상 연결된다. 큰 제어 피스톤은 스프링(5)에 의하여 힘을 받고, 펌프 시동시 캠을 최대 편심 위치로 이동시킨다. 펌프가 작동하여 펌프 출구 압력이 형성되면, 스프링 체임버의 증압 또는 감압에 의해 캠의 위치가 결정되고, 그 결과로 펌프 배제용적이 변한다.

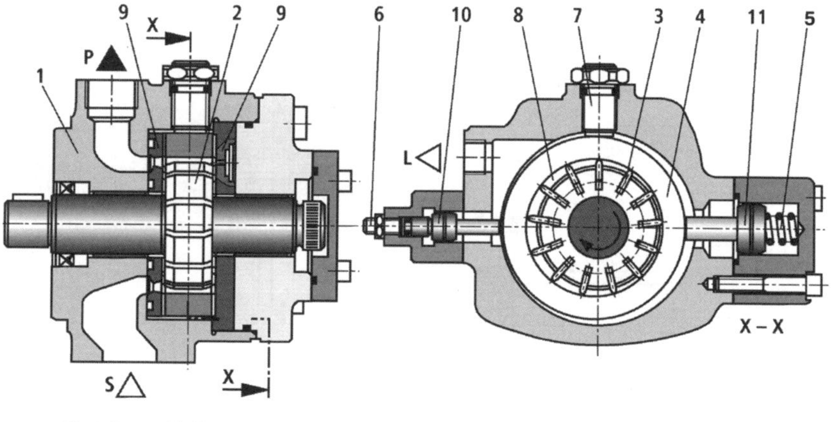

그림 4.35 압력불평형 로터를 가진 베인 펌프 (*Bosch Rexroth AG. 게재 승인*)

펌프 제어

공전 모드 그림 4.36의 압력보상기에서 가압력(F_P)이 스프링 반력(F_F)을 초과하면 제어 스풀(14)은 스프링(13)을 압축하는 방향으로 움직인다(그림 4.36 참조). 이로 인해 큰 제어 피스톤(11) 후방의 체임버는 탱크와 연결된다. 그러면 시스템 압력을 받는 작은 제어 피스톤(10)은 캠 링을 중앙 위치로 움직인다. 캠 링의 최종 위치는 기계적인 변위제한기에 의해 결정되고 펌프 체임버의 체적은 최소값으로 감소한다. 펌프는 최소 유량을 토출하여 내부 누설을 보상하므로 펌프의 실제 토출유량은 없게 된다. 동력손실과 오일의 온도상승은 낮은 수준으로 유지된다. 그림 4.38은 펌프 유량 특성($Q(P)$)을 보여준다. 펌프 배제용적 제어의 기준 압력은 스프링(13)의 압축력에 의하여 결정된다.

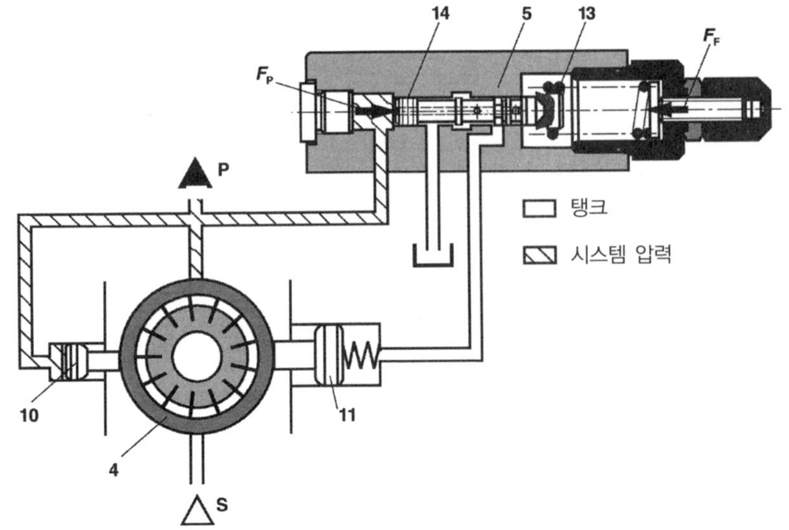

그림 4.36 압력불평형 로터를 가진 가변용적형 베인 펌프의 공전 모드
(Bosch Rexroth AG. 게재 승인)

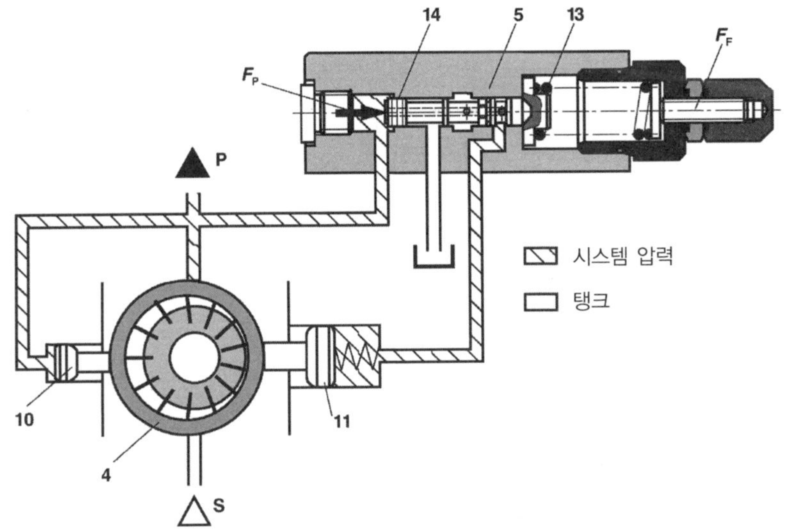

그림 4.37 압력불평형 로터를 가진 가변용적형 베인 펌프의 작동모드
(Bosch Rexroth AG. 게재 승인)

작동모드 시스템 압력이 초기 설정 압력 이하로 떨어지면 스프링 (13)은 제어 스풀 (14)을 초기 위치(최대한 왼쪽)로 복귀시킨다(그림 4.37 참조). 큰 제어 피스톤 (11)은 압력을 받아 캠 링을 편심 위치(최대한 왼쪽)로 움직인다. 이때 펌프는 최대 배제용적 위치에 놓이며 최대 유량을 토출한다.

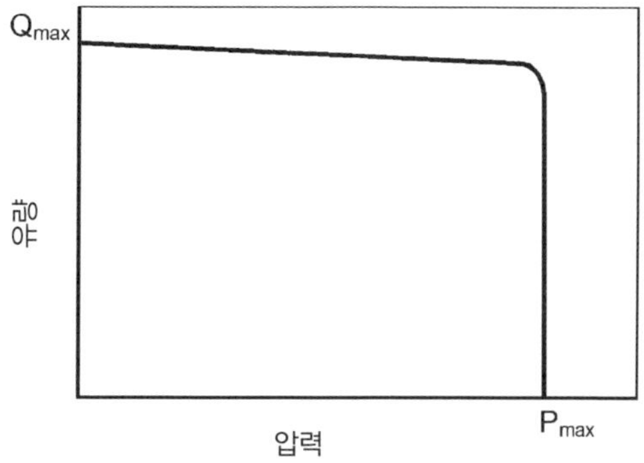

그림 4.38 압력보상 제어기를 가진 가변용적형 베인 펌프의 일반적인 유량 특성

4.7.3 출력제어 사축식 액시얼 피스톤 펌프

구조와 작동

그림 4.39는 출력제어기를 가진 가변 용적형 사축식 액시얼 피스톤 펌프의 구조이다. 이 펌프는 두 개의 그룹으로 구성된다. 첫 번째 그룹은 구동축, 포트 플레이트, 그리고 하나의 원통형 블록 안에서 움직이는 7개의 피스톤으로 이루어진 펌프 기구이다. 실린더 블록은 예압 스프링의 압축력과 실린더 압력에 의해 포트 플레이트에 밀착된다. 출력제어 작동시 포트 플레이트는 실린더 블록과 함께 미끄럼면을 따라 움직인다. 두 번

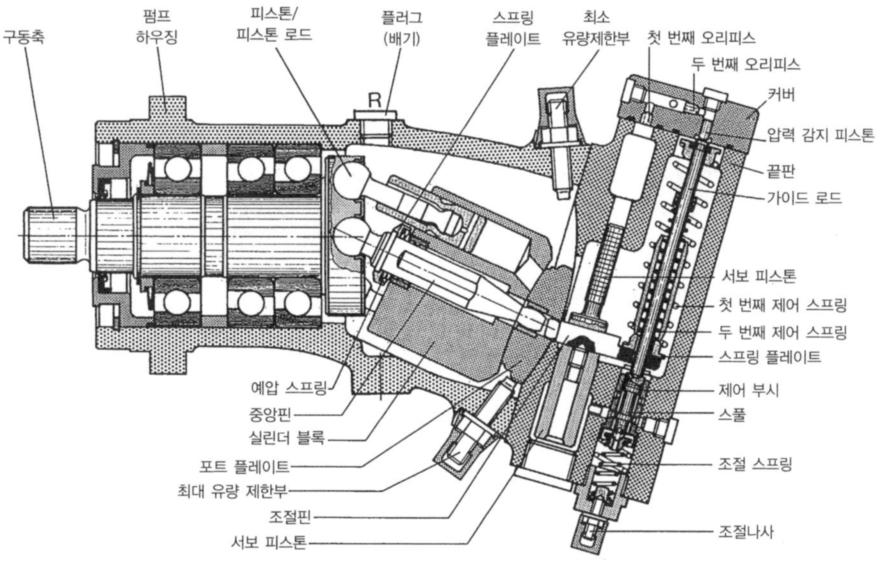

그림 4.39 출력제어 사축식 액시얼 피스톤 펌프 (*Bosch Rexroth AG. 게재 승인*)

째 그룹은 압력 감지 피스톤, 서보 피스톤, 가이드 로드, 스풀 밸브, 조절 스프링, 그리고 두 개의 제어 스프링으로 이루어진 펌프 제어기이다. 두 그룹은 조절핀에 의하여 연결되어 있다. 서보 피스톤의 위쪽 작은 체임버는 첫 번째 댐핑 오리피스를 통하여 토출관로와 연결되어 있다. 아래쪽 서보 피스톤 체임버는 스풀 밸브에 의하여 탱크 또는 토출관로와 연결된다. 압력 감지 피스톤은 두 번째 오리피스를 통하여 토출 관로와 연결되어 있다. 이 피스톤은 가이드 로드를 통하여 스풀을 아래로 움직이고, 조절 스프링은 반대 방향으로 작용한다. 정상상태에서 펌프는 다음의 4가지 모드로 작동된다.

첫 번째 모드 시스템 압력이 조절 스프링에 의해 설정된 설정 압력보다 낮은 상태이다. 펌프 출구 압력이 조절 스프링에 의하여 미리 설정된 값보다 낮으므로, 스풀은 위로 움직이며 하부 서보 피스톤 체임버를 탱크와 연결한다. 서보 피스톤은 최하부에 위치하며 펌프는 최대 배제용적으로 작동한다(그림 4,40의 1~2 직선 해당).

두 번째 모드 시스템 압력이 조절 스프링에 의해 미리 설정된 값을 초과하는 경우 압력감지 피스톤, 가이드 로드, 그리고 스풀은 조절 스프링을 압축하는 방향으로 움직인다. 고압 오일은 스풀 밸브를 통하여 하부 피스톤 체임버로 흐르게 된다. 가압력이 첫 번째 제어 스프링력보다 크게 되면 서보 피스톤은 위로 움직이며 두 힘의 균형이 복원될 때까지 첫 번째 스프링을 압축한다. 두 번째 제어 스프링은 아직 압축되지 않는다(그림 4.40의 2~3 직선 해당).

세 번째 모드 세 번째 모드는 시스템 압력이 더 높다는 것을 제외하고는 두 번째 모드와 비슷하게 작동하며 두 번째 제어 스프링이 추가로 압축되어 서보 피스톤의 평형상태가 얻어진다(그림 4.40의 3~4 직선 참조).

네 번째 모드 펌프 배제용적이 최소 경사각 제한기(limiter)의 조절나사에 의하여 제한된 최소치가 된다. 펌프는 점 4에 대응하는 유량으로 오일을 공급한다. 최대 펌프 압력은 별도의 릴리프 밸브에 의하여 제한된다(그림 4.40의 4~5 직선 참조).

그림 4.40을 검토해보면

- 고정용적형 펌프를 사용하면 펌프를 구동하는데 필요한 동력은 매우 높다. 즉, $N_6 = P_5Q_1$.
- 일정 출력제어기를 장착한 펌프의 경우 필요한 동력은 점 2에서의 압력과 유량에 의하여 결정된다. 즉 $N_2 = P_2Q_2$.
- 점 2의 위치는 조절 스프링에 의하여 수평으로 변경되며, 최대 경사각 제한기를 사용하여 수직방향으로 변경된다.
- 직선 2~3의 기울기는 첫 번째 제어 스프링의 강성에 의하여 결정되며 직선 3~4의 기울기는 첫 번째와 두 번째 제어 스프링의 강성의 합에 의하여 결정된다.

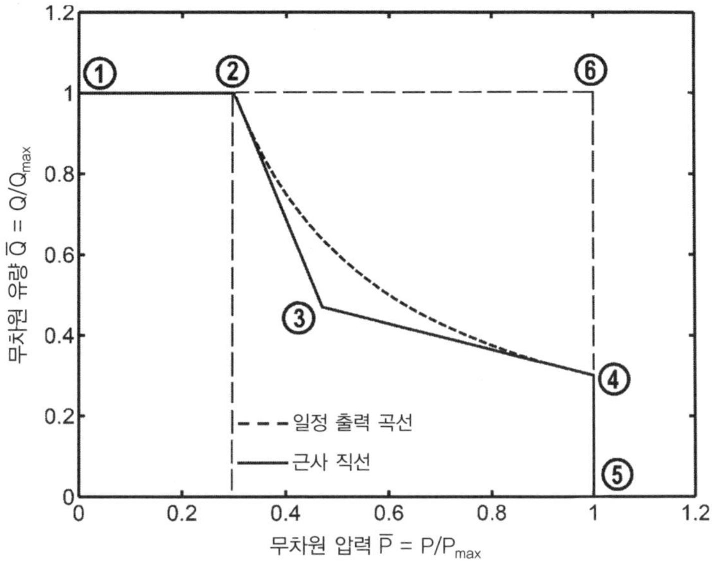

그림 4.40 일정 출력제어기를 가진 펌프의 정적 특성

- 점 3 부근의 작동은 일정 출력 곡선보다 작은 출력의 근사 직선을 따라 이루어지므로 원동기의 최대 유효 출력을 소비하지 않는다. 그러나 구조가 단순하고 상대적으로 낮은 가격이 이 제어기의 장점이다. 상업화된 다른 출력제어기 중에는 일정 출력 곡선과 일치하도록 설계된 것들도 있다.

4.8 동적 펌프

원심 펌프와 같은 동적(rotodynamic) 펌프는 운동량을 증가시켜 유체에 에너지를 전달한다. 이런 종류의 펌프는 저압이나 중간 압력 이하에서 대유량이 요구될 때 널리 사용된다. 구조가 단순하고 저가이며, 유지 보수가 용이하고 낮은 점도의 유체와도 부합되는 장점이 있다.

전형적인 원심 펌프의 주 요소는 그림 4.41에서 보는 바와 같다.

- 임펠러(1)로 불리는 로터. 임펠러의 역할은 펌프 축으로부터 전달된 기계적 에너지를 유체의 운동 에너지로 변환시키는 것이다.
- 가이드 베인과 소용돌이나 나선형의 몸체(2)로 이루어진 스테이터. 몸체의 역할은 유체의 운동 에너지를 압력 에너지로 변환할 뿐만아니라 임펠러로부터 송출되는 유체를 모은다.
- 실링을 가진 구동축.

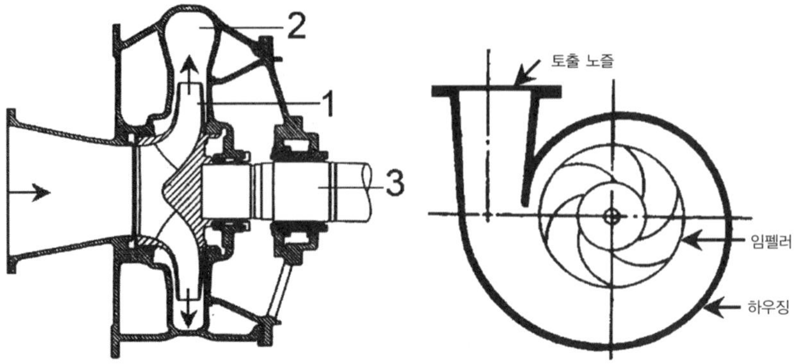

그림 4.41 일반적인 원심형 동적 펌프의 구조

- 베어링, 커플링 등의 기계 부품들.

그림 4.42와 같이 설계 사양에 따라 다른 모양의 임펠러가 사용된다. 임펠러는 회전축에 대한 유동 방향에 따라 레이디얼 유동 임펠러, 혼합유동 임펠러, 또는 액시얼 유동 임펠러가 있다. 임펠러는 또한 한 면에 단일 출구를 가진 단일 흡입과 유체가 양쪽에서 대칭으로 임펠러로 흐르는 복식 흡입으로 분류된다.

그림 4.41은 일단 원심 펌프의 예를 보여준다. 임펠러가 회전하면, 입구에 저압이 발생된다. 작동유는 펌프의 입구 노즐을 통하여 임펠러의 입구로 들어간다. 임펠러 내부에서 동유압 효과(원심력)에 의하여 작동유가 높은 운동 에너지로 임펠러로부터 몸체의 반경방향으로 흐를 때 작동유의 운동량은 증가한다. 토출된 유체의 운동 에너지는 가이드 베인, 나선형 몸체, 그리고 출구 확산기에서 일부분 압력 에너지로 변환된다. 작동유는 더 높은 에너지로 확산기로부터 토출 노즐로 흐른다.

동적 펌프는 대유량의 유체를 연속적으로 토출할 수 있다. 이러한 펌프는 공기와 가스에 민감하다. 그러나 넓은 유동 통로 때문에 고체에는 덜 민감하다. 또한 상대적으로 저압에서 작동하여, 일단 펌프의 경우 6기압 이하에서 작동한다. 그러므로 유압식

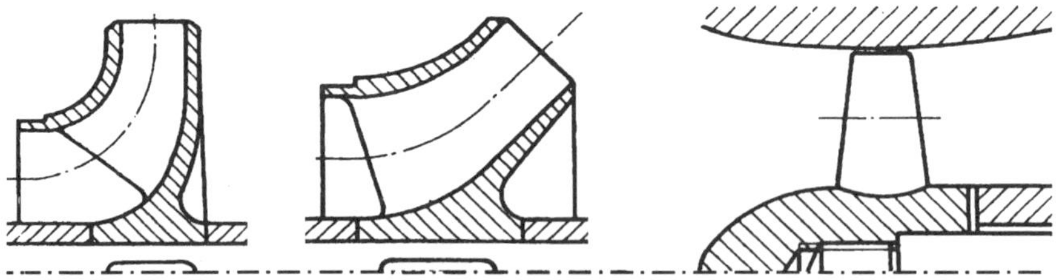

그림 4.42 동적 펌프의 임펠러 형태

동력 시스템에서 주 펌프로는 사용되지 않고, 많은 경우에 공동현상을 방지하기 위하여 주 펌프의 입구 압력을 올리기 위하여 사용된다. 그림 4.43은 일반적인 일단 원심 펌프의 수두와 효율 곡선을 보여준다.

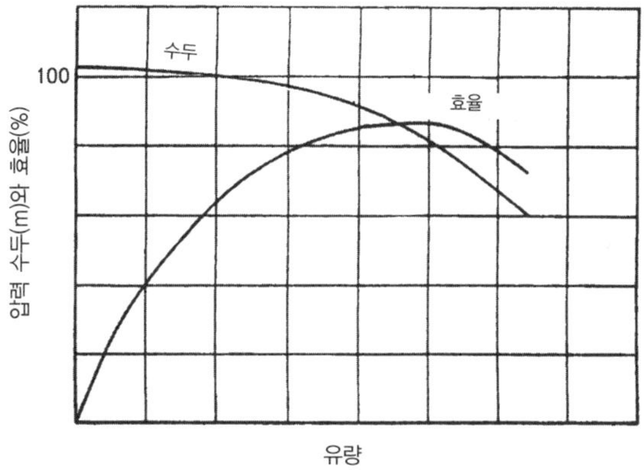

그림 4.43 일반적인 일단 원심 펌프의 압력 수두와 효율

4.9 펌프 요약

다음은 용적식 펌프의 주된 특징이다(이 절의 대부분 예는 보쉬 렉스로스의 허가를 득함).

No.	펌프의 종류와 특징	그림
1	**액시얼 피스톤 펌프** (사축식) 축이 회전할 때 경사각에 의해 피스톤이 실린더 내부에서 움직인다. $V_g = 2 \sim 3600$ cc $n = 500 \sim 5000$ rpm $p_{max} = 400$ bar $V_g = \frac{\pi}{4} d^2 D z \tan\alpha$	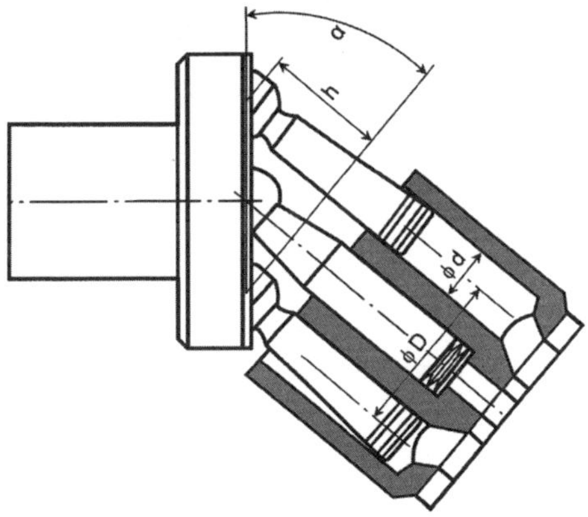

2	**액시얼 피스톤 펌프** (사판식) 피스톤이 실린더 블록과 회전하며 사판에 의해 지지된다. 사판각은 피스톤 행정을 결정한다. $V_g = 2 \sim 600$ cc $n = 500 \sim 4500$ rpm $p_{max} = 400$ bar $V_g = \frac{\pi}{4} d^2 D z \tan\alpha$	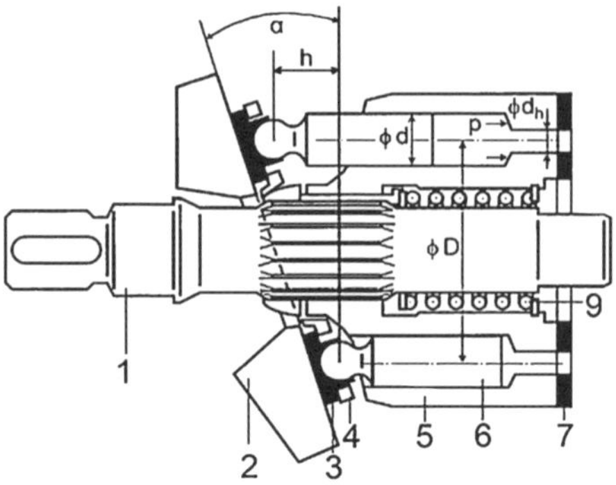
3	**액시얼 피스톤 펌프** (사판식, 경사진 피스톤) $V_g = 8 \sim 300$ cc $n = 500 \sim 3500$ rpm $p_{max} = 350$ bar $V_g = \frac{\pi}{8} d^2 D z \sin(\alpha) \times \left\{ \frac{1}{\cos(\varphi - \alpha)} + \frac{1}{\cos(\varphi + \alpha)} \right\}$	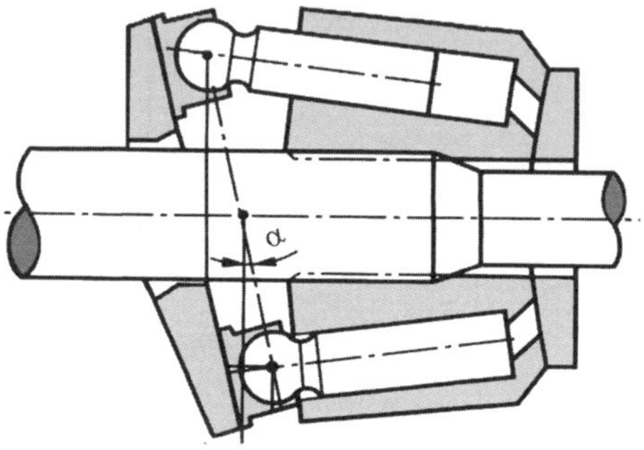
4	**액시얼 피스톤 펌프** (회전사판식, 회전 캠) $p_{max} = 630$ bar $V_g = \frac{\pi}{4} d^2 D z \tan\alpha$	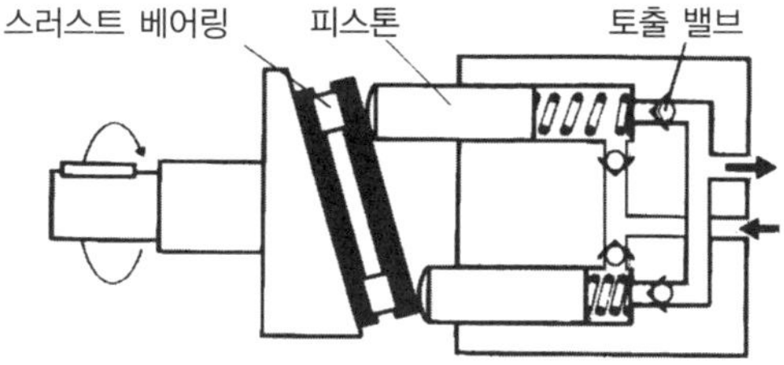
5	**레이디얼 피스톤 펌프** (편심 캠 링) 피스톤이 고정 캠 링 내에서 공전한다. 편심(e)은 피스톤의 반경방향 운동을 일으킨다. $V_g = 0.5 \sim 20$ cc $n = 500 \sim 2000$ rpm $p_{max} = 400$ bar $V_g = \frac{\pi}{2} d_k^2 e z$	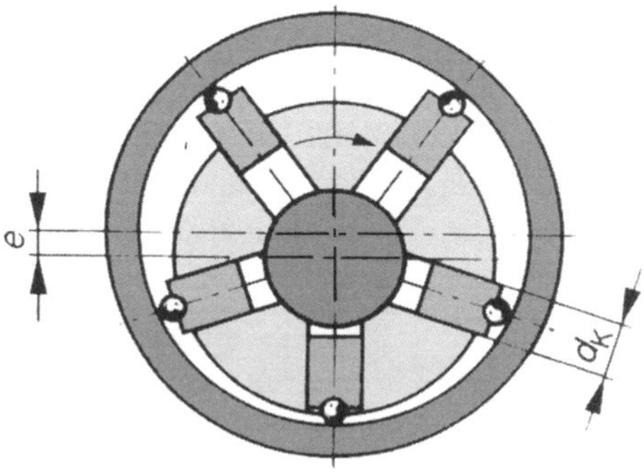

6	**레이디얼 피스톤 펌프** (편심축, 밸브형) 회전 편심축은 피스톤을 반경방향으로 움직인다. $V_g = 0.5 \sim 200$ cc $n = 500 \sim 2000$ rpm $p_{max} = 780$ bar $V_g = \frac{\pi}{2} d_k^2 ez$	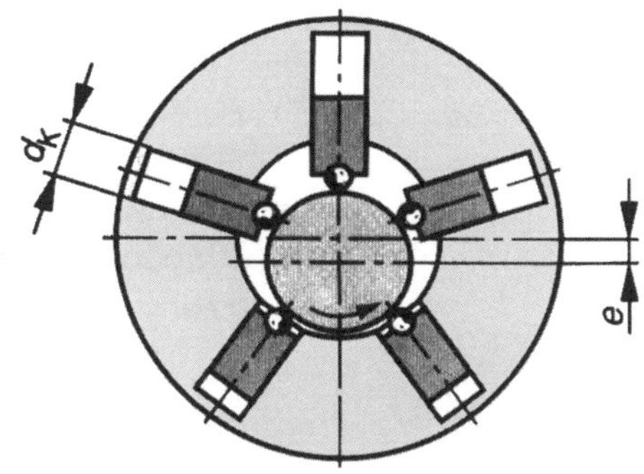
7	**레이디얼 피스톤 펌프** (크랭크 축형) $V_g = 500 \sim 4000$ cc $n = 500 \sim 2000$ rpm $p_{max} = 1200$ bar $V_g = \frac{\pi}{4} d^2 hz$ $h = 2e$	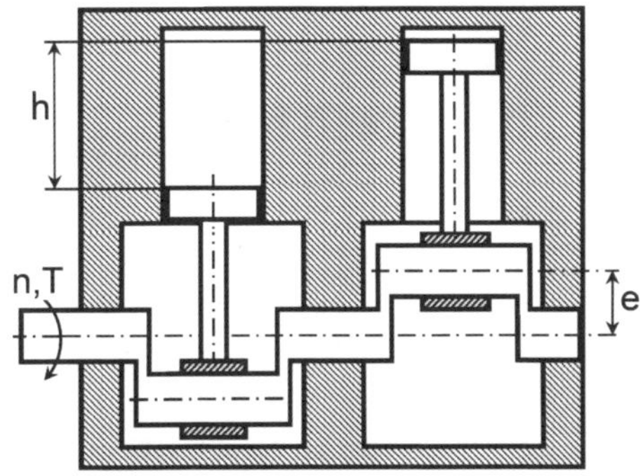
8	**외접 기어 펌프** 용적은 기어와 하우징 사이에서 형성된다. $V_g = 0.4 \sim 1200$ cc $n = 300 \sim 4000$ rpm $p_{max} = 250$ bar $V_g = 2\pi bm^2(z + \sin^2 \gamma)$	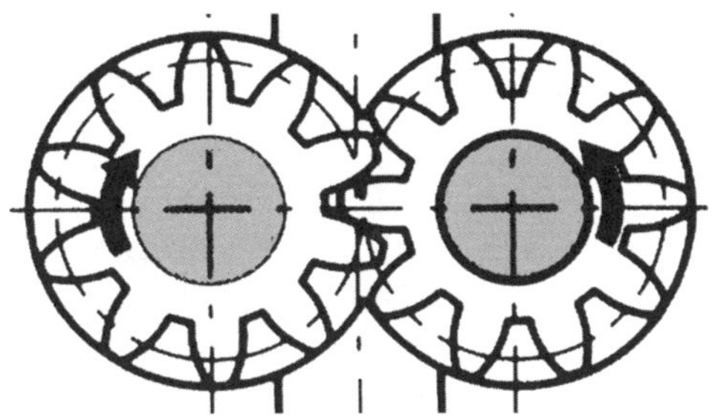
9	**내접 기어 펌프** 용적은 기어, 초승달 모양의 실링, 그리고 하우징 사이에서 형성된다. $V_g = 0.4 \sim 350$ cc $n = 500 \sim 2000$ rpm $p_{max} = 350$ bar	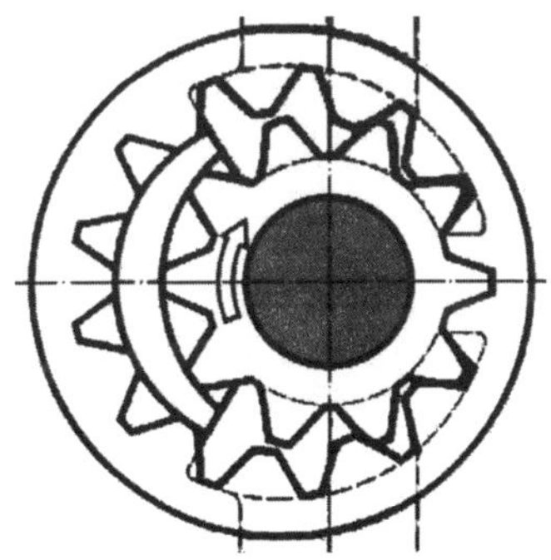

10	**제로터** 내부 로터는 외부(내부에 기어이를 가진) 로터보다 톱니가 한 개 적다. 로터는 유성운동으로 움직인다. $V_g = 50 \sim 350$ cc $n = 500 \sim 2000$ rpm $p_{max} = 100$ bar $V_g = bz(A_{max} - A_{min})$	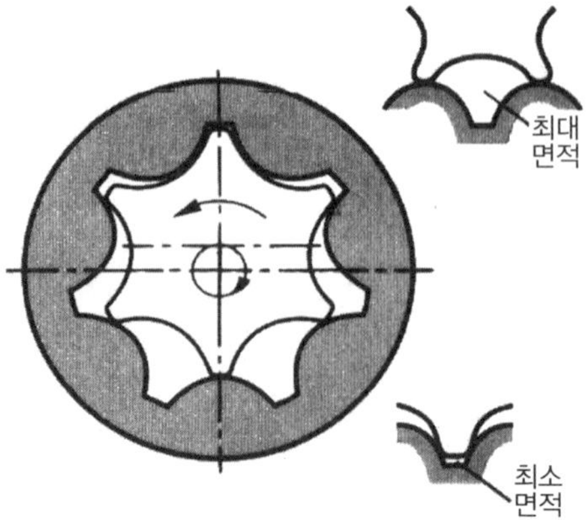
11	**스크류 펌프** 배제용적은 나사와 하우징 사이에서 형성된다. $V_g = \frac{\pi}{4}(D^2 - d^2)s - D^2 \times \left(\frac{\alpha}{2} - \frac{\sin 2\alpha}{2}\right)s$ with $\cos(\alpha) = (D + d)/2D$ $V_g = 2 \sim 1500$ cc $n = 500 \sim 3500$ rpm $p_{max} = 200$ bar	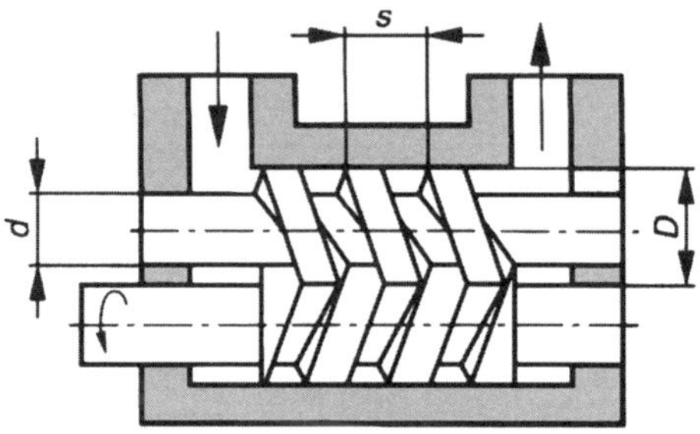
12	**베인 펌프** (회전당 2 행정, 압력평형식): 용적은 로터, 스테이터(캠 링), 그리고 베인 사이에서 형성된다. $V_g = 10 \sim 500$ cc $n = 500 \sim 2500$ rpm $p_{max} = 200$ bar $V_g = 2(V_{max} - V_{min})z$	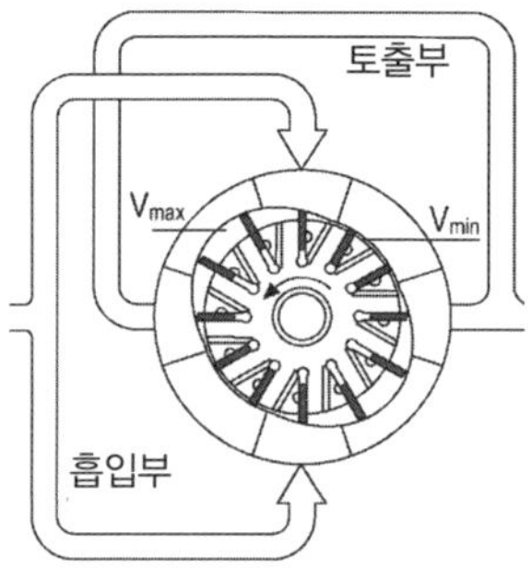
13	**베인 펌프** (회전당 1 행정, 압력불평형식): 용적은 로터, 스테이터(캠 링), 그리고 베인 사이에서 형성된다. $V_g = 10 \sim 150$ cc $n = 1000 \sim 3500$ rpn $p_{max} = 100$ bar $V_g = z(V_{max} - V_{min})$	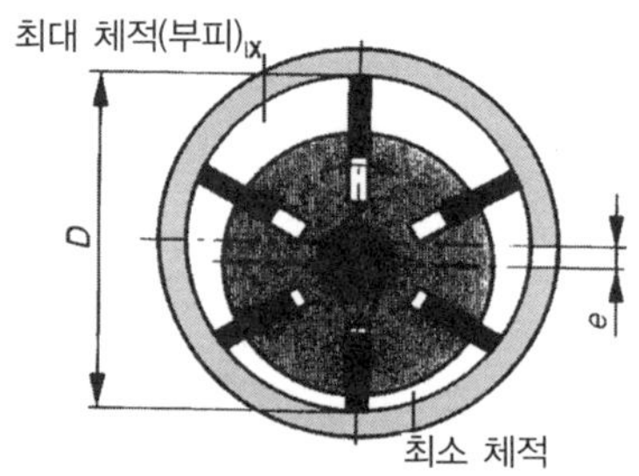

4.10 펌프 사양

다음 목록은 정확하게 펌프를 구분하기 위해 필요한 기본 사양들이다.

- 크기(배제용적)
- 속도(최대, 최소 속도)
- 최대 작동 압력(지속적/간헐적)
- 개방/폐쇄 회로
- 회전 방향(축 끝에서 본 방향; 시계방향[R], 반시계방향[L])
- 제어기(가변용적형 펌프)
- 실(오일)
- 구동축
- 포트 연결
- 장착 형식
- 외부 치수
- 설치 위치
- 작동 온도 범위

4.11 연습문제

1. 용적식 펌프의 작동 원리에 대하여 설명하라.
2. 이상적인 펌프와 실제 펌프에 대하여 설명하라.
3. 1450 rev/min으로 작동하는 용적 23 cm^{3}인 펌프가 20 MPa의 압력으로 오일을 공급한다. 이상적인 펌프로 가정하고 입구 압력이 100 kPa일 때, 펌프 유량(Q_t), 유압 동력의 증가(ΔN), 펌프 출력(N_{out}), 구동 토크(T_t)을 구하라.
4. 아래 그림을 보고 유압식 동력 시스템에서 시스템 변수들의 인과관계와 동력 전달에 대하여 설명하라.

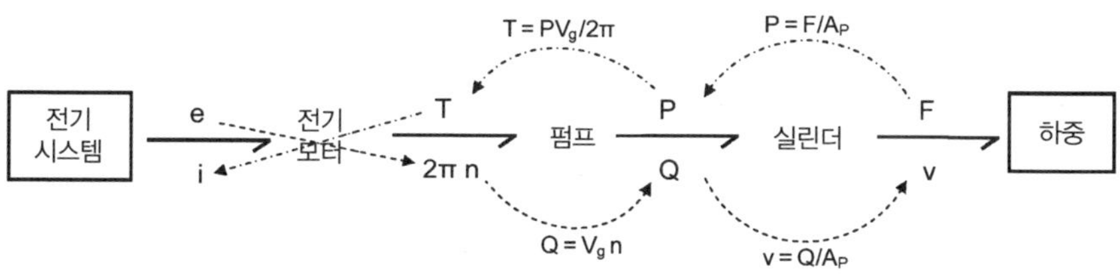

5. 용적식 펌프에서 발생되는 동력손실의 원인에 대하여 설명하라.
6. 용적식 펌프의 공동현상에 대하여 설명하라.
7. 유압식 펌프를 분류하고 설명하라.

8. 사축식 액시얼 펌프를 그리고, 구조, 작동원리, 이론 배제용적에 대하여 설명하라.
9. 액시얼 피스톤 펌프의 유량맥동과 오리피스에 의해 부하를 받는 펌프의 압력맥동에 대하여 설명하라.
10. 사판식 액시얼 피스톤 펌프를 그리고, 구조, 작동원리, 이론 배제용적에 대하여 설명하라.
11. 경사진 피스톤을 가진 사판식 액시얼 피스톤 펌프를 그리고, 구조, 작동원리, 이론 배제용적에 대하여 설명하라.
12. 가변용적형 펌프의 필요성에 대하여 설명하라.
13. 회전사판 펌프의 작동 원리에 대하여 설명하라.
14. 레이디얼 피스톤 펌프를 분류하고 작동 원리에 대하여 설명하라. 그림 4.19~4.21을 사용하라.
15. 외접 기어 펌프를 그리고, 구조, 작동원리, 이론 배제용적에 대하여 설명하라.
16. 기어 펌프의 회전 속도가 제한되는 이유를 설명하고 필요한 식을 유도하라.
17. 외접 기어 펌프의 유량맥동에 대하여 설명하라.
18. 외접 기어 펌프의 폐입현상에 대하여 설명하라.
19. 내접 기어 펌프의 작동 원리, 유량 및 효율 특성에 대하여 설명하라(그림 4.26과 4.27 사용).
20. 그림 4.28의 제로터와 그림 4.29의 스크류 펌프의 작동 원리를 설명하라.
21. 압력평형 베인 펌프의 구조와 작동에 대하여 설명하라(그림 4.30 사용).
22. 압력평형 베인 펌프에서 인트라 베인의 역할을 설명하라(그림 4.33과 4.34 사용).
23. 가변용적형 베인 펌프의 구조, 작동 그리고 제어 원리를 설명하라(그림 4.35와 4.38 사용).
24. 일정 출력제어기를 가진 가변 용적형 액시얼 피스톤 펌프의 구조, 작동 그리고 제어 원리를 설명하라(그림 4.39와 4.40 사용).
25. 다음 조건을 가진 기어 펌프의 배제용적, 토출 맥동계수, 입력 동력, 누설 유량, 내부 누설에 대한 저항, 구동 토크를 구하라.

    펌프 속도 = 1450 rpm, 기어 잇수 = 12,
    기어 모듈 = 3.5 mm, 기어 폭 = 20 mm,
    압력각 = 20°, 입구 압력 = 0.2 MPa,
    출구 압력 = 15 MPa, 기계효율 = 0.85,
    용적효율 = 0.9.

    출구 압력이 220 bar로 증가되는 경우의 용적효율을 다시 구하라.

26. 주어진 조건하에서 다음 그림과 같이 연결된 기어 펌프의 최대 허용 속도를 구하라.

기어 잇수 = 12,	기어 모듈 = 3.5 mm,
기어 폭 = 20 mm,	압력각 = 20°,
관로 길이(L) = 1 m,	관로 직경(D) = 13 mm,
압력 수두(H) = 0.3 m,	탱크 가압 압력 = 0.13 MPa,
오일 밀도 = 870 Kg/m³,	관로 마찰계수(λ) = 0.035

흡입 관로에서의 미소손실은 무시하라.

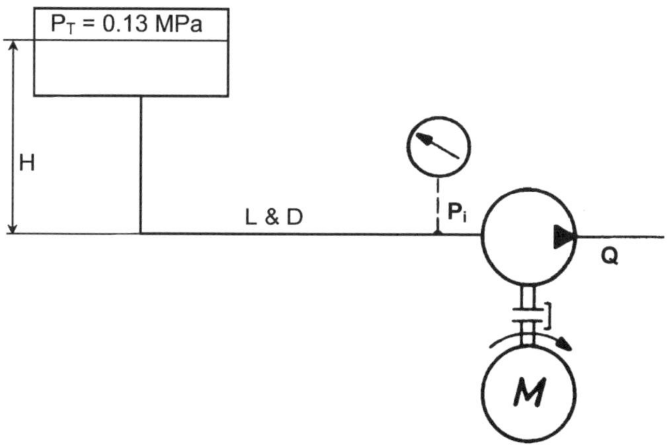

27. 사축식 펌프가 다음과 같은 조건을 가진다.

피스톤 수(z) = 9,	피스톤 직경(d) = 9.3 m,
피치원 직경(D) = 33 mm,	구동 속도(n) = 4000 rpm,
입구 압력(P_i) = 0.3 MPa,	출구 압력(P) = 18 MPa,
용적효율 = 0.94,	전 효율 = 0.89,
유압효율 = 1,	실린더 블록의 경사각 = 20°

(a) 펌프 이론유량, 실제 유량, 입력 기계 동력과 구동 토크를 구하라.

(b) 유량 누설과 누설 저항을 구하라.

(c) 누설 저항과 기계효율이 (b)와 같고, 출구 압력이 30 MPa로 증가한다면 펌프 실제 유량과 구동 토크를 구하라.

28. 사판식 액시얼 피스톤 펌프가 다음 조건을 가진다.

피스톤 수(z) = 7. 피스톤 직경(d) = 10 mm, 실린더 블록의 경사각 = 20°, 구동 속도(n) = 3000 rpm, 기계효율(η_m) = 0.9, 유압효율(η_h) = 0.99, 입구 압력(P_i) = 0, 내부 누설 저항(R_L) = 258 GNs/m⁵.

(a) 펌프 이론 배제용적을 구하고 0~30 MPa의 범위에서 실제 펌프 유량과 출구 압력의 관

계를 그래프로 그려라.

(b) 출구 압력 10 MPa에서 펌프 전효율을 구하라.

(c) 만약 릴리이프 밸브가 없는 상태에서 출구가 완전히 닫혔을 때 토출 관로의 최대 압력을 그래프로 구하라.

4.12 기호 설명

A = 피스톤 면적, m^2
b = 기어 폭, m
d = 피스톤 직경, m
d_h = 실린더 블록의 구멍 직경, m
D = 피치원 직경, m
e = 편심, m
f = 맥동 유량 주파수, Hz
h = 피스톤 행정, m
i = 일 회전당 펌프 행정 수
L = 경사진 피스톤 행정, m
m = 기어 모듈, m
n = 펌프 속도, rev/s
P = 펌프 출구 압력, Pa
P_C = 펌프 체임버 압력, Pa
P_i = 펌프 입구 압력, Pa
P_m = 펌프 출구 압력, Pa
P_{max} = 최고 압력, Pa
P_{min} = 최저 압력, Pa
$\bar{P}$ = 무차원 펌프 압력
$\bar{Q}$ = 무차원 펌프 유량
Q_m = 평균유량, m^3/s
Q_{max} = 최대 펌프 유량, m^3/s
Q_{min} = 최소 펌프 유량, m^3/s
Q_t = 펌프 이론유량, m^3/s
r = 기어 반경, m
R_L = 펌프 누설 저항, Ns/m^5
T = 실제 펌프 구동 토크, Nm
T_F = 마찰 토크, Nm
T_t = 이론 펌프 구동 토크, Nm

V_g = 펌프 배제용적, m^3/rev
V_{max} = 최대 체임버 체적, m^3
V_{min} = 최소 체임버 체적, m^3
z = 펌프 체임버 수, 피스톤 수, 기어 당 잇수
α = 회전 각, 사판 경사각, rad
η_h = 유압효율
η_m = 기계효율
η_T = 전효율
η_v = 용적효율
φ = 경사진 피스톤의 경사각, rad
σ_p = 압력맥동계수
σ_Q = 유량맥동계수
ω = 펌프 속도, rad/s
γ = 기어의 압력각, rad
ρ = 오일 밀도, kg/m^3

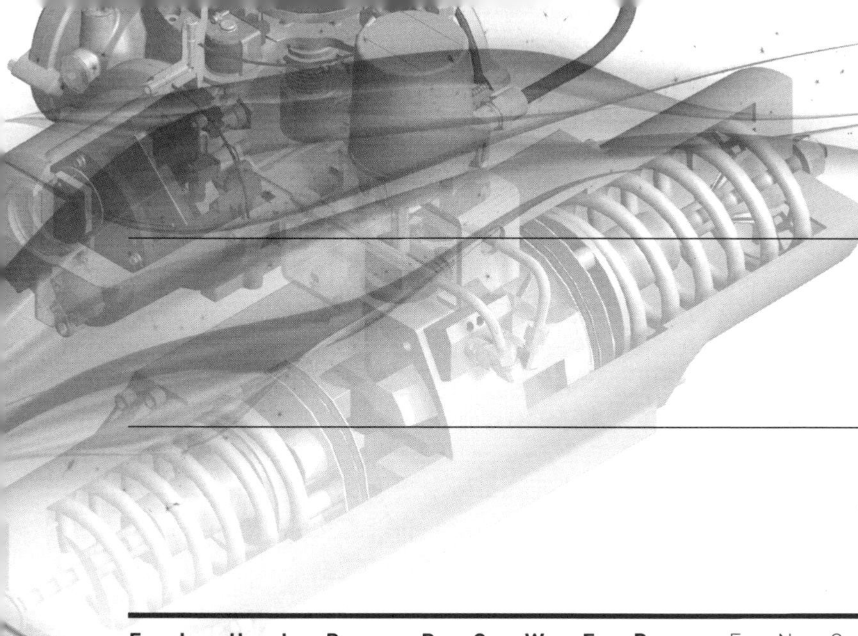

CHAPTER 5

유압제어밸브

Hydraulic Control Valves

F L U I D P O W E R E N G I N E E R I N G

5.1 서론

유압시스템에서 유압동력의 제어는 제어밸브에 의해 이루어진다. 부하에 전달될 기계적인 동력은 압력, 유량, 방향을 변화시킴으로써 제어된다. 제어밸브는 다음의 종류로 크게 나눌 수 있다.

- 일반적인 스위칭 밸브
- 비례제어밸브
- 서보밸브
- 디지털 밸브

이 장에서는 다음의 밸브에 대하여 소개하고자 한다.

- 압력제어밸브
  - 릴리프 밸브(직동형과 파일럿 조작형)
  - 감압 밸브(직동형과 파일럿 조작형)
  - 시퀀스 밸브(직동형과 파일럿 조작형)
  - 축압기 충전 밸브
- 방향제어밸브(직동형과 파일럿 조작형)
- 유량제어밸브
  - 교축밸브
  - 직렬형 압력보상 유량제어 밸브

- 병렬형 압력보상 유량제어밸브
- 유량분배기
- 첵 밸브
  - 직동형 첵 밸브
  - 파일롯 조작형 첵 밸브(유압이나 기계적인 신호에 의한 조작)

유압제어밸브에 사용되는 세 가지의 기본 제어 요소는 포핏 밸브, 슬라이딩 스풀 밸브, 회전형 스풀 밸브이다. 이 부품들의 구조, 장점과 단점은 표 5.1에 요약되어 있다.

형식	도면
포핏 밸브 이 밸브는 포핏이라고 불리는 헤드, 스프링, 시트로 구성되어 있다. 포핏의 형상은 구형, 원추형, 평면형 또는 기타 형상으로 되어있다. 저가, 단순 구조, 보수와 유지가 용이하다는 장점을 갖는다. 주요 단점은 포트 수의 제한과 제어성이 나쁘다는 것이다.	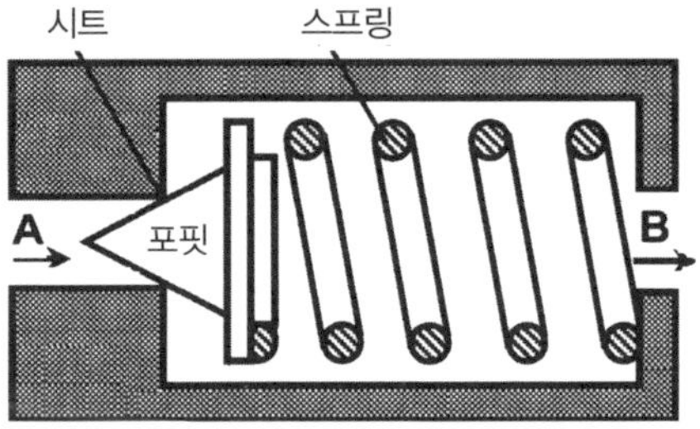
스풀 밸브(슬라이드형 스풀) 이 밸브는 슬리브와 축 대칭형 스풀로 구성 된다. 스풀은 축방향으로 움직인다. 주요 장점은 제어 포트 수를 증가시킬 수 있으며, 제어성이 우수하다. 단점은 누유가 생기기 쉽고 가격이 비싸다.	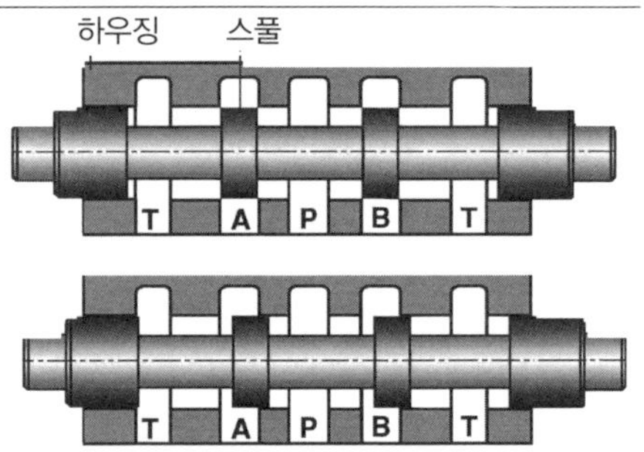
스풀 밸브(회전형 스풀) 이 밸브는 슬리브와 회전형 스풀로 구성된다. 차량의 조향장치에 많이 응용된다.	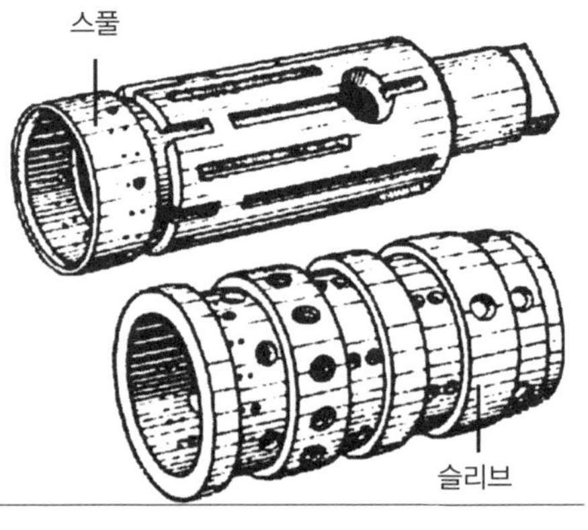

표 5.1 유압제어밸브의 기본적인 제어 요소

5.2 압력제어밸브

5.2.1 직동형 릴리프 밸브

릴리프 밸브는 고압 라인과 저압 귀환 라인 사이에 연결되어 고압 라인의 최대 압력을 제한하는데 사용된다. 릴리프 밸브는 포핏과 릴리프 압력을 설정하기 위한 스프링으로 구성된다(그림 5.1 참조). 이 포핏은 밸브 하우징에서 밸브 시트에 밀착되도록 스프링에 의하여 눌려져 있다. 스프링의 초기 압축력은 스프링 조절 나사를 조이거나 거리 조절 링을 삽입함으로써 설정된다.

포핏은 스프링의 탄성력과 시스템 압력에 의한 힘을 동시에 받는다. 시스템 압력에 의한 힘($F_P = PA_P$)이 스프링력($F_x = kx_o$)보다 작으면 포핏은 밸브 시트와 밀착된 상태를 유지한다. 이 두 힘은 압력이 크래킹 압력 P_r에 도달하면 평형을 이루고, 압력이 더 증가하게 되면, 포핏이 시트에서 떨어지게 되고 유압유는 고압관로 P에서 저압관로 T로 통과하게 된다.

$$A_P P_r = kx_o \quad \text{또는} \quad P_r = \frac{k}{A_p} x_o \tag{5.1}$$

여기서 k = 스프링 탄성계수, N/m
x_o = 스프링 초기압축 길이, m
P_r = 크래킹 압력, Pa
A_P = 포핏의 수압면적, m^2
D = 시트부 직경, m

수압부의 밸브 개구면적 A_v와 포핏의 면적 A_p는 포핏의 변위에 따라 비선형적으로 변화한다(부록 5A 참고). 그러나, 그림 5.2와 같은 경우에는 수압부의 단면적은 일정하다. 이 그림은 스풀(1), 하우징(2), 스프링(3), 스프링 시트(4) 그리고 조절 나사(5)로 구성되는 직동형 릴리프 밸브를 보여주고 있다.

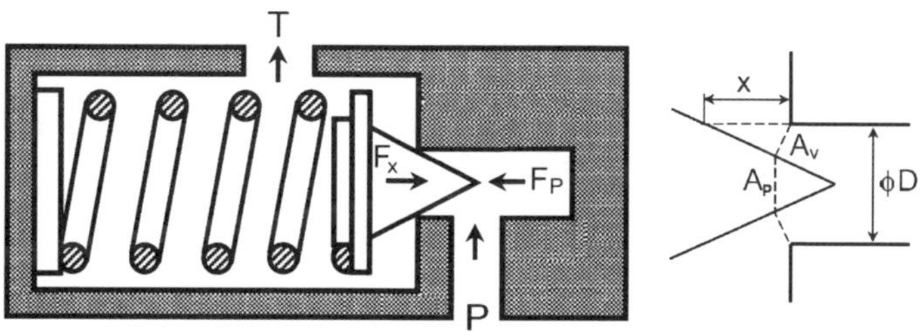

그림 5.1 직동형 릴리프 밸브

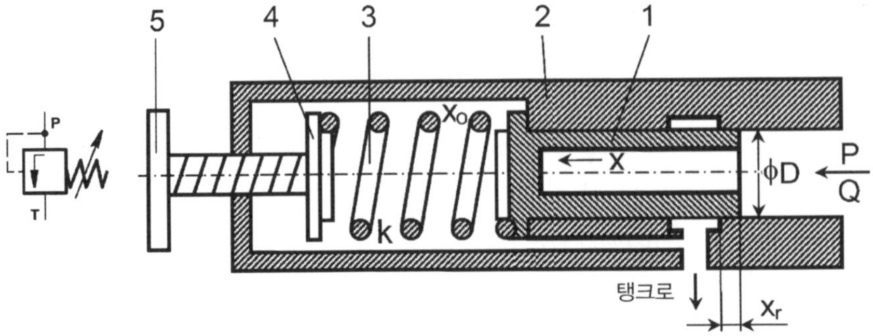

그림 5.2 가이드 스풀식 직동형 릴리프 밸브

그림 5.2에 보인 밸브를 고려할 때, 밸브를 통과하는 유량과 시스템 압력은 다음 식으로 유도된다.

$$P_r = \frac{k}{A_P}(x_o + x_r) \tag{5.2}$$

$$x_r = P_r\frac{A_P}{k} - x_o \quad \text{또는} \quad x_o + x_r = \frac{A_P}{k}P_r \tag{5.3}$$

$$A_P = \pi D^2/4 \tag{5.4}$$

정상상태에서, 밸브 스풀(1)은 압력, 스프링 힘, 유동력의 작용으로 평형에 이르게 된다. 반경방향 틈새의 누유와 유동력, 귀환 관로의 압력을 무시하는 조건에서 압력이 증가하여 스풀의 변위가 x만큼 증가하게 되면,

$$Q = \begin{cases} 0 & x \le x_r \text{일 때}, \quad A_v = 0 \\ C_d A_v \sqrt{2P/\rho} & x > x_r \text{일 때}, \quad A_v = \omega(x - x_r) \end{cases} \tag{5.5}$$

$$PA_P = k(x_o + x)\text{이므로} \quad x = P\frac{A_P}{k} - x_o \tag{5.6}$$

$$A_v = \omega\left(P\frac{A_P}{k} - x_o - x_r\right) \quad \text{또는} \quad A_v = \omega\frac{A_P}{k}(P - P_r) \tag{5.7}$$

따라서

$$Q = C_d\omega\frac{A_P}{k}(P - P_r)\sqrt{2P/\rho} = K(P - P_r)\sqrt{P} \tag{5.8}$$

$$K = C_d\omega\frac{A_P}{k}\sqrt{2/\rho} \tag{5.9}$$

여기서 A_v = 밸브 개구면적, m^2
C_d = 유량계수
P = 밸브 입구 압력, Pa

x = 스풀 변위, m
x_r = 스풀 오버랩, m
ω = 밸브 교축면적의 비례상수, m

밸브의 정상상태 특성은 그림 5.3에 나타낸 바와 같이 압력–유량 관계에 의하여 표현된다. 이 그래프는 릴리프 유량 Q_r에 대하여 최대 압력 P를 나타낸다. 압력차 ($P - P_r$)를 오버라이드 압력이라고 부른다. 압력이 P_r일 때, 포핏은 압력에 의한 힘과 스프링의 초기 압축력에 의한 힘이 평형상태에 놓이게 된다. 이 때 밸브가 닫혀 있고 누유가 없다고 가정하면 유량은 0이다. 작동유가 흐르게 하려면, 입구측 압력이 P_r보다 높아서 포핏이 움직여야 한다. 이 압력의 증가분이 오버라이드 압력이다. 유량이 커질수록 오버라이드 압력은 커진다.

$Q(P)$의 기울기는 비례상수 K(식 5.9 참조)와 관련되어 있다. 작은 유량과 높은 압력에서 작동하는 밸브는 작은 ω와 A_p, 큰 스프링 계수 k를 갖는다. 따라서 상수 K는 작은 값을 갖고, $Q(P)$의 특성선도는 P축으로 기울어지게 된다. 그 결과 밸브에 최대 유량이 통과할 때 오버라이드 압력이 크게 나타난다. 즉, 최대 시스템 압력은 유량에 의하여 영향을 받게 된다. 따라서, 릴리프 밸브는 거의 수직의 압력유량 특성선도를 갖도록 설계되어야 최대 압력이 릴리프 밸브의 유량에 의해 영향을 받지 않는다. 이 때문에 밸브의 제원인 A_p와 w를 증가시키고, 스프링 계수 k를 줄임으로써 상수 K를 가능하면 크게 만들어야 한다. 그러나, 이 요구사항은 압력에 의한 힘($\pi D^2P/4$)에 대항하여 스프링 힘(kx_0)도 커져야 하는 조건과 대치된다. 이 문제는 파일럿 조작형 릴리프 밸브를 사용함으로써 해결된다.

직동형 릴리프 밸브의 경우, 포핏은 스프링에 의해 지지되는 질량이 된다. 이 질량–스프링 시스템은 아주 작은 점성마찰력과 스프링 자체의 구조적 댐핑력만 받게 된다. 따라서 정상상태에서, 직동형 릴리프 밸브는 포핏의 지속적인 진동현상을 나타내

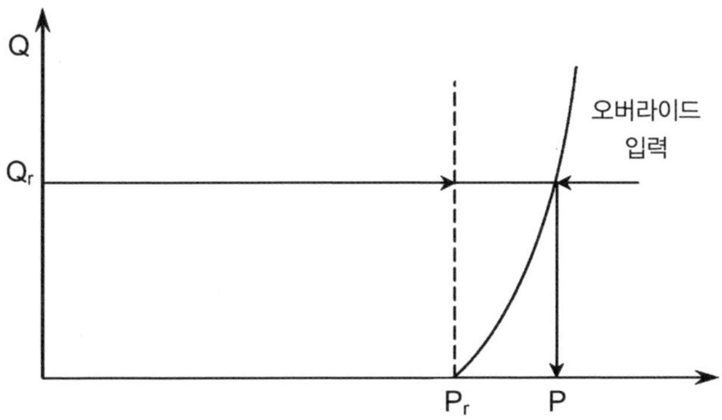

그림 5.3 릴리프 밸브의 정적 특성

기 쉽고, 이는 압력맥동을 초래할 수 있다(그림 5B.4 참조). 그 해결 방안으로 그림 5.4는 댐핑 피스톤을 추가한 직동형 릴리프 밸브를 보여주고 있다. 부록 5B에 이 밸브의 상세한 해석을 설명하였다.

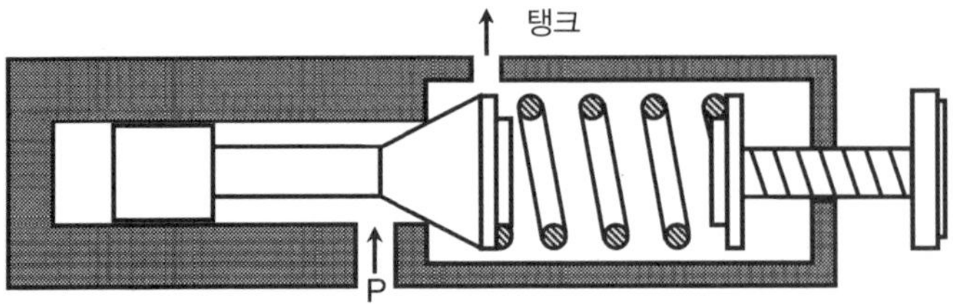

그림 5.4 댐핑 피스톤을 갖는 직동형 릴리프 밸브

5.2.2 파일럿 조작형 릴리프 밸브

직동형 릴리프 밸브에서 오버라이드 압력이 커지는 문제는 파일럿 조작형 밸브를 사용함으로써 해결할 수 있다(그림 5.5 참조). 파일럿 조작형 릴리프 밸브에는 비교적 큰 직경을 갖는 메인 포핏(1)과 오버라이드 압력을 줄이기 위하여 작은 강성을 갖는 메인 밸브 스프링(2)이 추가된다. 스프링의 초기 압축력은 입구측 압력 P와 스프링 체임버의 압력 P_s사이에 4~10 bar의 압력차가 포핏을 미는 힘과 평형을 이룬다.

메인밸브의 작동은 파일럿 단(3)에 의해 제어된다. 파일럿밸브는 직동형 릴리프 밸브이고, 2개의 노즐 N_1과 N_2를 통하여 입구측 고압 압력 라인과 연결된다. 이 노즐의 직경은 보통 1 mm 미만이다. 따라서 노즐의 유량은 아주 작은 양이다. 직동형 릴리프 밸브(3)는 스프링 체임버(C_1) 압력의 상한치를 설정하기 위하여 사용된다.

이 파일럿 단의 스프링은 소형이지만 매우 강한 강성을 갖는다. 그러나 파일럿 단에

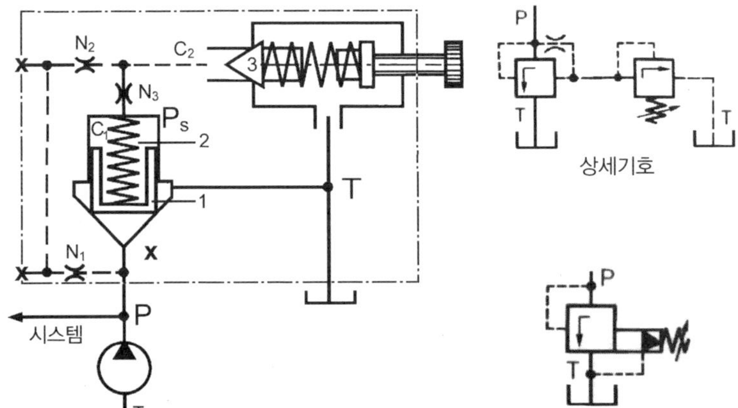

그림 5.5 파일럿 조작형 릴리프 밸브의 기능도 및 기호

는 매우 작은 유량이 흐르므로 유량에 비례하는 오버라이드 압력은 무시할 만하다. 시스템 압력이 파일럿 단의 크래킹 압력보다 작을 경우, 포핏은 닫힌 상태가 되고 밸브 입구측과 스프링 체임버 C_1에서의 압력은 같아지게 된다. 이 조건에서, 메인 포핏(1)의 윗면과 아랫면에 작용하는 압력에 의한 힘은 서로 상쇄되고 스프링(2)는 메인밸브를 닫는 쪽으로 작용한다. 압력 P가 파일럿밸브의 크래킹 압력보다 커지면, 파일럿 포핏은 열리고, 체임버 C_1과 C_2에서의 압력은 파일럿 포핏에서 설정된 릴리프 압력 P_r과 같게 된다. 파일럿밸브의 유량이 증가할수록, 노즐 N_1과 N_2에서의 압력강하로 인하여 입구 체임버와 체임버 C_1에서 메인밸브를 여는 데 충분한 압력차$(P - P_s)$가 발생한다. 메인 밸브 포핏이 열리면 귀환 라인으로 유체가 흐르게 된다. 파일럿 조작형 릴리프 밸브는 직동형 릴리프 밸브에 비하여 오버라이드 압력이 훨씬 작으면서 더 많은 유량을 통과시킬 수 있다.

그림 5.6a는 직동형과 파일럿 조작형 릴리프 밸브의 정적 특성을 나타낸다. 이 특성은 수평축을 유량, 수직축을 압력으로 바꿔 나타낼 수도 있다(그림 5.6b 참조).

그림 5.7은 파일럿 조작형, 샌드위치 구조의 릴리프 밸브를 보여준다. 이 밸브는 하우징(7)과 릴리프 밸브 카트리지로 구성되어 있다. 시스템 압력은 회전 노브(4)에 의하여 조정된다. P 포트의 압력은 메인 포핏(1)에 작용한다. 동시에 이 압력은 오리피스(2), 스프링이 장착된 메인 포핏(1)과 오리피스(3)을 통과하여 파일럿 포핏(6)에 전달된다. 만약에 P 포트에서의 압력이 스프링(5)에서 설정한 압력보다 높으면, 파일럿 포핏(6)은 열리게 된다. 작동유는 스프링이 작용하는 메인 포핏 체임버로부터 오리피스(3)을 통과한 후 통로(8)에 의해 귀환라인(T)로 빠져나가게 된다. 오리피스(2)의 양단에 형성된 압력차는 메인 포핏(1)에 작용하게 된다. 메인 포핏은 이 압력강하가 크래킹 압력을 초과할 때 열리게 된다. 그림 5.8은 메인 단과 파일럿 단을 위해 두 개

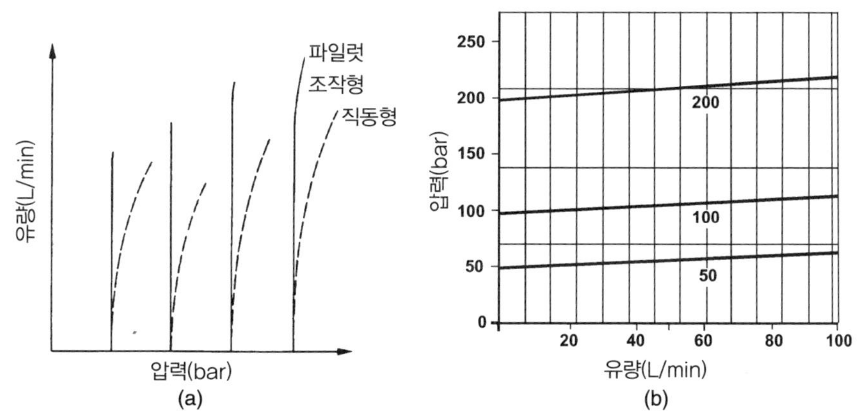

그림 5.6 릴리프 밸브의 전형적인 압력유량 특성 (a) 직동형과 파일럿 조작형 릴리프 밸브의 압력유량 특성, (b) 파일럿 조작형 릴리프 밸브의 특성

의 독립적인 카트리지를 갖는 파일럿 조작형 릴리프 밸브의 구조를 나타내고 있다.

그 밖에, 파일럿 조작형 릴리프 밸브는 언로드(unload) 회로에도 사용될 수 있고 다단 압력제어 회로를 구성하는데에도 활용된다. 파일럿 조작형 릴리프 밸브의 두가

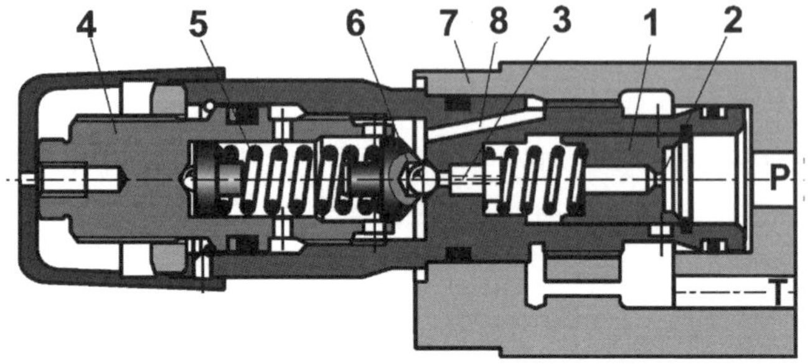

그림 5.7 파일럿 조작형 릴리프 밸브, 샌드위치 구조

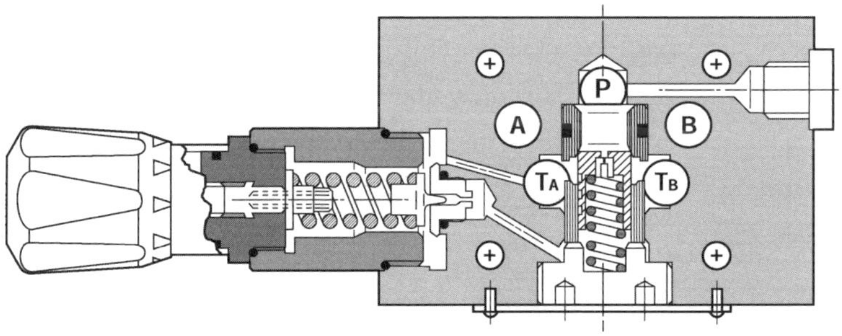

그림 5.8 파일럿 조작형 릴리프 밸브의 구조

지 응용회로가 그림 5.9에 예시되어 있다.

5.2.3 감압 밸브

감압 밸브는 서브 시스템이 메인 시스템의 압력보다 낮은 압력에서 작동해야 하는 경우에 사용된다. 그림 5.10은 감압 밸브의 작동원리를 나타내고 있다. 2개의 오리피스는 감압 포트를 고압과 저압 라인(유압 탱크)에 연결하기 위하여 사용된다. 감압 압력 P_R은 단면적 A_1을 증가시키거나, 단면적 A_2를 감소시켜 높일 수 있고, 반대로 A_1을 감소, A_2를 증가시킴으로써 낮출 수 있다. 감압 압력은 다음과 같이 유도된다. 탱크 압력을 0이라고 가정하고 두 오리피스의 유량계수가 같다면,

$$Q = C_d A_1 \sqrt{2(P_S - P_R)/\rho} = C_d A_2 \sqrt{2(P_R - P_T)/\rho} \tag{5.10}$$

이다. 따라서

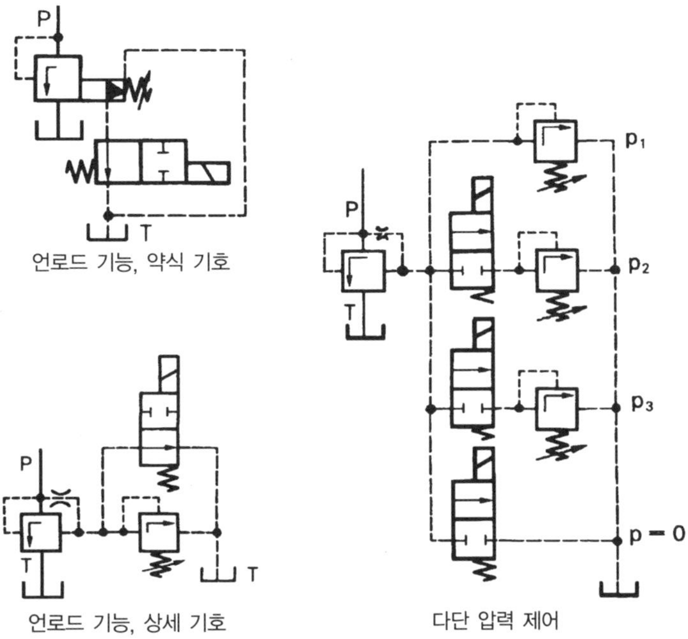

그림 5.9 파일럿 조작형 릴리프 밸브의 일반적인 응용회로

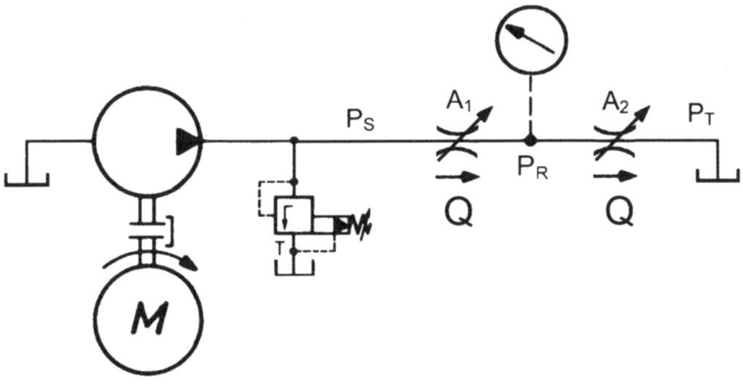

그림 5.10 감압 원리를 보여주는 유압회로

$$P_R = \frac{A_1^2}{A_1^2 + A_2^2} P_S \tag{5.11}$$

즉, 감압된 압력은 오리피스의 단면적 A_1과 A_2를 조절함으로써 제어된다. 첫 번째 밸브가 완전히 닫히고($A_1 = 0$), 두 번째 밸브가 열렸을 때($A_2 > 0$), 감압된 압력은 귀환 라인의 압력과 동일하게 된다($P_R = P_T$). 반면, $A_2 = 0$이고, $A_1 > 0$인 경우, 감압된 압력은 공급압력과 동일하게 된다($P_R = P_S$). 따라서, 감압된 압력은 공급압력과 귀환압력의 사이의 임의의 압력으로 설정될 수 있다.

그림 5.11은 직동형 감압 밸브의 구조를 나타내고 있다. 이 밸브는 스프링(3)의 힘을 받는 스풀로 구성된다. 출구 포트(A)의 압력은 관로(6)를 통하여 스풀의 오른쪽 제어 체임버와 연결되어 스프링(3)의 힘과 반대 방향으로 스풀에 작용한다. 출구 포트(A)의 압력이 초기에 설정된 스프링 압축력보다 작으면, 스풀은 오른쪽으로 이동하여 압력 라인(P)는 출구 포트(A)에 연결된다. 포트(A)의 압력이 증가하면 스풀 오른쪽에 작용하는 힘도 증가하게 된다. 이 힘이 스프링 힘보다 커지면 스풀은 왼쪽으로 이동하게 되고 연결통로(P-A)는 작아지게 된다. 최종 위치에서, 스풀 랜드는 반경방향의 틈새를 제외하고는 포트(A)를 압력 라인과 탱크 라인으로부터 차단시킨다. 만약 압력이 스프링에 의하여 설정된 압력보다 증가하면, 스풀은 더 왼쪽으로 이동하게 된다. 이로 인해 포트(A)는 탱크와 연결되어 압력이 낮아지며 스풀의 변위는 A 포트 압력과 스프링 힘이 평형을 이루는 정상상태에 이르게 된다. 따라서, 감압 밸브의 설정압력은 초기 스프링 압축력에 의해 조정된다.

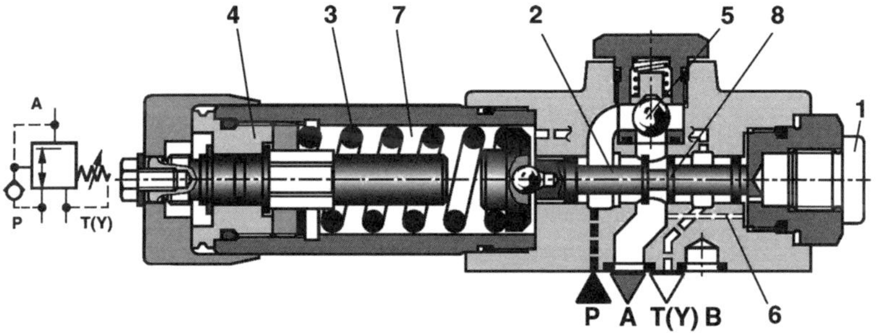

그림 5.11 직동형 감압 밸브

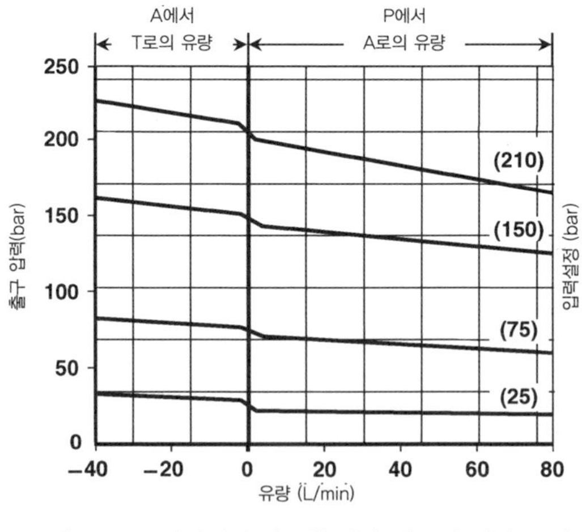

그림 5.12 일반적인 직동형 감압 밸브의 정적 특성

그림 5.12는 설정압력에 따른 압력유량 특성선도를 나타낸다. 포트(A)의 압력은 부하유량이 없는 조건에서는 정확하게 조정된다. 그러나 작동유가 포트(P)에서 포트(A)로 공급되어야 하는 조건에서는 포트(A)의 압력이 스프링 힘보다 낮아야 스풀이 이동하여[$x = (P_A A_s - kx_o)/k$] 공급 유량이 A 포트로 흐르게 된다. 이 경우에, 부하유량이 클수록 감압된 압력은 설정압력보다 낮아진다.

만약 출구 압력 P_A가 증가하면, 스풀은 왼쪽으로 이동하게 되고, 작동유는 포트(A)로부터 탱크 관로(T)로 흐르게 되는데 그 유량이 클수록 A 포트 압력은 스프링 힘보다 높아진다. 이와 같이, 밸브 전체의 관점에서는 감압 밸브로 작용하지만, 관로(A)와 (T) 사이에서는 릴리프 밸브로 작용을 하게 된다. 내장된 첵 밸브(2)는 관로(A)에서 관로(P)로 필요할 때면 언제나 유량이 흘러갈 수 있게 한다. 전형적인 감압 밸브의 작동 모드가 그림 5.13에 도시되어 있다. 그림 5.14는 직동형 감압 밸브의 응용 유압회로를 보여준다.

부하 유량이 큰 경우에는, 파일럿 조작형 감압 밸브가 사용된다. 그림 5.15는 파일

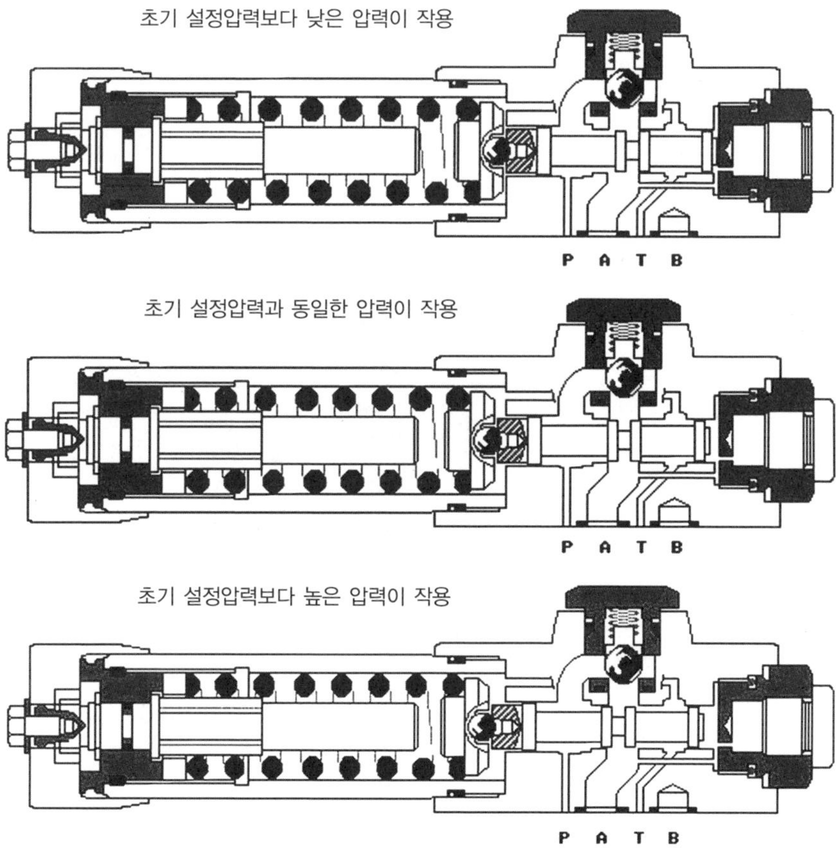

그림 5.13 직동형 감압 밸브의 작동

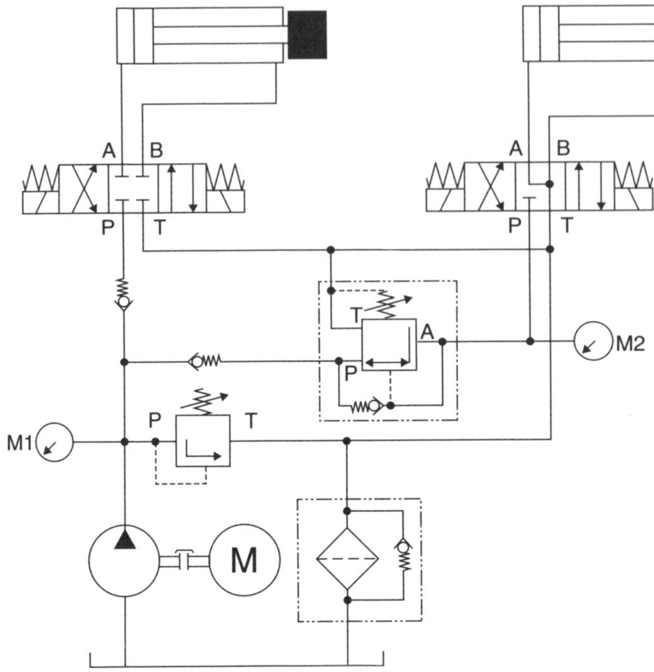

그림 5.14 감압 밸브의 대표적인 응용

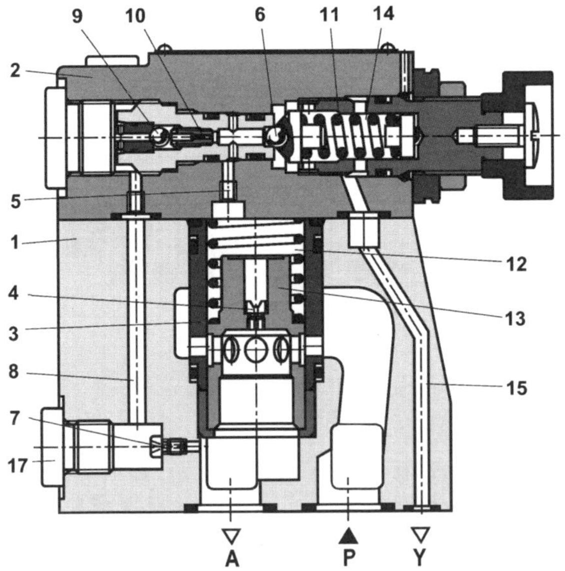

그림 5.15 파일럿 조작형 감압 밸브

럿 조작형 감압 밸브의 구조를 보여준다. 이 감압 밸브는 메인밸브 하우징(1), 파일럿 밸브(2) 그리고 메인 카트리지 어셈블리(3)으로 구성된다. 파일럿밸브는 단순한 직동형 릴리프 밸브이다. 이 밸브는 메인밸브의 위에서 최대 압력값 P_L을 제한시키는 역할을 하며, 통과 유량이 매우 작으므로, 오버라이드 압력은 무시할 수 있다. 파일럿밸브의 스프링 체임버(14)는 관로(15)를 거쳐 외부로 드레인 된다. 메인밸브(13)은 평상시 열린 상태로 고압 포트 (P)로부터 출구 포트 (A)로의 오일 통과를 허용한다. 포트 A는 오리피스(4) 또는 오리피스(7, 10)을 통하여 두 가지 통로로 스프링 체임버와 연결되어 있다.

만약 포트(A)의 감압된 압력이 설정압력 P_L보다 작으면, 파일럿 포핏은 닫힌 상태이고 체임버(12)에서의 압력은 입구측 압력과 동일하며 메인 스풀에 작용하는 압력에 의한 힘은 평형을 이루게 된다. 체임버(12)에서의 스프링에 의하여 메인 스풀(13)은 열린 상태가 된다. 반대로, 포트(A)의 압력이 설정된 압력 P_L보다 크면, 파일럿 포핏(6)이 열리고, 오리피스(4, 7, 10)은 파일럿 포핏(6)을 통과하여 작동유가 흘러가도록 한다. 만약 메인 포핏의 양단에 작용하는 압력차가 체임버(12)에서 작용하는 스프링 힘을 이기면, 메인 스풀(13)은 닫히기 시작한다. (P)에서 (A)로의 유량은 점차적으로 줄어들게 된다. 메인 스풀에 작용하는 힘의 합력이 0이 되면, 메인 스풀(13)은 정상상태에 도달하게 된다. 즉, A 포트의 압력은 다음과 같다.

$$P_A = P_L + k(x_o + x)/A_s \tag{5.12}$$

여기서 A_s는 스풀의 단면적이다.

스풀의 변위 x는 스프링의 초기 압축길이 x_o에 비하여 매우 작기 때문에 무시할 수 있다.

5.2.4 시퀀스 밸브

시퀀스 밸브는 압력 레벨에 따라서 유압시스템의 작동순서를 정하기 위하여 사용된다. 그림 5.16은 스프링이 장착된 스풀로 구성된 직동형 시퀀스 밸브를 나타내고 있다. 입구 포트(P)의 압력은 관로(6)을 통하여 스풀의 오른쪽에 있는 제어 체임버로 전달된다. 이 체임버의 압력은 스프링 힘에 대항하여 스풀에 작용한다. 만약 이 압력에 의한 힘이 스프링 힘을 이기게 되면, 스풀은 왼쪽으로 움직여서 포트(P)와 (A)가 연결되게 된다. 밸브는 포트(B)를 통하여 외부에서도 제어가 가능하다. 이 경우, 포트(P)와 제어 체임버의 연결통로는 막아야 된다. 밸브에는 역방향으로 자유로운(free) 흐름이 가능하도록 첵 밸브가 선택 사양으로 설치될 수 있다. 직동형 시퀀스 밸브의 동작 모드가 그림 5.17에 나타나 있다.

밸브의 정상상태 유량에 대한 표현은 귀환 관로의 압력을 무시하면 다음의 식으로 유도된다.

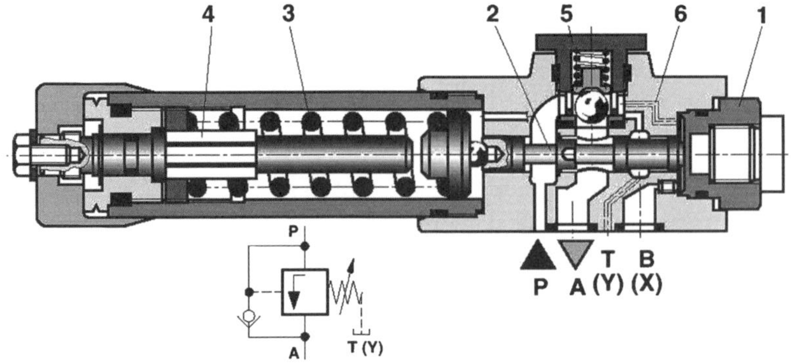

그림 5.16 직동형 시퀀스 밸브

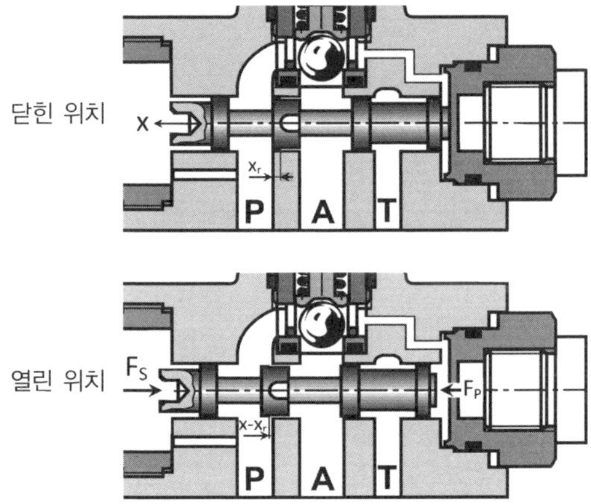

그림 5.17 직동형 시퀀스 밸브의 작동

$$F_S = k(x + x_o) \qquad F_P = A_S P_P \quad \text{그리고} \quad F_P = F_S \tag{5.13}$$

따라서

$$x = P_P \frac{A_S}{k} - x_o \tag{5.14}$$

그림 5.17에서 입구 포트(P)로부터 출구 포트(A)로 흐르는 유량 Q는

$$Q = \begin{cases} 0 & x \le x_r \\ C_d \omega \left(P_P \dfrac{A_S}{k} - x_o - x_r \right) \sqrt{\dfrac{2}{\rho}(P_P - P_A)} & x \ge x_r \end{cases} \tag{5.15}$$

시퀀스 밸브 양단의 압력차를 유량 Q에 대하여 표현하면

$$\Delta P = P_P - P_A = \frac{\rho Q^2}{2C_d \omega \left(P_P \frac{A_S}{k} - x_o - x_r \right)} \tag{5.16}$$

여기서 A_s = 스풀 단면적, m^2

P_p = 입구 포트의 압력, Pa

P_A = 출구 포트의 압력, Pa

x_r = 스풀 오버랩, m

시퀀스 밸브 양단의 압력차는 입구측 압력(P_P)에 반비례하다는 것을 식 5.16으로부터 알 수 있다. 크래킹 압력보다 높은 상태에서 입구측 압력의 증가는 밸브에서의 압력손실과 동력손실을 줄인다. 전형적인 직동형 시퀀스 밸브에서의 유량과 압력손실 사이의 관계는 그림 5.18에 나타나 있다.

시퀀스 밸브는 다기능 밸브라고도 불리며, 순서를 결정하거나, 브레이크, 언로드, 카운터 밸런스 등의 기능을 위하여 다양한 조합으로 사용될 수 있다. 그림 5.19는 시퀀스 밸브의 전형적인 응용 회로를 보여준다. 파일럿 조작형 시퀀스 밸브는 부하 유량이 큰 경우에 사용된다. 그림 5.20의 밸브는 카트리지 형식의 메인밸브를 갖는 메인 하우징(1), 파일럿밸브(2)와 선택사양으로서 역방향 흐름을 자유롭게 하는 첵 밸브(3)로 구성되어 있다. 이 밸브의 기능은 파일럿 라인(내부 또는 외부)과 드레인 라인(내부 또는 외부)의 조합에 따라서 달라진다.

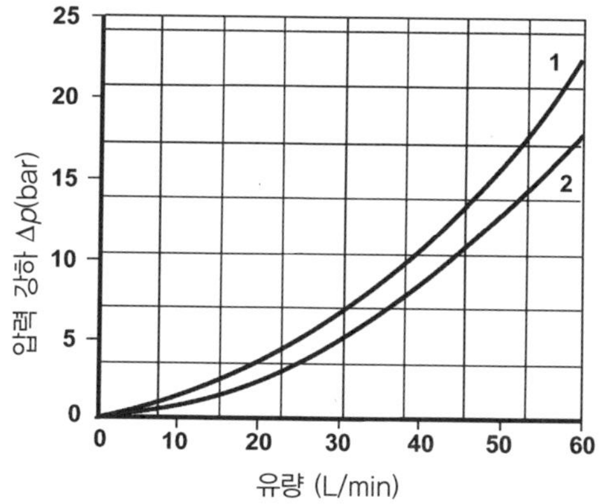

1. 첵 밸브를 통한 A에서 P로의 유량, 2. P에서 A로의 통과 유량

그림 5.18 일반적인 직동형 시퀀스 밸브의 정적 특성

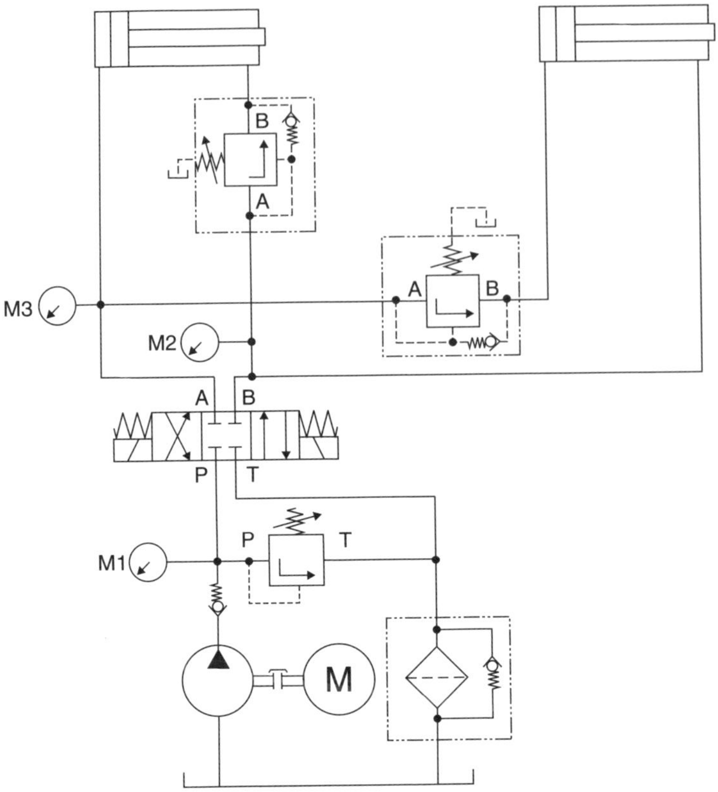

그림 5.19 시퀀스 밸브의 전형적인 응용

그림에서 파일럿 단은 스풀 형식의 2/2 직동형 방향제어밸브이다(5.3.3절 참조). 스풀 오른쪽에는 스프링(8)의 힘이 작용한다. 내부 파일럿인 경우, 플러그(4.1)은 제거되고, 플러그(4.2)가 장착 된다. 제어 압력은 플런저(5)를 통하여 스풀의 왼쪽에 작용하게 된다. 외부 파일럿 방식의 밸브인 경우, 플러그(4.2)는 제거되나 플러그(4.1)은 설치되어서, 관로 X를 통하여 제어된다.

파일럿 압력이 스프링력보다 작으면, 스풀은 왼쪽으로 움직이게 된다. 스풀 랜드(10)는 메인밸브(7)의 스프링 체임버가 닫히게 한다. 메인밸브의 상하 두 부분은 오리피스(6)에 의하여 연결되어 있다. 입구측 포트와 스프링 체임버에서의 압력은 동일하고, 스프링은 메인밸브를 닫는 쪽으로 작용한다. 반면, 만약 제어압력에 의한 힘이 파일럿밸브 스프링의 힘보다 커지면, 스풀은 오른쪽으로 이동하게 된다. 유압작동유는 오리피스(6과 9), 스풀 밸브(10)과 관로(11과 12)를 거쳐 입구측 포트(A)에서 출구측 포트(B)로 흐르게 된다. 오리피스(6) 양단의 압력차는 메인밸브를 위쪽으로 향하도록 한다. 메인밸브가 열리면 입구측 포트(A)와 출구측 포트(B)는 직접 연결된다. 여기서, 오리피스 (9)는 진동감쇠 요소로서 작용한다.

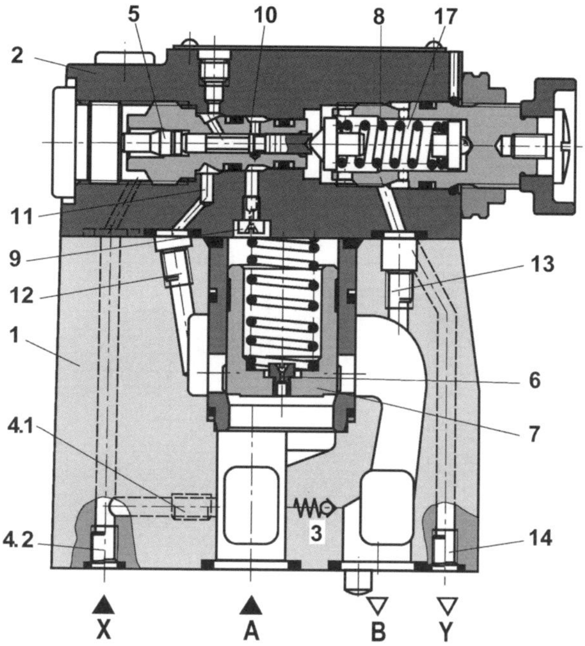

그림 5.20 파일럿 조작형 시퀀스 밸브

5.2.5 어큐뮬레이터 충전 밸브

유압 어큐뮬레이터는 유압에너지를 저장하기 위하여 사용된다(6.2.2절 참조). 또한, 유압 충격흡수, 펌프 언로드 등과 같은 여러 가지 용도로 유압시스템에 설치된다.

펌프의 언로드를 위하여 유압 어큐뮬레이터가 사용하는 경우에 어큐뮬레이터는 주요 유압원이 되고 펌프는 유압 어큐뮬레이터를 충전하는 역할을 한다. 이 경우, 시스템은 최고 압력 P_2와 최저 압력 P_1의 범위에서 작동한다. 그림 5.21은 어큐뮬레이터 충전 밸브의 구조와 일반적 응용회로를 나타내고 있다. 이 회로는 정해진 압력 구간 내에서 어큐뮬레이터의 압력을 일정하게 유지시켜 주는 역할을 한다. 어큐뮬레이터 충전밸브는 압력센서(1)과 파일럿 조작형 첵 밸브(그림 5.21a 참조)로 구성된다. 압력센서의 스풀은 어큐뮬레이터의 압력이 증가함에 따라 아래쪽으로 이동한다. 파일럿 첵 밸브는 첵 밸브(3)과 파일럿 피스톤(2)로 구성된다. 첵 밸브는 파일럿 피스톤이 아래로 이동하면 열리게 되고, 그렇지 않으면 닫히게 된다. 어큐뮬레이터의 압력이 최고 압력 P_2에 도달하게 되면, 압력센서(1)의 스풀은 아래로 이동하여 고압 라인과 파일럿 피스톤(2) 위쪽 체임버를 연결시킨다. 이로 인해 파일럿 피스톤은 첵 밸브(3)을 열기 위하여 아래 쪽으로 움직인다. 펌프 토출라인은 열린 첵 밸브를 통하여 탱크로 귀환되고, 펌프는 무부하 상태로 작동하게 된다. 첵 밸브(4)는 어큐뮬레이터 안에 있는 고압의 작동유가 펌프로 역류하는 것을 막아준다. 이 작동모드에서, 어큐뮬레이터는 시스템에 필요한 고압

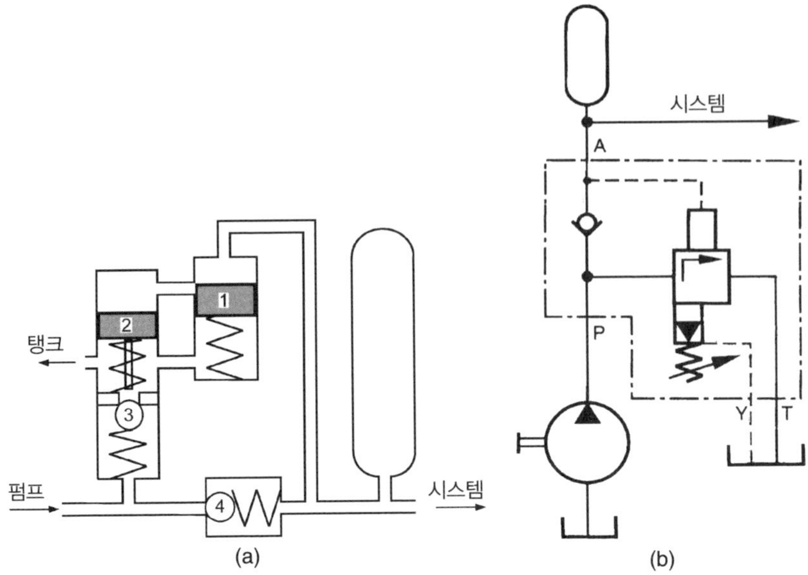

그림 5.21 (a) 어큐뮬레이터 충전 밸브와 (b) 어큐뮬레이터 충전 밸브의 주요 응용

의 작동유를 공급하고, 그 결과 어큐뮬레이터 내의 작동유의 양이 줄어들면 압력도 낮아지게 된다. 그러면, 피스톤(2)은 위로 이동하게 되고 파일럿 피스톤 위쪽 체임버의 작동유는 방출되게 된다. 어큐뮬레이터의 압력이 최저 압력 P_1에 도달하게 되면, 압력센서 스풀은 위쪽으로 위치하게 되고, 파일럿 피스톤 아래쪽 체임버의 작동유는 탱크로 귀환되게 된다. 파일럿 피스톤은 스프링의 작용으로 위 쪽으로 움직이고, 첵 밸브(3)은 펌프의 바이패스 라인이 닫히게 한다.

5.3 방향제어밸브

5.3.1 서론

방향제어밸브(Directional Control Valve 또는 DCV)는 유압 실린더의 이동, 정지, 방향 변경을 하고자 할 때 사용된다. 이 밸브들은 연결 관로의 수(포트)와 제어 위치의 수로 분류된다. 제어 위치는 관로의 연결을 변경시켜 작동유가 통과하는 방향을 결정한다. 4/3 방향제어밸브는 4개의 포트와 세 가지 제어 위치를 가진다는 의미이다. 유압 실린더의 구동방향을 제어하는 방향제어밸브의 응용을 그림 5.22가 보여주고 있다. 여기서 4/3 방향제어밸브는 압력 라인(P), 귀환 라인(T), 실린더 포트(A와 B)와 연결되어 있다. 중립위치에서 밸브는 4 관로를 모두 막고 있으며, 실린더는 정지되어 있다. 밸브를 다른 위치로 변경을 하게 되면, 실린더는 상응하는 방향으로 움직이게 된다.

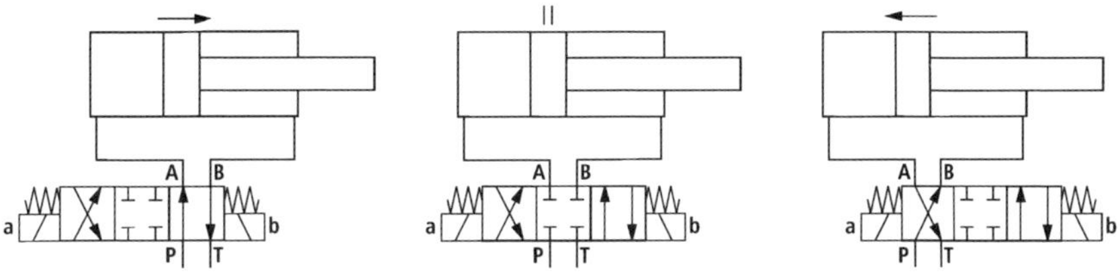

그림 5.22 4/3 방향제어밸브에 의해 구동되는 유압 실린더

5.3.2 포핏형 방향제어밸브

포핏형 방향제어밸브는 2가지 위치와 3, 4개의 포트로 구성된다. 이런 밸브의 구조와 작동이 그림 5.23, 그림 5.24에 설명되어 있다. 일반적으로 포핏 방식의 직동형 방향제어밸브는 630 bar 이상의 압력과 40 L/min까지의 유량 범위에서 사용된다.

그림 5.23은 3/2 방향제어 포핏 밸브의 구조를 나타내고 있다. 플런저(3)이 작동되지 않을 때, 구형 포핏은 스프링의 작용으로 닫혀 있게 된다. 압력 라인(P)는 닫히고, 메인 포핏은 중립위치에 위치하여, 출구포트(A)와 탱크(T)를 연결시키게 된다. 일반적으로 솔레노이드 등에 의하여 플런저가 작동하면 메인 포핏과 구형 포핏은 오른쪽으로 움직여 탱크 포트는 차단되고 포트(A)는 압력 라인(P)와 연결된다. 여기서, 플런저에 유압이 발생시키는 힘들은 서로 상쇄되도록 설계되어 있다. 3/2 방향제어밸브는 그림 5.24에서와 같이 제어 피스톤(4)와 구형 포핏을 포함한 샌드위치 블록을 추가하면 4/2 방향제어밸브로 변경이 가능하다.

5.3.3 스풀형 방향제어벨브

스풀 밸브는 방향제어에 널리 사용되며 다양한 제어 위치와 더불어 2, 3, 4, 5 또는 6개 이상의 포트를 연결시키는 것이 가능하다. 그림 5.25에서 5.29까지 스풀형 방향제어밸

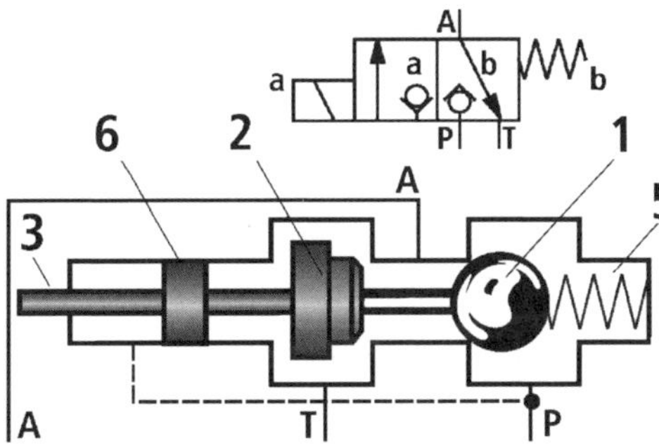

1. 구형 포핏, 2. 메인 포핏, 3. 플런저, 5. 스프링
6. 압력보상 피스톤

그림 5.23 3/2 포핏형 방향제어밸브 (*Bosch Rexroth AG. 게재 승인*)

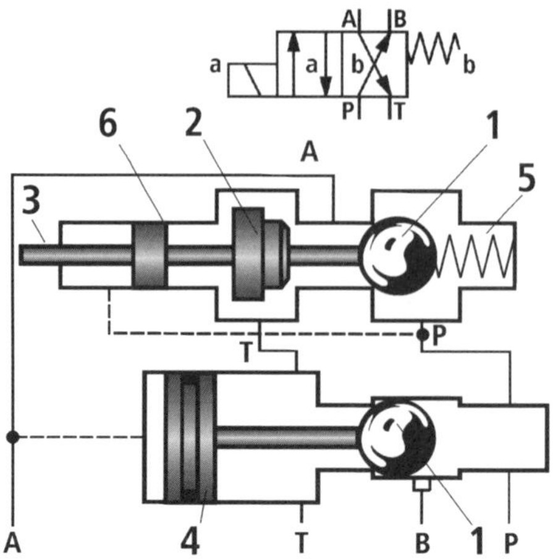

그림 5.24 4/2 포핏형 방향제어밸브 (*Bosch Rexroth AG. 게재 승인*)

브의 구조와 작동원리가 나타나 있다. 이 그림에서 스풀의 적절한 설계를 통해 원하는 밸브 포트간의 연결을 얻을 수 있음을 알 수 있다. 그림 5.30은 널리 사용되는 산업용 제어밸브들의 기호를 보여준다.

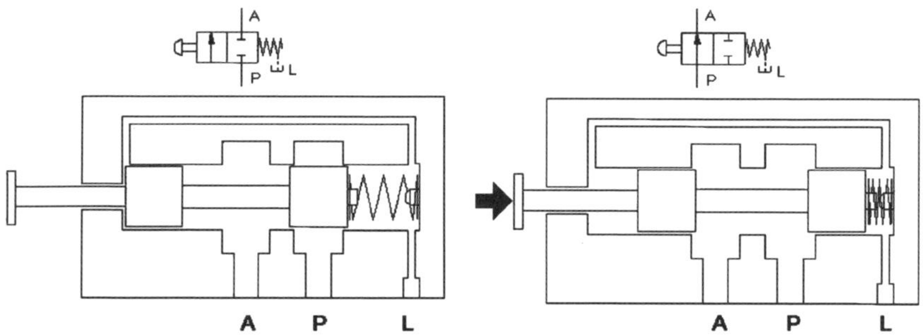

그림 5.25 2/2 스풀형 직동형 방향제어밸브

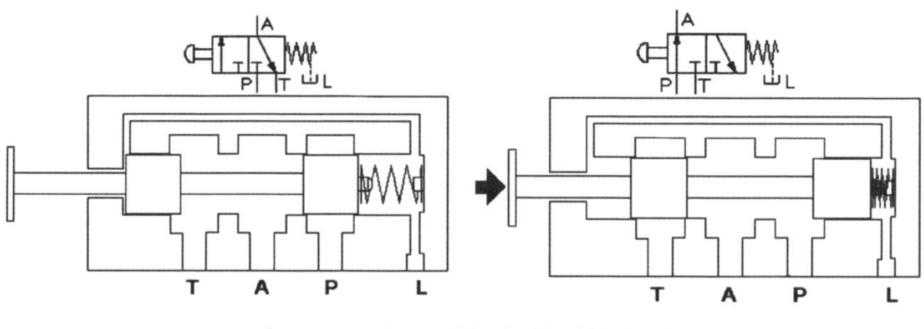

그림 5.26 3/2 스풀형 직동형 방향제어밸브

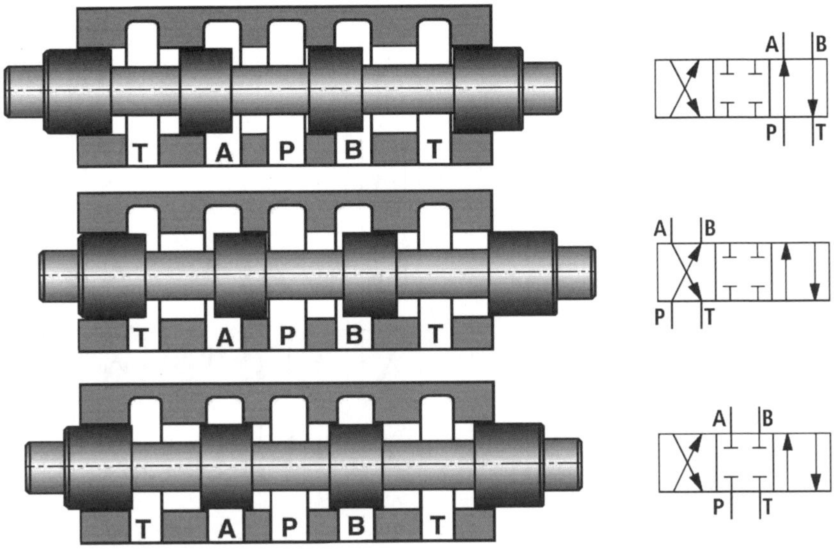

그림 5.27 4/3 스풀형 직동형 방향제어밸브의 작동(클로즈드 센터)

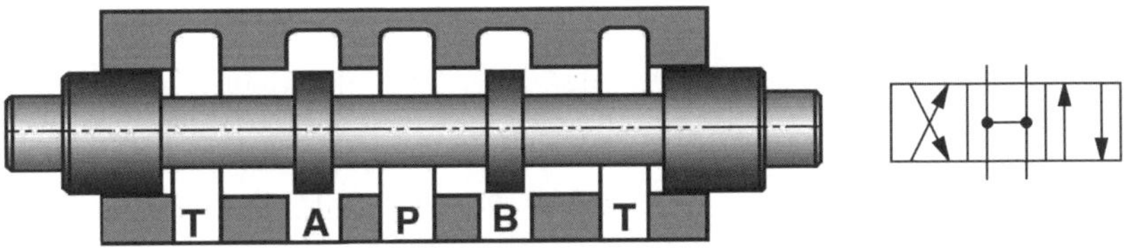

그림 5.28 4/3 스풀형 직동형 방향제어밸브(오픈 센터)

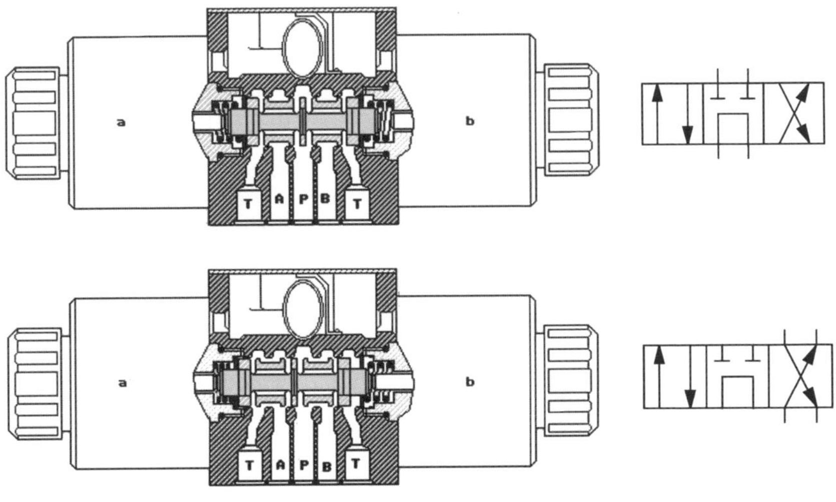

그림 5.29 중립위치에 바이패스를 갖는 4/3 직동형 방향제어밸브

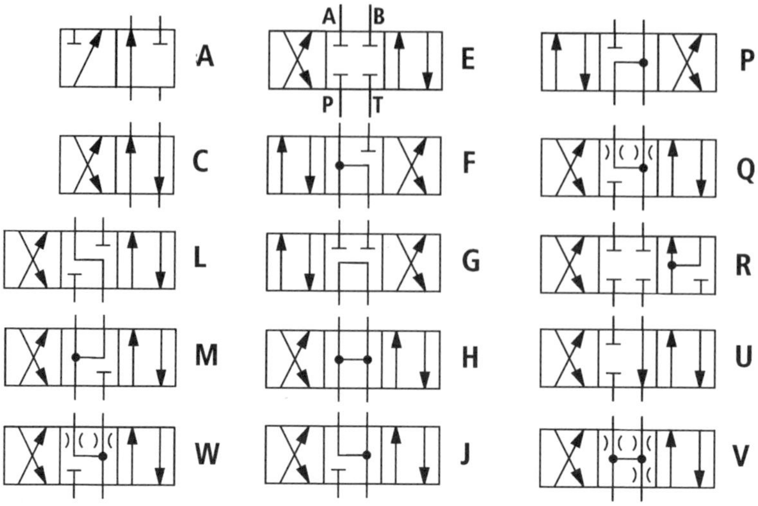

그림 5.30 산업용 방향제어밸브의 다양한 형태

5.3.4 방향제어밸브의 조작

기본 조작 장치

직동형 방향제어밸브를 조작하는 것은 한 위치에서 다른 위치로 밸브를 스위칭하는 것을 의미한다. 방향제어밸브를 위한 조작 장치는 표 5.2에 열거되어 있다. 그림 5.31은 그밖의 다양한 표준 조작 방식과 그 기호들을 보여준다.

제어 기기	예시
수동 레버에 의한 기계식 조작	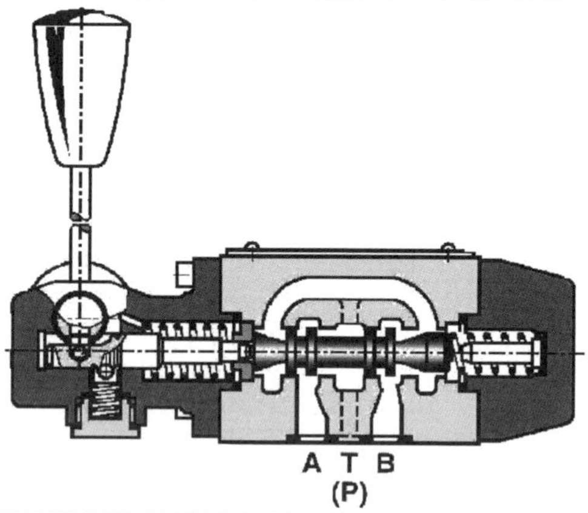

표 5.2 방향제어밸브의 조작장치

제어 기기	예시
캠과 롤러에 의한 기계식 조작	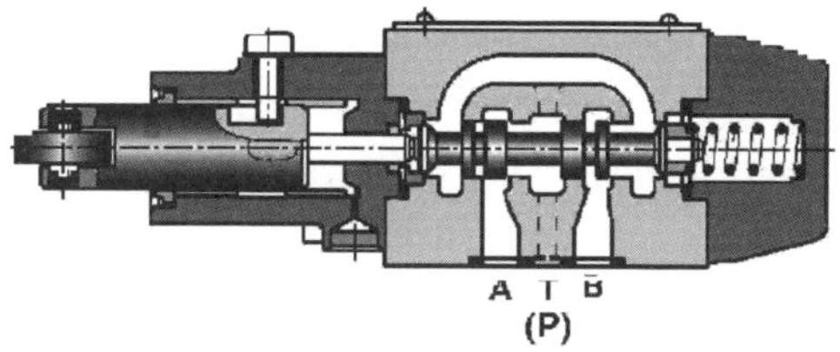
회전 노브에 의한 기계식 조작	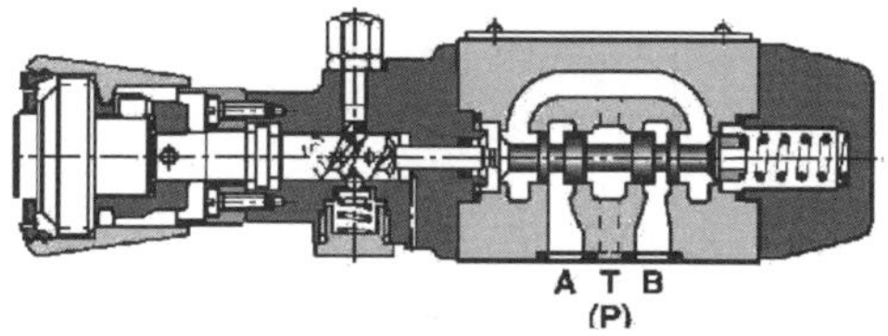
유압 파일럿 압력에 의한 조작	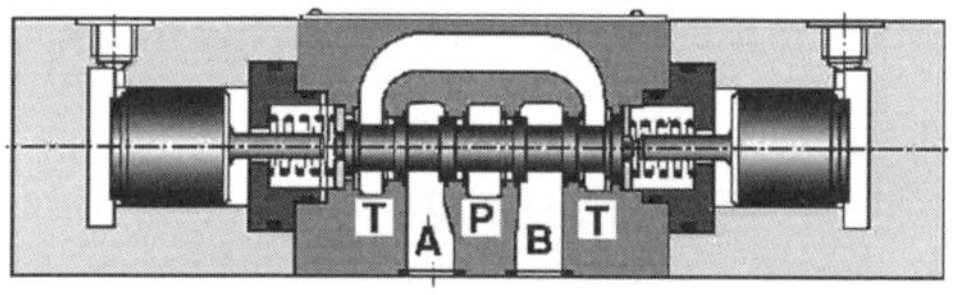
공압 파일럿 압력에 의한 조작	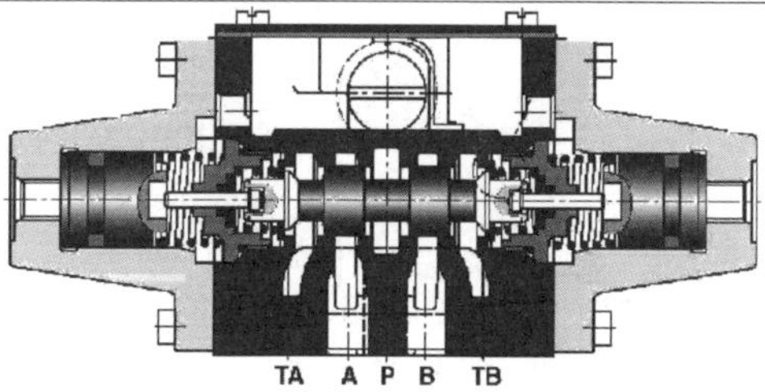
직류 솔레노이드에 의한 전기식 조작	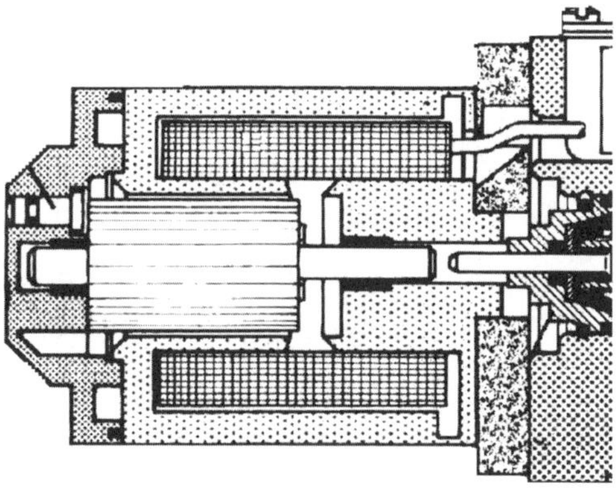

표 5.2 방향제어밸브의 조작장치 (계속)

제어 기기	예시
교류 솔레노이드에 의한 전기식 조작	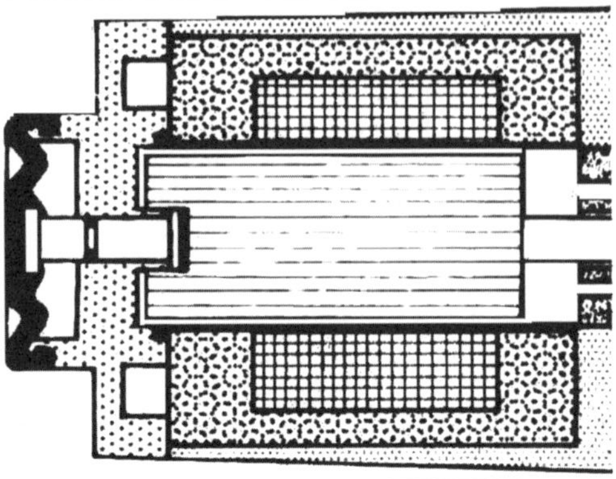

표 5.2 방향제어밸브의 조작장치 (계속)

전기 솔레노이드

전기 솔레노이드는 다양한 유압 밸브의 조작을 위하여 널리 사용된다. 교류 또는 직류의 다양한 전압으로 작동이 가능하고 건식 솔레노이드(air gap solenoid)와 습식 핀 솔레노이드(wet pin solenoid)의 두 종류가 있다.

솔레노이드의 기본 작동

전류가 도선에 흐르면 도선 주변에 자기장을 형성한다. 도선이 코일 형태로 감겨있다면, 자기장은 코일 주변에 형성된다(그림 5.32 참조). 기자력(λ)는 코일의 감은 수(N)와 전류(i)에 비례한다.

$$\lambda = Ni \tag{5.17}$$

자기장은 공기보다는 순철이나 강철과 같은 연자성체에서 강하게 유도된다. 따라서 자기장은 코일의 바깥쪽에 순철 C 프레임을 추가함으로써 집중시킬 수 있다(그림 5.33 참조). 그리고 가동 철심이 코일의 안쪽에 위치한다면, 자기장은 C 프레임과 코어 전체가 자기장내에 존재할 때, 더욱 더 강해진다. 자력은 코일이 자화될 때 발생되고 이 힘은 코어를 C 프레임으로 끌어 당기게 된다.

DC 솔레노이드 직류 솔레노이드의 경우, 전류는 고정된 자극의 자기장을 유도한다. 요크와 코어는 정해진 N극과 S극으로 자화가 된다. 전류가 DC 솔레노이드에 인가될 때, C 프레임의 N 또는 S극은 코어의 S 또는 N극을 각각 끌어 당기게 된다. 그 결과로 발생된 인력이 솔레노이드의 자력이 된다.

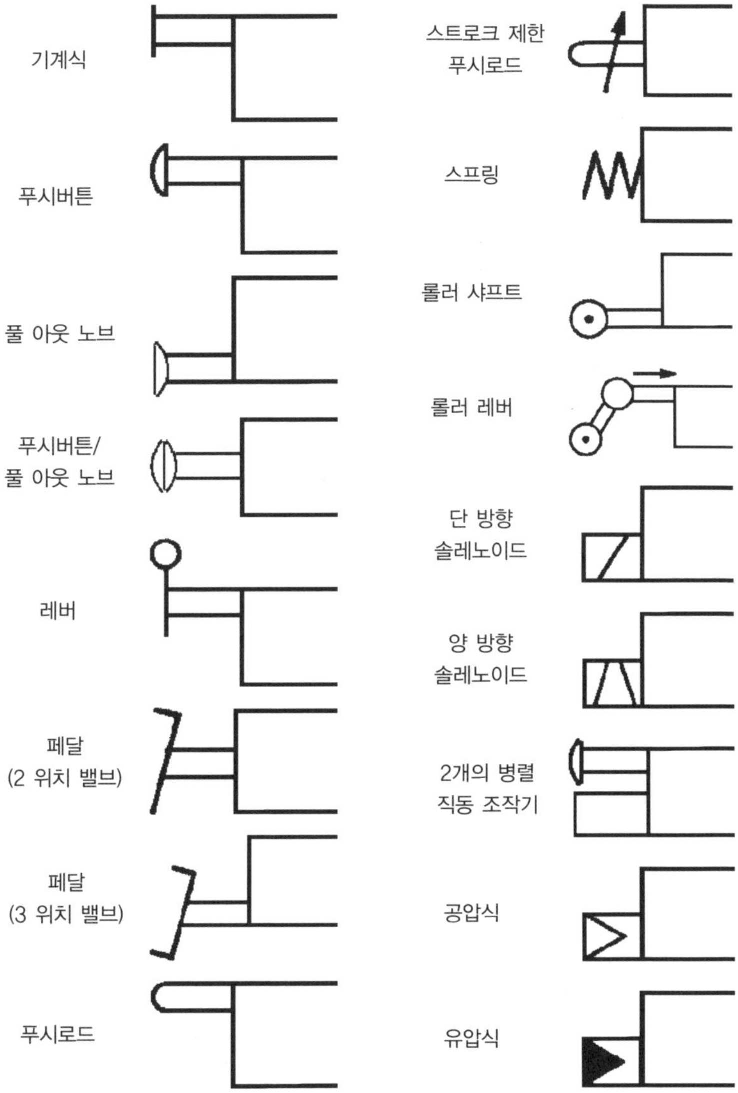

그림 5.31 다양한 방향제어밸브 조작장치의 기호

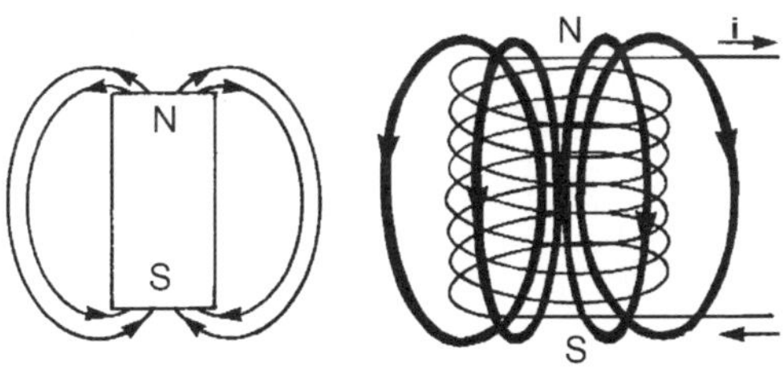

그림 5.32 영구자석 그리고 전자석에 의한 자기장

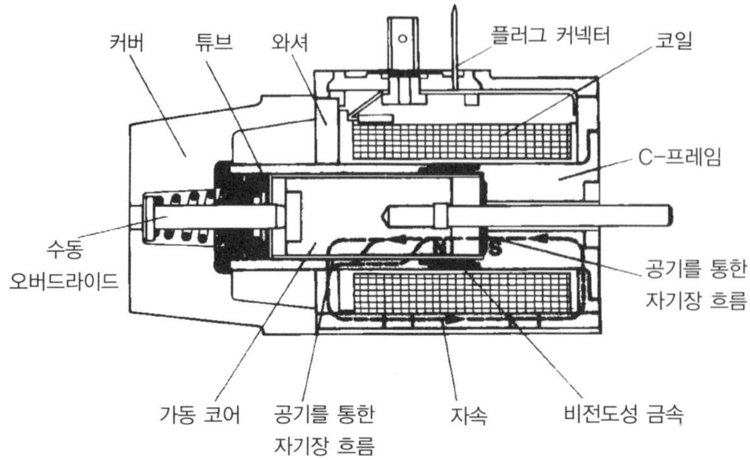

그림 5.33 DC 솔레노이드의 구조 (*Bosch Rexroth AG. 게재 승인*)

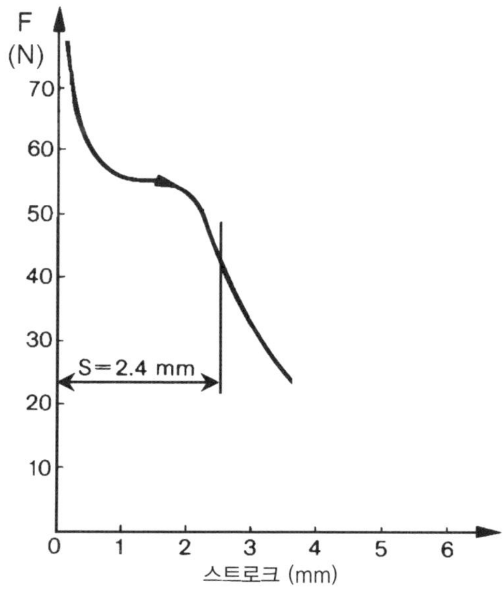

그림 5.34 일반적인 솔레노이드 힘과 스트로크와의 관계

DC 솔레노이드는 지정된 전압이 인가된다면 코일이 타서 고장나는 일은 없다. 자력은 솔레노이드 형상과 전류뿐만 아니라 그림 5.34에 나타낸 것과 같이 코어의 위치에 의해서도 영향을 받는다. 자력은 코어가 밸브의 중립위치로 이동할수록 감소한다. 따라서, 코어의 변위는 제한되어야 한다(그림 5.33 참조). 그렇지 않으면, 자력은 요구되는 값에 미치지 못할 수 있다. 자력의 방향은 전류의 극성이 바뀌더라도 변하지 않는다.

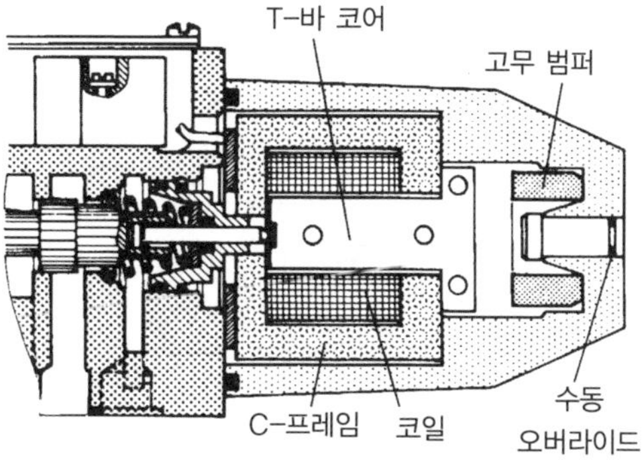

그림 5.35 AC 솔레노이드 (*Bosch Rexroth AG. 게재 승인*)

일반적으로 상용 솔레노이드는 60~70 N의 힘을 출력한다. 더 큰 힘이 요구된다면, 코일의 권선 수나 전류를 증가시켜야 한다. 이것은 모두 솔레노이드의 부피 증가로 이어지게 된다.

AC 솔레노이드 AC 솔레노이드는 DC 방식과 같은 원리로 작동하나, AC에 의한 자기장은 교류에 의하여 유도되므로 교류의 주기에 따라 자기장의 극성이 변하게 된다. 자력은 AC 전류가 양 또는 음의 최고치를 가질 때 가장 높다. 전류의 크기 변화는 자기회로의 금속부, 특히 C 프레임과 코어에서 기전력과 와전류를 유도한다. 따라서 이 부품들은 전기적으로 절연된 금속 적층으로 만들어진다(그림 5.35 참조).

이러한 방법으로, 와전류와 부수적인 열 발생 문제를 줄일 수 있다. AC 솔레노이드에서 과열문제는 습식 핀 솔레노이드를 사용함으로써 해결 될 수 있고 다음과 같은 장점 때문에 DC 솔레노이드에도 동일한 방식이 적용된다.

- 원활한 열 방출
- 구동핀의 밀폐 불필요
- 작동 소음 감소
- 습도 영향 방지

전류가 양에서 음으로 바뀌거나, 그 반대일 때, 반드시 전류가 흐르지 않는 중립점을 통과해야 한다. 이 짧은 시간 동안에, 자력이 발생되지 않는 상태가 나타나게 된다. 자력이 작용하지 않는다면, 스프링 힘은 코어를 평형 위치 밖으로 밀어내게 된다. 그러나 전류가 다시 커질 때, 자력은 증가하고 코어를 다시 잡아당긴다. 이러한 코어의 고주파 거동이 윙윙거리는 기계소음을 유발시키는 원인이 된다.

이 윙윙거리는 소음을 없애고, 솔레노이드의 부하 지지 능력을 증가시키기 위해서 대부분의 AC 솔레노이드는 셰이딩 코일(철심의 일부분에 감은 단락 코일)을 포함한

특징	DC	AC
스위칭 시간	50~60 ms	20 ms이내
예상 수명	20~50백만회	10~20백만회
최대 스위칭 주파수	4사이클/초 까지	2사이클/초 까지
연속작동시간	무제한	건식: 15~20분 습식: 69~80분
비용(상대적)	1	1.2

표 5.3 DC와 AC 솔레노이드의 비교

다. 전기 코일을 통과하는 전류가 자기장을 형성하는 것과 같이 전기코일을 통과하는 자기장은 거꾸로 전류를 유도한다. 셰이딩 코일에 전류가 흐르면 자기장을 만든다. 셰이딩 코일에 흐르는 전류는 솔레노이드 코일에 인가한 전류보다 위상이 늦도록 하여 솔레노이드에 인가한 전류가 한 극성에서 다른 극성으로 바뀔 때, 셰이딩 코일에서의 전류와 자기장은 최대값이 된다. 이 힘의 범위 안에서 솔레노이드가 사용된다면, 셰이딩 코일의 자기장은 코어를 그 위치에 유지하기에 충분하며, 이로써 윙윙거리는 소리를 제거할 수 있다. 표 5.3은 DC와 AC 솔레노이드의 특징을 간략히 비교한 것이다.

5.3.5 스풀 밸브의 유량 특성

스풀 밸브는 스풀 랜드의 길이에 따라 오버랩(over-lapping), 제로랩(zero-lapping), 언더랩(under-lapping)의 3가지 형태로 분류된다(그림 5.36 참조).

스풀 랜드의 길이가 밸브의 개구 폭보다 클 경우 오버랩이라고 한다(그림 5.37 참조). 교축면적이 밸브 개구 길이에 선형적으로 비례하고 반경 틈새로의 누유가 없다고 가정하면, 스풀 밸브를 통과하는 유량은 다음 식으로 주어진다.

$$|x| < \varepsilon \text{ 구간에서 } A_v = 0, \qquad Q = 0 \tag{5.18}$$

$$\varepsilon < |x| < (\varepsilon + a) \text{ 구간에서 } A_v = \omega(|x - \varepsilon|), \qquad Q = C_d\omega(|x-\varepsilon|)\sqrt{2\Delta P/\rho} \tag{5.19}$$

$$|x| \geq \varepsilon + a \text{ 구간에서 } A_v = \omega a, \qquad Q = C_d \omega a\sqrt{2\Delta P/\rho} \tag{5.20}$$

여기서 A_v = 오리피스 면적, m^2
x = 스풀 변위, m
ε = 오버랩 길이, m
ω = 밸브 포트의 폭, 환상 포트인 경우 $\omega = \pi D$, m

3가지 스풀 밸브에 대한 유량 특성은 밸브 입출구 양단에 대해 일정한 압력차를 가

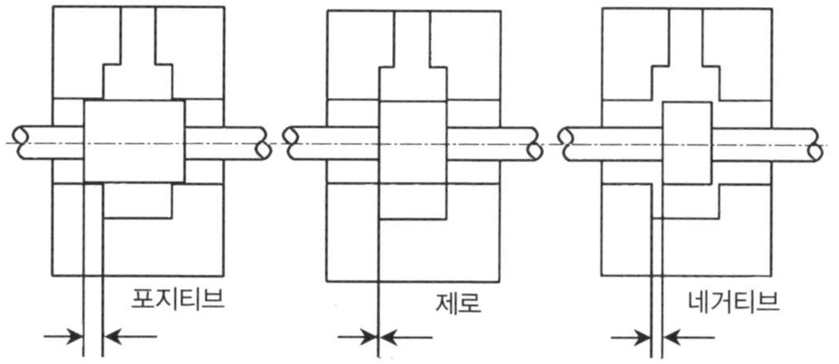

그림 5.36 스풀 랜드 길이에 따른 스풀 밸브의 분류

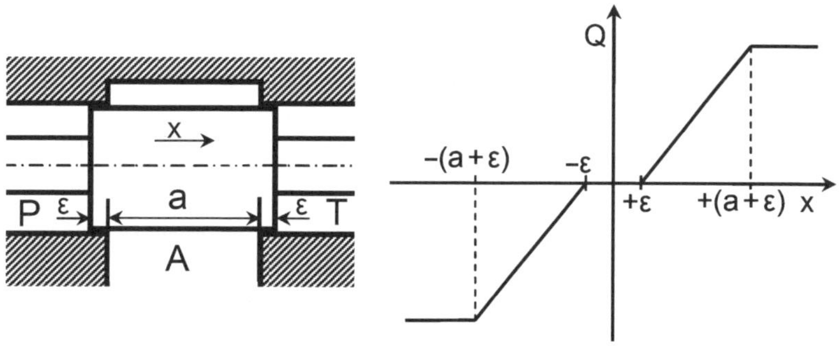

그림 5.37 오버랩 스풀 밸브의 유량 특징

정함으로써 표현할 수 있다.

$$\Delta P = P_P - P_A = P_A - P_T = \text{Const.} \tag{5.21}$$

오버랩 밸브의 유량특성은 그림 5.37에 나타나 있다. (P)에서 (A)로의 유량은 양으로, (A)로부터 (T)로의 유량은 음으로 정의하였다. 밸브는 폭 2ε의 불감대를 갖는다. 밸브 유량은 밸브 포트가 완전히 열렸을 때($|x| \geq \varepsilon + a$) 포화조건에 도달하게 된다. 이 종류의 스풀 밸브는 방향제어밸브로서 장점이 많다. 오버랩은 내부 누유와 제작비용을 줄이는데 유리하다. 반면에 유량 특성의 비선형성은 방향제어밸브의 작동에 영향을 미치지 않는다. 왜냐하면 스풀은 불감영역 내에 멈춰 있지 않고 더 큰 변위로 이동하기 때문이다.

이상적인 제로랩 밸브는 밸브 포트의 폭과 동일한 길이의 스풀랜드를 가진다(그림 5.38 참조). 밸브 포트를 통과하는 유량은 다음의 식으로 주어진다.

$$|x| < a \text{ 구간에서 } A_v = \omega |x|, \qquad Q = C_d \omega |x| \sqrt{2\Delta P/\rho} \tag{5.22}$$

$$|x| \geq a \text{ 구간에서 } A_v = \omega a, \qquad Q = C_d \omega a \sqrt{2\Delta P/\rho} \tag{5.23}$$

제로랩 밸브의 유량–변위간의 관계는 그림 5.38에 나타나 있다. 이 밸브는 ($-a < x < a$)의 영역에서 선형적인 유량–변위 관계를 나타낸다. 반면에, 제로랩은 내부 누유량과

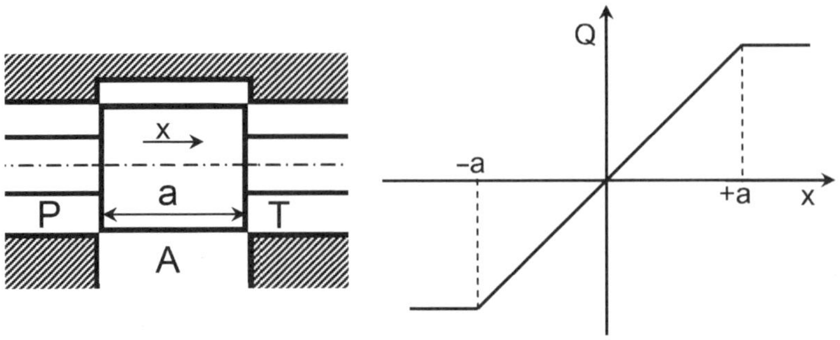

그림 5.38 제로랩 스풀 밸브의 유량 특성

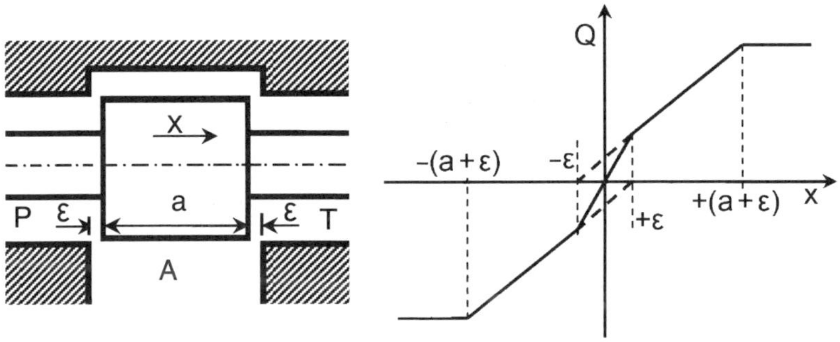

그림 5.39 언더랩 스풀 밸브의 유량 특성

제작비용이 높다. 제로랩의 스풀 밸브는 선형적인 특성 때문에 서보밸브에 적용된다.

언더랩 밸브의 구조와 유량 특성은 그림 5.39에 나타나 있다. 언더랩 밸브는 더 많은 내부 누유를 가지며, 언더랩 구간에서는 다른 구간보다 높은 유량 게인을 나타낸다. 언더랩을 가지는 스풀 밸브는 주로 방향제어밸브, 드물게 비례밸브 또는 서보밸브에도 활용된다.

5.3.6 스풀 밸브의 압력손실과 동력손실

스풀 밸브의 교축면적을 통과하는 유량(Q)와 압력손실(ΔP)는 다음 식의 관계를 갖는다.

$$Q = C_d A_v \sqrt{2\Delta P/\rho} \quad \text{또는} \quad \Delta P = \frac{\rho}{2C_d^2 A_v^2} Q^2 \tag{5.24}$$

밸브의 교축으로 인한 동력손실, ΔN는 다음 식으로 주어진다:

$$\Delta N = Q\Delta P = C_d A_v \Delta P \sqrt{2\Delta P/\rho} \quad \text{또는} \quad \Delta N = \frac{\rho}{2C_d^2 A_v^2} Q^3 \tag{5.25}$$

밸브에서 압력손실과 동력손실을 줄이는 것은 중요하다. 따라서 교축면적 A_v는 가능한한 크게 해야 한다. 방향제어밸브 제조업체들은 그림 5.40과 같은 특성 그래프를 제공한다. 이 그래프는 그림 5.27~ 5.30에 예시한 호칭 크기 6호의 방향제어밸브의 압력–유량 관계식을 보여준다.

일반적으로 교축면적 A_v는 그림 5.41에 나타낸 바와 같이 스풀 밸브의 개구 x_v에 따라 변하며, 스풀의 기하학적 형상에 따라서 특성이 달라진다(부록 5A에 설명). 스풀 직경이 d인 원주방향의 교축면적은 $A_v = \pi d x_v = \omega x_v$이다. 따라서, 압력손실은 스풀 직경과 스풀 변위를 증가함으로써 감소된다. 그러나 이 요구조건은 밸브는 작고 가벼울수록 좋다는 요구조건과 상충된다. 더구나, 직경의 증가는 스풀 질량을 증가시키고, 밸브의 고유주파수를 감소시키며, 응답시간을 증가시킨다. 따라서 작은 유량에 대하여,

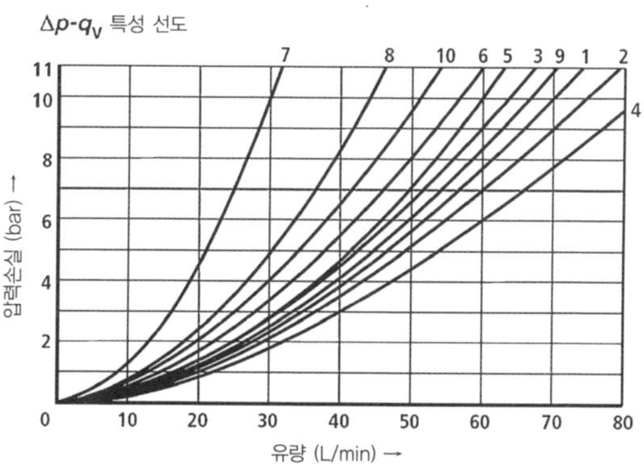

7. 스풀 기호 "R"의 B→A통로

8. 스풀 기호 "G"와 "T"의 P→T통로

9. 스풀 기호 "H"의 중립위치 P→T통로

스풀 기호	유체 흐름 방향			
	P – A	P – B	A – T	B – T
A; B	3	3	–	–
C	1	1	3	1
D; Y	5	5	3	3
E	3	3	1	1
F	1	3	1	1
T	10	10	9	9
H	2	4	2	2
J; Q	1	1	2	1
L	3	3	4	9
M	2	4	3	3
P	3	1	1	1
R	5	5	4	–
V	1	2	1	1
W	1	1	2	2
U	3	3	9	4
G	6	6	9	9

그림 5.40 호칭 크기 6호 방향제어밸브에서의 일반적인 내부 유로간 압력손실 (*Bosch Rexroth AG. 게재 승인*)

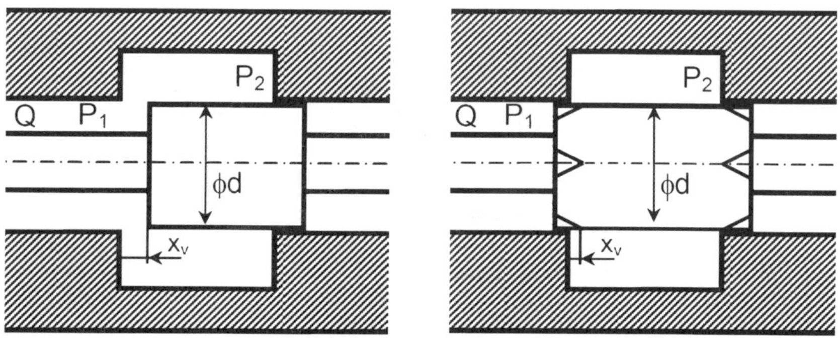

그림 5.41 제어용 노치를 가진 경우와 갖지 않은 경우의 스풀

스풀의 크기를 줄일 수 있으나, 유량이 늘어나면 스풀이 커질 수 밖에 없다.

경우에 따라서 스풀 랜드부의 가장자리에는 여러 형상의 제어 노치(notch)나 그루브(groove)가 가공된다. 이 그루브는 스풀 변위에 따라 밸브의 개구면적을 변화시키기 위하여 설계된다. 이것은 점진적인 작동유의 압축이나 감압을 목적으로 한다.

5.3.7 스풀에 작용하는 유동력(Flow force)

유체 유동은 운동량의 변화율에 해당하는 정상상태 힘을 발생시킨다. 검사체적(control volume)에 의하여 둘러싸인 요소를 고려할 때(그림 5.42), 이 요소는 다음 식과 같은 운동량 힘(F_j)를 받는다. 여기서 입구측 속도는 v_1, 출구측 속도는 v_2, 통과 유량은 Q 이고 유체의 밀도 ρ는 일정하다.

$$\vec{F_j} = \rho Q(\vec{v_1} - \vec{v_2}) \tag{5.26}$$

밸브 교축에서 작동유의 속도 변화를 고려하면, 밸브 내부 공간의 작동유 속도는 교축부에서의 속도보다 훨씬 작다.

밸브의 출구에서(그림 5.43a), 작동유의 속도는 다음과 같이 표현된다:

$$v_2 = \frac{Q}{C_c A_v} \tag{5.27}$$

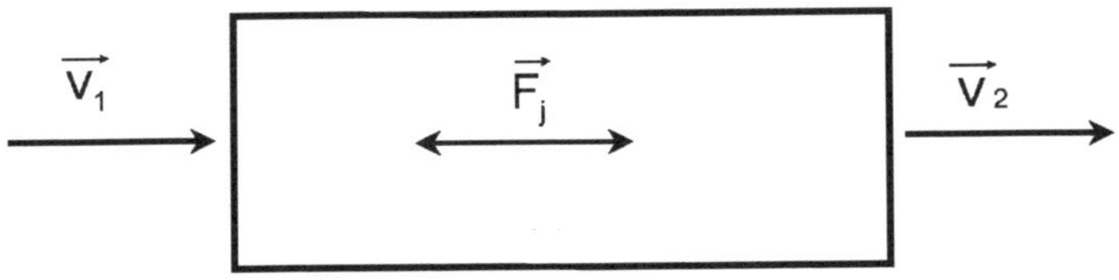

그림 5.42 시스템 경계를 통과하는 유체 흐름

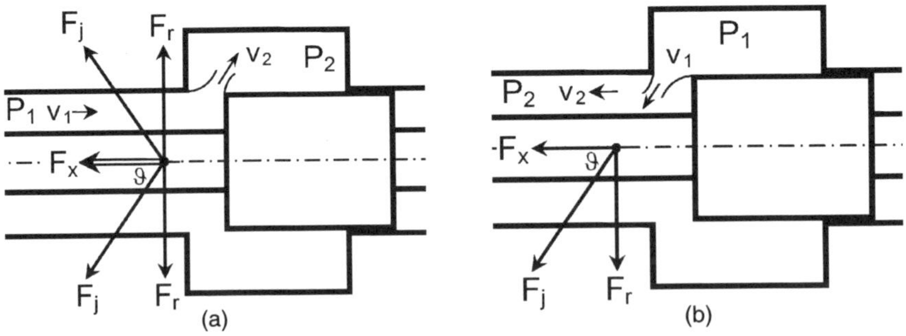

그림 5.43 모멘텀: 제트분사 반력과 작용력

여기서 C_c는 수축계수이다. 따라서 $v_1 << v_2$인 경우,

$$\vec{F_j} = -\rho Q \vec{v_2} \tag{5.28}$$

음의 부호는 운동량 힘이 유체의 분사 방향과 반대 방향으로 작동한다는 것을 의미한다. 운동량 힘의 크기는 다음과 같이 유도된다.

$$F_j = \frac{\rho Q^2}{C_c A_v} \tag{5.29}$$

$$Q = C_d A_v \sqrt{2\,\Delta P/\rho} \tag{5.30}$$

$$F_j = \frac{2C_d^2 A_v}{C_c} \Delta P \tag{5.31}$$

만약에 반경 방향 틈새가 밸브의 개구 거리에 비해 무시할 만하다면, 출구 유체의 분사 방향과 반발력의 방향은 스풀의 중심축에 대해 69°의 기울기를 갖는다. 이 힘은 축방향의 힘 F_x와 반경방향의 힘 F_r 로 나누어진다.

$$F_x = F_j \cos\vartheta \quad \text{그리고} \quad F_r = F_j \sin\vartheta \tag{5.32}$$

이 반발력의 반경방향의 성분은 마찰과 스풀의 마멸을 증가시킨다. 따라서 밸브의 입구와 출구 포트는 운동량의 반경방향 요소를 상쇄시키기 위하여 축대칭으로 설계된다. 그러나 축방향 성분은 밸브를 닫는 방향으로 작용하게 된다. 따라서 밸브 조작장치는 마찰부하와 관성부하 뿐만 아니라, 이 운동량 힘의 반대 방향으로 스풀이나 포핏을 움직이는데 필요한 힘을 발생시켜야 한다.

$$F_x = \frac{2C_d^2 A_v}{C_c} \cos\vartheta\, \Delta P \tag{5.33}$$

$$C_d = 0.611,\ C_c = 0.62 \ \text{그리고}\ \vartheta = 69^\circ,\ A_v = \omega x \ \text{이라면}$$

$$F_x = 0.428\omega \Delta P x = Kx \tag{5.34}$$

유체가 스풀 밸브의 입구측(그림 5.43b)으로 들어가면, $v_1 >> v_2$이 되고 운동량 힘은

$$\vec{F_j} = \rho Q \vec{v_1} \tag{5.35}$$

따라서 운동량 힘은 유체유동의 방향과는 상관없이 항상 밸브를 닫는 쪽으로 작용하게 된다. 즉, 유동력은 스풀을 초기 위치로 복귀시키는 스프링과 같은 역할을 한다.

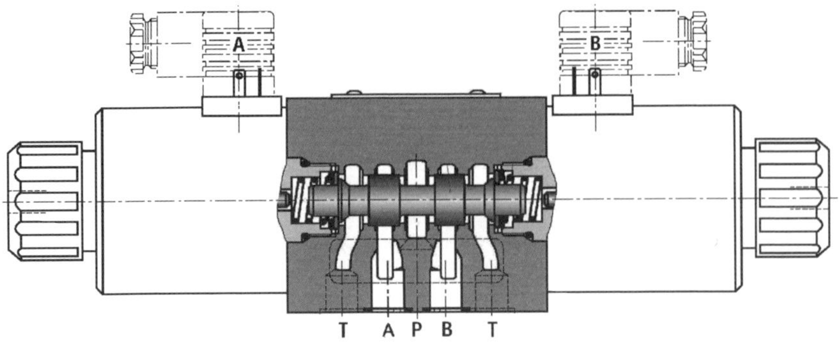

그림 5.44 4/3 직동형 방향제어밸브 (*Bosch Rexroth AG. 게재 승인*)

5.3.8 직동형 방향제어밸브

작은 유량에서 밸브가 작동할 경우, 밸브 교축면적은 작고 유동력은 무시할 만하다. 밸브 조작장치는 스프링 압축력, 마찰, 운동량과 관성력을 이기는데 필요한 힘만 있으면 스풀을 직접 구동할 수 있다. 이러한 밸브를 직동형 밸브라고 부른다(그림 5.44 참조). 밸브의 유량이 크면 운동량 힘을 증가시키고 큰 사이즈의 밸브가 필요하게 된다. 따라서 밸브 조작장치는 스풀을 구동하는데 더 큰 힘이 필요하게 된다. 전기 솔레노이드에 의해 작동되는 경우, 힘이 커짐에 따라 솔레노이드의 질량과 체적이 급격하게 증가하게 된다. 이것은 높은 기자력을 유지하기 위하여 더 많은 코일 권선수와 더 큰 직경의 코일이 필요하기 때문이다. 따라서 전기 솔레노이드는 유량이 100 L/min이내인 조작형 방향제어밸브에만 사용된다.

더 큰 유량에 대해서는 직동형 방향제어밸브는 솔레노이드 힘의 한계로 인하여 사용하기 어렵다. 이럴때 파일럿 조작형 방향제어밸브가 사용된다. 단, 기계적으로 조작되는 직동형 방향제어밸브는 이에 해당되지 않는다.

5.3.9 파일럿 조작형 방향제어밸브

파일럿 조작형 방향제어밸브는 파일럿밸브와 메인밸브로 구성 된다. 그림 5.45에서 그림 5.47은 이런 종류의 밸브에 대한 개략도와 기호를 나타내고 있다.

파일럿밸브는 전기식으로 작동되는 직동형 방향제어밸브이다. 이 밸브는 메인밸브의 고압 포트(P)로부터 고압의 작동유를 공급받는다. 이 작동유는 메인밸브의 귀환관로(T)를 통하여 탱크로 드레인된다. 파일럿밸브 스풀의 중립위치에서, 제어 체임버(C와 D)는 탱크로 드레인되고, 메인 스풀도 중립위치에 놓이게 된다. 솔레노이드(a)가 자화되면, 파일럿밸브 스풀은 오른쪽으로 움직인다. 고압의 작동유는 (D)체임버로 유입되고, 메인 스풀은 왼쪽으로 이동하게 된다. 동일한 방법으로 솔레노이드(b)에 전원을 인가하면 메인 스풀은 오른쪽으로 이동하게 된다.

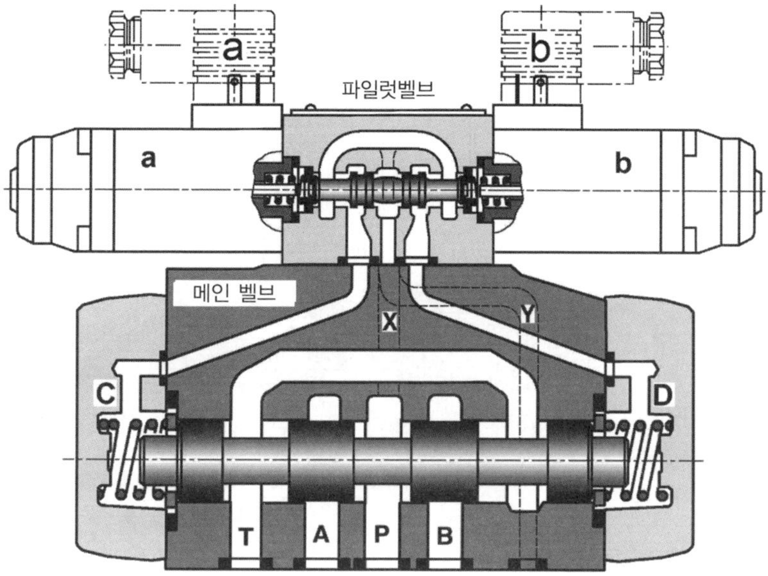

그림 5.45 파일럿 조작형 방향제어밸브의 구조

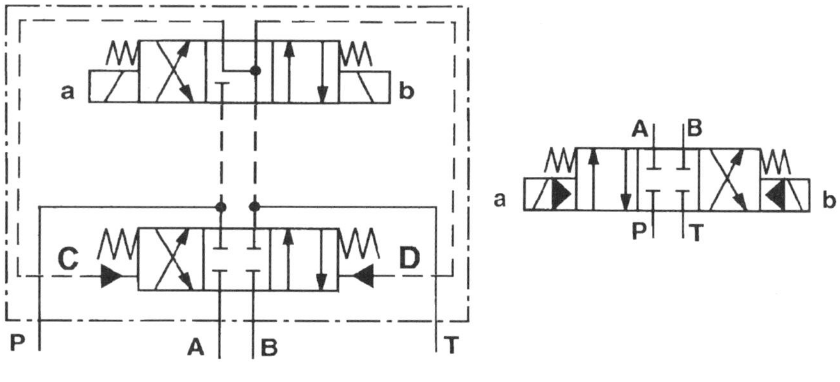

그림 5.46 내부 파일럿 라인을 가지는 파일럿 조작형 방향제어밸브의 상세 유압회로

파일럿 단의 공급 포트와 귀환 포트는 대부분 메인 단의 공급 포트, 귀환 포트과 연결된다. 그러나, 이들 중 일부 포트를 외부와 선택적으로 연결할 수 있다.

5.4 첵 밸브

첵 밸브는 한 방향으로는 유체를 통과시키고, 반대 방향으로는 차단하기 위하여 사용된다. 그림 5.48은 첵 밸브의 분류를 나타낸다.

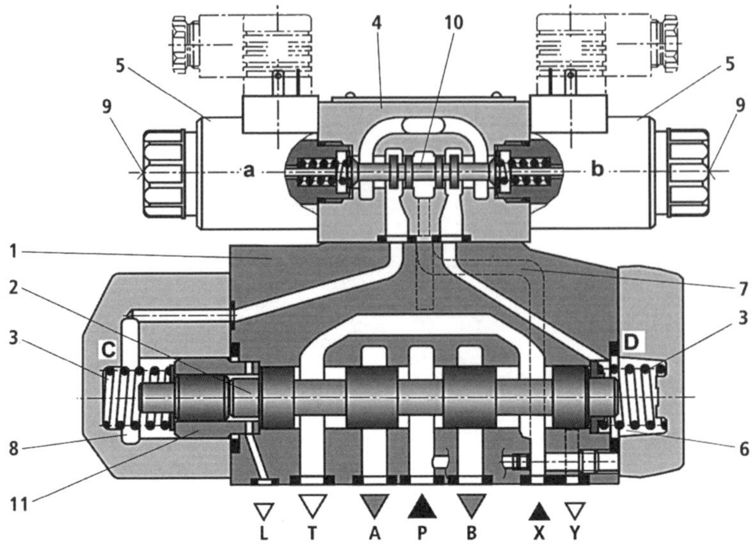

1. 하우징, 2. 메인밸브, 3. 복귀 스프링, 4. 파일럿밸브, 5. 솔레노이드, 6. 스프링 체임버 D, 7. 파일럿 라인, 8. 스프링 체임버 C, 9. 수동 오버라이드, 10. 파일럿 스풀, 11. 복귀 슬리브, X. 외부 파일럿 공급 포트, Y. 외부 파일럿 드레인 포트, L. 드레인

그림 5.47 메인밸브의 센터링 기능을 갖는 4/3 파일럿 조작형 방향제어밸브
(*Bosch Rexroth AG. 게재 승인*)

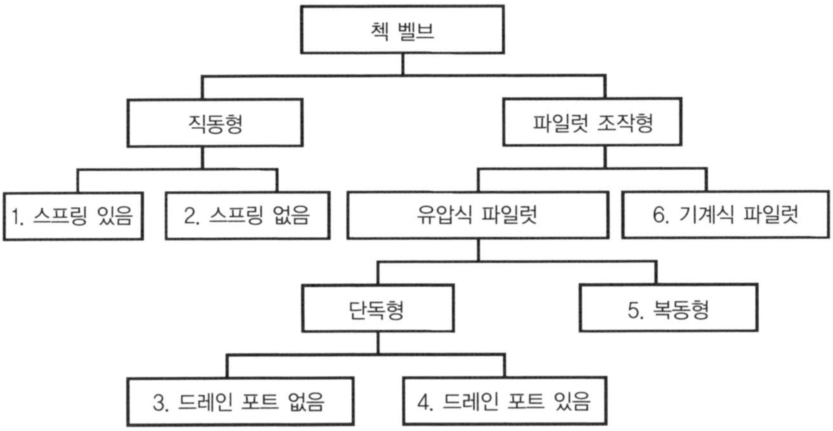

그림 5.48 첵 밸브의 분류

5.4.1 스프링이 내장된 직동형 첵 밸브

직동형 첵 밸브는 스프링에 의하여 닫히는 단순한 구조의 포핏 밸브이다(그림 5.49 참조). 포핏이 시트 위에 밀착되면 (B)에서 (A)로의 흐름은 제한된다. 압력차 $P_A - P_B$가

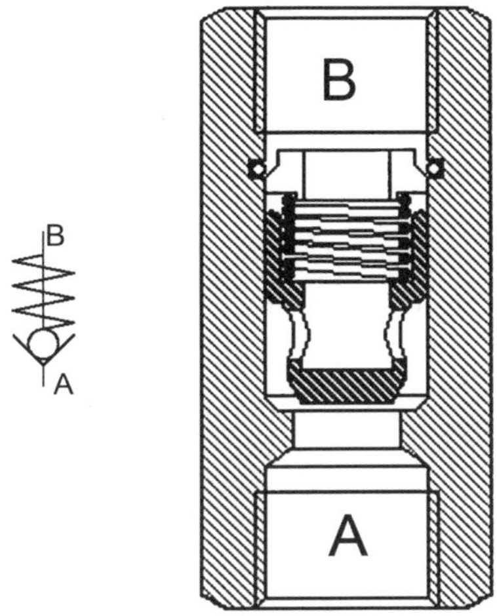

그림 5.49 스프링 장착형 첵 밸브 (*Bosch Rexroth AG. 게재 승인*)

스프링 힘에 의한 크래킹 압력 P_r보다 크면 (A)에서 (B)로의 유체 흐름이 가능해진다. 첵 밸브의 크래킹 압력은 일반적으로 10 bar보다 낮다.

$$(P_A - P_B)A_P = kx_o \tag{5.36}$$

$$P_r = P_A - P_B = kx_o/A_p \tag{5.37}$$

여기서 A_p = 압력차가 작용하는 포핏 면적, m^2
P_r = 크래킹 압력, Pa
x_o = 스프링 초기 압축길이, m

5.4.2 스프링이 없는 직동형 첵 밸브

매우 낮은 크래킹 압력이 요구되는 경우, 아주 낮은 강성의 스프링을 사용하거나, 스프링이 없이 첵 밸브를 구성할 수 있다(그림 5.50 참조). 이러한 밸브는 0.2 bar 이내의 크래킹 압력에서 작동하고 유압 기호는 스프링이 없이 표현된다.

5.4.3 외부 드레인 포트가 없는 파일럿 조작형 첵 밸브

유압 실린더의 유압 로킹(locking, 실린더 내부의 유압유를 밀폐시켜 차단)과 같은 응용에서는 첵 밸브를 사용하되, 실린더를 작동시킬 때에는 양방향 모두 자유롭게 유체가 흐르도록 첵 밸브를 개방해야 한다. 파일럿 작동식 첵 밸브는 이러한 목적으로 사용된다(그림 5.51과 5.53 참조).

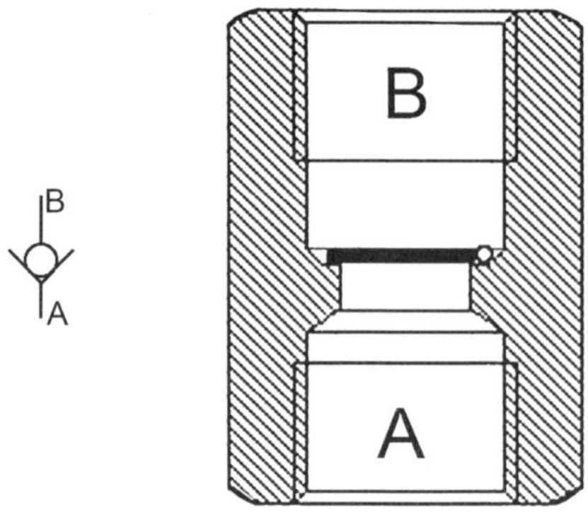

그림 5.50 스프링이 없는 직동형 첵 밸브

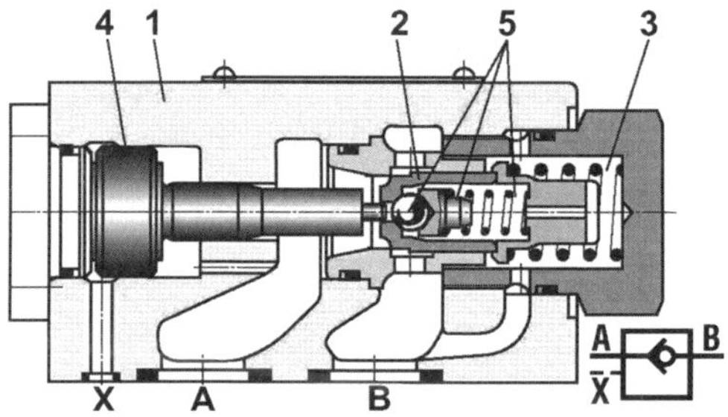

그림 5.51 내부 드레인형 파일럿 조작형 첵 밸브 (*Bosch Rexroth AG. 게재 승인*)

이 밸브들은 한 방향(A에서 B)으로 유체가 흘러가는 것은 항상 허용하고, 역류(B에서 A)는 외부 파일럿 신호가 인가될 때만 허용한다. 파일럿 조작형 첵 밸브는 밸브 하우징(1), 메인 포핏(2), 스프링(3), 파일럿 피스톤(4) 그리고 선택사양인 디컴프레션 포핏 어셈블리(5)로 구성된다. 유체의 흐름이 제한된 방향(B에서 A)에서, 메인 포핏(2)와 디컴프레션 포핏(5)는 스프링(3)과 포트(B)의 압력에 의하여 시트에 안착이 되어 있다. 파일럿 압력이 포트 (X)에 공급이 되면, 파일럿 피스톤(4)는 오른쪽으로 이동을 하게 된다. 디컴프레션 포핏(5)가 먼저 열리면 메인 포핏(2)가 따라서 열리게 된다. 그 결과, B 포트의 빠르고 부드러운 감압이 가능하게 된다. 그림 5.52는 유압을 이용하여 실린더를 로킹하기 위한 파일럿 조작형 첵 밸브의 응용 회로를 보여준다.

5.4.4 외부 드레인형 파일럿 조작형 첵 밸브

그림 5.53에서는 외부 드레인 포트(Y)가 추가되어 파일럿 피스톤(4)의 오른쪽 체임버를 드레인 시킨다. 포트(A)의 압력은 파일럿 피스톤(9)의 로드 면적에만 작용하므로, 하류측 압력의 영향이 작아진다.

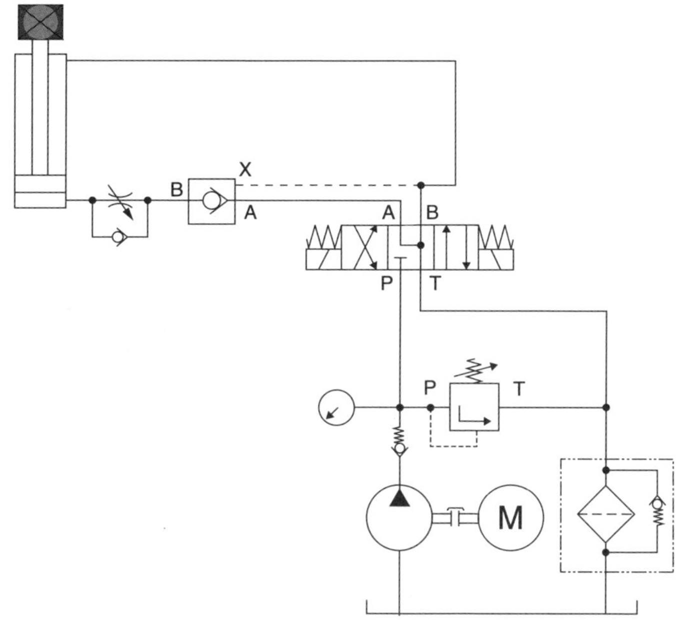

그림 5.52 유압 실린더의 로킹을 위한 파일럿 조작형 첵 밸브의 응용 예

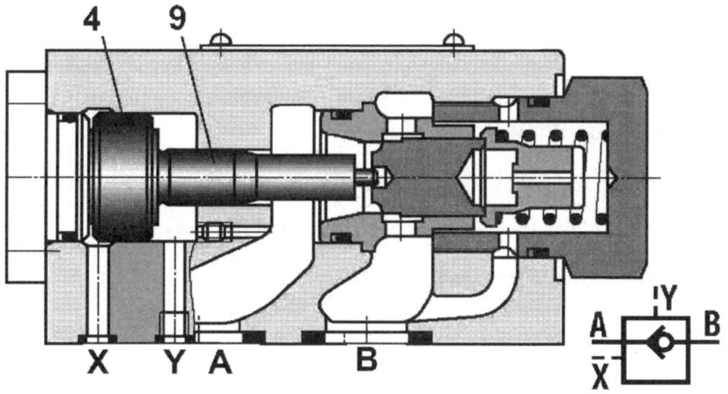

그림 5.53 외부 드레인형 파일럿 조작형 첵 밸브 (*Bosch Rexroth AG. 게재 승인*)

5.4.5 복동형 파일럿 조작형 첵 밸브

그림 5.54는 샌드위치 구조의 복동형 파일럿 조작형 첵 밸브를 보여준다. 이 밸브는 실린더의 정지시 두 제어 포트(A2와 B2)의 누유가 없도록 차단해 준다. 순방향 흐름(A1에서 A2로 또는 B1에서 B2로)은 항상 가능하나, 역류는 순방향으로 흐르는 오일의 압력이 스풀 (1)에 작용해서, 스풀을 왼쪽 (혹은 오른쪽)으로 움직여, 포핏(2)가 열리도록 해야 가능하다. 이 때, 작동유는 B2에서 B1으로 또는 A2에서 A1으로의 역류가 가능하

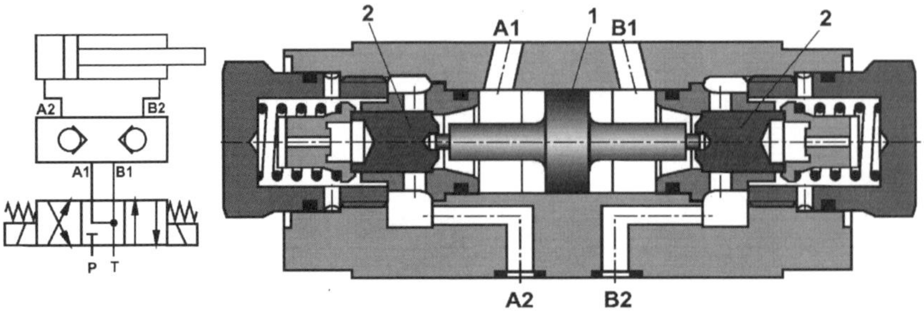

그림 5.54 복동형 파일럿 조작형 첵 밸브 (*Bosch Rexroth AG. 게재 승인*)

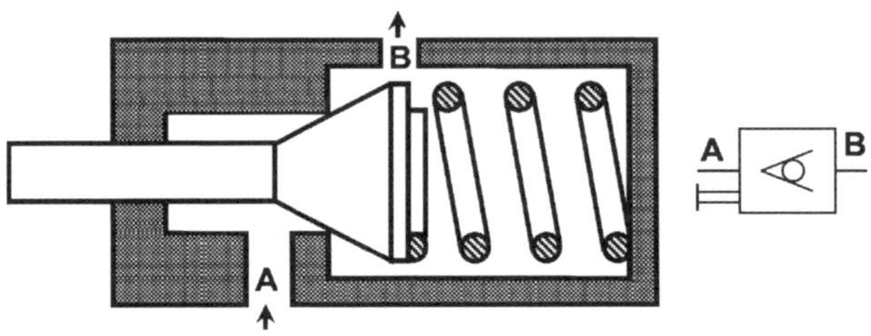

그림 5.55 기계식 파일럿 조작형 첵 밸브

게 된다. 포핏이 시트와 확실히 밀착되게 하려면, 방향제어밸브의 제어 포트(A1과 B1)은 드레인되어야 한다. 즉, 이 포트들은 방향제어밸브가 중립위치에 있을 때 탱크와 연결되어야 한다.

5.4.6 기계식 파일럿 조작형 첵 밸브

파일럿 조작형 첵 밸브의 또 다른 형태는 기계식 파일럿 방식이다(그림 5.55 참조). 누름 핀에 외력이 작용하여 포핏을 이동시키면 밸브가 열리고 양방향으로 유체가 흐를 수 있게 된다. 이 밸브는 주로 일련의 유압 액추에이터를 순차적으로 작동시키려 할 때 사용된다.

5.5 유량제어밸브

유량은 교축요소에 의하여 제어된다. 오리피스를 통과하는 유량은 다음 방정식에 의하여 표현된다(2.2.2절의 오리피스 유량 참조).

$$Q = C_d A_o \sqrt{2(P_1 - P_2)/\rho} \tag{5.38}$$

칼날 모서리형 오리피스는 점성에 무관하고 일정한 유량계수($C_d = 0.611$)를 가진다. 반면에 짧은 튜브를 비롯한 다른 종류의 오리피스는 레이놀즈수와 오리피스의 기하학적인 형상에 따라서 유량계수가 달라진다. 유량계수는 온도와 점성, 압력에 의해 영향을 받는다. 교축요소를 지나는 유량은 압력차의 변동에 따라 변하므로 단순 교축밸브는 유량을 정확하게 제어하지 못한다. 따라서 압력차의 영향을 받지 않는 유량제어를 위해서는 압력보상이 이루어져야 한다. 그림 5.56은 유량제어밸브의 분류를 보여준다.

5.5.1 교축밸브

교축형 첵 밸브는 한 방향으로만 유량을 제한하는 반면, 교축밸브는 유체의 양방향 흐름을 제한하는데 사용된다. 그림 5.57은 나사체결부를 가지는 교축밸브와 교축형 첵 밸브를 보여주고 있다. 이 밸브들은 조정 슬리브(1)과 내부 하우징(2)로 구성된다. 교축밸브(그림 5.57a 참조)는 양 방향으로의 유량을 제한한다. 유체는 내부 하우징(2)와 조정 슬리브(1)에 의하여 형성된 교축부(4)로 반경방향의 구멍들(3)을 통하여 흐른다. 밸브 교축면적은 조정 슬리브(1)에 의해 조절된다.

그림 5.57b는 교축형 첵 밸브를 나타내고 있다. 이 밸브는 한쪽 방향으로 유체의 흐름을 제한하고, 다른 방향으로는 자유롭게 유체가 흘러갈 수 있도록 한다. 유체는 반경방향의 구멍과 교축 부(4)를 지나간다. 교축은 한 방향으로만 이루어진다. 반대 방향의 흐름에서는 유체 압력이 첵 밸브의 포핏(5)에 작용할 때, 압력차가 크래킹 압력보다 크

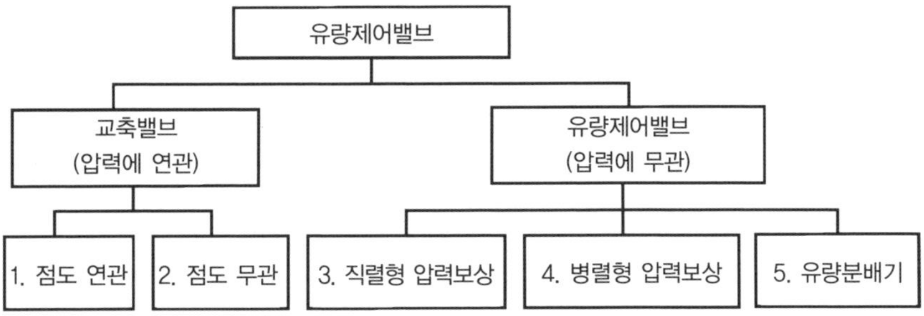

그림 5.56 유량제어밸브의 분류

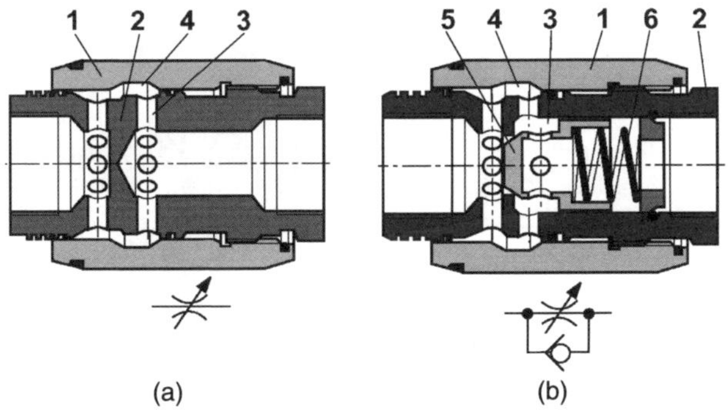

그림 5.57 (a) 관로 직결식 교축밸브, (b) 관로 직결식 교축형 첵 밸브 (*Bosch Rexroth AG. 게재 승인*)

면 포핏이 열리고, 역방향의 유체 흐름이 가능하게 된다. 동시에 유체는 교축밸브의 교축부(4)를 통해서도 지나가게 된다.

5.5.2 칼날 모서리형 교축밸브

칼날 모서리를 갖는 교축밸브를 지나는 유량은 점성에 무관하다. 그림 5.58은 칼날 모서리형 교축밸브의 구조를 나타내고 있다. 이것은 하우징(1), 조절기구(2)와 오리피스(3)으로 구성되어 있다. A에서 B로의 유체 흐름은 오리피스에 의하여 교축된다. 교축면적은 끝단부가 헬리컬 형상인 코어(5)를 회전시킴으로써 조정된다. 유체 흐름의 선호하는 방향은 (A)에서 (B)이다. 코어 핀에 형성된 오리피스의 면적(3)은 조절나사(4)를 사용하여 슬리브(6)의 위치를 조정함으로써 미세하게 조절할 수 있다. 교축면적은 하우징(1)의 상단부에서 조정눈금에 의하여 표시된다. 코어의 회전각에 따른 개구면적의 변화는 슬리브(6)에서의 오리피스의 형상에 따라, 선형적이거나 또는 비선형적이 될 수 있다.

5.5.3 직렬형 압력보상 유량제어밸브

그림 5.59는 2방향 유량제어밸브로 불리는 직렬 압력보상 유량제어밸브가 사용된 유압회로를 보여준다. 이 밸브는 칼날 모서리를 가진 교축부와 직렬로 연결된 압력보상기로 구성되어 있다. 압력보상기는 조리개의 하단부에 설치되어 있다.

압력보상기는 스프링 힘을 받는 스풀 밸브로 구성된다. 교축부 메인 오리피스의 압력차 $(P_1 - P_2)$는 $F_p = A_s(P_1 - P_2)$의 힘으로 스풀에 작용하는데, 그 방향은 스프링에 의한 힘 F_x와 반대이다. 이 보상기는 교축부 오리피스 양단의 압력차 ΔP_t 를 일정하게 유지한다. 일반적으로 4~10 bar의 압력차가 설정된다. 정상상태에서, 이 압력차는 스프링에 의한 힘과 동일한 힘을 발생시킨다. 2 방향 유량제어밸브는 다음과 같이 작동한다.

정상상태에서, 교축 오리피스 양단의 압력차는 설정된 값 ΔP_t에 수렴한다. 이 압력차와 스프링에 의한 힘은 평형상태에 이르고, 스풀은 정상상태 위치에 도달한다. 이때,

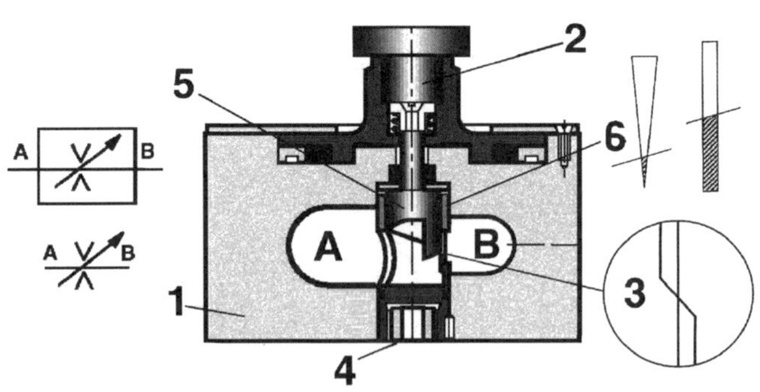

그림 5.58 미세 유량제어밸브 (*Bosch Rexroth AG. 게재 승인*)

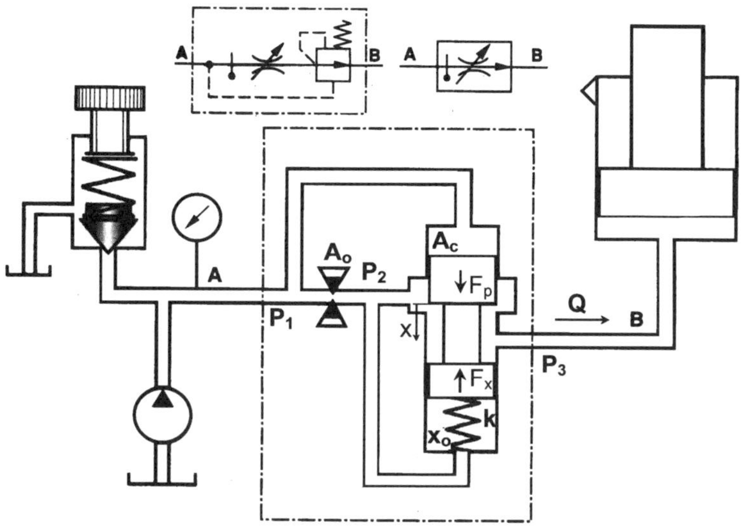

그림 5.59 교축 오리피스 하단부에 설치된 압력보상기를 가진 직렬 압력보상 유량제어밸브 (*Bosch Rexroth AG. 게재 승인*)

유량은 아래와 같다.

$$Q = C_d A_o \sqrt{2(P_1 - P_2)/\rho} \tag{5.39}$$

$\rho = 900\,\text{kg/m}^3$, $C_d = 0.611$, 그리고 $\Delta P = \Delta P_t = 5\,\text{bar}$의 조건을 적용하면,

$$Q = 20.37\,A_o \tag{5.40}$$

만일 압력차가 증가하면($P_1 - P_2 > \Delta P_t$), 유량은 증가한다. 동시에 스풀은 교축면적을 줄이기 위하여 스프링에 의한 힘을 이기고 아래쪽으로 움직인다. 따라서 메인 오리피스를 통과하는 유량은 줄어들고, 압력차도 줄어들게 된다. 그 후, 밸브는 다시 $P_1 - P_2 = \Delta P_t$가 되는 정상상태에 도달하게 된다. 압력보상기는 공급압력과 부하압력의 변동을 항상 보상하도록 작동한다. 정상상태에서, 압력보상 스풀의 힘평형 방정식은 다음과 같다.

$$(P_1 - P_2)A_c + F_j = k(x_o + x) \tag{5.41}$$

실제로, 유동력 F_j는 스프링 힘에 비교하여 무시할 만하다. 게다가, 스풀의 변위 x 역시 스프링의 초기 압축에 비해 매우 작다($x << x_o$). 따라서 정상상태에서 압력차는 $\Delta P = kx_o/A_c = \Delta P_t$로 가정할 수 있다.

그림 5.60은 실제 유량제어밸브의 구조를 보여준다. 이 밸브는 직렬 압력보상형 유량제어밸브로 밸브 양단의 압력차가 ΔP_t보다 크기만 하면, 유체의 점성 또는 밸브 양단

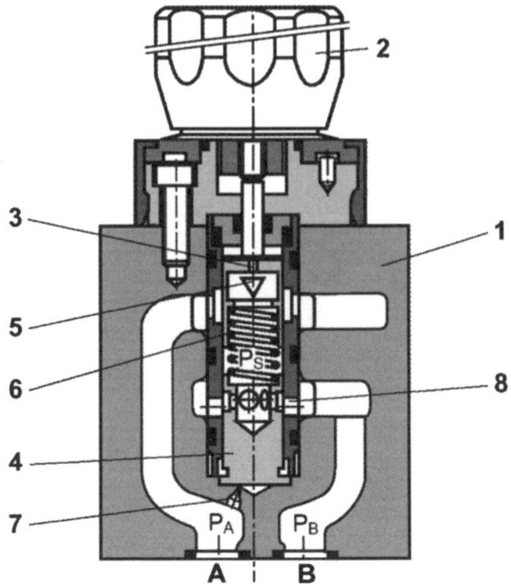

그림 5.60 2방향 유량제어밸브 (*Bosch Rexroth AG. 게재 승인*)

의 압력차가 변하더라도 유량을 일정하게 제어한다. 그림의 유량제어밸브는 하우징(1), 눈금이 매겨진 수동조작 노브(2), 그리고 하단부의 보상기(4)로 구성되어 있다. 포트A에서 포트 B로의 유량은 스풀(3) 측면의 오리피스를 통과하여 흐른다. 조정나사 (2)를 회전시키면, 스풀의 수직 위치가 조정되어 메인 오리피스(5)의 면적을 설정한다.

압력보상은 단면적 A_S인 스풀(4)와, 메인 오리피스(5)와 직렬로 연결된 가변 오리피스 (8)로 구성된 보상기에 의하여 이루어진다. 스풀(4)이 위쪽 방향으로 움직이면 오리피스(8)의 교축면적이 줄고, 반대로 아래쪽으로 움직이면 교축면적을 증가시킨다. 입구측 체임버는 댐핑 오리피스(7)을 통과하여 스풀(4)의 하단부와 연결되어 있다. 정상상태에서, 압력에 의해 스풀에 작용하는 힘은 $F_p = (P_A - P_S)A_S$이다.

스풀(4)는 압력에 의한 힘과 스프링에 의한 힘을 받고 있다. 정상상태에서, 압력에 의한 힘은 스프링에 의한 힘과 같다. 실제 작동조건을 고려하면, 스풀의 변위는 스프링의 초기 압축에 비하면 매우 작다. 따라서, 압력차($P_A - P_S$)와 밸브를 통과하는 유량은 정상상태에서 일정하게 유지된다. 유량제어밸브는 그림 5.61에 나타낸 바와 같이 전체 밸브에 작용하는 압력차가 설정압력보다 커지면, 유체 흐름을 조절해서 일정한 유량을 유지시킨다. 그림 5.62는 2 방향 유량제어밸브의 대표적인 응용을 나타내고 있다.

유압 작동기의 속도는 작동기의 입구측 유량에 대한 미터 인 제어(meter-in control) 또는 출구측 유량에 대한 미터 아웃 제어(meter-out control)에 의하여 제어된다. 미터 인 제어는 유압 실린더가 부하에 반대 방향으로 움직이는 경우에 바람직하고, 미터 아웃 제어는 부하와 같은 방향으로 작동할 때 필수적으로 사용해야 한다. 그러나, 부하의 방향이 정해져 있지 않거나, 양방향으로 부하가 걸리는 경우에는 미터 아웃 제어가 가장 좋은 해결책이다.

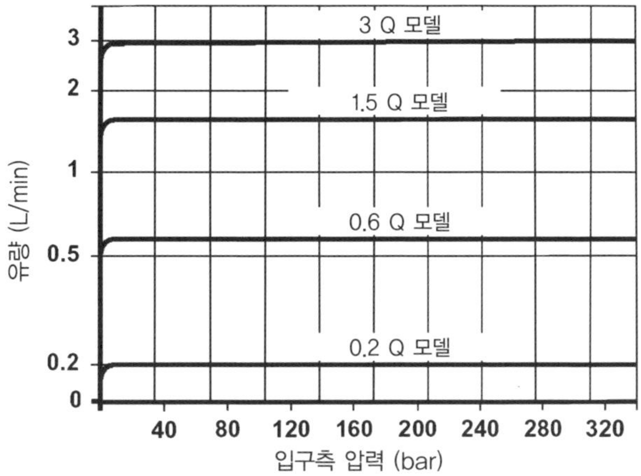

그림 5.61 직렬형 압력보상 유량제어밸브의 특성 (*Bosch Rexroth AG. 게재 승인*)

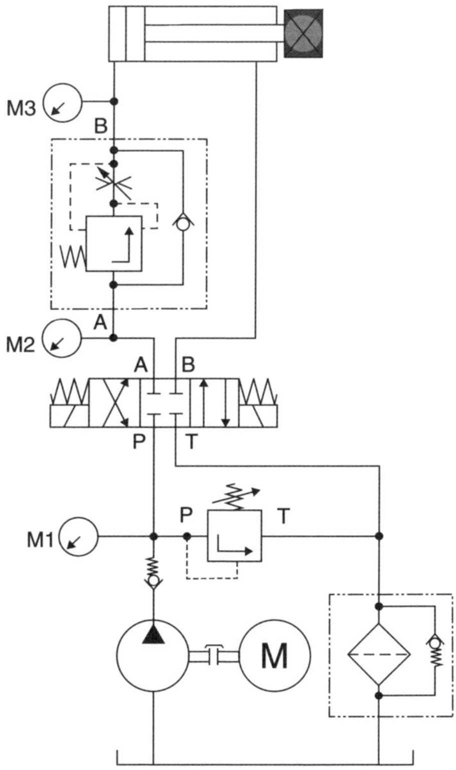

그림 5.62 직렬형 압력보상 유량제어밸브의 응용회로

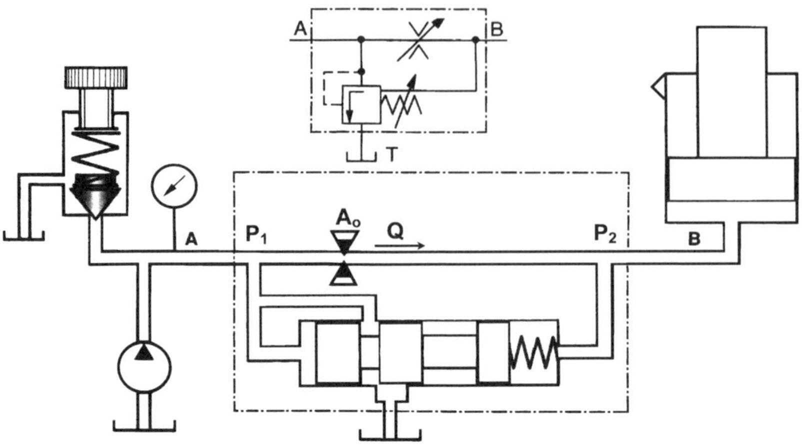

그림 5.63 3방향 유량제어밸브 (*Bosch Rexroth AG. 게재 승인*)

5.5.4 병렬형 압력보상 유량제어밸브-3방향 유량제어밸브

그림 5.63은 병렬형 압력보상 유량제어밸브를 보여준다. 이런 종류의 유량제어밸브는 전체 밸브의 압력차가 설정치(ΔP_t)보다 크면 탱크로 바이패스되는 유량을 조절하여 실린더로 가는 유량을 일정하게 제어한다. 펌프 토출압력은 부하압력($P_1 = P_2 + \Delta P_t$, 여기서 $\Delta P_t = 4\sim10$ bar)보다 약간 높아진다.

5.5.5 유량분배기

유량분배기는 공급 유량을 일정한 비율로 두 개 이상 분기시킬 때 사용된다. 유량분배기의 종류는 크게 용적 방식과 스풀 방식이 있다. 용적 방식 유량분배기는 동일한 축에 의해 동일한 속도로 회전하는 2개 또는 그 이상의 유압 모터로 구성된다. 그림 5.64는 입구측 유량 Q를 셋으로 분배하는 유량분배의 개념을 나타낸다. 내부 누유를 무시하면, 세 개의 모터를 통과하는 유량은 다음과 같다.

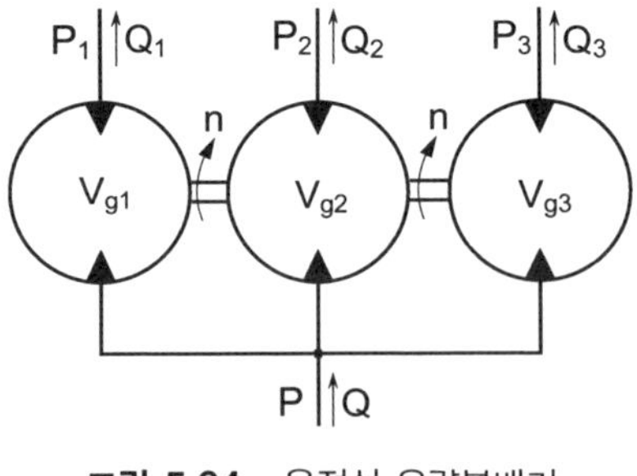

그림 5.64 용적식 유량분배기

$$Q_1 = V_{g1} n, \qquad Q_2 = V_{g2} n \quad \text{그리고} \quad Q_3 = V_{g3} n \tag{5.42}$$

$$Q_1 : Q_2 : Q_3 = V_{g1} : V_{g2} : V_{g3} \tag{5.43}$$

그리고

$$Q_1 + Q_2 + Q_3 = Q \tag{5.44}$$

여기서 n = 모터 속도, rps

Q = 모터 유량, m^3/s

V_g = 모터 용적, m^3/rev

따라서, 유량은 요구되는 비율로 둘 또는 그 이상으로 분배될 수 있다.

이 종류의 유량분배기는 증압기로도 사용될 수 있다(그림 5.65 참조). 이때 두 번째 모터는 탱크와 연결된다. 두 번째 모터는 입구측 압력이 P로 작동하는 첫 번째 모터에 토크를 추가하는 역할을 한다. 이상적인 모터로 가정하면, 입구측과 출구측 유압동력은 동일하다. 따라서, 만약 $P_2 = 0$이라면,

$$Q_1 P_1 = QP \tag{5.45}$$

$$Q_1 = V_1 n, \qquad Q_2 = V_2 n \quad \text{그리고} \quad Q_1 + Q_2 = Q \tag{5.46}$$

따라서

$$P_1 = P(V_1 + V_2)/V_1 \tag{5.47}$$

스풀형 유량분배기의 작동원리는 그림 5.66에 나타나 있다. 이 시스템은 병렬로 연결된 2개의 동일한 실린더로 구성된다. 실린더의 변위는 전진시 동기화되어야 하고,

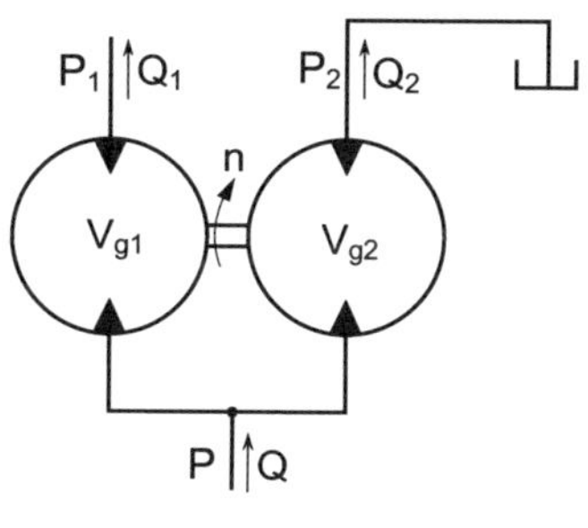

그림 5.65 증압기로서의 용적식 유량배분기의 응용

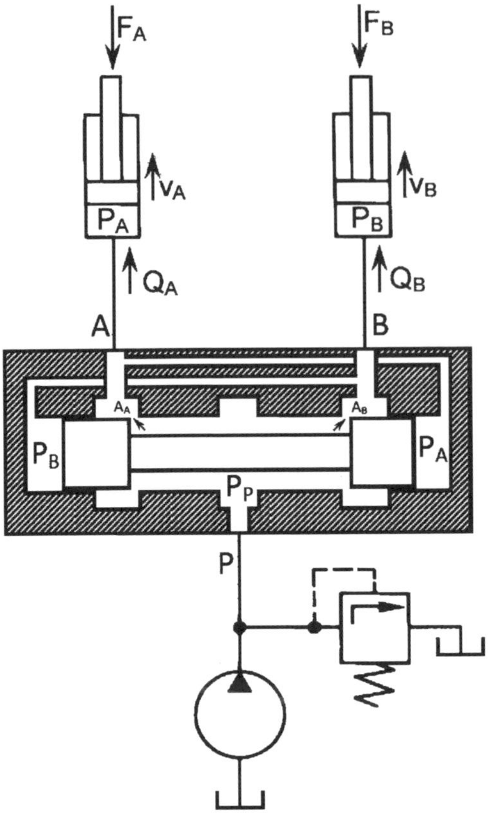

그림 5.66 스풀 방식 유량분배기에 의한 유압 실린더의 동기화

유량분배기는 두 실린더가 전진시 펌프 유량을 동일하게 배분하는 역할을 한다. 작동유는 스풀 밸브의 중간 체임버, 스풀 밸브 오리피스(A_A와 A_B)를 지나서 실린더 관로(A와 B)에 공급된다. 실린더의 부하가 동일하고 좌우 실린더가 동일하며, 동일한 유압 저항을 가진다면, 주 스풀은 중앙에 위치할 것이다. 그러면 실린더에 동일한 유량이 흘러갈 것이다. 그러나, 예를 들어 왼쪽 부하력(F_A)이 증가한다면, 압력차($P_P - P_A$)는 ($P_P - P_B$)보다 감소한다. 따라서 스풀이 왼쪽으로 이동하여, 교축면적 A_A는 증가시키고 교축면적 A_B는 감소시킨다. 이로 인해 관로 (P-A)에서의 유압저항은 감소하고, 관로 (P-B)에서는 증가하게 된다. 결과적으로 한쪽 실린더에서의 부하의 증가는 그 쪽의 저항을 줄이거나, 다른 쪽 실린더에서의 저항을 증가시킴으로써 보상되고 정상상태에 도달하면 동일한 유량이 분배된다.

상용화된 스풀 방식의 유량분배기가 그림 5.67에 예시되어 있다. 이 밸브는 하우징(1), 제어 스풀(2), 그리고 3개의 스프링(3)으로 구성되어 있다. 포트 P로부터의 유체 흐름은 동일한 2개의 통로로 나누어진다. 압력에 의한 힘과 센터링 스프링에 의한 힘이

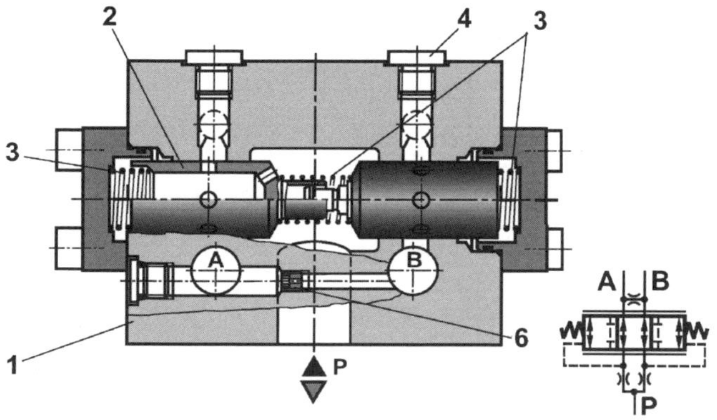

그림 5.67 스풀 방식 유량분배기 (*Bosch Rexroth AG. 게재 승인*)

서로 평형을 이루어 제어 밸브를 중간 위치에 놓이도록 한다. 두 출구 포트로 흐르는 유량에 차이가 발생하면 제어 스풀 양단에 압력차가 생긴다. 큰 압력차를 발생시키며 많은 유량이 흐르는 관로는 교축되고, 다른 관로는 개방된다. 그 결과, 정상상태에서 양단의 관로에서 유량은 서로 같아지게 된다.

5.6 연습문제

1. 유압시스템에서 동력의 제어 방법에 관하여 설명하라.
2. 스풀 밸브와 포핏 밸브의 구조를 설명하고 비교하라.
3. 유압시스템에서 압력제어밸브의 기능에 대하여 설명하라.
4. 직동형 릴리프 밸브의 정적 특성을 상세하게 설명하고, 오버라이드 압력을 줄이기 위한 방법을 설명하라. 필요한 수식을 유도하라.
5. 파일럿 조작형 릴리프 밸브의 개략도를 그리고, 그 기능을 설명하라.
6. 그림 5.7과 5.8에 주어진 파일럿 조작형 릴리프 밸브의 기능을 설명하라.
7. 그림 5.9에 주어진 파일럿 조작형 릴리프 밸브의 응용에 대하여 설명하라.
8. 유압시스템에서 감압의 원리를 설명하라.
9. 그림 5.11과 5.13에 주어진 직동형 감압 밸브의 기능을 설명하라.
10. 그림 5.14에 주어진 감압 밸브의 응용회로를 설명하라.
11. 그림 5.15에 주어진 파일럿 조작형 밸브 작동을 설명하라.
12. 그림 5.16과 5.17에 주어진 직동형 시퀀스 밸브의 기능을 설명하라.

13. 릴리프 밸브와 시퀀스 밸브의 차이점은 무엇인가?

14. 그림 5.19에 주어진 유압 시퀀스 밸브의 응용에 대하여 설명하라.

15. 그림 5.20에 주어진 파일럿 조작형 시퀀스 밸브의 구조와 작동을 설명하라.

16. 어큐뮬레이터 충전밸브의 개략도를 그리고 그 기능을 설명하라.

17. 방향제어밸브의 기능을 설명하라.

18. 전기적으로 작동하는 4/3 방향제어밸브의 개략도를 그리고 그 기능을 설명하라.

19. 이상적인 오버랩과 언더랩 스풀 밸브의 스풀변위–유량 관계를 설명하고, 유압제어밸브에 있어서 오버랩과 언더랩의 응용에 대하여 설명하라.

20. 스풀 밸브에 작용하는 유동력에 대하여 설명하고 이 힘에 대한 표현을 유도하라.

21. 4/3 파일럿 조작형 방향제어밸브의 회로를 그리고 그 기능을 설명하라.

22. 방향제어밸브를 조작하는 방법에 대하여 설명하라.

23. 전기 솔레노이드의 구조와 작동에 대하여 설명하고, DC와 AC 솔레노이드를 비교하라.

24. 첵 밸브의 분류와 파일럿 조작형 첵 밸브의 기능을 설명하고, 해당 유압회로를 그려라.

25. 그림 5.52에 주어진 파일럿 조작형 첵 밸브의 응용에 대하여 설명하라.

26. 유량제어밸브의 분류에 대하여 설명하라.

27. 그림 5.57에 주어진 교축밸브와 교축 첵 밸브의 작동에 대하여 설명하라.

28. 그림 5.59에 주어진 직렬형 압력보상 유량제어밸브의 구조와 작동을 설명하라.

29. 그림 5.60에 주어진 직렬형 압력보상 유량제어밸브의 구조와 작동을 설명하라.

30. 그림 5.62의 2 위치 유량제어밸브의 응용에 대하여 설명하라.

31. 그림 5.63에 주어진 병렬형 압력보상 유량제어밸브의 구조와 작동을 설명하라.

32. 용적형 유량분배기의 기능을 설명하라.

33. 그림 5.66과 5.77에 주어진 스풀형 유량분배기의 기능을 설명하라.

34. 유압 실린더의 속도가 다음에 주어진 회로처럼 직렬형 압력보상 유량제어밸브에 의하여 제어된다. 제원은 다음과 같다.

펌프:

$V_g = 25\ \mathrm{cm^3/rev}$

$n = 1000\ \mathrm{rpm}$

$\eta_v = 0.95$

$\eta_m = 0.93$

$\eta_h = 1$

방향제어밸브:

$$Q = 6 \times 10^{-7}\sqrt{\Delta P}$$

릴리프 밸브

크래킹 압력 = 6 MPa

오버라이드 압력 = 0

유압 실린더:

$f = 2000$ Ns/m

$v = 0.1$ m/s

$F = 9000$ N

피스톤 직경 = 60 mm

로드 직경 = 25 mm

내부 누설 없음

위의 조건으로부터 다음을 계산하라

$P_1, P_2, P_3, P_P, Q_1, Q_2,$

방향제어밸브에 있어서의 동력손실

유량제어밸브에 있어서의 동력손실

펌프의 실제 토출유량

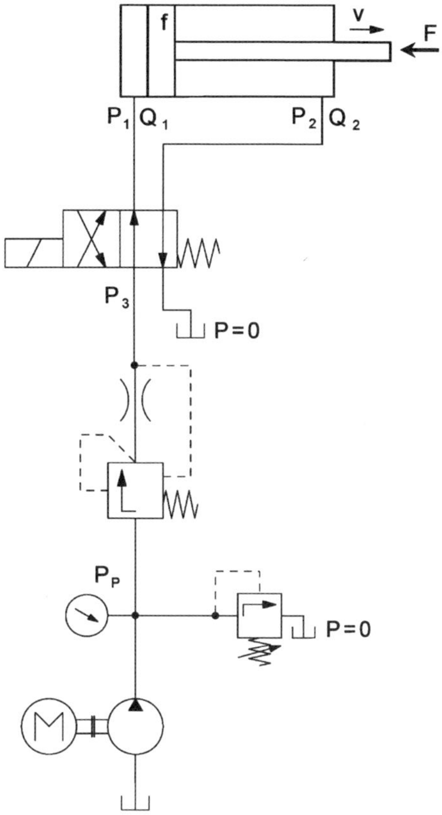

5.7 기호 설명

A_o = 오리피스 면적, m^2

A_P = 포핏의 수압면적, m^2

A_S = 스풀 단면적, m^2

A_v = 밸브 교축면적, m^2

C_c = 수축계수

C_d = 유량계수

F_j = 유동력, N

k = 스프링 탄성계수, N/m

n = 회전속도, rps

P = 밸브 입구측 압력, Pa

P_A = 입구측 압력, Pa

P_B = 출구측 압력, Pa

P_r = 크래킹 압력, Pa

P_R = 감압 압력, Pa
Q = 유량, m^3/s
V_g = 용적, m^3/rev
v = 유속, m/s
x = 변위, m
x_r = 오버랩, m
x_o = 스프링의 초기 압축길이, m
ρ = 작동유 밀도, kg/m^3
ω = 밸브 교축면적의 비례상수, m

부록 5A 제어밸브의 수압면적과 교축면적

원추형 포핏 밸브

원추형 포핏은 포핏 밸브에서 많이 사용되는 구조 중의 하나이다. 포핏이 포핏 시트에 접촉하고 있을 때, 선으로 접촉하는 부분은 직경 d를 갖는 원이 된다(그림 5A.1 참조). 포핏은 다음의 압력에 의한 힘 F_P를 받는다.

$$F_P = \frac{\pi}{4} d^2 (P_1 - P_2) \tag{5A.1}$$

만약 포핏이 거리 x만큼 이동하면, 유체는 열린 면적을 통하여 흘러갈 수 있게 된다. 이 면적은 좌측 원의 직경이 d, 우측 원의 직경이 d_P가 되는 절단된 원추의 측면으로 구성된다. 면적 A_t는 다음과 같이 계산된다.

$$\overline{ab} = x \sin(\alpha/2) \tag{5A.2}$$

$$d_P = d - 2x \sin(\alpha/2) \cos(\alpha/2) \tag{5A.3}$$

$$A_t = \frac{\pi}{2}(d + d_P)\overline{ab} = \pi x \sin(\alpha/2)\{d - x \sin(\alpha/2)\cos(\alpha/2)\} \tag{5A.4}$$

압력에 의한 힘을 받고 있는 면적은 직경 d_P를 갖고 다음의 식으로 표현된다.

$$A_P = \frac{\pi}{4}\{d_P - 2x \sin(\alpha/2)\cos(\alpha/2)\}^2 \tag{5A.5}$$

여기서 A_t = 교축면적, m^2
A_P = 포핏의 수압면적, m^2
d = 원형 포핏 시트부의 직경, m
d_P = 포핏 수압면의 직경, m
x = 포핏 변위, m
α = 원추 꼭지각, rad

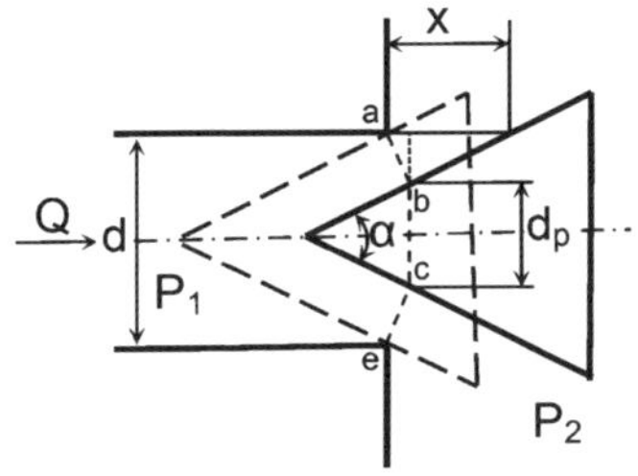

그림 5A.1 원추형 포핏 밸브

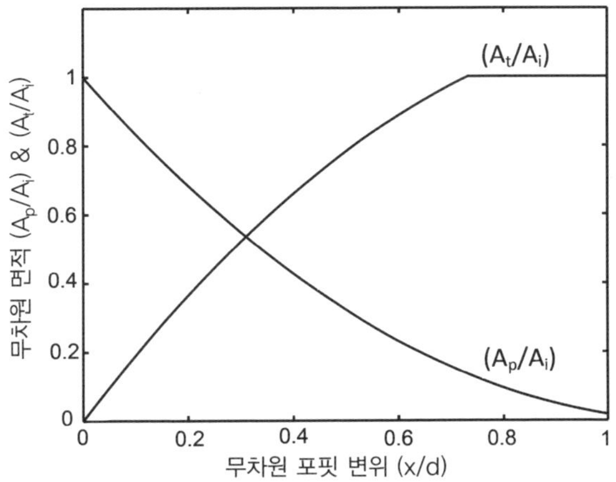

그림 5A.2 원추형 포핏 밸브의 무차원 교축면적 및 수압면적

원추 포핏의 꼭지각이 60°이고, 입구측 직경 $d = 4$ mm인 경우 압력을 받는 면적(A_P)과 교축면적(A_t)의 계산결과가 그림 5A.2에 나타나 있다. 면적은 입구측 면적(A_i)에 대한 무차원 형태로 표현되어 상대적인 포핏변위(x/d)에 대하여 표현되어 있다. 교축면적(A_t)은 유체가 흘러가는 통로의 최소 단면적으로 입구측 단면적($A_i = 0.25\,\pi d^2$)보다 작거나 같아야한다. 실제 응용에 있어서, 포핏변위는 $0.2d$이내로 제한된다.

원추형 시트를 가진 원통형 포핏

원추형 시트부를 가진 원통형 포핏(그림 5A.3 참조)은 파일럿 조작형 압력제어밸브의 메인밸브로서 주로 사용된다. 포핏이 시트부와 접촉시, 접촉선은 직경 d를 갖는 원이 된다. 수압부의 포핏 면적은 A_P이다. 이 값은 고정된 값이고, 포핏의 변위와 무관하다. 여기서

$$A_P = \frac{\pi}{4} d^2 \tag{5A.6}$$

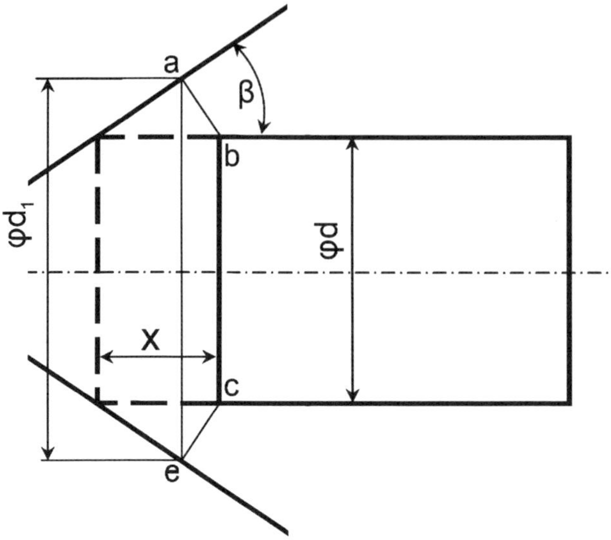

그림 5A.3 원통형 포핏과 원추형 시트를 가진 포핏 밸브

포핏이 거리 x의 지점에 위치한다면, 유체는 개구면적 A_t를 통과할 수 있다. 이 면적은 절단된 원추(abce)의 측면으로 구성된다. 이 원추의 왼쪽 바닥면은 직경이 d_1이고, 오른쪽 바닥면은 직경 d이다. 면적 A_t는 다음과 같이 계산된다.

$$\overline{ab} = x\sin(\beta) \tag{5A.7}$$

$$d_1 = d + 2x\sin(\beta)\cos(\beta) \tag{5A.8}$$

$$A_t = \frac{\pi}{2}(d + d_1)\overline{ab} = \pi x\sin(\beta)\{d + x\, sin(\beta)\cos(\beta)\} \tag{5A.9}$$

교축면적의 시트부 각도 β가 30°인 경우 그림 5A.4에 포핏의 상대변위(x/d)에 대한 무차원 면적(A_t/A_P)을 그래프로 나타내었다. 이 그래프는 $x/d < 0.3$인 경우에 선형에 가까운 관계를 보여준다.

구형 포핏 밸브

구 형상의 포핏도 널리 사용된다. 구 형상의 포핏은 형상이 단순하여 경제적으로 제작될 수 있다. 포핏이 시트부에 접촉하는 경우에 접촉부는 직경 d인 원이 된다(그림 5A.5 참조). 닫힌 포핏의 수압면적 A_P는

$$A_P = \frac{\pi}{4}d^2 \tag{5A.10}$$

만약 포핏이 거리가 x인 위치에 놓인다면, 유체는 열린 면적을 통하여 흘러갈 수 있

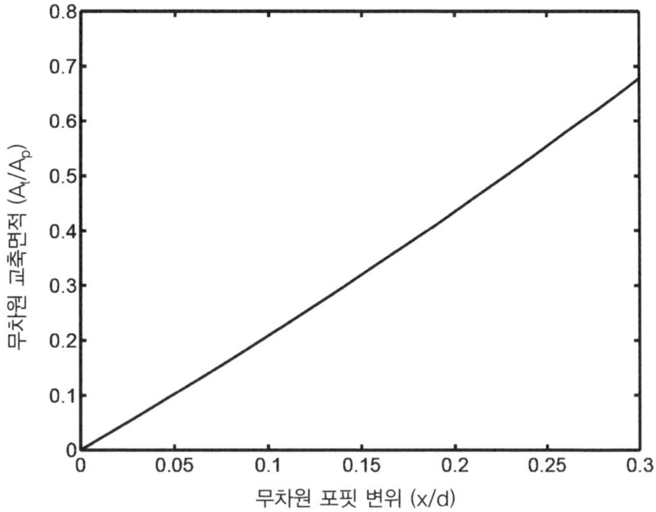

그림 5A.4 원추형 시트를 가진 원통형 포핏 밸브의 무차원 교축면적

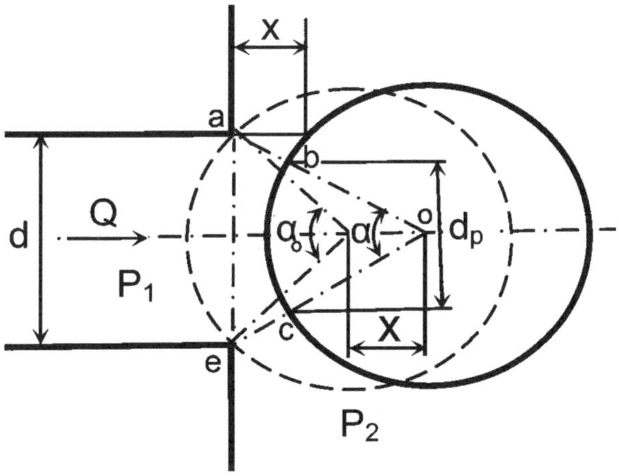

그림 5A.5 원형 포핏 밸브

다. 이 면적은 좌측 바닥면의 직경이 d이고, 오른쪽 바닥면의 직경이 d_p이다. 이 면적 A_t는 다음과 같이 계산된다.

$$\alpha_o = 2\sin^{-1}\left(\frac{d}{2r}\right) \tag{5A.11}$$

여기서 r은 구형 포핏의 반경이고,

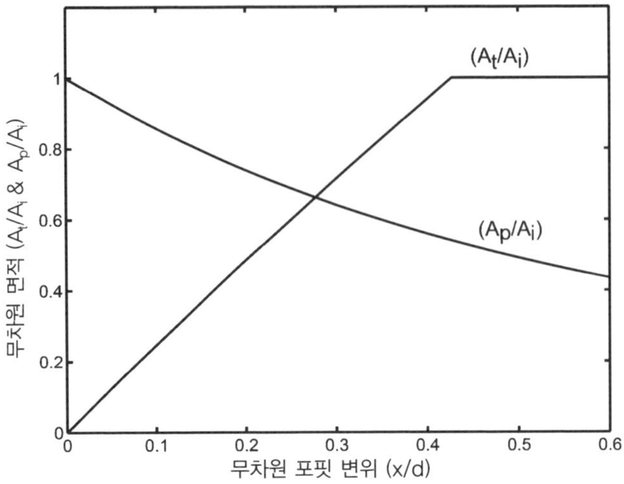

그림 5A.6 구형 포핏 밸브의 무차원 교축면적 및 수압면적

$$\alpha = 2\tan^{-1}\left[\frac{d}{2\{r\cos(\alpha_o/2)+x\}}\right] \tag{5A.12}$$

$$\overline{ab} = \frac{d}{2\sin(\alpha/2)} - r \tag{5A.13}$$

$$d_p = 2r\sin(\alpha/2) \tag{5A.14}$$

$$A_t = \frac{\pi}{2}(d+d_p)\overline{ab} = \frac{\pi}{2}\left[d+2r\sin(\alpha/2)\right]\left\{\frac{d}{2\sin(\alpha/2)} - r\right\} \tag{5A.15}$$

수압부 면적의 직경은 ϕd_p이고 다음의 공식에 의하여 구해진다.

$$A_p = \frac{\pi}{4}d_p^2 = \pi r^2 \sin^2(\alpha/2) \tag{5A.16}$$

포핏의 반경 $r = 4$ mm이고 입구측 직경 $d = 5$ mm인 경우의 계산결과가 그림 5A.6에 그려져 있다. 교축면적(A_t)은 유체가 흘러가는 통로의 최소단면적으로 입구측 단면적($A_i = 0.25\,\pi d^2$)보다 작거나 같아야 한다. 그림에서는 이 면적을 입구측 면적 A_i에 대하여 무차원화하여 상대 포핏변위(x/d)에 대한 그래프로 표시하였다.

원형 교축면적

원형 개구면적을 갖는 교축요소는 생산이 용이하기 때문에 스풀 밸브 중에서 가장 널리 사용되는 교축요소 중의 하나이다(그림 5A.7 참조).

스풀의 변위 x에 따른 면적은 다음과 같이 계산된다.

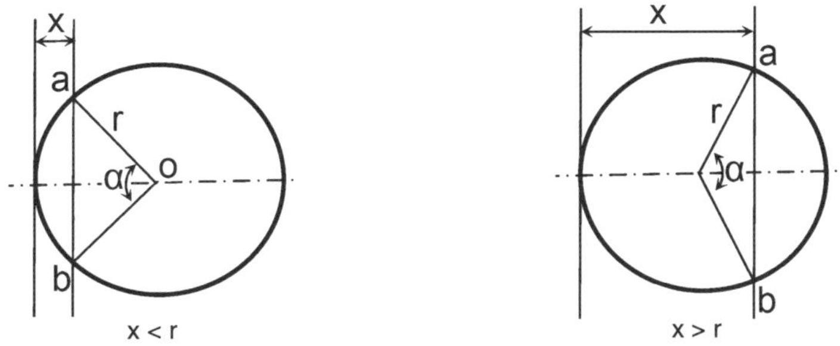

그림 5A.7 원형 교축면적을 갖는 스풀 밸브 (*Moog Inc. 게재 승인*)

$$0 < x < r \text{ 일때} \quad \begin{cases} \alpha = 2\cos^{-1}\dfrac{r-x}{r} \\ \overline{ab} = 2r\sin(\alpha/2) \\ A_t = 0.5r^2\alpha - 0.5\overline{ab}(r-x) \end{cases} \tag{5A.17}$$

$$r < x < 2r \text{ 일때} \quad \begin{cases} \alpha = 2\cos^{-1}\dfrac{x-r}{r} \\ \overline{ab} = 2r\sin(\alpha/2) \\ A_t = \pi r^2 - \left\{0.5r^2\alpha - 0.5\overline{ab}(x-r)\right\} \end{cases} \tag{5A.18}$$

$$x > 2r \text{ 일때} \quad A_t = \pi r^2 \tag{5A.19}$$

스풀의 변위에 따라 형성되는 교축면적을 계산한 결과가 그림 5A.8에 도시되어 있다. 교축면적(A_t)는 원의 일부로서, 최대값은 원 면적($A_C = \pi r^2$)이 된다. 여기서, A_C는 원형 구멍의 면적(m^2), r은 원의 반경(m), 그리고 x는 스풀의 변위(m)이다. 그림에서 교축면적은 면적 A_C에 대하여 무차원 형식으로 표현되었다.

삼각형 교축면적

경우에 따라서는 삼각형의 홈이 스풀에 가공된다(그림 5A.9 참조). 홈의 깊이는 h이고, 스풀 밸브가 통과하면서 형성되는 개구면적(A_{TR})은 삼각형 모양이 된다(그림 5A.9 참

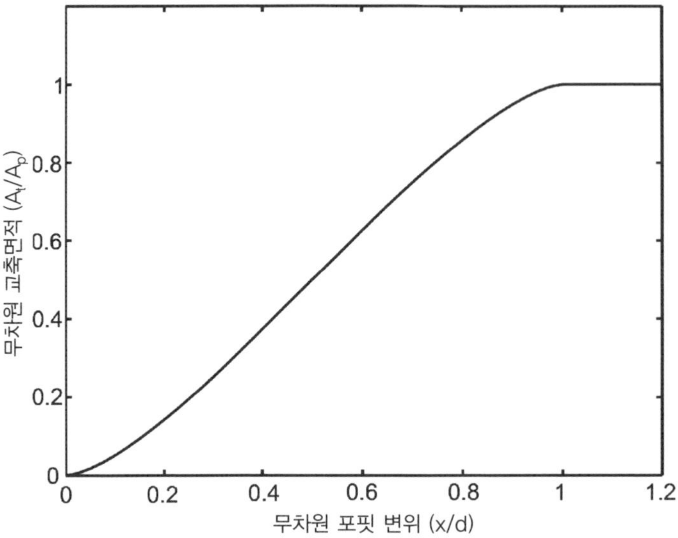

그림 5A.8 원형 홀의 개구면적의 무차원 그래프

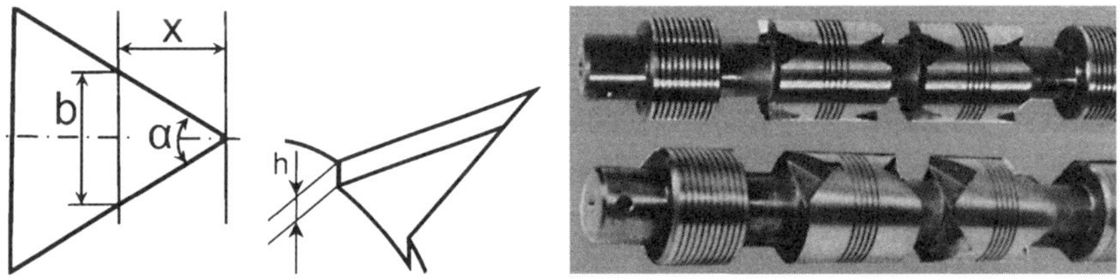

그림 5A.9 삼각형 교축면적 (사진 *Bosh Rexroth AG. 게재 승인*)

조). 유체는 이 면적과 이에 수직인 직교 면적 A_{RE}를 차례로 통과하게 된다.

$$b = 2x\tan(\alpha/2)$$

따라서

$$A_{TR} = bx/2 = x^2\tan(\alpha/2)$$

$$A_{RE} = bh = 2hx\tan(\alpha/2)$$

삼각형과 직사각형의 면적은 $x = 2h$에서 동일하므로 이 지점을 전후하여 교축면적은 다음의 식에 의하여 계산된다.

$$A_t = \begin{cases} x^2\tan(\alpha/2), & x \le 2h \text{ 일때} \\ 2hx\tan(\alpha/2), & x \ge 2h \text{ 일때} \end{cases} \tag{5A.20}$$

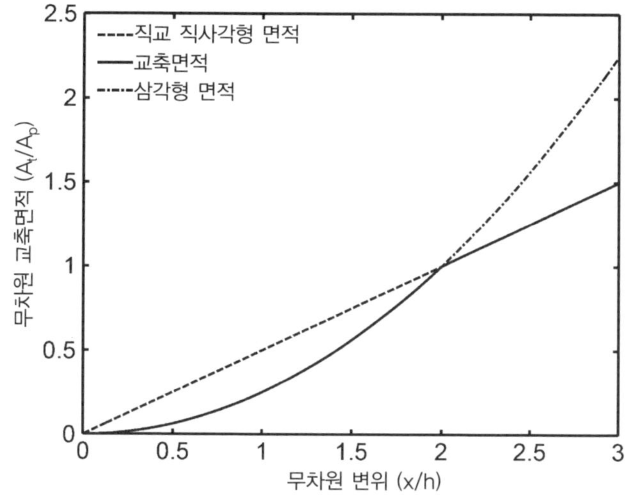

그림 5A.10 삼각형 구멍의 무차원 교축면적

임계 면적은 $x = 2h$에서 발생하고, 그 때의 면적은 $A_{cr} = 2h^2 \tan(\alpha/2)$이다. 90°의 정점각(α)에 대하여 계산된 교축면적이 무차원으로 그림 5A.10에 나타나 있다.

부록 5B 직동형 릴리프 밸브의 모델링과 시뮬레이션

이 부록은 직동형 릴리프 밸브에 관한 것이다. 여기에는 다음의 내용이 포함된다:

- 밸브의 구조와 작동 원리
- 수학적 모델링
- 컴퓨터 시뮬레이션
- 정적 특성과 동적 특성에 관한 검토

밸브의 구조와 작동 원리

그림 5B.1에 직동형 릴리프 밸브의 개략도가 나타나 있다. 이 밸브는 포핏 밸브(2)와 여기에 직결된 댐핑 스풀(1)로 구성되어 있다. 포핏은 탄성계수 k_{rv}를 갖는 스프링에 의해 힘을 받고 있다. 이 스프링은 적절한 압축길이 x_0에 의해 초기 압축력을 가한다. 밸브가 작동하지 않을 때, 스프링의 초기 압축력($k_{rv}\,x_0$)은 시트에 밀착된 포핏을 미는 역할을 한다. 시트에서는 동일한 크기의 시트 반발력인 F_{SR}이 작용한다. 입구 압력이 증가하면, 작동유는 댐핑 스풀의 반경 틈새를 통해서 댐핑 체임버로 흐르게 된다. 따라서 압력 P_d는 증가하고, 댐핑 스풀에 오른쪽으로 작용하게 된다. 밸브가 닫혀진 상태에서, 밸브 입구측 체임버의 압력 P는 가동부에 어떠한 축방향의 힘도 작용하지 않

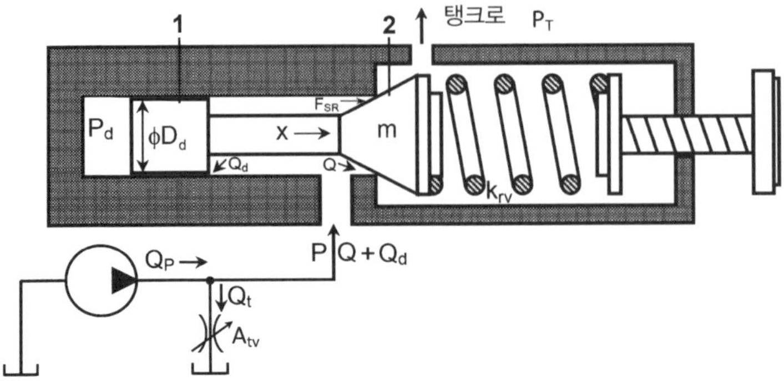

그림 5B.1 펌프와 바이패스 밸브에 연결된 직동형 릴리프 밸브

는다. 그러나 포핏 밸브가 열림에 따라 입구측 압력을 받는 포핏 면적이 댐핑 스풀 단면적보다 작아지게 된다(그림 5A.1과 5A.2 참조). 압력 P는 면적차($A_d - A_p$)에 의해 좌측으로 작용하는 힘을 발생시킨다.

유동력을 무시하면, 댐핑 스풀과 포핏은 스프링에 의한 힘, 시트의 반발력과 압력에 의한 힘을 받는다. 압력에 의한 힘($P_d A_d$)이 스프링에 의한 힘($k_{rv} x_o$)을 이기면, 포핏이 움직여서 입구측 포트로부터 드레인 포트로 유로를 열게 된다. 압력 P_d의 변화는 입구측과 댐핑 체임버간의 유체 흐름을 교축하는 반경방향의 틈새에 의해 저항을 받는다.

릴리프 밸브는 일정한 속도로 회전하는 고정용적 펌프의 토출관로와 연결된다. 바이패스 밸브는 부하압력을 제어하기 위하여 펌프 토출관로와 연결되어 있다.

수학적 모델링

릴리프 밸브의 동적 거동은 다음의 수학적 관계식들에 의해 표현된다. 여기서 전달관로의 영향은 무시되고 귀환 압력 $P_T = 0$이다.

포핏 밸브의 교축면적

압력 P를 받고 있는 포핏 면적(A_P)과 포핏 밸브 교축면적(A_t)에 대한 다음의 수학적인 표현은 부록 5A.1에 유도되었다.

$$A_t = \pi x \sin(\alpha/2)\{D_d - x\sin(\alpha/2)\cos(\alpha/2)\} \tag{5B.1}$$

$$A_P = \frac{\pi}{4}\{D_d - 2x\sin(\alpha/2)\cos(\alpha/2)\}^2 \tag{5B.2}$$

포핏의 운동방정식

$$P_d A_d + F_{SR} - P(A_d - A_P) = m\frac{d^2x}{dt^2} + f\frac{dx}{dt} + k_{rv}(x_o + x) \tag{5B.3}$$

시트의 반발력

닫히는 방향에서 포핏의 변위는 기계적으로 제한되어 있다. 시트에 도달하게 되면, 시트의 반발력은 시트의 강성과 시트 재질의 구조적 댐핑에 의하여 발생한다. 이 두 가지 영향은 등가 시트 강성 k_s와 댐핑계수 R_s로 표현하였다.

$$F_{SR} = \begin{cases} 0 & , \ x > 0 \\ k_S|x| - R_s \dfrac{dx}{dt}, & x < 0 \end{cases} \tag{5B.4}$$

댐핑 스풀의 반경 틈새를 통한 유량

$$Q_d = \frac{\pi D_d c^3}{12\mu L}(P - P_d) \tag{5B.5}$$

포핏 밸브를 통과하는 유량

$$Q = C_d A_t \sqrt{2P/\rho} \tag{5B.6}$$

댐핑 스풀 체임버에 대한 연속방정식

$$Q_d - A_d \frac{dx}{dt} = \frac{V_o + A_d x}{B} \frac{dP_d}{dt} \tag{5B.7}$$

펌프 유량

$$Q_P = Q_{th} - P/R_L \tag{5B.8}$$

바이패스 밸브를 통과하는 유량

$$Q_t = C_d A_{tv} \sqrt{2P/\rho} \tag{5B.9}$$

펌프 출구라인에 대한 연속방정식

$$Q_P - Q - Q_d - Q_t = \frac{V_P}{B} \frac{dP}{dt} \tag{5B.10}$$

컴퓨터 시뮬레이션

식 (5B.1)에서 (5B.10)까지의 방정식들은 직동형 릴리프 밸브의 정적 특성과 동적 특성을 표현한다. 이 방정식들은 컴퓨터 시뮬레이션 프로그램을 작성하는데 사용되어 (그림 5B.2 참조) 릴리프 밸브의 정적 및 동적 특성을 계산하게 된다.

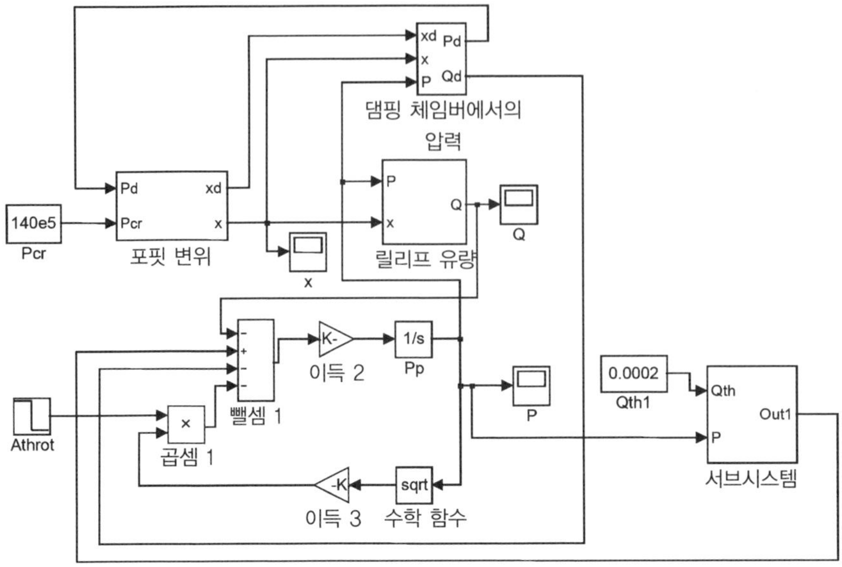

그림 5B.2 릴리프 밸브 시뮬레이션 프로그램의 블록 선도(SIMULINK 모델)

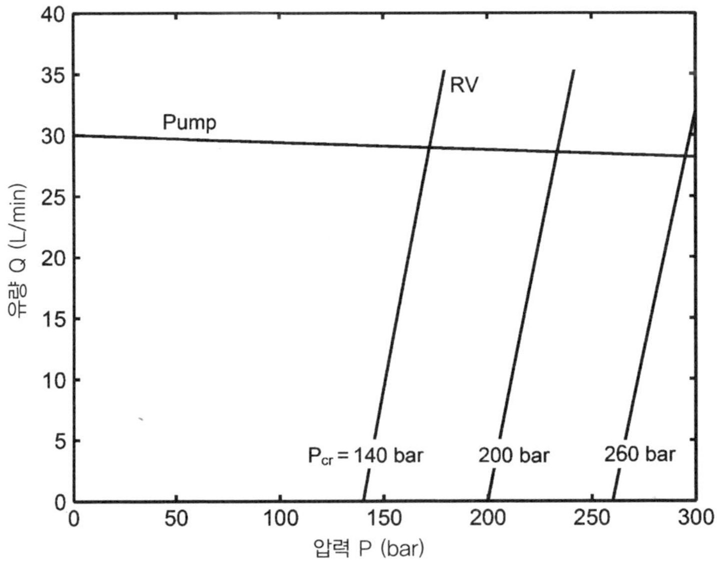

그림 5B.3 릴리프 밸브의 정적 특성

정적 특성

릴리프 밸브의 정적 특성은 입구측 압력 P와 릴리프 유량 Q의 정상상태에서의 관계를 나타낸다. 밸브 유량 특성이 다양한 크래킹 압력에 대하여 계산되어, 그림 5B.3에 표시되었다. 시뮬레이션 결과, 크래킹 압력보다 낮은 압력에서는 유량이 0이다. 크래킹 압력보다 높은 압력에서는 밸브가 열리고, 오버라이드 압력이 증가할수록 유량도 증가하게 된다. 이 그림은 펌프의 유량 특성곡선도 함께 나타내고 있다. 임의의 크래킹 압력에 대한 릴리프 밸브의 특성선도와 펌프 유량 곡선과의 교점은 실제 유량과 압력의 작동점이 된다.

상용화된 제품을 소개하는 카탈로그에서는, 릴리프 밸브의 정적 특성 그래프의 수평축에 압력(P)대신 유량(Q)를 표시하기도 한다. 이와 같은 인과관계는 독립변수가 유량이라는 의미이다.

과도응답

밸브의 과도응답은 바이패스 밸브의 교축면적(A_{tv})을 짧은 시간에 차단함으로써 관찰할 수 있다. 댐핑 스풀의 반경방향의 틈새를 변경하면서 밸브 입구 압력의 과도응답을 계산한 결과가 그래프로 나타나있다(그림 5B.4 참조). 시뮬레이션 결과, 반경방향의 틈새는 밸브의 응답에 큰 영향을 미친다는 것을 보여주고 있다. 반경방향의 틈새가 작은 경우, 댐핑 체임버로의 유량이 교축되어 이 체임버에서의 압력 형성이 지연되는 것을 알 수 있다. 포핏이 개방되는데 더 긴 시간이 소요되고, 이것은 큰 압력 오버슛의 원인이 된다. 이와 반대로 반경방향의 틈새가 큰 경우, 댐핑효과는 약화되고 응답의 정상상태에서 압력진동이 지속되는 것을 알 수 있다. 이 반경방향 틈새의 최적치는 식 (5B.11)에 의해 정의된 시간 절대 오차의 적분(ITAE)을 계산함으로써 구할 수 있다.

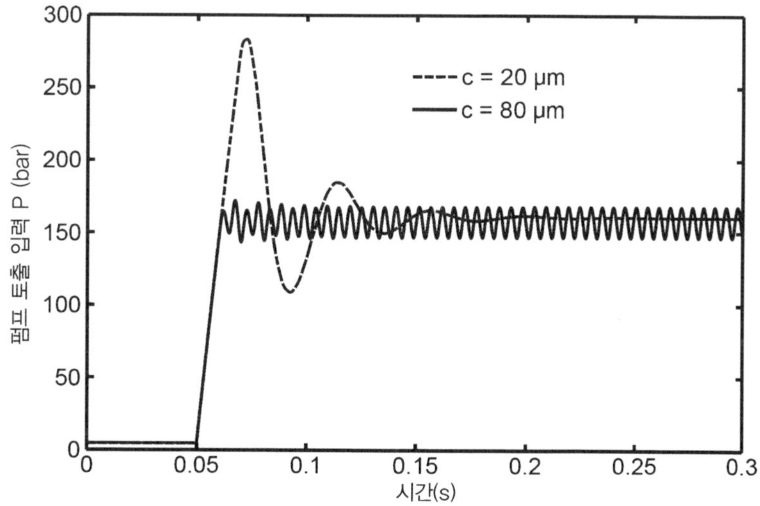

그림 5B.4 댐핑 스풀의 반경 틈새가 20 μm와 80 μm인 경우에 펌프 바이패스 밸브의 순간 차단에 대한 릴리프 밸브 압력 응답의 시뮬레이션 결과

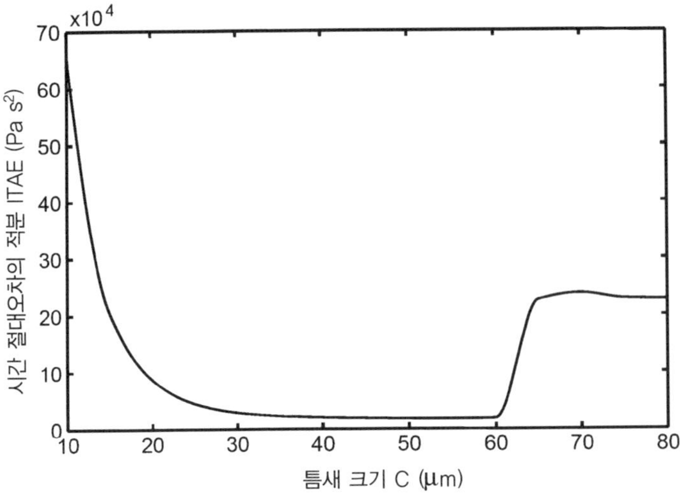

그림 5B.5 댐핑 스풀의 반경 틈새가 ITAE에 미치는 영향

이 오차 비교 척도는 정상상태 오차 또는 지속되는 진동을 나타내는 시스템을 평가하는데 가장 적합하다.

$$\mathrm{ITAE} = \int_0^T t\left|e(t)\right|dt = \int_0^T t(P - P_{SS})\,dt \tag{5B.11}$$

반경방향의 틈새가 시간 절대오차 적분에 미치는 영향이 그림 5B.5에 나타나 있다. 이 그림은 반경 틈새가 35 μm에서 60 μm일 때 최소의 ITAE값을 가짐을 보여준다. 틈

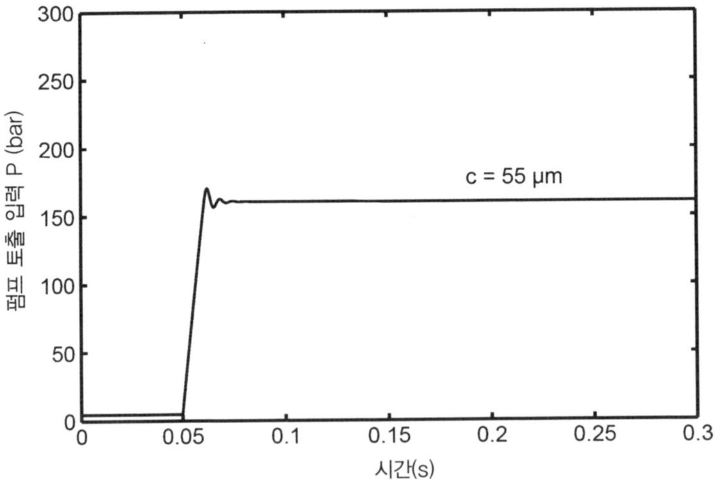

그림 5B.6 댐핑 스풀의 반경 틈새가 55 μm인 경우에 펌프 바이패스 밸브의 순간 차단에 대한 릴리프 밸브 압력의 과도응답

새가 55 μm인 경우, 바이패스 밸브의 순간적 닫힘에 의한 밸브 압력의 과도응답이 계산되어, 그림 5B.6에 나타나 있다. 이 그래프는 정착시간이 15 ms이내이고, 최대 오버슛의 비율이 상당히 줄어들었음을 보여준다.

기호설명

A_d = 댐핑 스풀의 단면적, m^2
A_P = 포펫의 수압면적, m^2
A_t = 교축면적, m^2
A_{tv} = 바이패스 밸브의 교축면적, m^2
B = 체적탄성계수, Pa
c = 댐핑 스풀의 반경 틈새, m
C_d = 유량계수
D_d = 댐핑 스풀의 직경, m
f = 스프링 계수, 또는 피스톤 마찰계수, Ns/m
F_S = 시트부 반발력, N
k_{rv} = 스프링 강성, N/m
k_s = 시트 재질의 등가 강성계수, N/m
L = 댐핑 스풀 길이, m
m = 가동부의 질량, kg
P = 밸브 입구측 압력, Pa
P_d = 댐핑 체임버 압력, Pa
P_T = 귀환 압력, Pa
Q = 릴리프 밸브 유량, m^3/s
Q_{SS} = 유량의 정상상태 값, m^3/s
Q_d = 댐핑 체임버의 반경 틈새에서의 유량, m^3/s
Q_P = 펌프 유량, m^3/s
Q_t = 교축밸브를 통과하는 유량, m^3/s
Q_{th} = 펌프의 이론 유량, m^3/s
R_L = 내부 누유에 대한 펌프의 저항, Pa s/m^3
R_s = 시트 재질의 등가 댐핑 계수, Ns/m
V_o = 댐핑 스풀 체임버의 초기 체적, m^3
T = 과도응답 계산 시간, s
x = 포펫 변위, m
x_o = 스프링 초기 압축길이, m
α = 포펫 원추각, rad
μ = 동점도, Pa s
ρ = 오일 밀도, kg/m^3

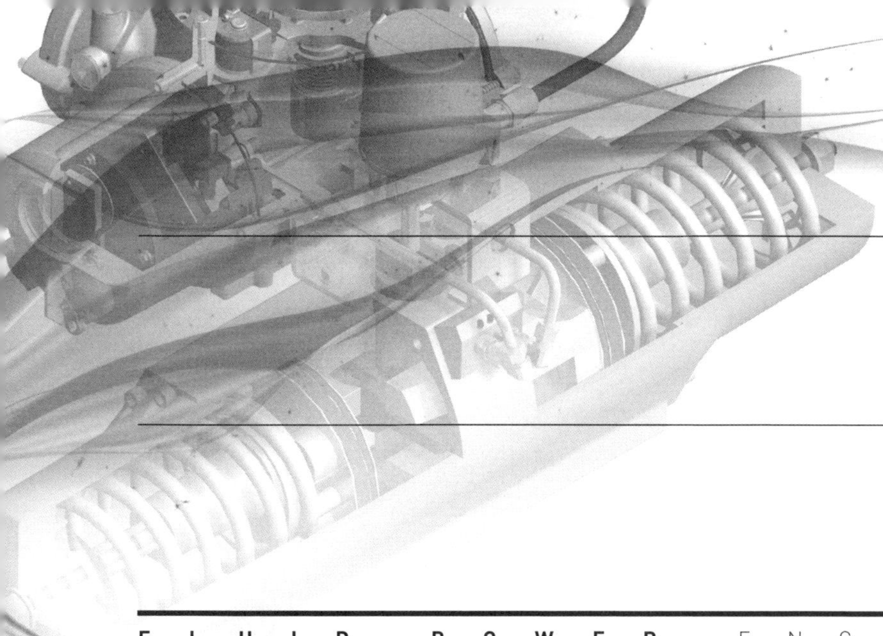

CHAPTER 6

부속기기

Accessories

FLUID POWER ENGINEERING

6.1 서론

유압시스템은 기계 동력을 전달하거나 제어하기 위해 사용되며, 다음과 같은 요소들로 구성된다.

- 기계 동력을 유압 동력으로 변환하는 요소: 펌프
- 유압 동력을 전달하는 요소: 배관
- 유압 동력을 제어하는 요소: 밸브
- 유압 동력을 부하 구동에 필요한 기계 동력으로 변환하는 요소: 유압 실린더, 유압 모터

이상의 기본 부품 외에 유압 시스템이 적절히 작동하도록 별도의 유압 요소가 필요하다. 다음과 같은 요소들은 동력 전달, 동력 변환과 제어에는 기여하지 않으나, 유압시스템의 안정된 작동을 위해 요구된다.

- 오일 저장 탱크 : 오일의 저장에 필요한 공간을 제공함.
- 냉각기와 가열기 : 오일 온도를 적정 범위로 유지함.
- 유압 필터 : 오일에 존재하는 오염물의 크기와 양을 통제함.
- 감시용 요소 : 압력계, 온도계, 유량계 등과 같이 시스템의 작동을 감시하거나, 경우에 따라서는 시스템을 정지시킴.
- 어큐뮬레이터 : 에너지 저장 등 다양한 용도로 사용됨.

이 장에서는 어큐뮬레이터, 압력 스위치, 필터 등의 구조와 작동에 관하여 파악한다.

6.2 어큐뮬레이터

6.2.1 분류와 작동

압축성 공기를 사용하는 공압 시스템의 경우에는 에너지 전달 매체가 직접 에너지를 저장하며, 압축공기 저장 탱크가 에너지 저장 역할도 한다. 그러나 유압시스템의 경우에는 에너지 전달 매체의 압축성이 매우 낮다. 즉, 체적탄성계수가 1~2 GPa인 오일은 에너지 저장 능력이 압축공기에 비교하여 매우 낮다. 예를 들어, 압력 15 MPa 오일의 1리터가 약 80 J의 에너지를 저장할 수 있는 반면에 같은 압력의 압축 공기 1리터는 약 28 kJ을 저장한다(11.2.1 절 참조). 그러므로 에너지 저장이 필요한 유압 회로에서는 어큐뮬레이터가 추가로 사용된다. 어큐뮬레이터에는 중량식, 스프링식, 기체충전식의 3가지 종류가 있다(표 6.1 참조).

중량식 어큐뮬레이터는 피스톤과 추의 퍼텐셜 에너지로 에너지를 저장한다. 어큐뮬레이터 하부 공간으로 오일이 주입되면 피스톤과 추를 상부로 밀어 올리면서 에너지를 저장한다. 피스톤의 위치 변화로 인한 압력 변화는 거의 없기 때문에 이러한 종류의 어큐뮬레이터는 일정한 압력으로 오일을 방출할 수 있다.

스프링식 어큐뮬레이터는 스프링의 탄성 에너지로 에너지를 저장한다. 즉, 어큐뮬레이터로 오일을 주입하면 스프링이 압축된다. 이러한 종류의 어큐뮬레이터는 스프링이 이완됨에 따라서 스프링 힘이 감소하므로 오일이 방출되는 압력도 감소한다. 오일 압력은 어큐뮬레이터에 충전된 오일 체적의 크기에 비례한다.

스프링식 어큐뮬레이터에서 오일 압력은 다음의 식으로 유도될 수 있다.

$$P = k\left(\frac{x_o}{A} + \frac{V_L}{A^2}\right) \tag{6.1}$$

중량식	스프링식	기체충전식 (분리막 내장형)		
		피스톤식	블래더식	멤브레인식
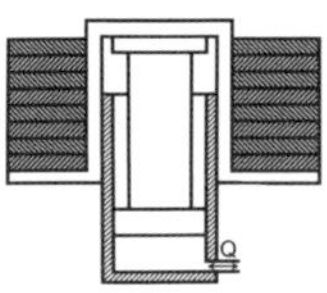	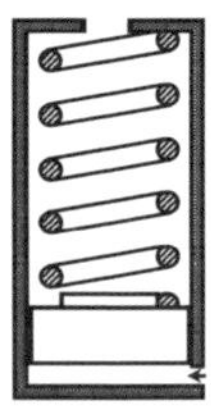	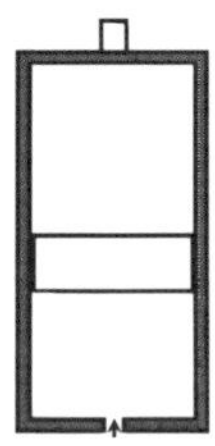	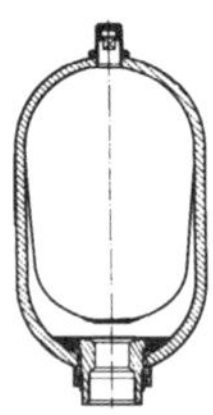	

표 6.1 어큐뮬레이터의 기본적인 형식

여기서 A = 피스톤 면적, m^2

k = 스프링 탄성계수, N/m

P = 압력, Pa

V_L = 어큐뮬레이터의 오일 체적, m^3

x_o = 스프링의 초기 압축 길이, m

중량식과 스프링식은 구조가 간단하며 표준 원통 부품을 사용할 수 있어서 제작이 용이하지만 널리 사용되지 않는다. 왜냐하면 피스톤의 움직임이 느리며 부피가 크다는 단점이 있기 때문이다.

가장 널리 사용되는 방식은 기체충전식인데, 보통 질소 기체가 사용된다. 기체충전식 어큐뮬레이터는 기체와 오일의 분리 방식에 따라서 네 가지 방식으로 분류되어, 피스톤식, 블래더식, 다이아프램식과 기체와 오일 사이에 분리막이 없는 방식으로 나누어진다. 분리 요소가 없는 방식은 오일이 완전히 방출되지 않는 조건에서만 사용될 수 있다.

분리막을 가지는 기체충전식 어큐뮬레이터는 금속 재료로 제작된 체임버 내부가 오일과 압축 질소를 저장하는 두 개의 공간으로 나뉘어진다. 기체 저장 공간은 충전용 첵 밸브를 통하여 압축 질소로 충전된다. 충전 과정은 오일이 완전히 비워진 상태에서 이루어지는데, 오일 압력이 기체 충전 압력보다 높아지면 오일이 어큐뮬레이터로 유입되며, 이 때 기체를 압축하며 기체 압력을 증가시킨다. 오일 압력이 기체 압력과 같아질 때 정상상태가 되므로 기체 압력이 작용하는 상태에서 오일이 높은 압력으로 저장된다. 이 장에서는 수식 유도를 위해 다음의 기호를 사용한다.

P_o = 어큐뮬레이터의 기체 충전 압력, Pa (abs)

P_1 = 최저 시스템 절대압력, Pa (abs)

P_2 = 최고 시스템 절대압력, Pa (abs)

V_o = 어큐뮬레이터 용적, P_o에서의 충전 기체 체적, m^3

$V_1 = P_1$ 에서의 체적, m^3

$V_2 = P_2$ 에서의 체적, m^3

기체 압축 과정은 다음의 식으로 표현된다.

$$P_o V_o^n = P_1 V_1^n = P_2 V_2^n = \text{일정}. \tag{6.2}$$

압축과정의 형식에 따라서 지수 n 값이 1~ 1.4의 범위에서 변한다. 등온 변화인 경우에는 $n = 1$ 이며, 단열변화인 경우에는 $n = \gamma = 1.4$이며, 두 가지 변화 과정이 복합된 형태라고 할 수 있는 폴리트로픽 변화과정이면 $1 < n < 1.4$이다. 기체 압력 변화 공식에

사용되는 압력은 절대압력이다. 만약 압축 과정이 천천히 진행된다고 볼 수 있는 경우에는 기체 온도는 일정한 것으로 간주되며, 그 변화 과정은 등온 변화로서, 기체의 압력과 체적은 다음 식으로 표현된다.

$$P_oV_o = P_1V_1 = P_2V_2 = \text{일정} \tag{6.3}$$

6.2.2 어큐뮬레이터의 체적용량

어큐뮬레이터는 최저 압력, P_1과 최고압력, P_2의 압력 범위에서 작동한다(그림 6.1 참조).

어큐뮬레이터 체적용량, V_a는 작동 압력 $P_1 \leqq P \leqq P_2$의 범위에서 어큐뮬레이터로 유입되는 체적과 어큐뮬레이터로부터 방출되는 체적의 차이로 정의된다.

$$V_a = V_1 - V_2 = V_o\left\{\left(\frac{P_o}{P_1}\right)^{\frac{1}{n}} - \left(\frac{P_o}{P_2}\right)^{\frac{1}{n}}\right\} \quad \text{폴리트로픽 변화과정의 경우} \tag{6.4}$$

$$V_a = V_1 - V_2 = V_o\left\{\left(\frac{P_o}{P_1}\right) - \left(\frac{P_o}{P_2}\right)\right\} \quad \text{등온 변화과정의 경우} \tag{6.5}$$

기체 충전압, P_o는 최저 압력 P_1보다 낮게 설정되어야 하는데, 그 이유는 최저 압력 P_1에서도 체적 V_1으로 팽창이 가능하여 모든 작동 영역에서 정상 작동이 가능해야 하기 때문이다. 만약 기체 충전 압력, P_o가 최저 압력 P_1보다 낮게 설정되지 않는 경우에는 작동 압력이 압력 P_o보다 낮아지면 압축 기체가 어큐뮬레이터 전체를 채운 상태에서 더 이상 팽창할 수 없다. 그러므로 기체 충전 압력은 일반적으로 아래 식과 같이 제

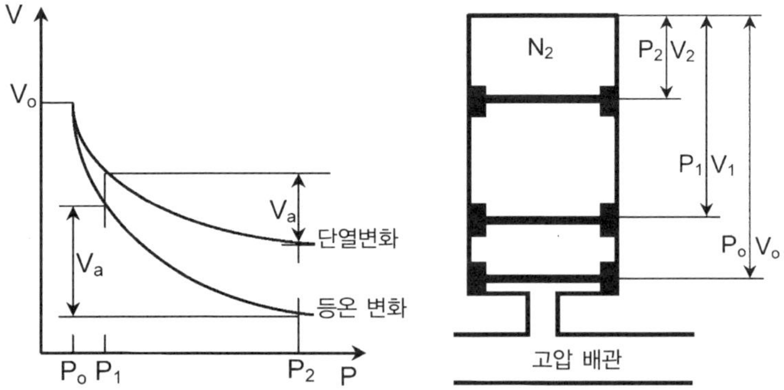

그림 6.1 유압 어큐뮬레이터에서 작동 압력에 따른 체적의 변화

한된다.

$$P_o = (0.7 \sim 0.9)\, P_1 \tag{6.6}$$

만약 어떠한 이유로 인하여 기체 충전 압력이 시스템 최저 압력과 같거나 크게 되는 경우가 발생한다면, 체적용량의 식은 다음과 같이 수정된다.

$$V_a = V_1 - V_2 = V_o \left\{ 1 - \left(\frac{P_o}{P_2} \right)^{\frac{1}{n}} \right\} \tag{6.7}$$

6.2.3 어큐뮬레이터의 구조와 작동원리

피스톤식 어큐뮬레이터

피스톤식 어큐뮬레이터(그림 6.2)는 매우 정밀한 밀봉 기능을 가진 피스톤 링에 의하여 두 개의 내부 공간으로 나누어지는 구조이다. 이 방식은 P_2/P_o의 압축 비율이 매우 높은 상태에서도 작동될 수 있다. 뿐만 아니라, 오일과 기체 사이 분리막의 손상 없이 오일이 완전히 방출될 수 있다.

피스톤식 어큐뮬레이터의 단점 들은 다음과 같다.

- 피스톤의 관성과 피스톤 실의 마찰은 어큐뮬레이터의 응답속도를 저하시킨다.
- 피스톤 실은 마멸될 수 있으며 압축 기체의 누설을 초래한다.

그러므로 피스톤식 어큐뮬레이터는 충전된 기체의 압력을 자주 점검해야 한다.

블래더식 어큐뮬레이터

블래더식 어큐뮬레이터에는 블래더가 오일과 압축 기체를 분리하는 요소로 사용된다. 블래더는 기체 충전용 밸브 조립체에 의하여 강철 몸체에 고정되고 손상된 블래더는 새로운 블래더로 교체될 수 있다. 오일 압력이 낮은 초기 상태에서 블래더가 압축 기체

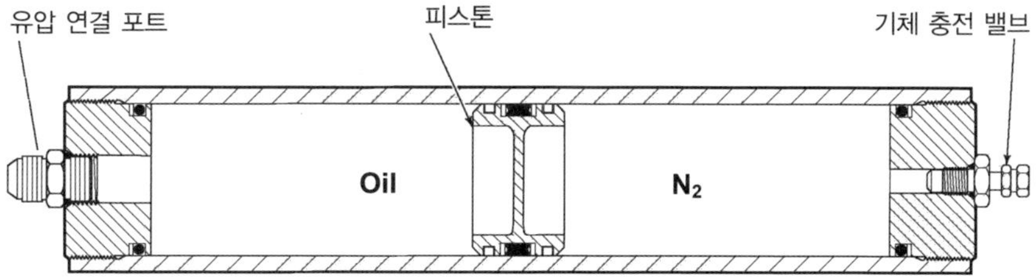

그림 6.2 피스톤식 어큐뮬레이터의 일반적 구조

로 충전되면 블래더는 체임버 내벽에 닿을 때까지 팽창된다.

블래더 재질은 높은 압축 응력에 견딜 수 있으나 전단 응력과 인장 응력에는 매우 취약하다. 그러므로 아래의 두 가지 중 한가지 방법으로 블래더가 오일 포트 밖으로 돌출되지 않도록 방지해야 한다.

- 오일이 자유롭게 흐를 수 있도록 작은 구멍들이 뚫린 반구 형상의 강철 판으로 오일 포트를 막아준다. 작은 구멍의 크기는 블래더 외피에 작용하는 전단응력이 허용 값보다 낮도록 충분히 작아야 한다(그림 6.3 참조).
- 블래더가 팽창되는 힘에 의해 오일 포트를 닫아 주는 버섯 형상의 보호 밸브를 사용한다(그림 6.4 참조).

또한, 다음의 사항들을 유의함으로써 블래더의 파손을 예방할 수 있다.

- 최저 작동 압력 P_1은 기체 충전 압력 P_o보다 커야 한다. 이를 통해서 정상 작동 중에도 블래더는 돌출 보호 요소와 직접적인 접촉을 하지 않게 된다.
- 블래더의 과도한 변형을 피해야 한다(그림 6.5 참조). 과도한 변형을 피하기 위

그림 6.3 미세 구멍들이 구비된 디스크를 사용하여 블래더를 보호하는 블래더식 어큐뮬레이터 (*Olaer Industries, France. 게재 승인*)

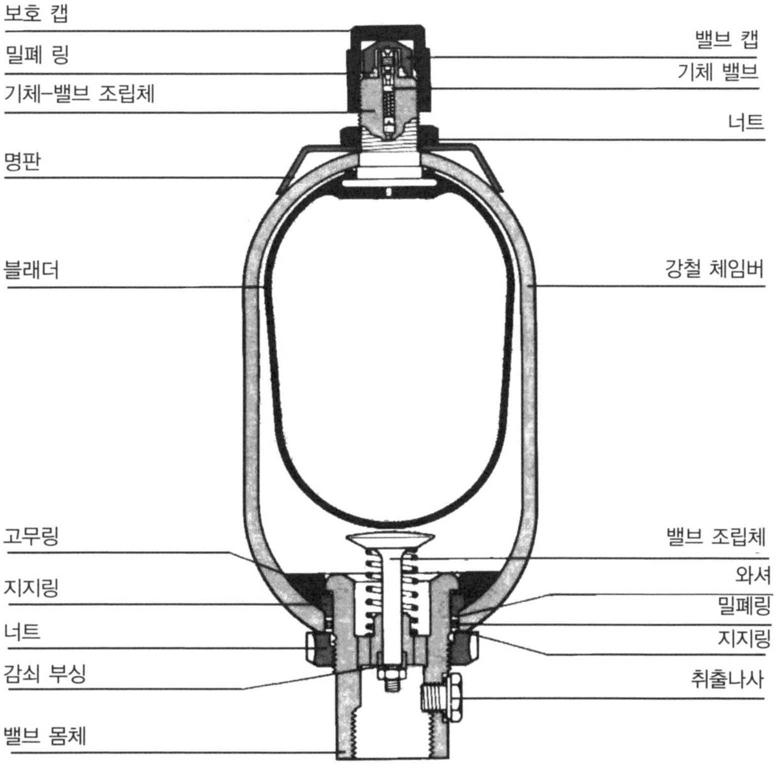

그림 6.4 버섯 모양의 밸브를 사용하여 블래더를 보호하는 블래더식 어큐뮬레이터 (*Bosch Rexroth AG. 게재 승인*)

해서 P_2/P_o의 최대 압축비가 4이하로 제한되어야 한다. 그리고 블래더의 과도한 굴곡을 피하기 위해서 최대 작동 압력 P_2가 최소 작동 압력 P_1의 3배를 초과하지 않아야 한다; $P_2 \leq 3P_1$

어큐뮬레이터의 용적은 기체 충전 압력에서의 내부 체적으로 정의될 수 있다. 이러한 체적은 기체의 체적에 의해 결정되며, 어큐뮬레이터를 출입하는 오일의 유량과는 무관하다. 어큐뮬레이터의 유량은 전적으로 압력 조건과 회로 저항에 의하여 결정된다. 회로 저항이 작고 어큐뮬레이터 압력이 높은 경우에는 순간 유량이 크다. 블래더의 사용 수명을 증진시키기 위하여 어큐뮬레이터 허용 유량의 크기는 어큐뮬레이터 용적에 비례하여 제한된다. 예를 들어, 1 리터 용적의 어큐뮬레이터는 240 L/min까지의 유량을 허용하며, 50 리터 용적 어큐뮬레이터의 허용 최대 유량은 900 L/min이다.

그림 6.5 버섯 형상의 보호 밸브를 가진 블래더식 어큐뮬레이터의 작동 모습 (*Olaer Industries, France. 게재 승인*)

다이아프램식 (혹은 멤브레인식) 어큐뮬레이터

다이아프램이 압력 체임버의 벽 사이에 고정되어서 유압유와 기체 사이의 탄성 분리 요소로 작용한다(그림 6.6 참조). 얇은 막 형상의 다이아프램은 용접이나 나사 체결로 결합되는 상하부 몸체 사이에 고정된다. 차단 버턴 플레이트가 다이아프램 중앙에 부착된다. 차단 버턴은 다이아프램이 완전히 팽창하였을 때에 오일 포트를 차단하는 기능을 한다. 이런 방법으로 시스템 압력이 초기 충전 압력보다 낮은 상태 ($P < P_o$)에서 다이아프램이 오일 포트로 돌출되어 나오는 현상을 방지한다. 다이아프램식 어큐뮬레이터의 동작 과정이 그림 6.7에 그려져 있다. 멤브레인의 수명을 보장하기 위해서 어큐뮬레이터 유량은 40 L/min을 초과하지 않아야 한다.

6.2.4 유압 어큐뮬레이터의 응용

유압 어큐뮬레이터는 여러 가지 목적으로 사용될 수 있는데, 주요 응용은 다음과 같다.

1. 에너지 저장
   a) 에너지 저장 및 공급
   b) 순간적으로 큰 유량이 필요한 경우에 보상 기능; 펌프 크기와 구동 동력을 줄

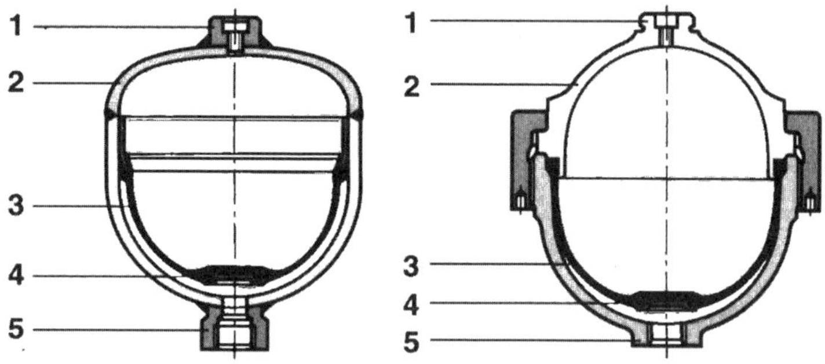

1. 기체 충전 포트 2. 어큐뮬레이터 몸체 3. 다이아프램
4. 버튼 플레이트 5. 오일 포트

그림 6.6 다이아프램식 어큐뮬레이터 (*Bosch Rexroth AG. 게재 승인*)

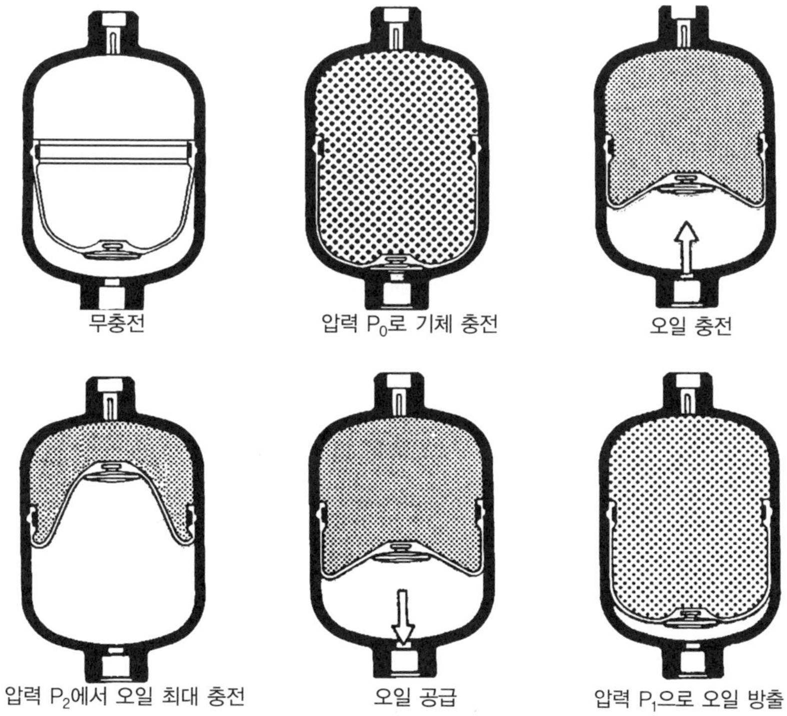

그림 6.7 다이아프램식 (혹은 멤브레인식) 어큐뮬레이터의 작동 모습 (*Bosch Rexroth AG. 게재 승인*)

이는 효과가 있음.

c) 펌프의 언로드(unload)

d) 펌프로부터 멀리 떨어진 구동기의 응답시간을 단축

2. 일정 압력 유지; 유압유 누설로 인한 압력 강하 보상
3. 오일의 열 팽창 보상
4. 유량맥동과 압력맥동의 완화
5. 수송용 차량에서 노면 충격의 흡수
6. 유압 충격에 의한 압력 상승의 흡수
7. 자동차의 유압식 현가

에너지 저장

이론적 배경

간헐적으로 유량이 필요한 시스템이나 순간적으로 큰 유량이 요구되는 시스템의 경우에 펌프 크기와 구동 동력을 줄이기 위해 유압 어큐뮬레이터가 사용될 수 있다. 즉, 어큐뮬레이터는 작은 유량이 요구되는 공정 중에 충전된 후, 큰 유량이 필요한 공정에서 충전된 오일을 방출한다. 최고 시스템 압력에 도달하였을 때 펌프 유량이 어큐뮬레이터에 충전되지 않고 탱크로 우회하도록 충전 밸브가 설치될 수 있다(5.2.5절 참조). 시스템 압력이 최저 압력 이하로 낮아지면 충전 밸브가 펌프와 어큐뮬레이터 사이를 다시 연결하여 어큐뮬레이터가 재충전된다. 이와 같은 응용에서는 어큐뮬레이터가 주된 에너지 공급 원의 역할을 수행한다.

어큐뮬레이터를 에너지 저장 요소로 사용하는 경우에 어큐뮬레이터의 총 에너지와 유효 공급 에너지 사이의 관계식을 유도하고 파악하는 것이 중요하다. 어큐뮬레이터에 저장되는 총 에너지는 기체 충전 압력 P_o로부터 최대 압력 P_2로 충전 기체가 압축되는 과정에 필요한 에너지로서, 다음과 같이 유도된다.

$$dE = -PdV \tag{6.8}$$

음의 부호는 기체 체적이 감소하면서 저장되는 에너지는 증가함을 표시한다. 기체 상태의 변화 과정을 폴리트로픽 압축으로 가정하면

$$PV^n = P_oV_o^{\ n} = P_1V_1^{\ n} = P_2V_2^{\ n} \tag{6.9}$$

$$V^n dP + nPV^{n-1}dV = 0 \quad \text{또는} \quad dV = -\frac{V}{nP}dP \tag{6.10}$$

$$V = \left(\frac{P_o}{P}\right)^{\frac{1}{n}} V_o \quad \text{이므로} \quad dV = -\frac{V_o P_o^{1/n}}{nP^{(n+1)/n}}dP \tag{6.11}$$

식 (6.11)을 식 (6.8)에 대입하여 적분하면

$$E = \frac{V_o P_o^{1/n}}{n} \int_{P_o}^{P_2} P^{-1/n} dP \qquad (6.12)$$

또는

$$E = \frac{V_o P_o^{1/n}}{n-1} [P_2^{(n-1)/n} - P_o^{(n-1)/n}] \qquad (6.13)$$

윗 식은 저장되는 에너지의 크기가 기체 충전 압력 P_o에 의해 크게 영향 받음을 보여준다. 극단적인 경우로서 $P_o = 0$이거나 $P_o = P_2$의 경우에는 저장 에너지가 전혀 없게 된다. 저장 에너지를 최대로 하는 기체 충전 압력 P_o의 값을 $dE/dP_o = 0$의 조건으로부터 구하면, 다음의 식과 같다.

$$\frac{P_o}{P_2} = n^{-n/(n-1)} \qquad (6.14)$$

단열변화의 경우에는 $n = 1.4$이며, $P_o = 0.308P_2$에서 저장 에너지가 최대로 된다. 식 (6.14)를 식 (6.13)에 대입하면 최대 에너지는 다음의 식으로 표현된다.

$$E_{\max} = \frac{V_o P_2}{n^{n/(n-1)}} \qquad (6.15)$$

무차원 변수로서 $\bar{E} = E / E_{\max}$와 $\bar{P}_o = P_o / P_2$을 정의하면, 무차원화된 저장 에너지는 다음과 같이 표현된다.

$$\bar{E} = \frac{n^{n/(n-1)}}{n-1} \bar{P}_o^{1/n} [1 - \bar{P}_o^{(n-1)/n}] \qquad (6.16)$$

등온 변화 과정의 경우에는 $n = 1$ 이며, 어큐뮬레이터에 저장되는 총 에너지는 다음과 같이 유도된다.

$$PV = P_o V_o = P_2 V_2 \qquad (6.17)$$

$$PdV + Vdp = 0 \qquad (6.18)$$

$$dV = -\frac{P_o V_o}{P^2} dP \qquad (6.19)$$

$$E = -\int_{P_o}^{P_2} PdV = P_o V_o \ln(P_2/P_o) = -V_o P_2 \frac{P_o}{P_2} \ln\left(\frac{P_o}{P_2}\right) = -V_o P_2 \bar{P}_o \ln(\bar{P}_o) \qquad (6.20)$$

최대 에너지 조건으로서

$$\frac{dE}{d\bar{P}_o}=0\text{, 즉 } \ln\left(\bar{P}_o\right)=-1 \text{ 또는 } \bar{P}_o=1/e \tag{6.21}$$

식 (6.20) 에 대입하면, 최대 에너지는 다음과 같다.

$$E_{\max}=P_2V_o/e \quad \text{그리고} \quad \bar{E}=E/E_{\max}=-e\bar{P}_o\ln\left(\bar{P}_o\right) \tag{6.22}$$

그림 6.8은 폴리트로픽 변화 과정과 등온 변화 과정에 대한 어큐뮬레이터 총 에너지의 변화 선도를 보여준다. 총 저장 에너지는 기체 변화 과정의 형태에 따라서 변하는데, $\bar{P}_o=0.308\sim0.37$에서 최대가 된다. 따라서 어큐뮬레이터를 에너지 저장 매체나 비상 에너지원으로 사용할 경우에 최대 에너지를 공급할 수 있도록 운전 조건을 설정하는 것이 중요하다.

최저 작동 압력은 유압 모터나 실린더를 구동하기에 충분한 수준이 되어야 한다. 어큐뮬레이터 충전 기체의 압력과 체적이 P_2, V_2인 상태로부터 순간적으로 P_1, V_1의 상태로 변화한다고 가정하면 어큐뮬레이터로부터 공급되는 유효 에너지는 다음과 같이 표현된다.

$$E_e=P_1(V_1-V_2) \tag{6.23}$$

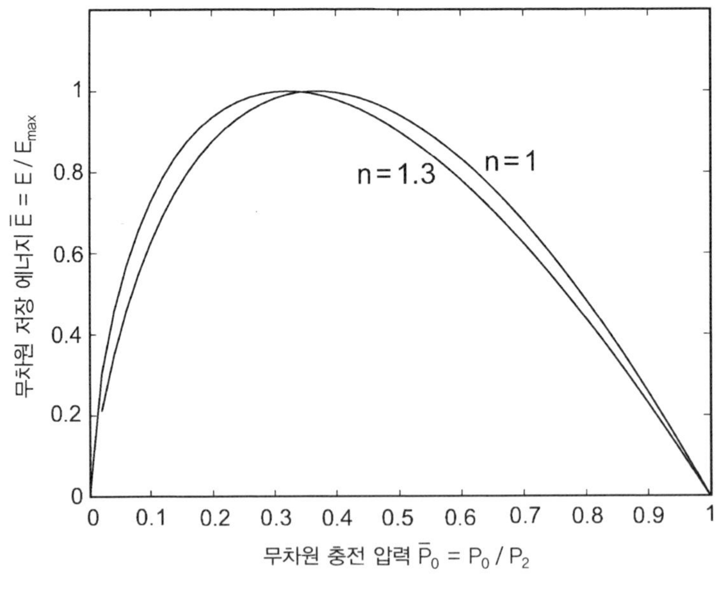

그림 6.8 유압 어큐뮬레이터에서 기체 충전 압력의 변화에 의한 총 저장 에너지의 변화

폴리트로픽 변화 과정에 대해 어큐뮬레이터의 유효 에너지는 다음 식으로 유도된다.

$$E_e = P_1 V_1 \left[1 - \left(\frac{P_1}{P_2} \right)^{1/n} \right] \tag{6.24}$$

$dE_e/dP_1 = 0$의 조건에서 유효 에너지가 최대가 되므로

$$P_1 = \left(\frac{n}{n+1} \right)^n P_2 \quad \text{즉,} \quad n = \gamma = 1.4 \quad \text{경우에} \quad P_1 = 0.47 P_2 \tag{6.25}$$

식 (6.25)을 식 (6.24)에 대입하여 정리하면

$$E_{e\max} = P_2 V_1 \frac{n^n}{(n+1)^{n+1}} \tag{6.26}$$

그리고

$$\bar{E}_e = \frac{(n+1)^{n+1}}{n^n} \bar{P}_1 \left(1 - \bar{P}_1^{\,1/n} \right) \tag{6.27}$$

식 (6.25)에서 (6.27)까지에 등온 변화 과정의 $n = 1$을 적용하면, 유효에너지는 $P_1 = 0.5P_2$의 조건에서 최대가 된다.

식 (6.24)으로부터

$$E_e = P_1 V_1 \left(1 - \frac{P_1}{P_2} \right) \tag{6.28}$$

식 (6.26)으로부터

$$E_{e\max} = 0.5 P_1 V_1 \tag{6.29}$$

식 (6.27)으로부터

$$\bar{E}_e = 2\bar{P}_1 \left(1 - \bar{P}_1 \right) \tag{6.30}$$

여기서

$$\bar{E}_e = E_e / E_{e\max} \quad \text{이며} \quad \bar{P}_1 = P_1 / P_2 \tag{6.31}$$

그림 6.9에 폴리트로픽 변화 과정과 등온 변화 과정의 두 가지 경우에서 최저 작동 압력에 대하여 유효 어큐뮬레이터 에너지의 변화 선도가 그려져 있다. 유효 에너지는 기체 변화 과정의 형식에 따라 결정되며 $\bar{P}_1 = 0.47 \sim 0.5$의 범위에서 최대가 됨을 알 수 있다.

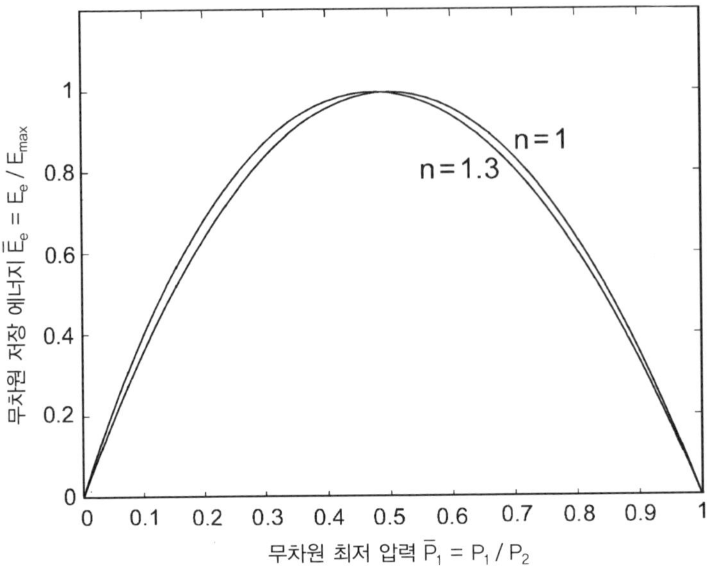

그림 6.9 최소-최대 압력비의 변화에 의한 어큐뮬레이터 유효 에너지의 변화

비상 에너지 공급원

유압 시스템 중에는 정전과 같은 비상 상황에도 한 사이클의 작동이 반드시 완료되어야 하는 경우가 있다. 이런 경우에는 보조 유압동력원을 필요로 하며, 적절한 용량의 유압 어큐뮬레이터를 보조 동력원으로 사용하는 것이 효율적인 방법이 될 수 있다. 유압 시스템의 정상 동작 중에는 어큐뮬레이터에 에너지를 저장해 두며, 비상 상황에 저장된 에너지를 사용할 수 있다(그림 6.10 참조).

큰 소요 유량에 대한 보상

짧은 시간동안 큰 유량이 요구되는 간헐적인 동작을 위해서 큰 용량의 펌프를 사용하면, 펌프를 구동하는 동력원의 용량 또한 매우 커진다. 펌프의 이론배제용적과 구동 동력은 다음의 관계식으로 주어진다.

$$V_g = Q_{max} / n\eta_v \tag{6.32}$$

$$N = Q_{max} P / \eta_T \tag{6.33}$$

여기서 n = 펌프 속도, rev/s
N = 펌프 구동 동력, W
P = 펌프 토출압력, Pa

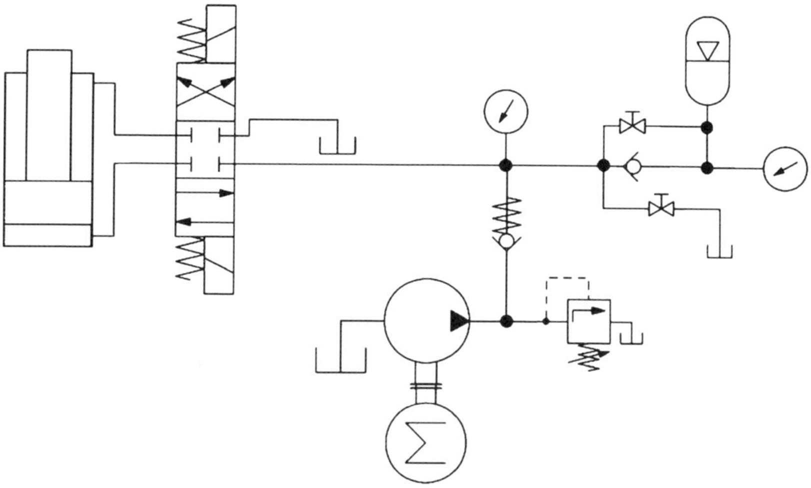

그림 6.10 예비 동력원으로 어큐뮬레이터를 사용한 응용 사례

Q_{max} = 최대 소요 유량, m^3/s
V_g = 펌프 이론 배제용적, m^3/rev
η_v = 펌프 용적효율
η_T = 펌프 전효율

그러나, 적절한 용량의 유압 어큐뮬레이터를 사용함으로써 소요 펌프 용량과 소요 구동 동력을 줄일 수 있다. 소요 유량이 작은 공정에서는 펌프가 공급하는 오일의 일부가 어큐뮬레이터에 충전되었다가 큰 유량이 필요한 공정에서는 펌프와 어큐뮬레이터가 함께 오일을 공급하는 유압 회로가 그림 6.11에 소개되어 있다.

예제 6.1 60초의 작동 주기를 가지는 유압 시스템이 있다. 작동 주기 동안의 소요 유량은 그림 6.12 에 나타나있다. 유량은 유량 제어 밸브에 의해 조절된다. 펌프는 정용량형 펌프이다. 다음 각각의 경우에 대한 소요 펌프 유량을 계산하라.

a) 최대 토출압력이 140 bar 로 제한된 펌프만으로 유압동력을 공급하는 경우
b) 짧은 기간 동안 소요되는 높은 유량의 일부를 보상할 목적으로 유압 어큐뮬레이터를 사용한다. 최저 압력 140 bar, 최고 압력 210 bar 사이에서 작동하는 어큐뮬레이터의 적절한 용량과 함께 펌프 유량을 계산하라.

해

a) 펌프 유량은 시스템의 최대 소요 유량을 공급할 수 있도록 0.6 L/s 이상이어야 한다. 펌프 토출압력 역시 최대 부하 압력에 맞추어 140 bar 이어야 한다. 유량과 압력의 곱으로 계산되는 유압동력은 $N = 0.6 \times 10^{-3} \times 140 \times 10^5 = 8400$ W 이다.

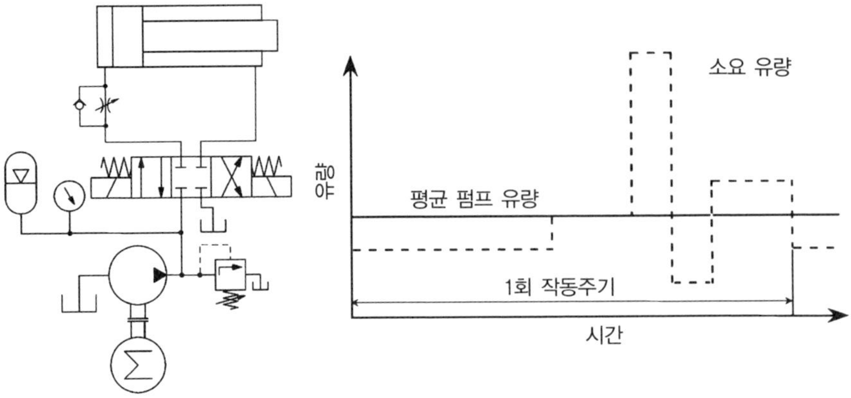

그림 6.11 큰 순간 소요 유량을 보상하는 목적으로 어큐뮬레이터를 사용한 회로

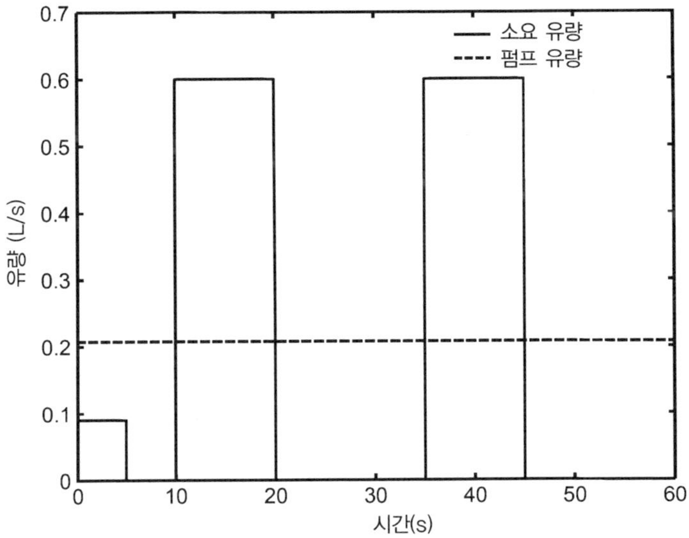

그림 6.12 시스템 소요 유량과 펌프 평균유량

b) 어큐뮬레이터를 사용하는 경우의 펌프 유량은 다음과 같이 계산된다:

한 주기 동안 필요한 오일 총 용적 $= 0.09\times5+2\times0.6\times10 = 12.45$ L

주기 $= 60$ s

펌프 최소 유량 $= 12.45/60 = 0.2075$ L/s

어큐뮬레이터가 펌프와 함께 사용되면 작업 주기의 매 순간에 필요한 소요 유량을 공급하게 될 것이다. 어큐뮬레이터의 오일 용적의 변화 ΔV_o가 표 6.2에 계산되어 있으며 그림 6.13에 그래프로 나타나 표현되어 있다.

경과 시간 (s)	오일의 충전과 방출	$\Sigma\Delta V_o$
0~5	펌프 유량이 소요 유량보다 크다. 여분의 펌프 유량 (0.2075 − 0.09 = 0.1175 L/s)은 어큐뮬레이터에 충전된다. 이 부분이 끝나는 시점에 어큐뮬레이터 오일 체적은 (0.1175 × 5 = 0.5875 L) 만큼 증가한다.	0.5875 L
5~10	모든 펌프 유량이 어큐뮬레이터로 유입된다. 이 부분의 종료 시점에 오일 체적은 (0.2075 × 5 = 1.0375 L) 만큼 증가한다.	1.625 L
10~20	펌프 유량이 소요 유량보다 작다. 부족 유량 (0.6 − 0.2075 = 0.3925 L/s) 을 어큐뮬레이터에서 보충한다. 이 부분의 종료 시점에 (0.3925 × 10 = 3.925 L)의 오일 체적이 감소한다.	− 2.3 L
20~35	모든 펌프 유량이 어큐뮬레이터에 충전된다. 이 부분의 종료 시점에 (0.2075 × 15 = 3.1125 L)의 오일 체적이 증가한다.	0.8125 L
35~45	펌프 유량이 소요 유량보다 작다. 부족 유량(0.6 − 0.2075 = 0.3925 L)을 어큐뮬레이터에서 보충한다. 이 부분 종료 시점에 어큐뮬레이터는 (0.3925 × 10 = 3.925 L)의 오일 체적이 감소한다.	− 3.1125 L
45~60	모든 펌프 유량이 어큐뮬레이터에 전달된다. 이 부분의 종료 시점에 (0.2075 × 15 = 3.1125 L)의 오일 체적이 증가한다.	0 L

표 6.2 작업 주기 동안의 어큐뮬레이터 용적 변화

한 주기의 작동 과정 중에 필요한 총 오일 체적을 펌프가 토출한 오일 체적으로 충당하는 것이므로 어큐뮬레이터 오일 체적 변화의 누적량 $\Sigma\Delta V_o$은 0 L이다. 오일 체적의 최대 변화량은

$$V_a = 1.625 - (-3.1125) = 4.7375\ \text{L}$$

오일 체적의 최대 변화량 V_a가 어큐뮬레이터의 체적용량에 해당되며, 최고 압력 210 bar와 최저 압력 140 bar 사이에 방출되는 체적이다. 어큐뮬레이터의 충전 압력을 (0.9 × 140 = 126 bar)으로 가정하면 어큐뮬레이터의 체적은 다음과 같이 계산된다.

$$V_o = V_a/[(P_o/P_1)^{1/n} - (P_o/P_2)^{1/n}]$$

$$V_o = \frac{4.375}{\left\{\left(\frac{127}{141}\right)^{1/1.3} - \left(\frac{127}{211}\right)^{1/1.3}\right\}} = 17.78\ \text{L}$$

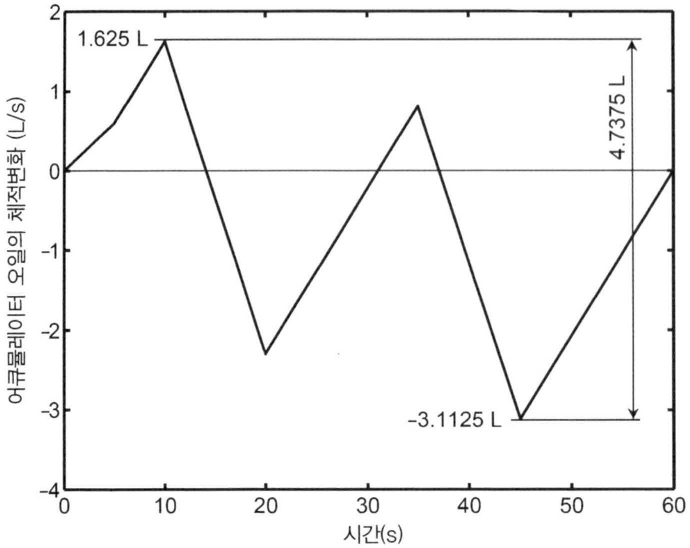

그림 6.13 작업 주기 동안의 어큐뮬레이터 오일 체적의 변화

규격상으로는 20 L 크기의 어큐뮬레이터가 적합하고, 이를 기준으로 기체 충전 압력 P_0를 다시 계산할 수 있다.

펌프 언로드(unload)

앞에서와 달리, 펌프가 주로 어큐뮬레이터를 충전하는 용도로 사용되며 간헐적으로 작동되는 부하는 어큐뮬레이터에 의하여 구동되도록 할 수 있다. 어큐뮬레이터 충전 밸브는 어큐뮬레이터 압력이 최고 설정압력 P_2에 도달하면 펌프 토출유량을 오일 저장 탱크로 바이패스 시키므로 펌프 압력은 대기압 수준으로 낮아져 무부하상태(unloading)로 되고, 어큐뮬레이터가 시스템 구동에 필요한 유압 에너지를 공급하는 동력원의 역할을 한다. 어큐뮬레이터의 오일이 방출되면 오일 압력도 감소한다. 시스템 압력 또는 어큐뮬레이터 압력이 최저 설정압력 P_1으로 감소하면 어큐뮬레이터 충전 밸브가 펌프 바이패스 회로를 차단하고 어큐뮬레이터를 펌프와 다시 연결하여 충전시킨다. 첵 밸브는, 어큐뮬레이터가 항상 부하 방향으로만 오일을 방출하게 제한한다. 이상에서 설명한 일련의 작동 과정에서 펌프는 대부분 무부하 상태에서 공회전하게 된다. 어큐뮬레이터 충전 밸브의 일반적인 구조는 그림 5.21에 도시되어 있다.

작동기의 응답시간 단축

경우에 따라서 유압 실린더가 유압동력원으로부터 멀리 떨어져 있을 수 있다. 그러면 실린더들의 응답시간은 긴 배관의 영향으로 인하여 상당히 길어지게 된다. 이러한 문제점은 유압 실린더 가까이에 어큐뮬레이터를 설치함으로써 해결될 수 있다(그림 6.14 참조). 어큐뮬레이터의 재충전은 유압 실린더의 정지기간 동안에 이루어진다. 어큐뮬레이터 오일은 항상 유압 실린더로 방출되어 응답시간을 줄여준다.

일정 압력 유지

설계 목적에 따라서 주어진 시간 동안에 회로 일부분의 압력을 일정하게 유지할 필요가 있다. 이 경우에 어큐뮬레이터를 설치함으로써 일정 압력이 유지되는 동안에는 펌프 유량을 다른 부분으로 바이패스시켜서 사용하거나, 펌프 구동 모터를 정지시킬 수도 있다.

회로 일부분의 압력을 일정하게 유지하는 유압 회로가 그림 6.15에 예시되어 있다. 어큐뮬레이터의 압축 기체가 팽창하면서 오일의 누설을 보상하며, 유압 실린더의 압력을 일정한 수준으로 유지할 수 있다. 어큐뮬레이터 크기는 허용 압력 강하, 일정 압력 유지 시간과 누설의 정도에 따라 결정된다.

열팽창 보상

유압 시스템의 작동 중에 오일 통로를 차단함으로써 유압 실린더의 위치를 고정시킬 수 있다. 이러한 경우에 유압 실린더 내의 오일은 출입이 차단된다. 만약 차단된 오일의 온도가 상당한 수준으로 상승하는 환경에 노출된다면, 열팽창으로 오일이 압축되면서 인하여 압력이 상승하게 된다(2.2.4절 참조). 실린더와 배관의 체적 팽창 효과를 무시하는 경우에 오일 열팽창에 의한 압력 상승은 다음과 같이 주어진다.

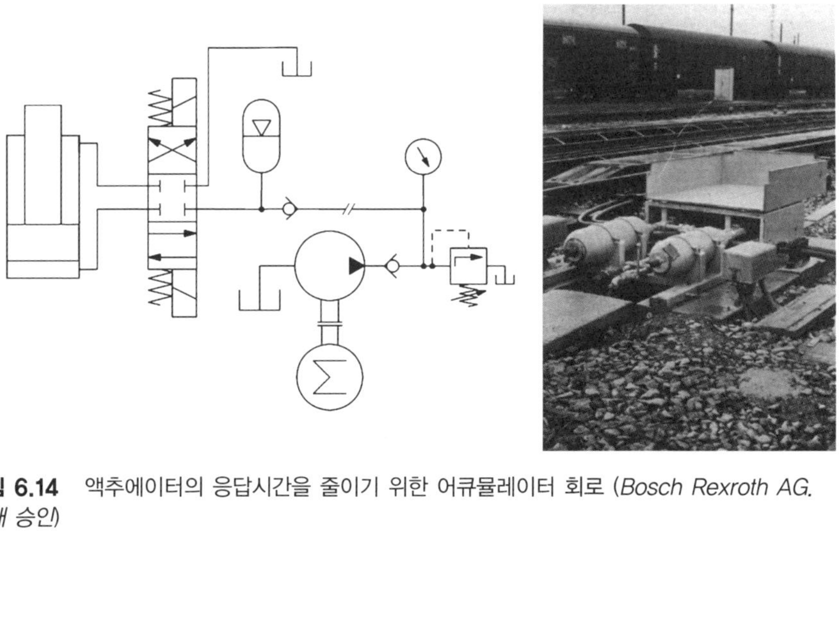

그림 6.14 액추에이터의 응답시간을 줄이기 위한 어큐뮬레이터 회로 (*Bosch Rexroth AG. 게재 승인*)

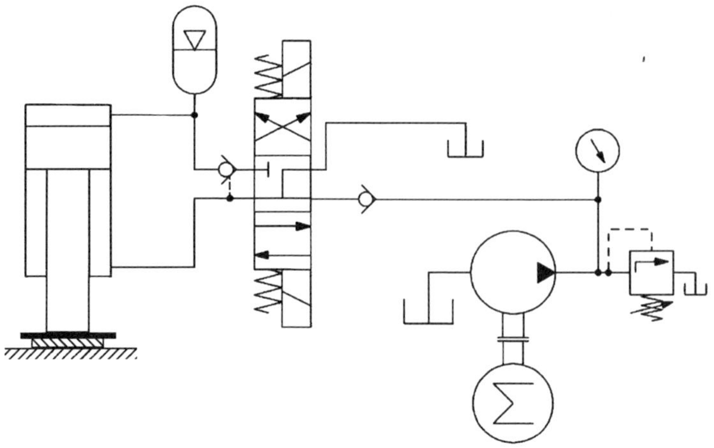

그림 6.15 어큐뮬레이터로 오일 누설과 열팽창을 보상하여 일정한 압력을 유지하는 응용 사례

$$\Delta P = \alpha B \Delta T \tag{6.34}$$

여기서 α = 오일 열팽창 계수, K^{-1}

B = 오일 체적탄성계수, Pa

ΔT = 온도 상승, K

ΔP = 압력 상승, Pa

예제 6.2 유압 실린더의 피스톤 위치가 오일 통로의 차단에 의해 고정된 상태에서 실린더의 오일 온도가 50 K 상승하였다고 가정한다. 오일의 열팽창 계수는 $6 \times 10^{-4}\ K^{-1}$이며, 오일 체적탄성계수는 1.4 GPa이다. 실린더와 배관을 강체로 간주할 경우에 압력상승은 다음과 같이 구해진다.

$$\Delta P = \alpha B \Delta T = 6 \times 10^{-4} \times 1.4 \times 10^{9} \times 50 = 42 \times 10^{6}\ \text{Pa} = 420\ \text{bar}$$

이와 같이 높은 압력 상승으로부터 유압회로를 보호하기 위하여 릴리프 밸브나 유압 어큐뮬레이터를 이용할 수 있다. 유압 어큐뮬레이터는 열팽창으로 인한 오일의 체적 변화를 보상한다(그림 6.15 참조).

길이 L, 면적 A 의 배관내 오일 온도가 ΔT만큼 상승했다고 가정하자. 온도 상승으로 인한 오일의 체적 증가 V_a는 $AL\alpha\Delta T$이다. 이 체적 증가량이 열팽창으로 인한 체적 변화를 보상하고자 하는 어큐뮬레이터의 체적용량이 된다. 기체 변화 과정을 폴리트로픽 과정으로 가정하고 식 (6.4)를 참조하면 어큐뮬레이터의 용적은 다음 식으로 주어진다.

$$V_o = \frac{AL\alpha\Delta T}{(P_o/P_1)^{1/n} - (P_o/P_2)^{1/n}} \tag{6.35}$$

배관 재료의 열팽창을 함께 고려하는 경우에는 어큐뮬레이터 용적은 다음과 같이 수정된다.

$$V_o = \frac{AL(\alpha - \alpha_p)\Delta T}{(P_o/P_1)^{1/n} - (P_o/P_2)^{1/n}} \tag{6.36}$$

여기서 α_p = 배관 재료의 열팽창 계수, K^{-1}

압력맥동의 완화

유압 시스템에서 사용되는 용적식 펌프의 토출유량은 맥동을 한다. 유량의 맥동은 압력맥동을 유발할 뿐만 아니라 유압 실린더와 모터의 속도도 맥동을 하게 한다(4.5절 참조). 맥동이 없는 유압의 공급을 요구하는 경우에 유압 어큐뮬레이터가 이용될 수 있다. 어큐뮬레이터는 전기 회로의 축전기와 유사한 특성을 가지는데, 배관의 저항과 함께 낮은 대역 필터로 작용하여 높은 주파수 성분의 맥동을 감쇠시킬 수 있다.

어큐뮬레이터의 유압 커패시턴스

유압 어큐뮬레이터는 전기 회로의 축전기(capacitor)와 유사한 역할을 한다. 축전기 용량에 대응하는 어큐뮬레이터의 커패시턴스는 다음과 같이 유도된다.

기체 상태 변화를 폴리트로픽 변화로 가정하면, $PV_g^n = P_oV_o^n$ = 일정하다. 따라서

$$V_g^n dp + npV_g^{n-1}dV_g = 0 \tag{6.37}$$

$$dV_g = -(V_g/np)dp \tag{6.38}$$

$$V_g + V_L = V_o = \text{일정} \tag{6.39}$$

$$dV_g/dt = -dV_L/dt = -q \tag{6.40}$$

$$q = \frac{V_g}{np}\frac{dp}{dt} \tag{6.41}$$

또는

$$C_A = \frac{V_g}{nP} = \frac{V_oP_o^{1/n}}{nP^{(n+1)/n}} \tag{6.42}$$

여기서 V_g = 어큐뮬레이터의 기체 체적, m^3

V_L = 어큐뮬레이터의 오일 체적, m^3

C_A = 어큐뮬레이터의 유압 커패시턴스, m^3/Pa

압력과 유량의 맥동 완화

그림 6.16은 펌프 토출유량의 맥동으로 인하여 발생하는 압력의 맥동을 완화시키기 위하여 펌프 토출부에 유압 어큐뮬레이터를 설치한 회로도를 보여 준다.

전달 배관의 관성 효과와 유압 커패시턴스를 무시하고 귀환 압력을 0 Pa로 간주한 상태에서 그림 6.16의 맥동 완화용 어큐뮬레이터 시스템을 표현하는 식들은 다음과 같이 유도된다.

$$q_T = C_d A_T \sqrt{2p/\rho} \tag{6.43}$$

초기 조건을 영으로 가정하고 식 (6.43)을 선형화하면

$$q_T = \frac{dq_T}{dp}\Delta p = p/R_T \tag{6.44}$$

여기서 R_T = 교축 저항, Pa s/m³
q_T = 선형화된 교축 유량, m³/s
A_T = 교축면적, m²
p = 선형화된 압력, Pa
ρ = 오일 밀도, kg/m³

$$q_p = q_T + q_A \tag{6.45}$$

$$q_A = C_A \frac{dp}{dt} \tag{6.46}$$

$$p = q_T R_T \tag{6.47}$$

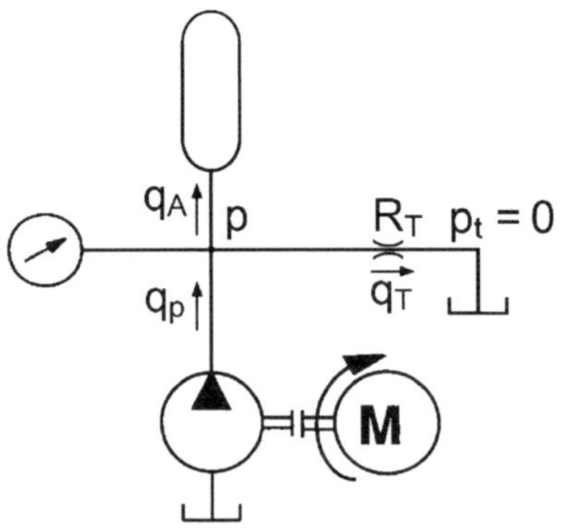

그림 6.16 압력맥동을 완화하기 위한 어큐뮬레이터의 응용

식 (6.45)에서 (6.47)까지를 라플라스 변환하면 다음의 전달함수가 유도된다.

$$\frac{P(s)}{Q_p(s)} = \frac{R_T}{R_T C_A s + 1} = R_T G(s) \tag{6.48}$$

여기서

$$G(s) = \frac{1}{Ts+1} \quad \text{그리고} \quad T = R_T C_A \tag{6.49}$$

$P(s)$ = 라플라스 변환된 압력

$Q_p(s)$ = 라플라스 변환된 유량

s = 라플라스 변수

맥동하는 펌프 토출유량에 대한 토출압력의 전달함수 $G(s)$는 1차계 전달함수이고 이것의 주파수응답 선도는 그림 6.17에 그려져 있다. 이 그림에서 입력 신호의 높은 주파수 성분은 크게 감쇠하지만 낮은 주파수 성분은 미소하게 감쇠하거나 변화가 거의 없다. 즉, 그림 6.16의 회로를 구성하면 어큐뮬레이터는 낮은 주파수 영역 필터로 작용한다.

그림 6.18과 같이 펌프 토출부 배관의 길이를 매우 짧게 하며 어큐뮬레이터 입구에 오리피스를 설치한 회로를 고려하면 펌프 토출 배관의 길이가 짧으므로 배관부의 관성 효과와 커패시턴스 효과는 무시될 수 있으며 다음의 관계식들로 시스템의 표현이 가능하다.

펌프 토출 배관부에 대한 연속방정식은

$$q_p - q_A - q_T = \frac{V_p}{B}\frac{dP}{dt} = C_p \frac{dp}{dt} \tag{6.50}$$

여기서 C_p = 펌프 토출 배관부의 유압 커패시턴스, m^5/N

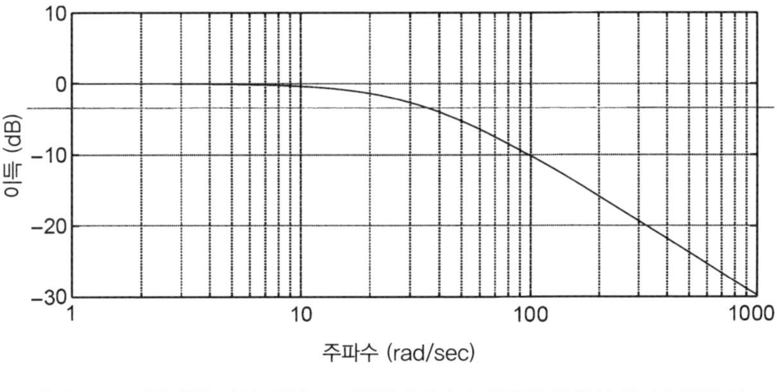

그림 6.17 압력맥동 감쇠 장치로 어큐뮬레이터가 사용될 경우의 주파수응답 선도

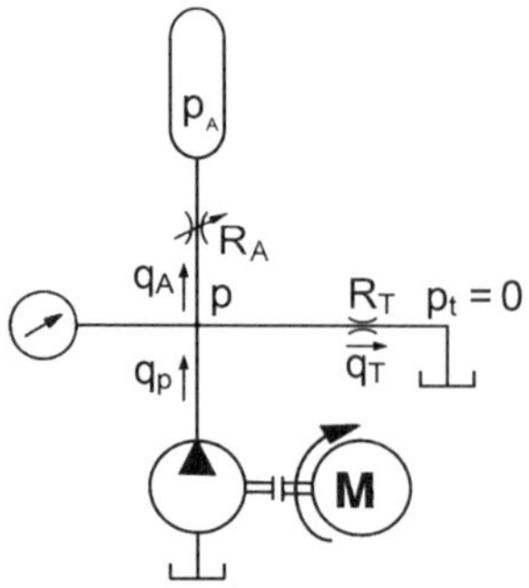

그림 6.18 유압 어큐뮬레이터 입구에 조리개를 설치하여 압력맥동을 완화하는 회로

어큐뮬레이터 입구측 오리피스를 통과하는 유량은

$$q_A = \frac{p - p_A}{R_A} \tag{6.51}$$

여기서 R_A = 어큐뮬레이터 입구측 오리피스의 저항, Pa

앞에서 설명한 바와 같이 어큐뮬레이터의 유량을 전기 축전기의 전류에 대응하는 식으로 표현하면

$$q_A = C_A \frac{dp_A}{dt} \tag{6.52}$$

귀환 오리피스를 통과하는 유량은

$$q_T = \frac{p}{R_T} \tag{6.53}$$

식 (6.50)에서 (6.53)까지의 식을 라플라스 변환하면 다음의 전달함수가 유도된다.

$$\frac{P(s)}{Q_p(s)} = \frac{R_T\left(R_A C_A s + 1\right)}{R_A R_T C_A C_p s^2 + \left(R_T C_A + R_A C_A + R_T C_p\right)s + 1} \tag{6.54}$$

어큐뮬레이터의 커패시턴스 C_A와 비교하여 펌프 토출 배관부의 커패시턴스 C_p는 무시할 정도로 작다. 예를 들어, 펌프 토출부 체적 V_p = 0.5 L, 유압 어큐뮬레이터 기체 체적 V_g =1 L, 오일의 체적탄성계수 B = 1.3 GPa, 작동 압력 p = 10 MPa 이며, 기체 상태 변화의 폴리트로픽 지수 n = 1.3 일 경우에 위에서 설명한 두 가지 유압 커패시턴스의 비율은

$$\frac{C_A}{C_p} = \frac{V_g B}{n p V_p} = 200 \tag{6.55}$$

그러므로 펌프 토출부 배관의 유압 커패시턴스는 무시할 수 있는 작은 값이다. 식 (6.54)에서 C_p가 포함된 항들을 무시하면

$$\frac{P(s)}{Q_p(s)} = \frac{R_T\left(R_A C_A s + 1\right)}{\left(R_T + R_A\right)C_A s + 1} \tag{6.56}$$

또는

$$\frac{P(s)}{Q_p(s)} = \frac{R_T(T_2 s + 1)}{T_1 s + 1} = R_T G(s) \tag{6.57}$$

$$G(s) = \frac{T_2 s + 1}{T_1 s + 1} \tag{6.58}$$

시간 정수 T_1과 T_2는

$$T_1 = (R_T + R_A)C_A \quad \text{혹은} \quad T_2 = R_A C_A \tag{6.59}$$

식 (6.58)로 표현되는 전달함수의 주파수응답은 그림 6.19에 그려져 있다. 이 그림은 다음과 같은 현상을 보여준다.

1. 어큐뮬레이터는 낮은 주파수 대역 필터로 작용한다.
2. $\omega_1 = 1/T_1$와 $\omega_2 = 1/T_2$의 2개의 특성 주파수가 존재한다. 어큐뮬레이터 입구측 오리피스의 저항 R_A를 증가시키면 2개 특성 주파수가 가까워지는데, 이것은 압력맥동의 감쇠 효과를 줄이게 된다. 그러므로 어큐뮬레이터 입구측 오리피스의 저항은 적절한 감쇠를 얻을 수 있도록 설계되어야 한다.
3. 어큐뮬레이터는 높은 주파수 성분의 압력맥동을 감쇠시킨다. 그러나 어큐뮬레이터 입구측 저항이 위상 앞섬 요소(phase lead element)로 작용하여 진폭비의 감소 효과가 제한된다.

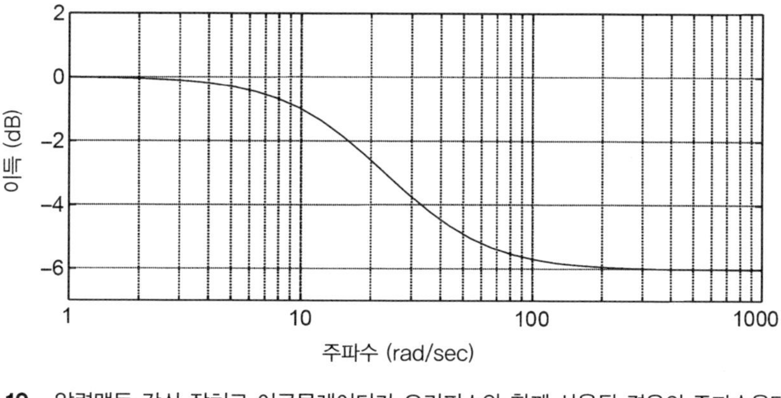

그림 6.19 압력맥동 감쇠 장치로 어큐뮬레이터가 오리피스와 함께 사용된 경우의 주파수응답 선도

수송용 차량의 현가 및 완충

무거운 화물을 수송하는 차량(그림 6.20 참조)의 현가장치는 관성부하와 더불어 불규칙한 노면 때문에 현가용 실린더의 압력이 진동하게 되며, 이로 인한 피로 하중을 받게 된다. 유압 어큐뮬레이터를 설치함으로써 압력의 맥동과 피로 하중을 경감시키게 되며, 깨지기 쉬운 물건도 빠른 속도로 수송하는 것이 가능하게 된다.

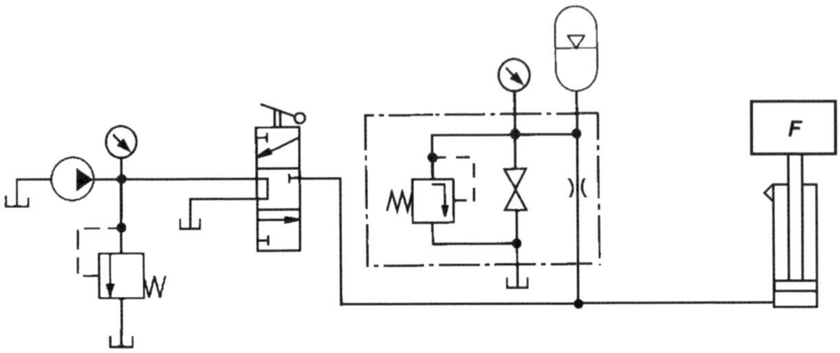

그림 6.20 유압 어큐뮬레이터를 이용한 현가장치

유압 충격 흡수

밸브를 갑자기 닫으면 유압 배관 속에서 움직이는 유체 질량이 급속히 감속되어 배관의 길이가 긴 경우에는 급격한 압력 상승이 발생된다. 배관 단면적이 A이고 길이가 L이며 배관내 유체의 평균 속도가 v인 경우를 가정하면, 배관 한 쪽 끝에 위치한 밸브가 시간 t_c 동안에 닫힐 때 압력파가 형성되며 이 압력파는 배관의 반대 방향으로 전파된다. 압력파가 음속 c의 속도로 배관 반대편 끝단까지 전달되었다가 반사되어서 돌아오게 되는데 총 소요 시간을 t_p는 다음과 같이 표현된다.

$$t_p = 2L/c \tag{6.60}$$

$t_c \leq t_p$인 경우에 밸브 입구 압력은 급격히 증가하며 유압 배관은 충격적인 압력 상승을 받게 된다. 즉 짧은 순간에 밸브가 닫히면 압력파를 생성하며 이 압력파는 음속 c의 속도로 전파된다. 만약 dt시간 동안에 배관 길이 L의 유체가 속도 v 상태로부터 정지되었다고 가정하면, 배관 내 유체의 압력 상승은 다음과 같이 유도된다. 유체에 뉴턴 법칙을 적용하면

$$F = m\frac{dv}{dt} \tag{6.61}$$

$$PA - (P + dP)A = \rho Acdt\frac{dv}{dt}\text{, 여기서 } L = c\,dt \tag{6.62}$$

$$dP = -\rho c dv \tag{6.63}$$

또는

$$\Delta P = -\rho c \Delta v \tag{6.64}$$

유체가 정지한 경우에는 $\Delta v = -v$이다. 그러면

$$\Delta P = \rho v c \tag{6.65}$$

예제 6.3 유체의 밀도 $\rho = 900\ \mathrm{kg/m^3}$, 음속 $c = 1300\ \mathrm{m/s}$이며, 배관내 유체의 속도 $v = 10\ \mathrm{m/s}$이다. 이때 배관 한 쪽의 밸브를 갑자기 닫으면 압력 상승 $\Delta P = 11.7\ \mathrm{MPa}$이다.

밸브를 닫는데 걸린 시간 t_c가 압력파가 배관을 왕복하며 전파된 시간 t_P보다 긴 경우에는 압력 상승이 다음과 같이 예측될 수 있다.

$$\Delta P = \frac{t_P}{t_c}\rho v c = \frac{2L}{t_c}\rho v \tag{6.66}$$

또는

$$\Delta P = \rho v c\,,\ \ t_c \le t_P \text{ 인 경우} \tag{6.67}$$

그리고

$$\Delta P = \frac{2L}{t_c}\rho v\,,\ \ t_c > t_P \text{ 인 경우} \tag{6.68}$$

식 (6.67)과 (6.68)은 밸브가 급격히 닫힐 때의 압력 상승량이 밸브가 닫히기 전의 압력 P와는 무관함을 보여 준다. 밸브를 천천히 닫는 것이 어려운 경우에는 충격적인 압력 상승을 흡수할 목적으로 유압 어큐뮬레이터가 이용된다. 유압 충격을 흡수하는 기능의 어큐뮬레이터는 충격원에 가까이 설치하는 것이 바람직하다. 어큐뮬레이터 용량은 이론식으로부터 계산된 압력 상승을 효과적으로 흡수하도록 선정되어야 한다. 그림 6.21은 유압 충격으로부터 배관을 보호하기 위한 목적으로 제어 밸브 가까이에 설치된 어큐뮬레이터의 모습을 보여준다.

밸브가 닫히기 전의 어큐뮬레이터 입구 압력(제어 밸브 입구 압력이기도 함)이 P_1이고, 밸브가 닫힐 때 압력이 P로 증가하면, 압력 상승은 배관 속에서 움직이는 유체 기둥을 감속시킨다. 움직이는 유체의 질량에 뉴턴 2법칙을 적용하면

$$(P - P_1)A = -\rho A L \frac{dv}{dt} \tag{6.69}$$

압력이 상승하면 오일이 어큐뮬레이터 내부로 흘러 들어간다. 가장 과격한 작동 조건으로서 밸브가 닫히는 시간을 거의 영으로 가정하고 배관을 흐르는 모든 유량 Av이 어큐뮬레이터로 흘러 들어간다고 가정하면

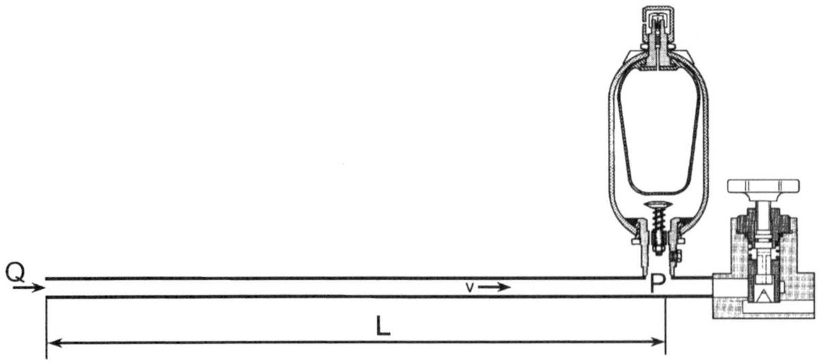

그림 6.21 충격적 압력 상승으로부터 배관을 보호하기 위한 유압 어큐뮬레이터

$$\frac{dV_L}{dt} = Av \tag{6.70}$$

$$V + V_L = V_o = \text{일정} \tag{6.71}$$

여기서 V = 어큐뮬레이터의 기체 체적, m^3
V_L = 어큐뮬레이터의 오일 체적, m^3
V_o = 어큐뮬레이터 용적, m^3

$$\frac{dV}{dt} = -\frac{dV_L}{dt} = -Av \tag{6.72}$$

식 (6.69)와 (6.72)를 이용하여 다음 식을 얻는다.

$$(P - P_1)dV = \rho ALvdv \tag{6.73}$$

어큐뮬레이터 최고 압력의 목표 값을 P_2로 설정한다면, 어큐뮬레이터의 요구되는 용적은 다음과 같이 유도된다.

등온 변화 과정의 경우에는

$$PV = P_oV_o = \text{일정} \tag{6.74}$$

그러면,
$$dV = -\frac{P_oV_o}{P^2}dP \tag{6.75}$$

$$(P - P_1)\left(-\frac{P_oV_o}{P^2}\right)dP = \rho ALvdv \tag{6.76}$$

그러므로,
$$\int_{P_1}^{P_2}\left(\frac{1}{P} - \frac{P_1}{P^2}\right)dP = -\frac{\rho AL}{P_oV_o}\int_v^0 vdv \tag{6.77}$$

$$V_o = \frac{\rho A L v^2}{2P_o\left\{\ln\left(\frac{P_2}{P_1}\right)+\frac{P_1}{P_2}-1\right\}} \tag{6.78}$$

여기서 P_1은 초기 압력, P_2는 허용 최고 압력이다.

폴리트로픽 변화 과정의 경우에는

$$PV^n = P_o V_o{}^n = \text{일정} \quad \text{또는} \quad dV = -\frac{P_o^{1/n} V_o}{nP^{\frac{n+1}{n}}}dP \tag{6.79}$$

그러면,

$$(P-P_1)\left(-\frac{P_o^{1/n} V_o}{\mathrm{n}P^{\frac{n+1}{n}}}\right)dP = \rho ALvdv \tag{6.80}$$

$$\int_{P_1}^{P_2}(P^{-\frac{1}{n}} - P_1 P^{-\frac{n+1}{n}})dP = -\frac{n\rho AL}{P_o^{1/n}V_o}\int_v^0 vdv \tag{6.81}$$

어큐뮬레이터 크기를 결정하는 식은 다음과 같이 유도된다.

$$V_o = \frac{n\rho A L v^2}{2P_o^{1/n}\left\{\frac{n}{n-1}\left(P_2^{(n-1)/n} - P_1^{(n-1)/n}\right) + n\left(P_1 P_2^{-1/n} - P_1^{(n-1)/n}\right)\right\}} \tag{6.82}$$

이러한 어큐뮬레이터의 용량을 결정하는 식들은 오일의 압축성과 배관 벽의 탄성을 무시하고 유도되었다. 또한 배관의 마찰손실과 어큐뮬레이터 입구에서의 미소손실 등도 무시되었다. 마찰과 압력손실은 유체를 감속시키는 효과를 가진다. 반면, 배관 벽의 탄성과 오일의 압축성은 압력 변화 과정 중에 일부 오일을 수용하는 효과로 작용한다. 그러므로 이러한 요소들을 무시한 결과의 어큐뮬레이터 크기는 실제 소요 크기보다 더 크게 된다. 그러므로 영향이 작은 항들을 무시하면 오히려 안전한 설계가 될 수 있다.

예제 6.4 유압 충격 압력으로부터 배관을 보호하고자 어큐뮬레이터를 설치한다. 다음의 각 조건과 가정에 대해서 적절한 어큐뮬레이터 크기를 결정하라. 유체 속도 $v = 2$ m/s, 배관 단면적 $A = 4$ cm^2, 배관 길이 $L = 100$ m, 유체 밀도 $\rho = 800$ kg/m^3, 어큐뮬레이터 기체 충전 압력 $P_o = 4$ bar (abs), 정상상태 압력 $P_1 = 5$ bar (abs), 허용 최대 압력 상승은 5 bar이다.

폴리트로픽 지수 $n = 1$인 등온 변화로 가정하는 경우에 $V_o = 8.28$ L
지수 $n = 1.1$인 폴리트로픽 변화로 가정하는 경우에 $V_o = 8.57$ L
지수 $n = 1.2$인 폴리트로픽 변화로 가정하는 경우에 $V_o = 9.21$ L

유압 스프링

유압 어큐뮬레이터는 자동차용 현가장치의 기계식 스프링을 대신하는 요소로 사용될 수 있다. 그림 6.22는 수평 유지 제어 기능을 가진 유공압 현가장치의 회로도를 보여준다. 그림 6.23은 유압 스프링으로 사용되는 어큐뮬레이터 시스템을 단순화시킨 개념도이다.

유압 스프링의 탄성계수 (혹은 스프링 상수)에 관한 식은 다음과 같이 유도된다.

$$V_L = Ax \tag{6.83}$$

$$V_g = V_o - V_L = V_o - Ax \tag{6.84}$$

여기서 V_g = 압력 P에서의 기체 체적, m^3

그러면,

$$P(V_o - Ax)^n = P_o V_o^{\,n} \tag{6.85}$$

$$F = PA = \frac{AP_o V_o^{\,n}}{(V_o - Ax)^n} \tag{6.86}$$

등가 스프링 탄성계수, k 는

$$k = \frac{dF}{dx} = \frac{nV_o^{\,n} A^2}{(V_o - Ax)^{n+1}} P_o \tag{6.87}$$

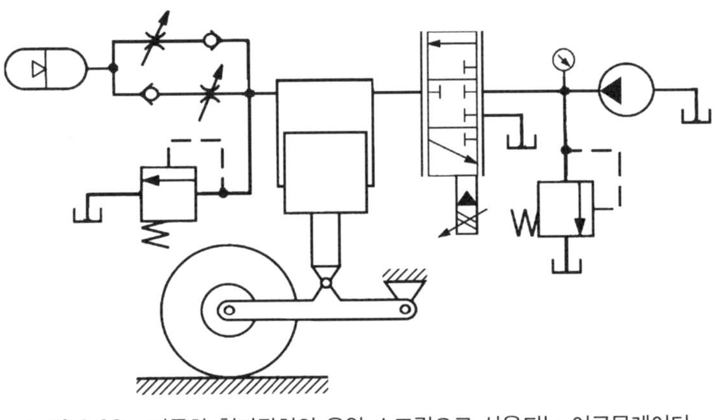

그림 6.22 자동차 현가장치의 유압 스프링으로 사용되는 어큐뮬레이터

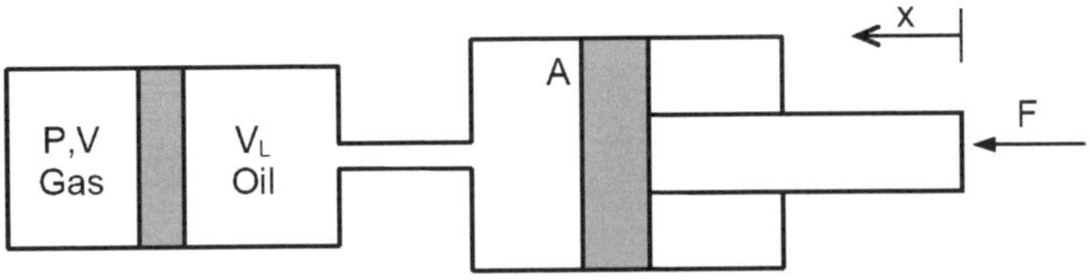

그림 6.23 유압 스프링으로 사용되는 어큐뮬레이터와 유압 실린더

여기서 k = 등가 탄성계수, N/m
V_L = 어큐뮬레이터의 오일 체적, m^3
A = 피스톤 면적, m^2
x = 피스톤 변위, m
V_0 = 초기 기체 체적, 어큐뮬레이터 용적, m^3
P_o = 기체 충전 압력, Pa (abs)
P = 작동 압력, Pa (abs)
n = 폴리트로픽 지수
F = 스프링 힘, N

피스톤 지름 = 10 cm, 충전 압력 2 = MPa, 그리고 폴리트로픽 지수 = 1.3 의 유공압 자동차 현가 시스템을 예로 들어, 세 가지 용량의 유압 어큐뮬레이터에 대해서 유압 스프링의 탄성계수를 계산하면 그 결과는 그림 6.24와 같다. 이 결과는 피스톤 변위가 증가함에 따라 스프링 탄성계수도 증가함을 보여 준다. 어큐뮬레이터 크기가 작을수록 어큐뮬레이터 내부 오일 체적의 비율이 급하게 증가하기 때문에 탄성계수가 커짐을 보여 준다.

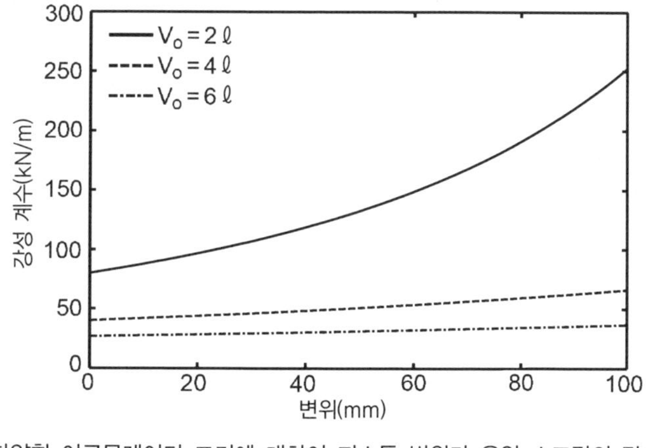

그림 6.24 다양한 어큐뮬레이터 크기에 대하여 피스톤 변위가 유압 스프링의 탄성계수에 미치는 효과

6.3 유압 필터

유압 필터는 유압 오일이 오염되는 것을 방지하는 목적으로 사용된다. 필터는 펌프 흡입 배관, 고압 공급 배관 또는 저압 귀환 배관 중간에 설치된다. 펌프 흡입부에 필터를

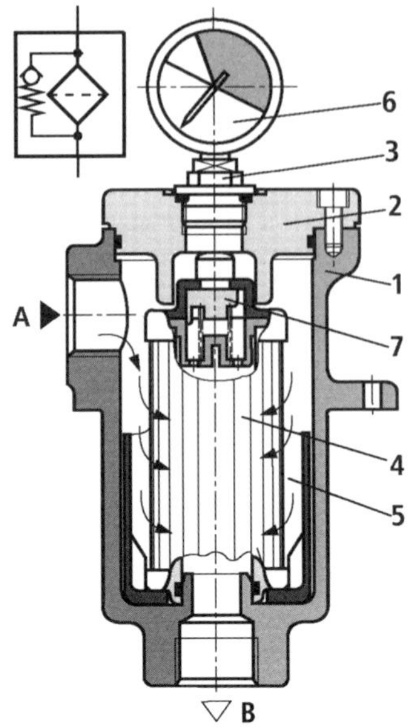

그림 6.25 귀환 관로 필터 (*Bosch Rexroth AG. 게재 승인*)

설치하는 경우에는 캐비테이션이 발생하지 않도록 주의하여야 한다. 비가압식 유압 탱크의 통기구에도 필터가 장착된다. 필터가 유압 오일의 불순물을 걸러줌에 따라 부품의 마멸를 줄이고 미세한 오리피스 구멍이 막히는 현상을 방지하는 것이 가능해진다. 그림 6.25은 귀환 관로 필터의 내부 모습을 보여 주며, 그림 6.26은 고압 필터의 구조를 보여 준다.

귀환 필터는 귀환 배관이나 오일 저장 탱크에 설치되는 용도로 설계된다 (그림 6.25 참조). 필터는 하우징(1), 카버(2), 막힘 지시계 연결 기구(3), 필터 요소(4), 오염물 채집 체임버(5), 막힘 지시계(6) 등으로 기본 구성을 이루며, 추가로 바이패스 밸브(7)가 내장되기도 한다. 유체가 유입구 A로 들어가서 필터 요소(4)를 거치면 걸러진 오염 입자들은 필터 요소(4)에 포집되거나 채집 체임버(5)에 쌓이게 된다. 걸러진 후의 정화된 유체는 출구 B를 거쳐 저장 탱크로 흐른다. 오염물 채집 체임버(5)는 필터 요소를 교체할 때 세척하여 포집된 오염 물질이 저장 탱크에 유입되지 않도록 해야 한다.

고압 필터는 고압 관로에 설치하도록 제작된다(그림 6.26 참조). 고압 필터는 필터 헤드(1), 필터 하우징(2), 필터 요소(3), 막힘 지시계(4) 등으로 구성되며, 낮은 차압의 필터 요소를 가지는 경우에는 바이패스 밸브(5)가 추가된다. 유체가 유입구 A를 통과하여 필터 요소로 흐르며, 여기서 오염 입자가 분리되어서 필터 요소(3)에 포집되거나 하우징(2) 하부에 가라앉는다. 정화된 유체는 유출구 B를 통하여 흘러 나간다.

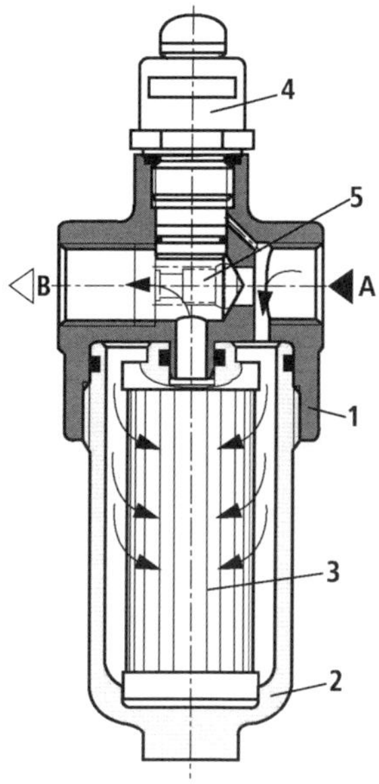

그림 6.26 고압 필터 (*Bosch Rexroth AG. 게재 승인*)

6.4 유압 압력 스위치

6.4.1 피스톤식 압력 스위치

피스톤식 압력 스위치는 압력에 의해 피스톤이 작동하며 피스톤의 동작으로 전기 접점이 작동된다. 전기 접점은 평상시에 열려 있는 형태와 평상시에 닫혀 있는 형태로 나뉘어진다. 압력이 미리 설정해 놓은 설정압력에 이르게 되면, 전기 접점이 동작한다. 그림 6.27a의 구조를 가지는 압력 스위치는 하우징(1), 마이크로 스위치(2), 조정 기구(3), 플런저(4), 피스톤(5), 스프링(6) 등의 부품으로 구성된다. 압력이 피스톤(5)에 작용하면, 피스톤이 스프링 압축력에 대항하여 플런저를 밀어준다. 즉, 압력이 스프링 작용력을 초과하면 플런저를 움직여 마이크로 스위치를 작동시킨다. 기계적 멈춤쇠(7)가 플런저의 최대 변위를 제한하며 마이크로 스위치를 보호한다.

다른 형태의 피스톤식 압력 스위치의 구조가 그림 6.27b에 그려져 있다. 이 스위치는 하우징(1), 피스톤(2), 스프링(3), 조정 요소(4), 마이크로 스위치(5) 등으로 구성되어 앞에서 설명한 스위치와 유사하다. 그러나 마이크로 스위치가 평상시의 낮은 압력에서는 플레이트(6)와 접촉하고 있다. 압력이 오리피스(7)를 통하여 피스톤에 작용하고, 피스톤이 스프링을 압축한다. 압력이 설정압력에 도달하면 피스톤이 플레이트(6)를 밀어서 마이크로 스위치와의 접촉이 해제된다. 전기 접점의 배선 방법에 따라서 스위치가 닫히거나 열리게 할 수 있다.

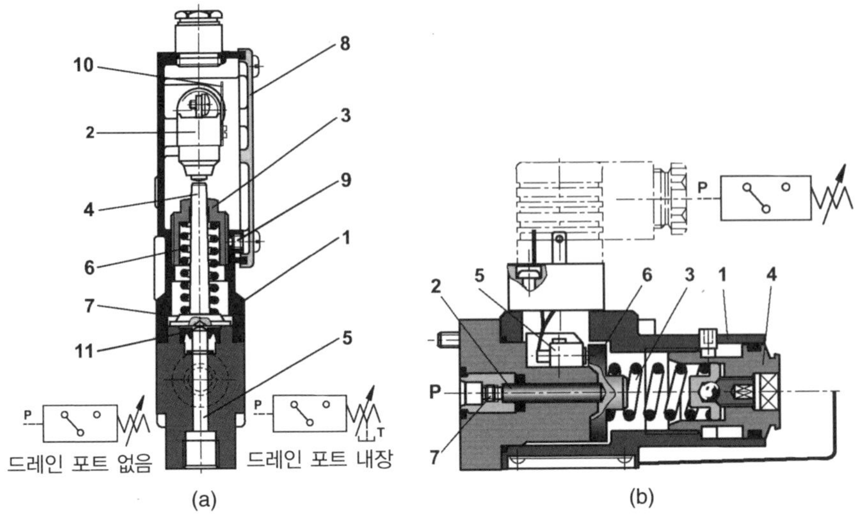

그림 6.27 피스톤식 전기-유압 압력 스위치 (*Bosch Rexroth AG. 게재 승인*)

6.4.2 부르동 튜브식 압력 스위치

부르동 튜브에 의하여 작동되는 압력 스위치는 오염에 대한 내성이 우수하고 작동 이 정밀하다. 이 압력 스위치는 그림 6.28에서와 같이 하우징(1), 부르동 튜브(2), 타격 플레이트(3)와 마이크로 스위치(4) 등으로 구성된다. 부르동 튜브에 작용하는 압력이 증가하면 부르동 튜브가 확장되고, 내장된 레버 기구에 의하여 부르동 튜브의 확장 변위는 선형 변위로 변환되면서 마이크로 스위치를 작동시킨다.

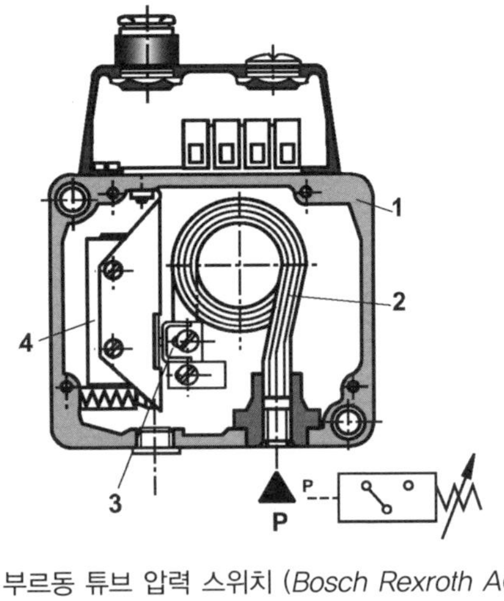

그림 6.28 부르동 튜브 압력 스위치 (*Bosch Rexroth AG. 게재 승인*)

6.4.3 압력 게이지 분리기

압력 게이지 분리기는 3방향-2위치 방향제어밸브로서, 유압시스템으로부터 압력 게이지를 분리하는 용도로 사용된다. 게이지의 압력은 게이지 분리기의 누름 버턴을 누름으로써 읽을 수 있게 된다. 이 밸브의 구성은 그림 6.29가 보여 주듯이 하우징(1), 스풀(2), 스프링(3), 누름 버턴(4)와 압력 게이지 연결구(5)로 구성된다. 평상시에 압력 포트(P)는 닫히며 압력 게이지가 탱크 포트(T)로 연결된다. 누름 버턴을 누름으로써 스풀 위치가 변경되며 압력 신호가 게이지 포트(M)에 전달된다. 누름 버턴이 해제되면 스프링의 복원력에 의하여 스풀이 정상 위치로 복귀하며 게이지 포트(M)는 탱크 포트(T)와 연결된다.

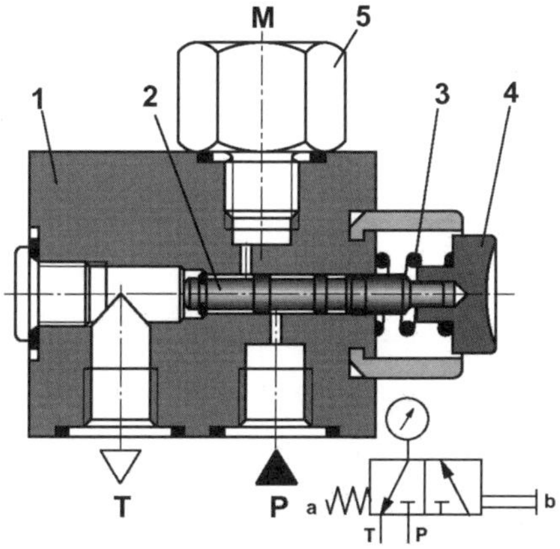

그림 6.29 압력 게이지 분리기 (*Bosch Rexroth AG. 게재 승인*)

6.5 연습문제

1. 유압 어큐뮬레이터의 동작 원리와 응용 가능한 사례를 설명하라.
2. 오일과 공기가 함께 작용하여 동작하는 어큐뮬레이터의 체적용량에 관한 식을 유도하라.
3. 피스톤식 어큐뮬레이터 (그림 6.2 참조)의 구조와 동작 과정을 설명하라
4. 블래더식 어큐뮬레이터 (그림 6.3~6.5 참조)의 구조와 동작 과정을 설명하라.
5. 다이아프램식 어큐뮬레이터 (그림 6.6과 6.7 참조)의 구조와 동작 과정을 설명하라.
6. 에너지 저장 요소로 유압 어큐뮬레이터를 이용하는 방법을 서술하라. 응용 사례의 유압 회로를 그려라.
7. 기체 압축 과정을 등온 변화로 가정하고 유압 어큐뮬레이터에 저장된 총 에너지에 관한 식을 유도하라. 유효 에너지가 최대로 되는 조건을 구하라.

8. 기체 압축 과정을 폴리트로픽 과정으로 가정하고 유압 어큐뮬레이터에 저장되는 총 에너지에 관한 식을 유도하라. 저장 에너지가 최대로 되는 조건을 구하라.

9. 기체 압축 과정을 등온 변화로 가정하고 유압 어큐뮬레이터에 저장되는 총 에너지에서 이용 가능한 유효 에너지에 관한 식을 유도하라. 유효 에너지가 최대로 되는 조건을 구하라.

10. 기체 압축 과정을 폴리트로픽 과정으로 가정하고 유압 어큐뮬레이터에 저장된 에너지에서 이용 가능한 유효 에너지에 관한 식을 유도하라. 유효 에너지가 최대로 되는 조건을 구하라.

11. 용적형 펌프의 토출압력의 맥동을 감쇠시키기 위해 유압 어큐뮬레이터를 이용하는 방법을 서술하라.

12. 유압 충격으로부터 시스템을 보호할 목적으로 유압 어큐뮬레이터를 이용하는 방법을 서술하라.

13. 오일의 열팽창으로부터 시스템을 보호할 목적으로 유압 어큐뮬레이터를 이용하는 방법을 서술하라.

14. 내부 누설을 보상하고 일정한 압력을 유지할 목적으로 유압 어큐뮬레이터를 이용하는 방법을 서술하라.

15. 유압 스프링으로 유압 어큐뮬레이터를 이용하는 방법을 서술하라.

16. 오일의 열팽창으로 인하여 과도한 압력 상승이 초래되며, 이러한 압력 상승으로부터 유압 배관을 보호할 목적으로 유압 어큐뮬레이터를 이용한다. ΔT의 온도 상승에 대해 허용 가능한 압력 상승이 ΔP라고 할 경우에 적절한 어큐뮬레이터 크기에 관한 식을 유도하라.

17. 어큐뮬레이터의 기체 충전 압력이 게이지 압력으로 90 bar이며, 100 bar와 200 bar 사이에서 5 L의 오일을 저장하고자 할 경우에 어큐뮬레이터 체적을 계산하라. 기체 압축 과정은 단열변화로 가정한다.

18. 50초(s)의 작동 주기(cycle)를 가지는 유압 시스템이 있다. 작동 주기 동안의 소요 유량은 다음 그림에 나타나 있다. 유량 제어 밸브에 의해 유량이 제어되고 펌프는 정용량 펌프이다. 다음 각각의 경우에 대하여 소요 펌프 유량을 결정하라.

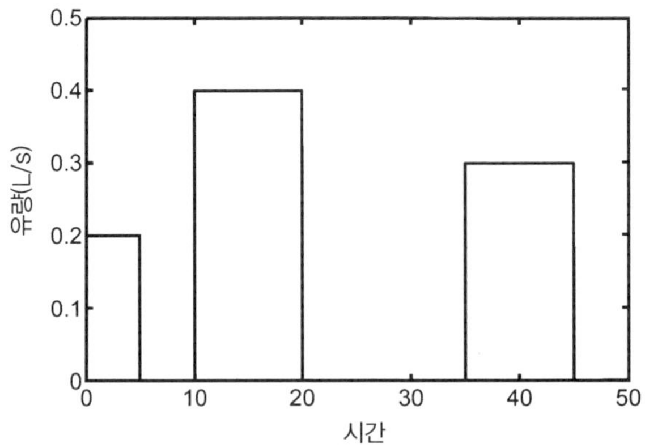

(a) 최대 토출압력이 160 bar로 설정된 펌프만으로 유압동력을 공급하는 경우에 펌프 유량을 결정하라.

(b) 짧은 기간 동안에 큰 유량이 필요한데 소요 유량의 일부를 보상할 목적으로 유압 어큐뮬레이터를 사용한다. 최저 압력 160 bar, 최고 압력 240 bar 사이에서 작동하는 어큐뮬레이터의 적절한 용량과 함께 펌프 유량을 결정하라.

19. 유압 필터의 기능을 간략히 서술하라.

20. 그림 6.27에 도시된 압력 스위치의 구조와 동작 과정을 설명하라.

21. 유압동력 발생 장치의 작동 조건은 다음과 같다.

펌프 토출유량	$Q_P = 0.4$ L/s
최고 작동 압력	$P_{max} = 70$ bar
최저 작동 압력	$P_{min} = 60$ bar
펌프 전 효율	$\eta_T = 0.9$

$\Delta T = 0.1$ s 동안 0.8 L의 오일이 필요한 작업이 간헐적으로 발생하는데, 연속되는 두 작업 사이의 최소 시간 간격 $\Delta T_2 = 30$초이다. 어큐뮬레이터를 사용하는 경우에 적절한 어큐뮬레이터 체적을 계산하라. 어큐뮬레이터를 사용하는 경우와 사용하지 않는 경우에 소요 동력의 크기를 비교하라.

6.6 기호 설명

A = 피스톤 면적, m^2

A_T = 교축면적, m^2

F = 스프링 힘, N

k = 등가 탄성계수, N/m

n = 펌프 속도, rev/s

n = 폴리트로픽 지수

N = 펌프 구동 동력, W

P = 압력, Pa

P_1 = 최저 시스템 압력, Pa (abs)

P_2 = 최고 시스템 압력, Pa (abs)

P_o = 어큐뮬레이터의 기체 충전 압력, Pa (abs)

Q_{max} = 최대 소요 유량, m^3/s

q_T = 교축 유량, m^3/s

R_T = 교축 저항, Pa s/m^3

V = 어큐뮬레이터의 기체 체적, m^3

V_1 = P_1에서의 기체 체적, m^3

V_2 = P_2에서의 기체 체적, m^3

V_g = 펌프 이론배제용적, m^3/rev
V_g = 어큐뮬레이터의 기체 체적, m^3
V_L = 어큐뮬레이터의 오일 체적, m^3
V_0 = 어큐뮬레이터 용적, P_o에서의 충전 기체 체적, m^3
x = 피스톤 변위, m
x_0 = 스프링 초기 압축 길이, m
ΔT = 온도상승, K
ρ = 오일 밀도, kg/m^3
η_v = 펌프 용적효율
η_T = 펌프 전 효율
α = 오일 열팽창 계수, K^{-1}

부록 6A 어큐뮬레이터에 의한 압력맥동의 완화

그림 6A.1의 펌프 토출부에 설치된 유압 어큐뮬레이터는 펌프 토출유량의 맥동으로 인한 압력맥동을 완화한다. 이 부록은 유압 어큐뮬레이터가 압력맥동을 감쇠시키는 효과에 대하여 예를 들어 설명한다.

단순 조화 운동을 하는 z개의 피스톤으로 구성되는 피스톤 펌프를 가정한다. 각 피스톤의 변위는 다음 식으로 표현된다.

$$x_i = h\sin\left\{\omega t + \frac{2\pi(i-1)}{z}\right\};\ i = 1\text{부터 } z \tag{6A.1}$$

$$\omega = 2\pi n_p \tag{6A.2}$$

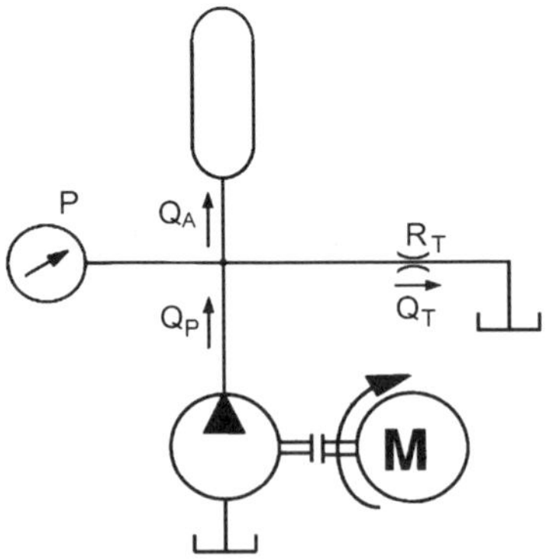

그림 6A.1 펌프 토출압력의 맥동을 감쇠시키기 위한 유압 어큐뮬레이터의 이용

각 피스톤에 의하여 공급되는 유량을 Q_i라고 할 때, 아래 식에서 $Q_i \geq 0$인 경우만 펌프에서 토출된다.

$$Q_i = A_p \frac{dx_i}{dt} = \omega h A_p \cos\left\{\omega t + \frac{2\pi(i-1)}{z}\right\} \tag{6A.3}$$

내부 누설유량을 무시하면 펌프 토출유량은

$$Q_p = \sum_{i=1}^{i=z} Q_i = \sum_{i=1}^{i=z} \omega h A_p \cos\left\{\omega t + \frac{2\pi(i-1)}{z}\right\} \tag{6A.4}$$

여기서 A_p = 피스톤 면적, m^2
h = 피스톤 행정의 절반, m
n_p = 펌프 속도, rps
Q_i = 한 개 피스톤의 토출유량, m^3/s
Q_p = 펌프 토출유량, m^3/s
x_i = 피스톤 변위, m
z = 피스톤 갯수
ω = 펌프 구동축의 회전 속도, rad/s

부하측 오리피스를 통과하는 유량 Q_T 는

$$Q_T = C_d A_T \sqrt{2P/\rho} \tag{6A.5}$$

어큐뮬레이터 오일 체적의 증가는

$$\Delta V_L = \int (Q_p - Q_T)\,dt \tag{6A.6}$$

어큐뮬레이터 압력은 다음 식으로 주어진다.

$$P = P_o \left(\frac{V_o}{V_L}\right)^n \tag{6A.7}$$

여기서 A_T = 교축면적, m^2
n = 폴리트로픽 지수
P = 펌프 토출압력, Pa (abs)
P_o = 어큐뮬레이터의 기체 충전 압력, Pa (abs)
Q_T = 교축밸브 통과 유량, m^3/s

V_L = 어큐뮬레이터의 오일 체적, m^3
V_0 = 어큐뮬레이터 용적, m^3
ρ = 오일 밀도, kg/m^3

그림 6A.1의 시스템은 (6A.1)에서 (6A.7)까지의 식으로 표현된다. 이 식들을 SIMULINK 프로그램으로 표현하여 컴퓨터 시뮬레이션을 수행하면 다음과 같다. 압력맥동의 주파수는 펌프 구동 속도를 조절함으로써 설정하였고 어큐뮬레이터의 사용여부에 따라 피스톤 행정 거리를 재설정해 줌으로써 펌프의 평균유량을 통일시켜 상호 비교가 가능하게 하였다. 시뮬레이션 결과는 그림 6A.2와 같다. 낮은 주파수의 맥동 신호는 미세하게 감쇠되었으나, 맥동주파수가 증가함에 따라 맥동 감쇠 효과가 증가하였다. 이미 그림 6.17에서 설명되었던 바와 같이 어큐뮬레이터가 낮은 주파수 대역 필터로 작용함을 알 수 있다.

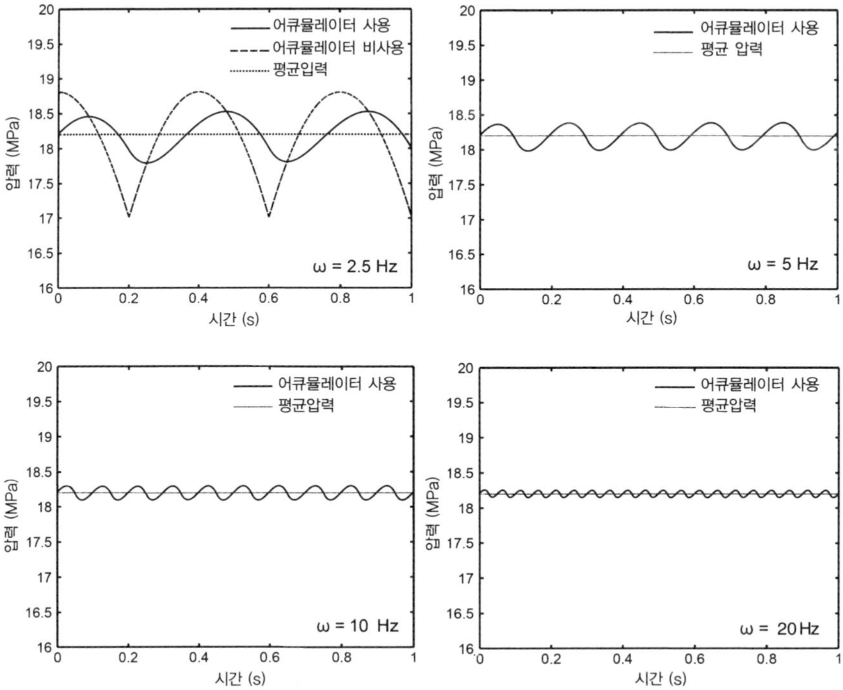

그림 6A.2 서로 다른 주파수의 압력맥동에 대한 어큐뮬레이터의 감쇠 효과 시뮬레이션 결과

부록 6B 어큐뮬레이터에 의한 유압 충격의 흡수

유압 충격으로부터 시스템을 보호하기 위해 어큐뮬레이터를 사용하는 효과를 살펴본다. 적절한 어큐뮬레이터의 크기는 식 (6.82)로부터 계산될 수 있다. 그림 6B.1의 주요 사양은 다음과 같다.

어큐뮬레이터의 기체 충전 압력	= 5.1 MPa
허용 압력 상승	= 2.2 MPa
오일 체적탄성계수	= 1.6 GPa
유압 배관 내경	= 1 cm
유압 배관 초기 압력	= 6.2 MPa
초기 오일 속도	= 6 m/s
입구 압력	= 8 MPa
동점도	= 56 cSt
배관 길이	= 18 m
배관 커패시턴스: C	$= 8.84 \times 10^{-13}$ m³/Pa
배관 관성 : I	$= 1.99 \times 10^{8}$ kg/m⁴
배관 저항: R	$= 3.56 \times 10^{9}$ Ns/m⁵
오일 밀도	= 868 kg/m³
폴리트로픽 지수	= 1.3

배관을 표현하는 식은 부록 3B에 주어져 있다. 두 개의 집중모델을 적용할 경우, 두번째 커패시턴스을 표현하는 식 (3B.13)은 다음의 식으로 대체되어야 한다.

$$V = V_o - \int (Q_{1L} - Q_L)\,dt \tag{6B.1}$$

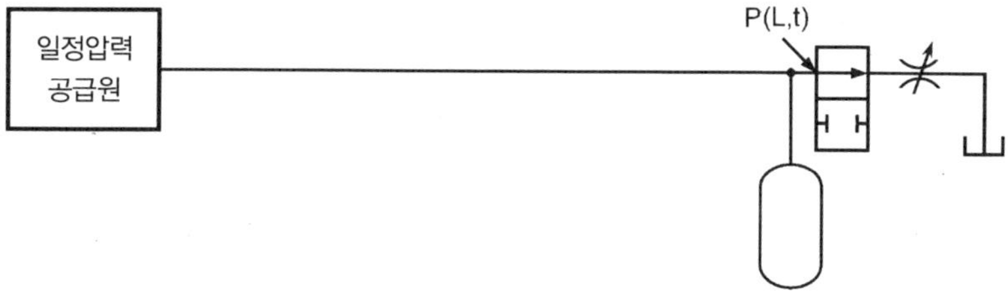

그림 6B.1 실험 장치의 구성도

$$P_L = P_o(V_o/V)^n \tag{6B.2}$$

그림 6B-2는 유압 배관에 일정한 압력의 오일을 공급하고 배관 끝단의 방향제어밸브를 열었을 때 오일 속도가 6 m/s가 되도록 교축밸브를 설정한 상태에서 방향제어밸브를 $t = 0.2$s에서 빠르게 닫았을 때 어큐뮬레이터를 부착한 경우와 부착하지 않은 경우에 대해 배관 끝단부 압력의 과도응답을 보여 준다.

어큐뮬레이터를 설치하지 않은 배관의 과도응답은 63.9 bar의 압력 오버슛과 353 ms 의 정착시간을 보여 준다. 그러나 어큐뮬레이터를 설치함으로써 오버슛이 8 bar로 줄고 정착시간도 169 ms로 감소되었다. 뿐만 아니라, 과도응답의 진동도 현저하게 감소되었는데, 결과적으로 배관의 피로 수명이 연장되는 효과도 얻게 된다.

다음의 식으로 정의되는 오차 제곱 적분(IES)을 이용하여 어큐뮬레이터 용적이 미치는 효과를 조사하였다.

$$\text{IES} = \int_0^T (P_L - P_{Lss})^2 dt \tag{6B.3}$$

계산 결과가 그림 6B.3에 나타나 있다. 일반적으로 밸브 가까이에 어큐뮬레이터를 설치함으로써 과도응답의 진동하는 진폭과 지속 시간을 감소시킬 수 있다. 최소 IES 값은 식 (6.82)에 의해 계산된 어큐뮬레이터 크기인 0.126 L에서 얻어질 것으로 추정되었지만 실제 최소 IES 값은 0.152 L에서 얻어졌다.

어큐뮬레이터의 크기가 IES에 미치는 효과는 다음과 같이 설명된다: 최소 IES 값

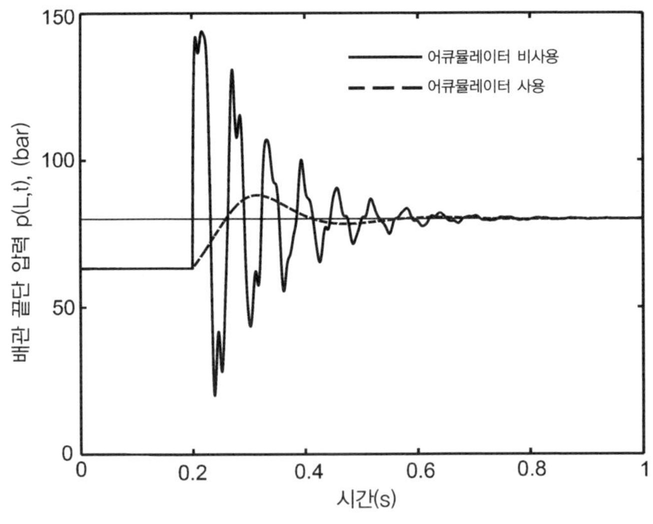

그림 6B.2 출구 교축밸브를 급격히 닫는 경우 배관 압력의 과도응답

의 크기보다 어큐뮬레이터 용적을 증가시키면 어큐뮬레이터 커패시턴스 [식 (6.42) 참조]도 비례하여 증가되며, 시스템의 강성과 고유진동수는 감소한다. 반면에 유로 저항은 어큐뮬레이터의 용적과 무관하여 영향을 받지 않으며, 이러한 결과는 감쇠 계수의 증가를 초래한다. 그러므로 어큐뮬레이터의 용적을 키우면 과도응답의 감쇠 특성이 강해지며, 정착시간이 길어지고, IES 값이 증가한다.

어큐뮬레이터 용적을 최소 IES 값을 갖는 크기 이하로 줄이면, 감쇠 계수가 작아지고, 오버슛이 더욱 커지며, IES 값이 증가한다(그림 6B.4 참조). 그러므로 어큐뮬레이터 크기를 선정함에 있어서 최소 IES의 조건뿐만 아니라 오버슛의 크기도 고려되어야 한다.

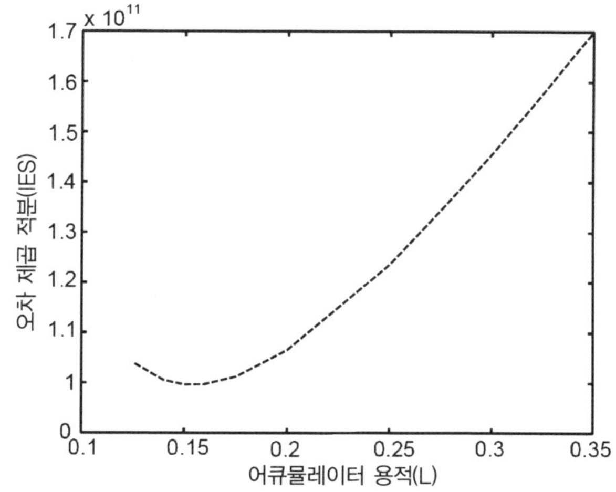

그림 6B.3 어큐뮬레이터 용적이 과도응답의 오차 제곱 적분에 미치는 영향

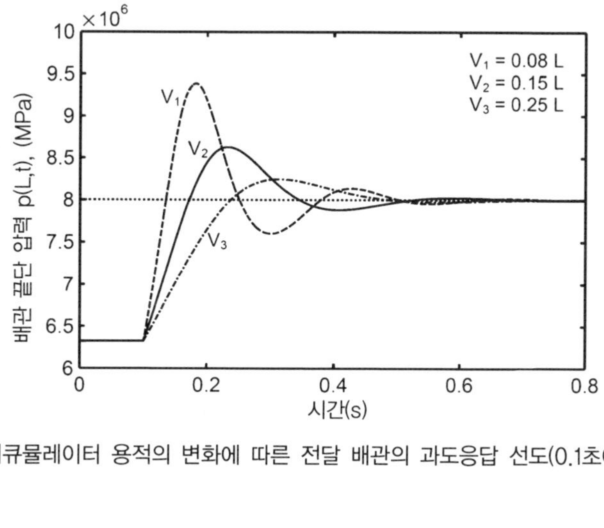

그림 6B.4 어큐뮬레이터 용적의 변화에 따른 전달 배관의 과도응답 선도(0.1초에 교축밸브를 급격히 닫음)

기호와 약어

n = 폴리트로픽 지수
P = 압력, Pa
P_L = 배관 끝단 압력, Pa
P_{Lss} = 닫힌 끝단의 정상상태 압력, Pa
P_o = 어큐뮬레이터의 기체 충전 압력, Pa (abs)
Q = 유량, m^3/s
T = 적분 시간, s
V_0 = 어큐뮬레이터 용적, m^3

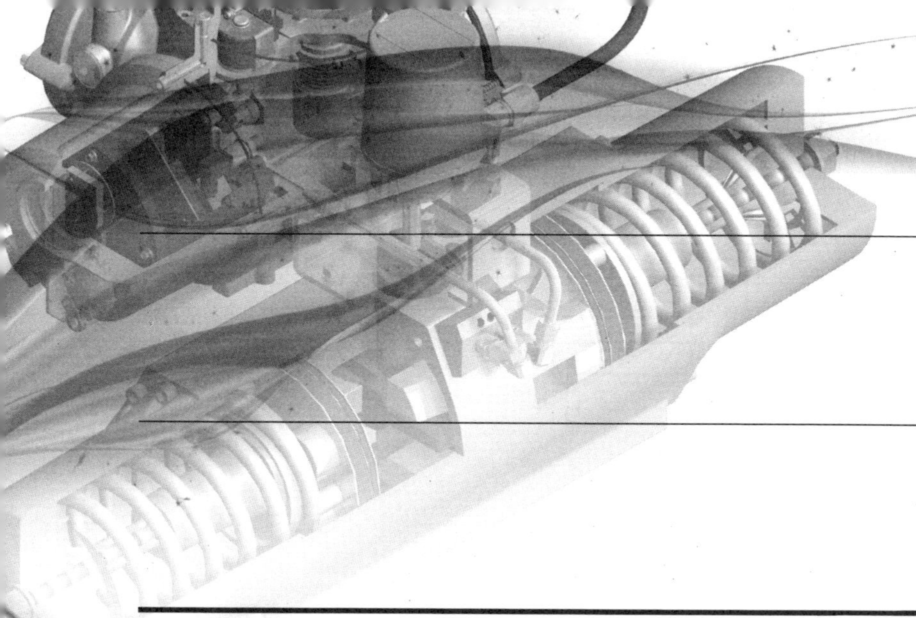

CHAPTER 7

유압 구동기

Hydraulic Actuators

FLUID POWER ENGINEERING

7.1 서론

유압 구동기는 유압동력을 기계동력으로 변환한다. 부하로 전달되는 기계동력은 다양한 밸브에 의하여 압력과 유량을 제어함으로써 조절된다. 유압 구동기는 운동 형태에 따라서 세 가지 주요 그룹으로 분류된다.

- 직진 운동을 하는 유압 실린더
- 연속 회전 운동을 하는 유압 모터
- 제한된 각 변위 운동을 하는 로테이터

7.2 유압 실린더

유압 실린더는 유압동력을 기계동력으로 변환하여 직선 운동을 수행하며, 공급되는 오일의 압력이 피스톤에 작용하여 추력을 발생시킨다(그림 7.1 참조). 다음 식은 마찰과 누설을 무시한 이상적인 유압 실린더의 정상상태 운동을 표현한다.

$$F = P_1 A_p - P_2 A_r \quad \text{그리고} \quad v = \frac{Q_1}{A_p} = \frac{Q_2}{A_r} \tag{7.1}$$

실제 실린더의 정상상태 동작에는 내부 누설 Q_L과 마찰력 F_f가 고려되어야 한다. 따라서 부하에 전달되는 기계동력 (vF)는 실린더에 전달되는 유압동력 ($P_1Q_1 - P_2Q_2$)보다 작아진다. 실제 실린더의 힘과 속도는 다음 식으로 표현된다.

$$F = P_1 A_p - P_2 A_r - F_f \quad \text{그리고} \quad v = \frac{Q_1 - Q_L}{A_p} = \frac{Q_2 - Q_L}{A_r} \tag{7.2}$$

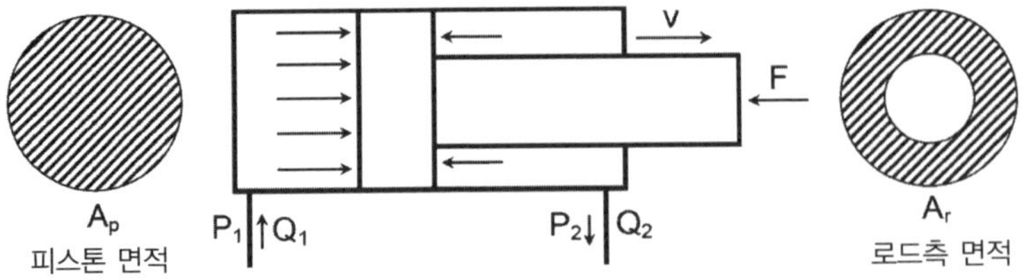

그림 7.1 유압 실린더의 작동 변수

여기서 A_P = 피스톤 면적, m^2

A_r = 로드측 수압 면적, m^2

F = 피스톤 구동력, N

F_f = 마찰력, N

P = 압력, Pa

Q = 유량, m^3/s

Q_L = 내부 누설유량, m^3/s

v = 피스톤 속도, m/s

7.2.1 유압 실린더의 구조

그림 7.2는 유압 실린더의 전형적인 구조를 보여준다. 주된 구성 부품으로는 피스톤, 피스톤 로드, 실린더 배럴, 실린더 헤드, 실린더 캡 등이 있고 피스톤 로드가 실린더 헤드를 통하여 나오거나 들어간다. 피스톤에는 내부 틈새를 차단하기 위해서 피스톤 실이 설치되며, 실린더 헤드에는 외부 누설을 차단하는 로드 실이 내장된다. 유압 실린더에는 타이로드형 실린더와 용접구조형 실린더의 두 가지 기본 형태가 있다. 이러한 분류는 실린더 부품의 조립 방법에 따른 것이다. 타이로드형 실린더에서 실린더 헤드와 실린더 캡은 타이로드에 의하여 조립되며, 실린더 배럴–헤드–캡 사이의 밀폐는 정적인 밀봉 요소로 이루어진다(그림 7.3 참조). 반면에 용접 튜브형 실린더는 다음과 같이 다양한 방법으로 조립된다.

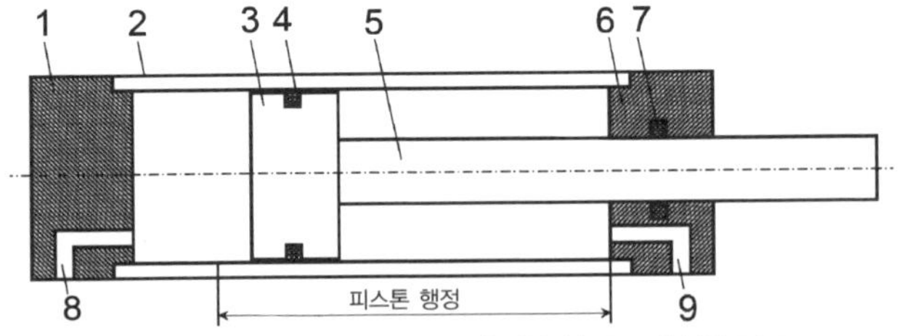

1. 실린더 캡, 2. 배럴, 3. 피스톤, 4. 피스톤 실, 5. 피스톤 로드,
6. 실린더 헤드, 7. 로드 실, 8과 9. 실린더 포트

그림 7.2 전형적인 유압 실린더의 구조

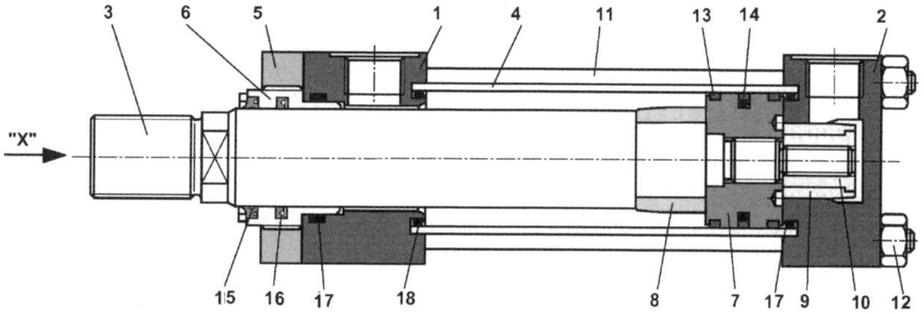

1. 헤드, 2.캡, 3. 피스톤 로드, 4. 실린더 튜브, 5. 플랜지, 6. 가이드 부시, 7. 피스톤, 8과 9. 완충 부시, 10. 나사체결식 링, 11. 타이로드, 12. 너트, 13. 가이드 링, 14. 피스톤 실, 15. 와이퍼, 16. 피스톤 로드 실, 17과 18. O링

그림 7.3 타이로드형 실린더의 구조 (*Bosch Rexroth AG. 게재 승인*)

- 실린더 캡과 실린더 헤드는 실린더 배럴에 용접된 플랜지에 나사로 체결된다(그림 7.4 참조).
- 실린더 캡이 실린더 배럴에 용접되고, 실린더 헤드는 배럴 몸체와 스크류 방식으로 체결된다(그림 7.5 참조).

7.2.2 실린더 완충

유압 실린더의 신장 속도와 수축 속도는 유입 유량과 유출 유량을 제어함으로써 조절되고 피스톤이 양쪽 끝에 이르면 정지한다. 만일, 큰 관성 부하가 빠른 속도로 움직이는 경우에 피스톤을 갑자기 정지시키면 심각한 충격 하중을 받게 된다. 이 충격 하중은 이송 부하의 속도의 제곱과 질량에 비례한다. 충격 하중은 실린더뿐만 아니라 구동되는 기구부까지도 손상시킬 수 있다. 그러므로 피스톤이 실린더 끝 정지면에 이르기 전에 완충시키는 장치가 필요하다. 완충장치는 정지하는 부하의 운동에너지를 흡수하여 소멸시킨다.

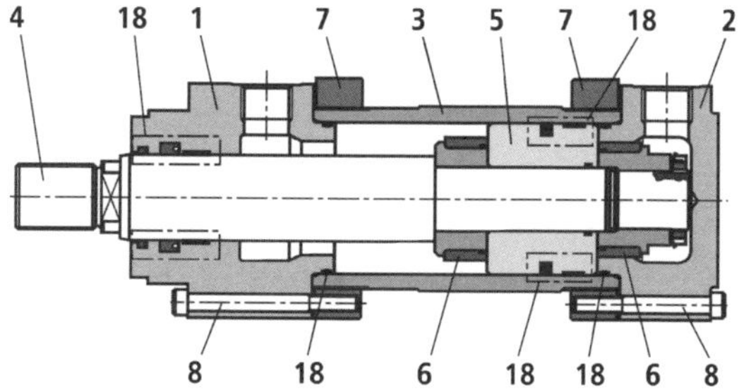

1. 헤드, 2. 캡, 3. 배럴, 4. 피스톤 로드, 5. 피스톤, 6. 완충부시, 7. 플랜지, 8. 볼트, 18. 실 키트

그림 7.4 볼트 체결 방식의 헤드를 가진 용접 튜브형 유압 실린더 (*Bosch Rexroth AG. 게재 승인*)

그림 7.6은 조절이 가능한 완충장치를 가진 유압 실린더의 모습이다. 피스톤(1)에 원추 형상의 완충 부시(2)가 구비되어 있다. 실린더 중간 부분의 수축 행정에서는 귀환 오일이 저항없이 빠져나간다. 피스톤이 정지면에 가까이 접근하면 완충 부시가 실린더 캡(4)의 원통형 공간에 삽입되어 유로를 막게 되고, 피스톤 체임버(5)의 오일은 좁은 관로(6)를 통하여 교축밸브(7)로 빠져 나가야 된다. 피스톤 체임버의 오일 흐름이 교축되므

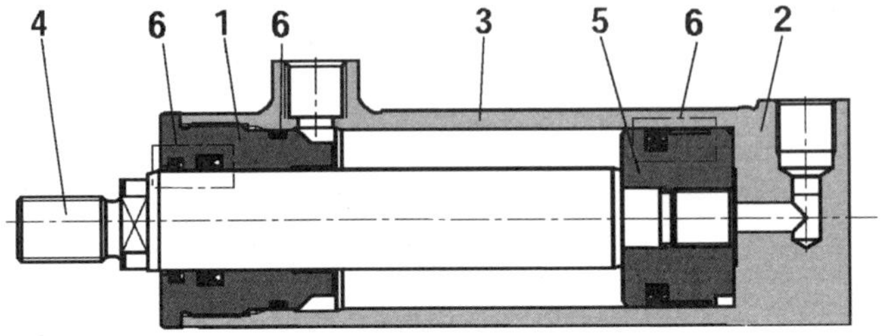

1. 헤드, 2. 캡, 3. 배럴, 4. 피스톤 로드, 5. 피스톤, 6. 실 키트: 와이퍼, 로드 실, 피스톤 실, O링과 가이드 부시

그림 7.5 나사 체결식 헤드를 가진 용접구조형 유압 실린더 (*Bosch Rexroth AG. 게재 승인*)

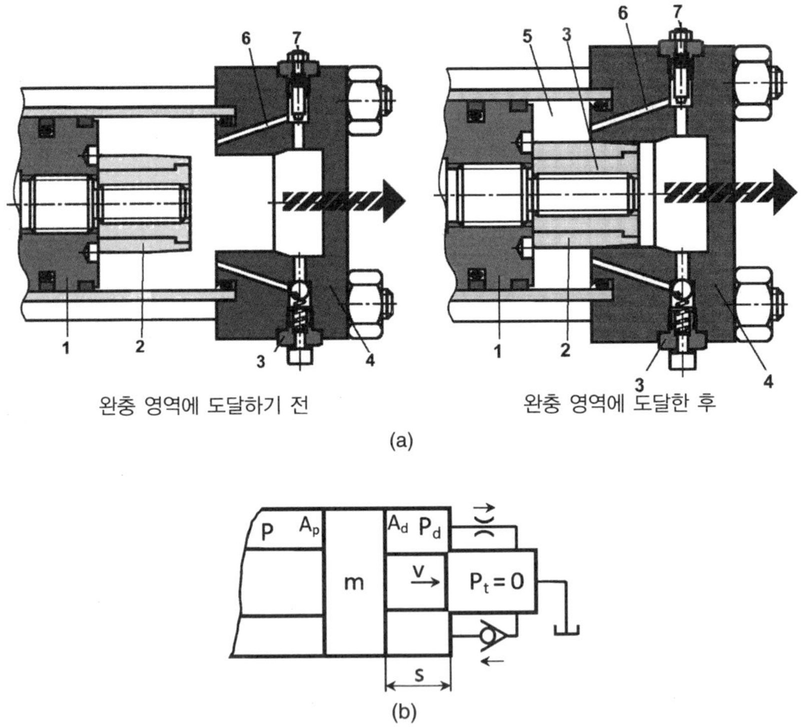

그림 7.6 (a) 유압 실린더의 완충 동작 (*Bosch Rexroth AG. 게재 승인*), (b) 완충 요소의 기능적 도시

로 체임버 압력이 상승하고 이 압력은 피스톤을 감속시킨다.

첵 밸브(3)의 기능은 피스톤이 반대 방향으로 움직이기 시작할 때에 교축밸브를 거치지 않고 오일을 바이패스시키는 것이다. 즉, 실린더가 신장하기 시작할 때 오일이 첵 밸브를 통과하여 피스톤 체임버로 들어갈 수 있으므로 순간적으로 피스톤 전체 면적에 높은 압력이 작용하여 신속한 가속이 가능하다. 피스톤은 한 쪽에만 완충 장치가 설치되기도 하지만 양 쪽 모두에 구비되기도 한다. 교축밸브는 고정식과 가변식의 두 가지 가 있다. 그림 7.6a에 도시된 교축밸브는 나사에 의해 조절되는 방식이다. 움직이는 부하의 운동 에너지는 완충 기간 중에 소진되는 에너지로 정의되는 완충 용량을 초과하지 않아야 한다.

완충 장치는 실린더 운동을 감속시키는 힘 또는 압력을 만들어야 하는데, 그 압력이 제한된 범위를 초과하지 않아야 한다. 움직이는 부하의 운동 에너지는 완충 작용 구간에서 유체의 흐름이 교축되면서 열 에너지로 변환되며, 열 에너지는 주변으로 소멸된다. 이상적인 완충 작용은 피스톤이 완충 행정 s의 끝에 도달할 때에 정확히 정지하는 것이다. 완충 행정의 끝에서 피스톤이 정지하기 위해서 감속도 a는 다음의 식을 만족해야 한다.

$$a = \frac{v^2}{2s} \tag{7.3}$$

실린더가 수평으로 설치되었다고 가정한 상태에서 피스톤에 작용하는 힘의 평형 조건으로부터(그림 7.6b 참조) 완충 감속 힘은 다음 식과 같다.

$$P_d A_d = ma + PA_P \tag{7.4}$$

일반적으로 완충 압력은 실린더의 허용 공칭 압력을 초과하지 않아야 한다. 평균 완충 압력 P_d는 다음 식으로 주어진다.

$$P_d = \frac{1}{A_d}\left(\frac{mv^2}{2s} + PA_P\right) \tag{7.5}$$

여기서 a = 감속도, m/s²
A_d = 압력 P_d의 작용 면적, m²
A_P = 압력 P의 작용 면적, m²
m = 관성 질량, kg
P = 구동압력, Pa
P_d = 완충 공간의 평균 압력, Pa
s = 완충 길이, m
v = 완충 초기의 피스톤 속도, m/s

실린더가 수직으로 설치되는 경우에는 힘의 평형식에서 움직이는 방향에 따라 부하 하중이 더해지거나 감해져야 한다. 지금까지의 설명에서는 실린더 마찰력이 무시되었지만 정밀한 결과가 필요하거나 마찰력이 크게 작용하는 경우에는 마찰력이 고려되어야 한다. 만약 계산 결과의 완충 압력이 허용치보다 높은 경우에는 완충 행정 거리를 늘리거나 피스톤 속도를 줄여야 한다.

7.2.3 받침 튜브

플랜지 설치, 바닥 돌기(foot) 설치 혹은 실린더 몸체가 고정되는 설치 등의 방법에서 피스톤 로드 축에 수직한 방향으로 작용하는 횡방향 부하는 로드 베어링에 높은 부하로 작용한다. 특히 로드가 완전히 신장된 위치에서는 문제가 더욱 심각해진다. 바람직하지 않은 횡방향 부하의 영향은 그림 7.7에 도시된 받침 튜브를 적용함으로써 완화될 수 있다. 받침 튜브는 피스톤이 실린더 헤드에 이르기 전에 정지시킴으로써 로드 베어링과 피스톤 사이의 거리를 늘려 준다. 그림 7.7에서 보는 바와 같이 받침 튜브(3)는 피스톤(1)과 실린더 헤드(2) 사이에 삽입되어 모멘트 암의 길이를 늘려 주고, 결과적으로 베어링 부하를 경감시키게 된다. 반면에 받침 튜브는 실린더의 유효 행정 거리를 감소시킨다.

7.2.4 실린더 좌굴

유압 실린더에 작용하는 축방향 하중은 좌굴 하중의 허용치를 초과하지 않아야 한다. 좌굴 현상은 유압장치에 큰 손상을 초래할 수 있으므로 좌굴 제한 하중이 고려되어야 한다. 좌굴의 제한 하중은 다음 식으로 주어진다.

$$F = \frac{\pi^2 EJ}{nL_K^2} \quad (\lambda \geq \lambda_g \text{ 일 때 오일러식에 의함}) \tag{7.6}$$

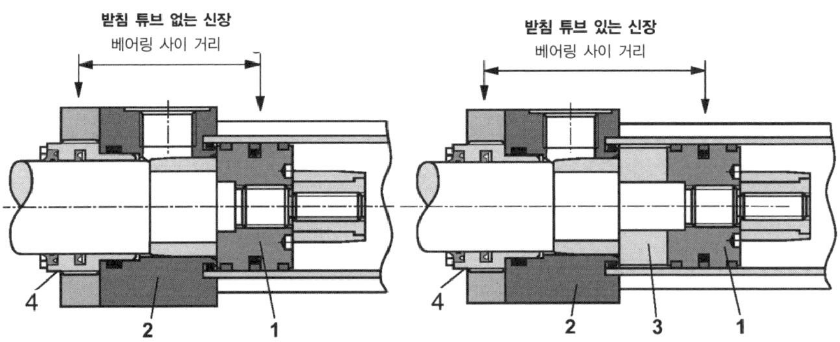

1. 피스톤, 2. 실린더 헤드, 3. 받침 튜브, 4. 로드 베어링

그림 7.7 받침 튜브의 기능 (*Bosch Rexroth AG. 게재 승인*)

$$F = \frac{\pi d^2(335 - 0.62\lambda)}{4n} \quad (\lambda \le \lambda_g \text{ 일 때 테트마이어식에 의함}) \tag{7.7}$$

$$\text{여기서 } J = \frac{\pi d^4}{64} = 0.0491\, d^4 \text{ (원형 단면 경우)} \tag{7.8}$$

$$\lambda = 4\frac{L_K}{d} \tag{7.9}$$

$$\lambda_g = \pi\sqrt{1.25\, E/R} \tag{7.10}$$

자유 좌굴 길이 L_K는 그림 7.8의 공식으로부터 구할 수 있다. 계산 과정에서 실린더 튜브의 효과는 고려되지 않았다. 실린더 튜브의 강화 효과를 고려하지 않는 것이 실린더의 굽힘 응력에 대한 여유를 가진다는 점에서 바람직하다.

여기서 n = 안전계수(일반적으로 3.5를 가정)
d = 피스톤 로드 직경, m
E = 탄성계수, N/m^2 (강철 재료 경우 $E = 2.1 \times 10^{11}$)
J = 관성 면적 모멘트 혹은 면적 2차 모멘트, m^4
L_K = 자유 좌굴 길이, m
R = 피스톤 로드 재료의 항복 강도, N/m^2
λ = 세장비

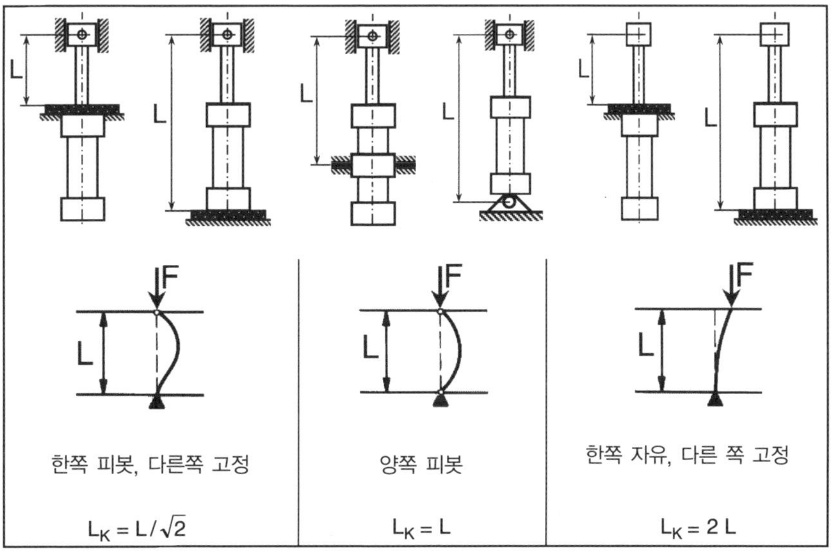

그림 7.8 자유 좌굴 길이에 대한 설치 방법의 영향

7.2.5 실린더 길이

그림 7.9는 복동 유압 실린더의 다양한 무효길이들을 보여 준다. 유압 실린더의 최소 길이 L은 다음과 같이 구성된다.

$$L = L_4 + \text{조정 여유} + \text{무효길이들} \tag{7.11}$$

$$L = 2L_1 + L_2 + L_3 + L_4 + L_5 + L_6 + L_7 + L_8 \tag{7.12}$$

여기서 L_1 = 연결 돌기부 반경 + 2.5 mm 여유, m
L_2 = 실린더 캡 길이, m
L_3 = 피스톤 길이, m
L_4 = 행정, m
L_5 = 실린더 헤드 길이, m
L_6 = 피스톤 로드 돌출부 길이 + 잠김 너트 두께, m
L_7 = 길이 조정 여유, m
L_8 = 끝단부 두께, m

만약 실린더 부착 방법이 트러니언형(그림 7.21 참조)이면 L_1이 줄어든다.

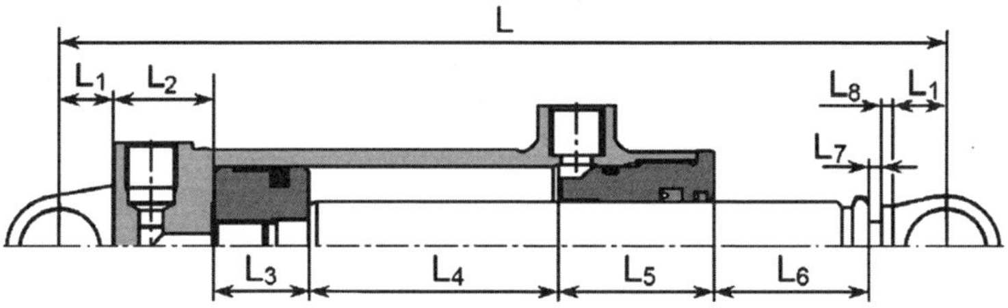

그림 7.9 행정과 무효길이

7.2.6 유압 실린더의 분류

유압 실린더는 단동형, 복동형, 탠덤형, 그리고 텔리스코프형으로 분류된다. 유압 실린더에는 정지위치 고정 기구가 장착되기도 한다.

단동형 실린더

그림 7.10과 7.11에는 단동형 유압 실린더의 구조를 예시하였다. 피스톤 혹은 플런저는 한쪽 방향으로만 유압에 의해 구동된다. 반대 방향의 복귀는 외부 힘에 의하거나 내장된 스프링의 복원력에 의하여 이루어진다.

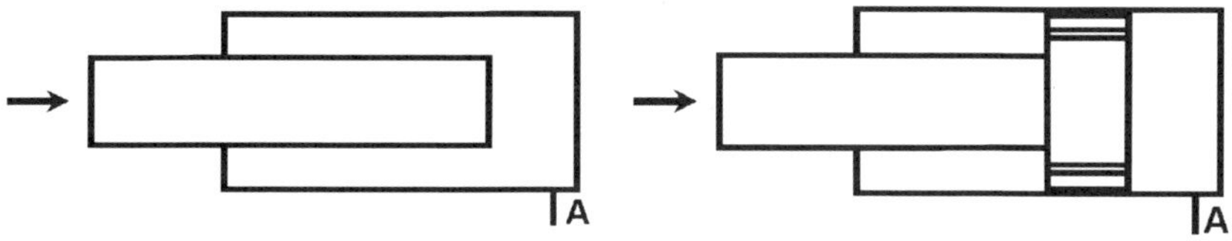

그림 7.10 외부 힘에 의해 복귀하는 단동 플런저형 실린더

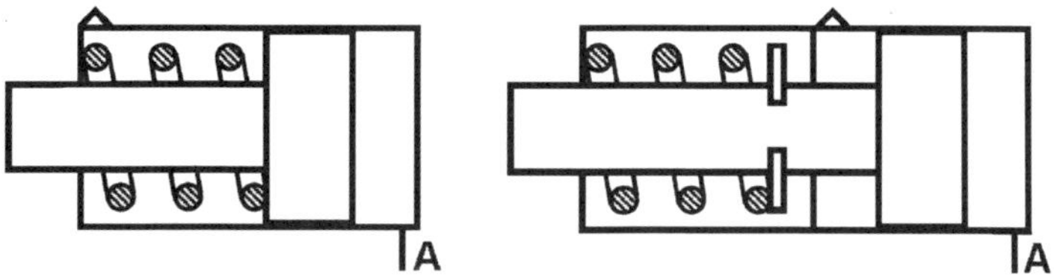

그림 7.11 스프링 복귀 방식 단동 피스톤형 실린더

복동형 실린더

복동형 유압 실린더의 피스톤은 양쪽 방향의 운동이 모두 유압에 의해 이루어진다. 복동실린더의 로드는 편 로드형(그림 7.12), 양 로드 대칭형(그림 7.13)과 양 로드 비대칭형(그림 7.14)이 될 수 있다. 여기서 대칭형의 의미는 두 로드의 직경이 동일한 것이다. 양 로드 대칭형은 유압 서보 시스템에서 널리 사용된다.

탠덤 실린더

탠덤 실린더는 동일한 직경의 실린더 배럴을 사용하면 압력의 힘을 두 배로 증가시킬 수 있다(그림 7.15와 그림 7.16 참조).

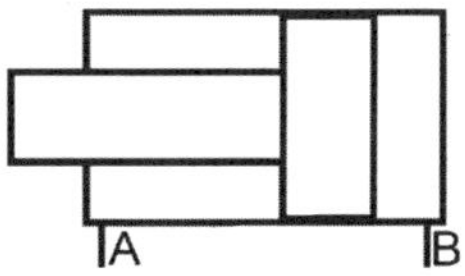

그림 7.12 편 로드 실린더

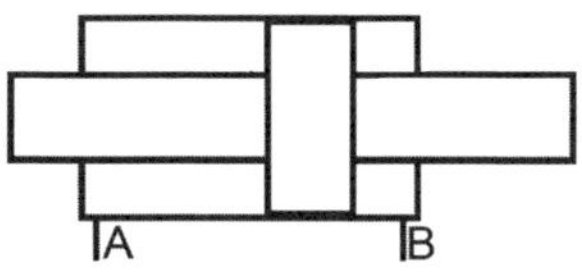

그림 7.13 양 로드 대칭형 실린더

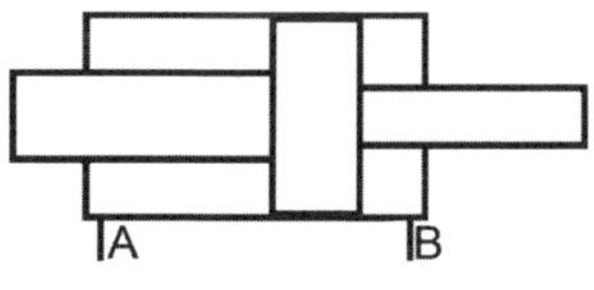

그림 7.14 양 로드 비대칭형 실린더

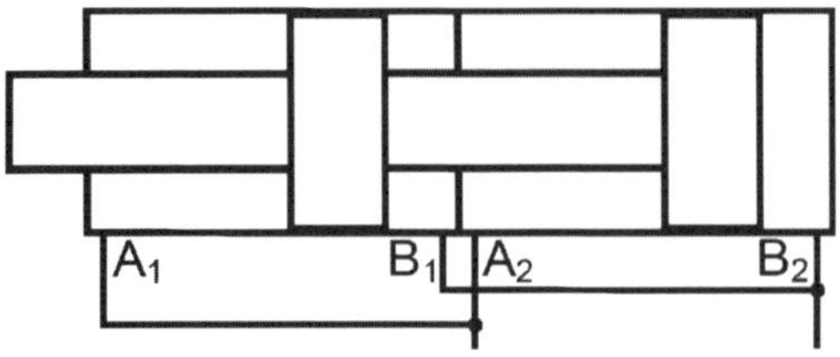

그림 7.15 차동형 탠덤 실린더

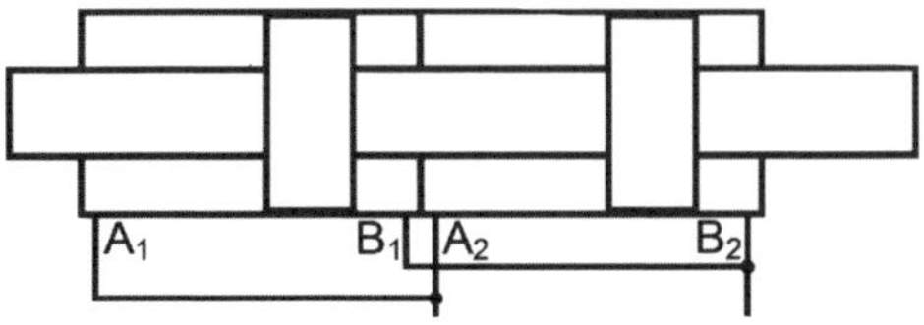

그림 7.16 대칭형 탠덤 실린더

3위치 유압 실린더

구동 기구의 요구 조건에 따라 3개의 정지 위치가 필요한 경우가 있다. 이 경우에 보통의 복동형 유압 실린더로는 3개의 위치에서 정확하게 정지하기 어려우며, 그림 7.17에서 보여주는 3위치 실린더를 이용함으로써 3 위치 구동이 가능하다. 분리된 2개의 피스톤과 로드로 구성되는 3 위치 실린더는 그림 7.17에서 보여 주는 바와 같이 각 체임버를 가압하는 조합에 따라서 3개의 정지 위치가 얻어진다.

정지 위치 고정 기구 내장형 실린더

유압 실린더의 정지 위치고정은 유압식, 또는 기구적으로 구현된다. 유압식 위치 고정은 파일럿 조작 첵 밸브를 하나 혹은 둘을 사용함으로써 얻어진다. 기구적 고정 요소는 부하 힘의 변동에 상관 없이 견고하게 실린더 피스톤을 고정시킨다. 때로는 유압식 고

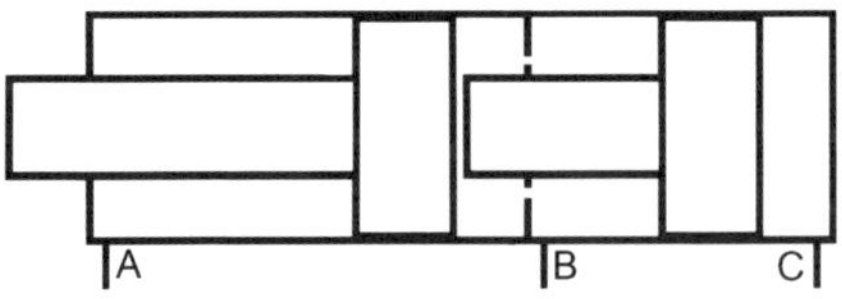

위치	포트 가압 및 해제		
	A	B	C
수축	P	T	T
중간	P	T	P
신장	T	P	T
신장	T	P	P

그림 7.17 3위치 실린더의 구동 (P는 압력 배관이며, T는 탱크 배관임을 의미함)

정과 기구식 고정의 두 가지 방법이 모두 사용되기도 한다. 정지 위치 고정 기구는 실린더의 한쪽에만 설치되기도 하며, 양쪽 모두에 설치되기도 한다.

텔리스코프 실린더

텔리스코프 실린더는 산업용 유압 장비나 특수 차량용 유압 장비에서 사용된다. 이러한 종류의 유압 실린더는 비교적 좁은 설치 공간을 차지하면서 긴 행정 거리를 제공한다. 텔리스코프 실린더는 단동형(그림 7.18)이나 복동형(그림 7.19)으로 구동된다. 만

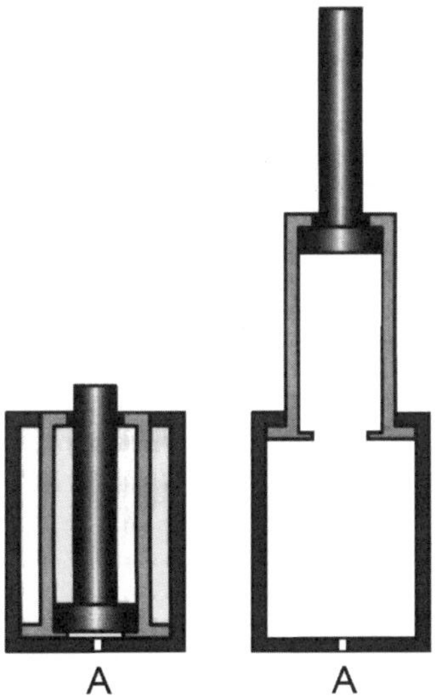

그림 7.18 단동형 텔리스코프 실린더 (*Bosch Rexroth AG. 게재 승인*)

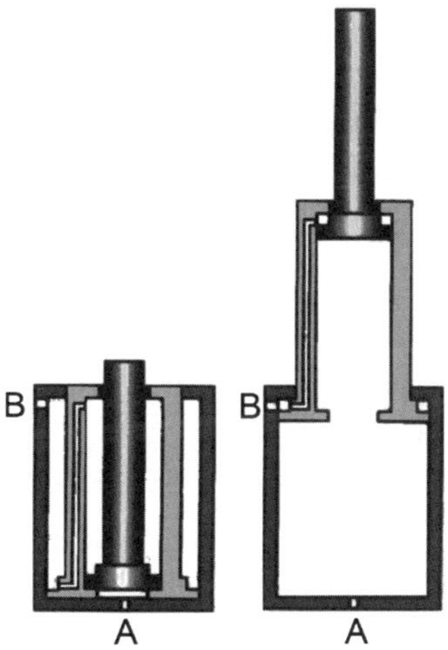

그림 7.19 복동형 텔리스코프 실린더 (*Bosch Rexroth AG. 게재 승인*)

약 포트 A를 통하여 피스톤 요소들에 압력이 작용하면 피스톤들이 차례로 신장된다. 포트 B로 압력이 작용하면 복동형 실린더의 피스톤들이 차례로 수축한다.

7.2.7 실린더 설치대

아이형 혹은 클레비스형 실린더 설치대

그림 7.20은 실린더 캡과 로드 아이에 대한 평면 베어링과 구면 베어링의 가능한 조합들을 예시하고 있다.

트러니언형 설치대

트러니언형 설치대는 실린더의 회전 각변위를 가능하게 하며 수축 상태의 길이가 짧은 장점을 갖는다(그림 7.21 참조).

플랜지형 설치대

플랜지형 설치대는 수직으로 실린더를 설치하는 경우에 선호하는 방식이다. 실린더가 주로 인장이나 압축 방향의 부하를 받게 되는 경우에 설치 볼트에 직접 부하가 작용하지 않아야 하므로, 그림 7.22에 예시한 방법들이 추천된다.

바닥 돌기 설치대

유압 실린더의 바닥 돌기 설치대가 그림 7.23에 도시되어 있다. 설치 볼트가 전단응력으로부터 보호되어야 하므로, 실린더 힘을 흡수하기 위해 그림과 같이 추력 키가 요구된다.

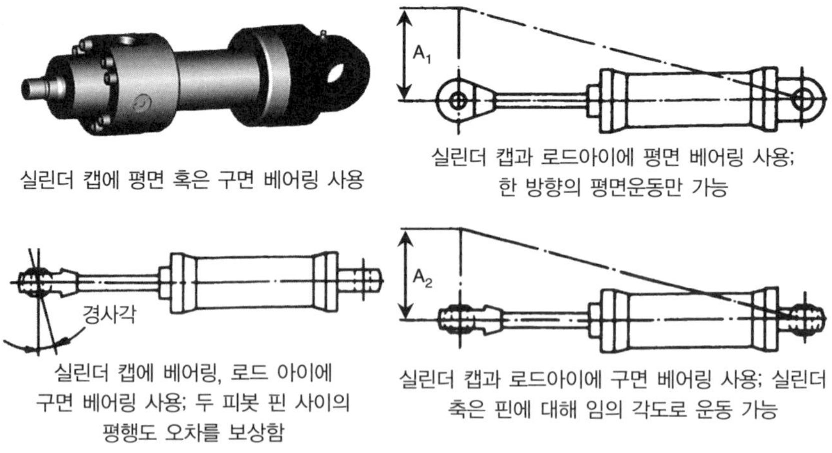

그림 7.20 아이형 혹은 클레비스형 설치대 (*Bosch Rexroth AG. 게재 승인*)

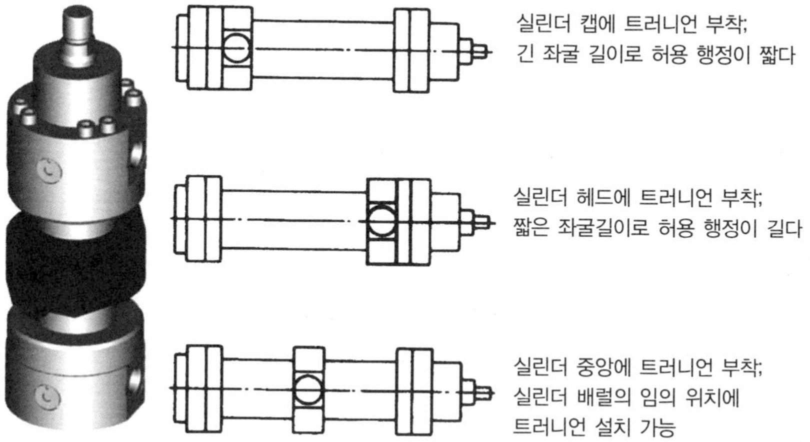

그림 7.21 트러니언형 설치대 (*Bosch Rexroth AG. 게재 승인*)

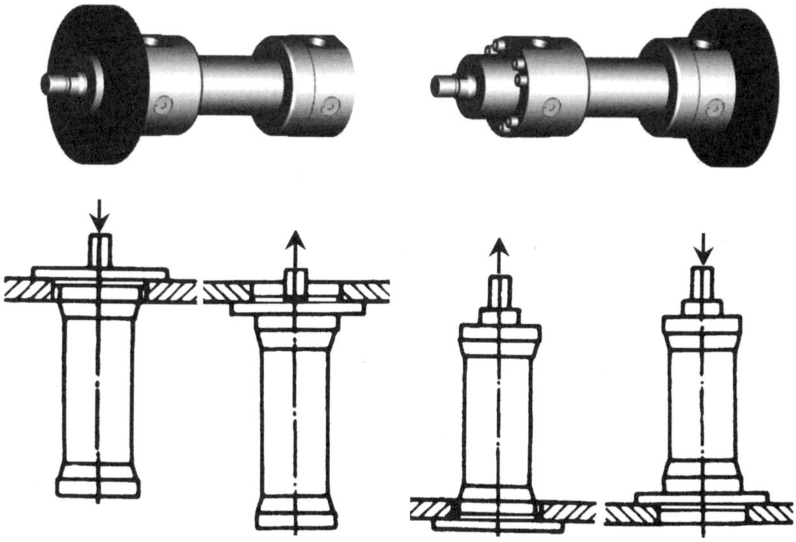

(a) 실린더 헤드에 플랜지 위치 (b) 실린더 캡(혹은 후미)에 플랜지 위치

그림 7.22 플랜지형 설치대 (*Bosch Rexroth AG. 게재 승인*)

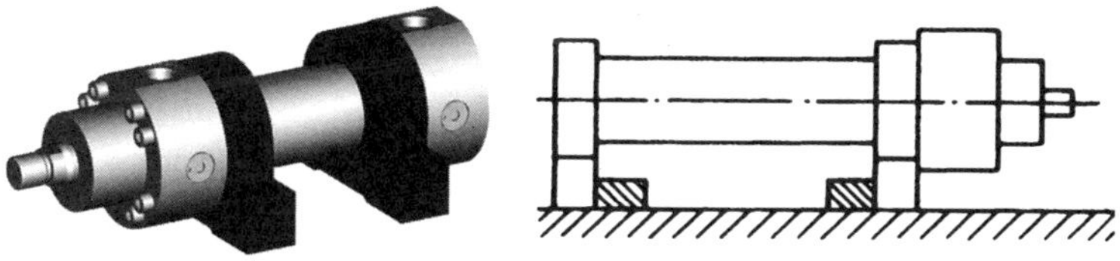

그림 7.23 바닥 돌기형 설치대 (*Bosch Rexroth AG. 게재 승인*)

7.2.8 실린더 직경

제조업체들은 광범위한 치수의 실린더를 제작한다. 일반적으로 널리 생산되는 피스톤과 피스톤 로드의 치수를 표 7.1에서 보여 준다. 단, 행정 거리는 사용자가 직접 결정해야 한다.

피스톤 직경 ΦD (mm)	로드 직경 Φd (mm)	피스톤 직경 ΦD (mm)	로드 직경 Φd (mm)	피스톤 직경 ΦD (mm)	로드 직경 Φd (mm)	피스톤 직경 ΦD (mm)	로드 직경 Φd (mm)
25	12	40	16	63	25	100	45
	14		18		28		50
	16		22		36		56
			25		45		70
32	18	50	22	80	36	125	50
	22		25		45		56
	25		28		56		63
			36				70
							90
150	63	200	90	280	110	400	160
	70		100		125		180
	80		110		140		200
	100		140		180		
					200		
160	90	220	90	320	125	450	180
			100		140		200
			110		160		220
			140		200		
			160		220		
180	80	250	100	360	140	500	200
	90		110		160		220
	125		125		180		250
			160				
			180				

표 7.1 일반적인 실린더의 직경 치수

7.3 유압 로테이터

유압식 로테이터는 유압동력을 기계동력으로 변환하여 제한된 각 변위의 회전 운동을 제공한다.

7.3.1 랙–피니언형 로테이터

랙–피니언 구동 방식의 구조는 그림 7.24에서 보여주는 것과 같이 피스톤이 이용되는데, 피스톤의 중앙 부분이 랙으로 되어 있다. 피스톤의 직선 운동이 피니언의 회전 운동으로 변환된다.

회전각도는 피스톤 행정과 기어 비에 따라서 결정되는데 360° 또는 그 이상이 가능하다.

7.3.2 평행 피스톤형 로테이터

평행 피스톤형은 두 개의 피스톤이 평행하게 움직인다(그림 7.25 참조). 두 개의 피스톤은 상호 교대로 가압된다. 압력의 힘이 피스톤에 전달되어 출력 토크로 변환된다. 이러한 종류의 로테이터는 100° 이내의 회전 운동에 적합하다.

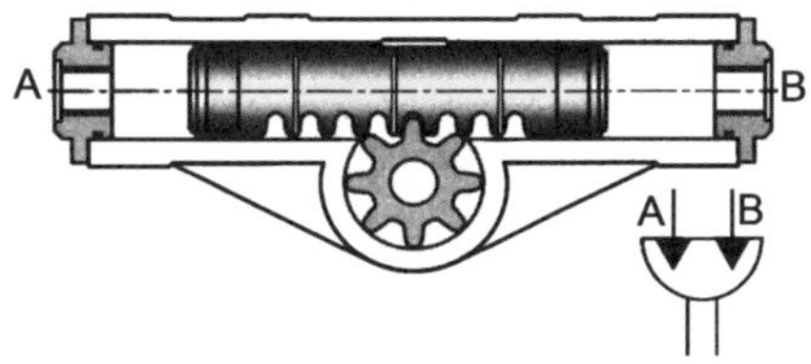

그림 7.24 랙–피니언형 로테이터 (*Bosch Rexroth AG. 게재 승인*)

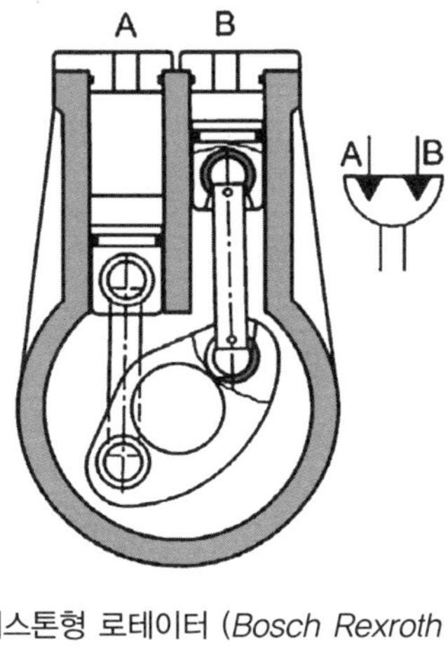

그림 7.25 피스톤형 로테이터 (*Bosch Rexroth AG. 게재 승인*)

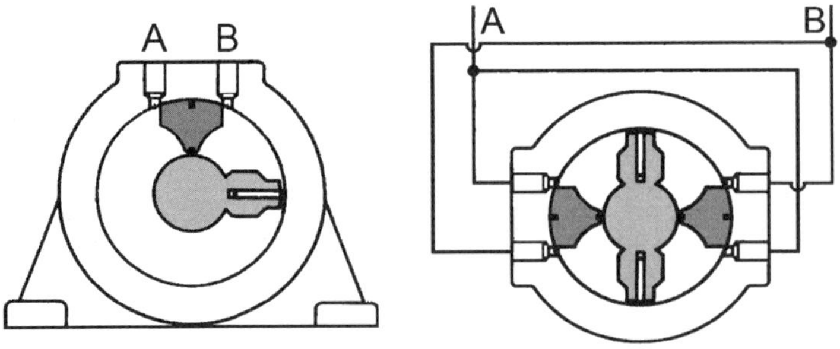

(A) 단일 베인 (B) 이중 베인

그림 7.26 베인형 로테이터 (*Bosch Rexroth AG. 게재 승인*)

7.3.3 베인형 로테이터

베인형 로테이터는 그림 7.26에서 보여 주는 것과 같이 한 개나 두 개의 베인으로 구성된 로터의 회전으로 구동된다. 한 개의 베인을 사용하는 경우에 로터 회전각은 최대 320°, 두 개의 베인을 사용하는 경우에는 150° 정도로 제한된다.

7.4 유압 모터

7.4.1 서론

유압 모터의 기능은 펌프와 반대이다. 유압 모터는 공급된 유압동력을 기계동력으로 변환하는 장치이며 연속된 회전 운동을 제공한다. 유압 모터의 배제용적은 모터 축을 한 바퀴 회전시키는 데 필요한 오일의 체적이다. 모터의 회전 속도는 공급되는 유량에 따라 결정되며, 압력은 부하 토크의 크기에 따라 결정된다. 누설과 마찰이 없는 이상적인 모터에서는 다음의 관계가 성립한다.

$$n_m = Q_t / V_m \tag{7.13}$$

$$\Delta P = \frac{2\pi}{V_m} T \tag{7.14}$$

여기서 n_m = 모터 속도, rev/s
ΔP = 모터에 작용하는 압력차, Pa
V_m = 모터의 이론배제용적, m^3/rev
T = 부하 토크, Nm
Q_t = 이론유량, m^3/s

이론유량은 모터에 내부 누설이 존재하기 때문에 실제 공급 유량보다 작다. 모터의 용적효율은 다음 식과 같이 정의된다.

$$\eta_v = \frac{Q_t}{Q} \tag{7.15}$$

또는

$$n_m = \frac{Q\eta_v}{V_m} \tag{7.16}$$

모터에서 출력되는 기계동력은 모터로 입력되는 유압동력보다 작은데, 그 이유는 누설에 의한 용적 손실과 부품 사이의 마찰에 의한 기계적 손실, 유체의 유동 손실에 의한 압력손실이 발생하기 때문이다. 전체 동력손실은 전 효율 η_T로 평가된다.

$$Q\Delta P\eta_T = 2\pi n_m T \tag{7.17}$$

따라서

$$\Delta P = \frac{2\pi}{V_m \eta_m \eta_h} T \tag{7.18}$$

여기서 Q =실제 모터 유량, m^3/s
η_T =모터 전 효율
η_m =모터 기계효율
η_v =모터 용적효율
η_h =모터 유압효율

7.4.2 사축식 피스톤 모터

유압 모터에 작용하는 압력차는 상응하는 토크로 변환되며, 유량은 회전 속도로 변환된다. 그림 7.27은 사축식 피스톤 모터의 작동을 보여 준다. 가압된 오일이 포트 플레이

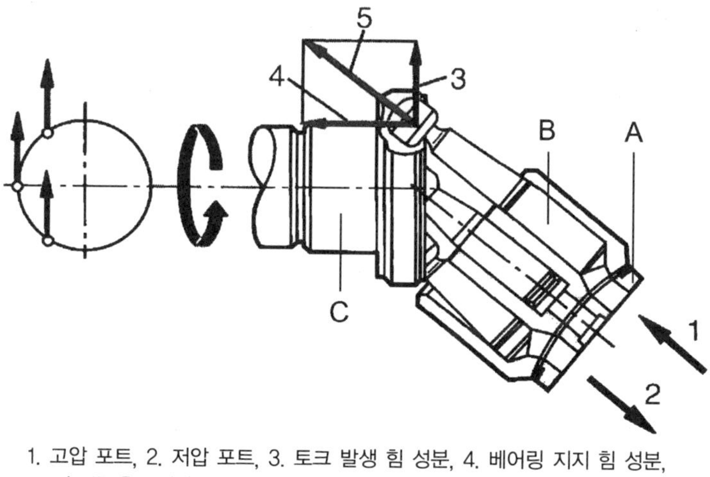

1. 고압 포트, 2. 저압 포트, 3. 토크 발생 힘 성분, 4. 베어링 지지 힘 성분,
5. 피스톤 추력, (A) 포트 플레이트, (B) 실린더, (C) 모터축

그림 7.27 사축식 피스톤 모터 (*Bosch Rexroth AG. 게재 승인*)

트(A)에 형성된 두 개의 콩팥 모양 포트 중 하나를 통과하여 실린더로 유입된다. 피스톤에 작용하는 유압의 힘은 구동축(C)에 연결된 구동 플랜지에서 회전력 성분과 베어링 지지력 성분으로 나뉘어진다. 회전력 성분의 힘이 토크를 발생하여 모터 축에 작용한다.

7.4.3 사판식 액시얼 피스톤 모터

사판식 유압 모터의 구조는 그림 7.28에 예시되어 있다. 고압 배관과 귀환 배관이 고정된 포트 플레이트(C)에 형성된 두 개의 콩팥 모양 포트들과 연결된다. 9개 피스톤을 가지는 경우를 생각하면 4개 혹은 5개의 실린더가 고압측 콩팥 모양 포트와 연결되며, 나머지 실린더는 다른 쪽 콩팥 모양 포트를 통하여 귀환 배관과 연결된다. 사판(E)은 회전하지 않는다. 피스톤(A)를 가압하면 피스톤이 사판 위에서 미끄러지며 실린더 블록(B)을 회전시킨다. 실린더 블록과 피스톤은 구동축(F)과 함께 회전한다. 압력에 의한 힘이 실린더 블록에 토크를 발생시켜, 모터 축(F)에 전달된다. 모터에 공급되는 유량은 출력축 속도를 결정한다. 사판과 슬리퍼 패드(D)의 상호 작용으로 회전력 성분의 힘이 발생하는데, 피스톤 슬리퍼 패드에는 마찰과 마멸을 줄이고 모터의 사용 수명을 늘리기 위하여 정유압(hydroststic) 베어링이 내장된다.

펌프로부터 공급된 오일이 피스톤을 경사진 표면으로 밀어주면, 그 힘은 경사진 표면과 접촉하는 점에서 베어링력 성분(3)과 회전력 성분(5)으로 나뉘어진다. 피스톤은 경사면을 미끄러져 내려가는데 피스톤과 실린더 블록, 구동축이 함께 움직이면서 회전한다.

7.4.4 베인 모터

베인 모터의 구조는 일반적으로 베인 펌프의 구조와 유사하다. 베인 모터의 전형적인 구조가 그림 7.29에 예시되어 있다. 모터 토크는 베인에 작용하는 공급 오일의 높은 압

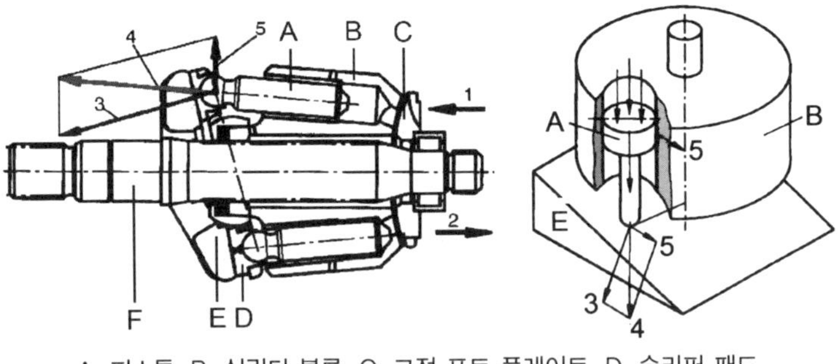

A. 피스톤, B. 실린더 블록, C. 고정 포트 플레이트, D. 슬리퍼 패드, E. 사판, F. 구동축

그림 7.28 사판식 피스톤 모터 (*Bosch Rexroth AG. 게재 승인*)

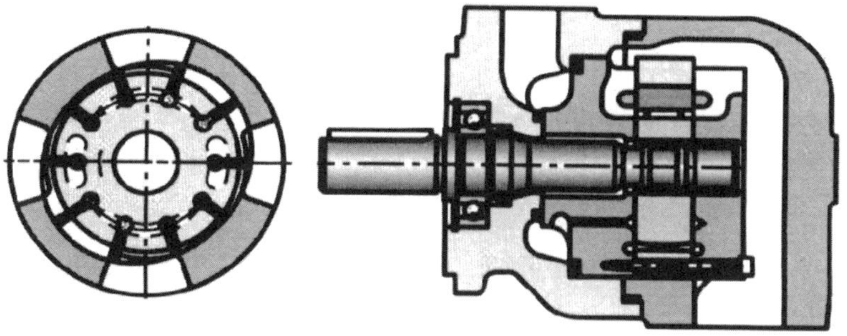

그림 7.29 베인 모터

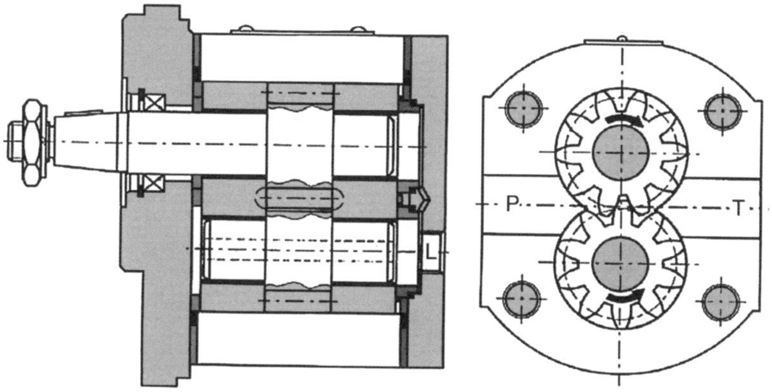

그림 7.30 외접 기어 모터 (*Bosch Rexroth AG. 게재 승인*)

력에 의해 발생한다. 발생한 토크는 외부 부하를 구동한다. 작동이 시작될 때에 베인은 스프링 힘에 의하여 반경 바깥쪽으로 밀려 올라가서 캠 링과 접촉한다. 정상 동작 중에는 스프링 힘에 추가하여 압력에 의한 힘이 작용하여서 베인과 캠 링 사이를 더욱 긴밀하게 접촉시킨다.

7.4.5 기어 모터

기어 모터는 구조면에서 기어 펌프와 매우 유사하다. 그러나 모터는 일반적으로 드레인 포트를 가지며 반대 방향의 회전이 가능하도록 설계된다. 그림 7.30은 외접 기어 모터의 구조를 보여 준다.

7.5 연습문제

1. 유압 실린더의 기능, 구조와 작동 원리를 설명하라.
2. 유압 실린더 완충장치의 구조를 그리고 작동 과정을 설명하라.

3. 유압 실린더의 좌굴에 관하여 설명하라.
4. 유압 실린더의 다양한 구조에 대하여 구조도를 그리고 설명하라.
5. 실린더 길이의 계산에 관하여 설명하라(그림 7.9 참조).
6. 유압 실린더의 다양한 설치대 방식에 관하여 설명하라
7. 로테이터의 구조와 작동 원리를 설명하라.
8. 이상적인 유압 모터와 실제 모터를 표현하는 식과 유압 모터의 기능을 설명하라.
9. 사축식 유압 모터의 구조와 작동 원리를 설명하라(그림 7.27 참조).
10. 사판식 유압 모터의 구조와 작동 원리를 설명하라(그림 7.28 참조).
11. 베인 모터의 구조와 작동 원리를 설명하라(그림 7.29 참조).

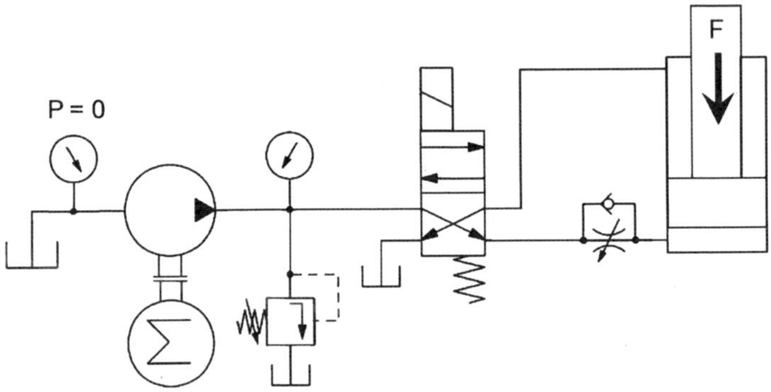

12. 위의 그림은 다음에 주어진 사양의 유압 시스템이 물체를 들어 올리는 과정을 보여준다.

펌프: 사판식 액시얼 피스톤 펌프, 피스톤 직경 = 8 mm, 피치원 지름 = 3 cm, 사판 경사각 = 20°, 기계효율 = 0.9, 전 효율 = 0.81, 피스톤 갯수 = 7, 펌프 속도 = 3000 rpm.

릴리프 밸브: 설정압력 = 10 MPa, 오버라이드 압력 = 0

유압 실린더: 이상적 실린더, 60 kN의 일정한 부하, 피스톤 직경 = 10 cm, 로드 직경 = 7 cm

첵 밸브: 크래킹 압력 = 0

교축밸브: 3 mm^2 단면적의 칼날 모서리형 오리피스

유압 오일: 밀도 = 850 kg/m^3

(a) 이 시스템의 동작을 설명하라.

(b) 펌프 공급 배관의 압력이 릴리프 밸브의 설정압력보다 낮다고 가정하고 방향제어밸브의 두 가지 위치에서 피스톤 속도와 펌프 구동 동력을 각각 계산하라.

13. 다음과 같은 사양의 시스템에 대해서 펌프 토출 압력과 릴리프 밸브의 오버라이드 압력을 계산하라.

펌프: 펌프 속도 = 1000 rpm, 용적효율 = 0.95, 펌프 배제용적 = 8 cm^3/rev

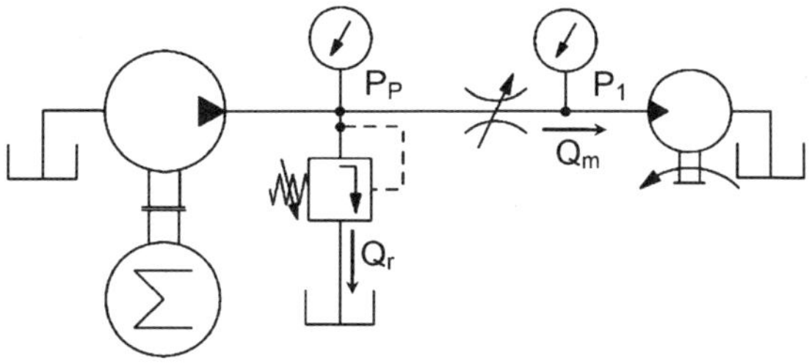

릴리프 밸브: $P_r = 22.5$ MPa, $Q_r = K$(오버라이드 압력)$\sqrt{P_P}$; 여기서 $K = 10^{-13}$, P_P는 펌프 토출 압력, $(P_p - P_r)$은 오버라이드 압력

교축밸브: 교축면적 $a = 1$ mm², $Q_m = 0.029a\sqrt{P_p - P_1}$

유압 모터: 모터 배제 용적 $V_m = 80$ cm³/rev, 전 효율 = 0.68, 용적효율 = 0.93, 그리고 부하 토크 = 200 Nm

14. 50 kN 유압 프레스가 압축과 클램프 동작을 수행한다. 클램프 실린더의 힘은 4 kN이다. 압축 실린더의 행정은 30 cm이고 실린더 피스톤의 신장 속도는 8 cm/s이다. 유압 회로도를 그리고, 설계 계산을 실시하고, 소요되는 유압 요소들을 선정하라. 시스템의 각각의 동작 모드에 대해서 피스톤 속도, 펌프 구동 동력 등의 주요한 변수를 구하는 계산을 수행하라. 누락된 데이터에 대해서는 적절한 값으로 가정하라.

7.6 기호 설명

a = 감속도, m/s²

A_d = 압력 P_d에 노출된 피스톤 면적, m²

A_P = 피스톤 면적, m²

A_P = 압력 P에 노출된 피스톤 면적, m²

d = 피스톤 로드 직경, m

E = 탄성계수, N/m²

F = 피스톤 구동력, N

F_f = 마찰력, N

J = 면적 2차 모멘트, m⁴

L_1 = 연결 돌기부 반경 + 2.5 mm 여유, m

L_2 = 실린더 캡 길이, m

L_3 = 피스톤 길이, m

L_4 = 행정, m

L_5 = 실린더 헤드 길이, m

L_6 = 피스톤 로드 돌출부 길이 + 잠김 너트 두께, m

L_7 = 길이 조정 여유, m

L_8 = 끝단부 두께, m
L_K = 자유 좌굴 길이, m
m = 질량, kg
n = 안전계수
n_m = 모터 속도, rev/s
P = 공급압력, 구동압력, Pa
P_d = 완충공간의 평균 압력, Pa
Q = 입력 유량, 실제 모터 유량, m^3/s
Q_L = 내부 누설유량, m^3/s
Q_t = 이론유량, m^3/s
R = 피스톤 로드 재료의 항복 강도, N/m^2
s = 완충 길이, m
T = 부하 토크, Nm
v = 피스톤 속도, m/s
v = 완충 초기의 피스톤 속도, m/s
V_m = 모터의 이론배제용적, m^3/rev
ΔP = 압력차, Pa
λ = 세장비
η_T = 모터 전 효율
η_m = 모터 기계효율
η_v = 모터 용적효율
η_h = 모터 유압효율

부록 7A 사례 연구: 유압 회로

본 부록은 유압 시스템의 구조, 작동과정, 오작동 가능성뿐만 아니라 고장 진단의 입출력 정보 등에 관한 검토를 위하여 통상적인 유압 회로들을 제시한다.

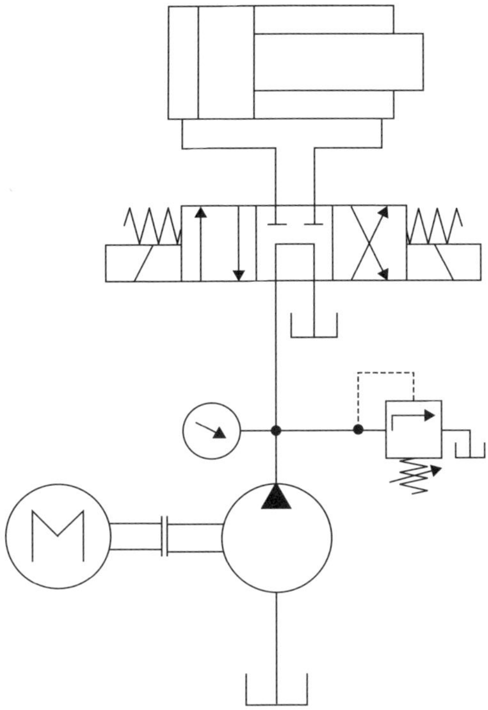

그림 7A.1 펌프 바이패스 회로

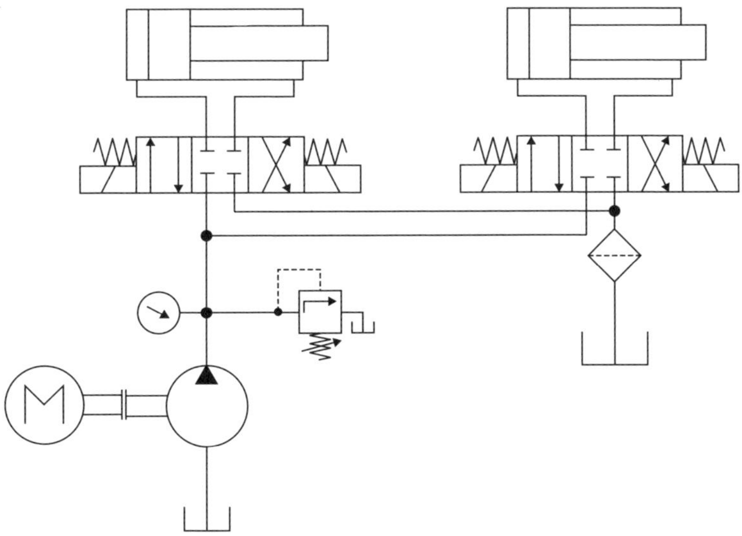

그림 7A.2 방향제어밸브들의 병렬 접속 회로

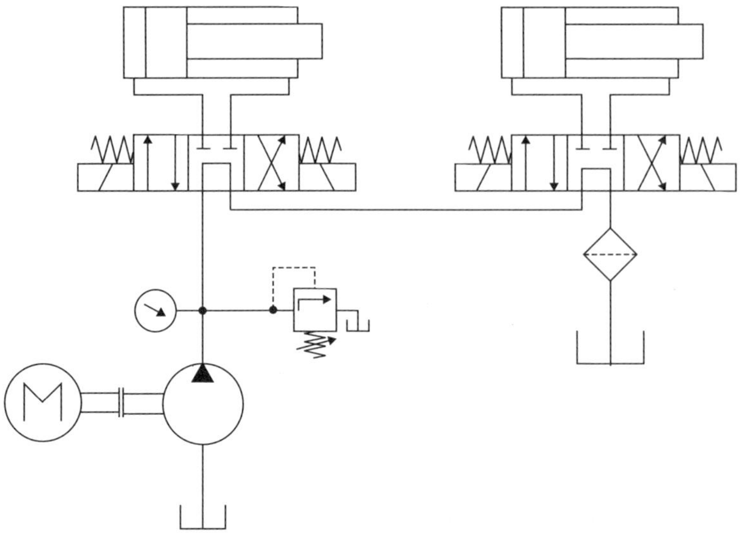

그림 7A.3 펌프 바이패스와 방향제어밸브들의 직렬 접속 회로

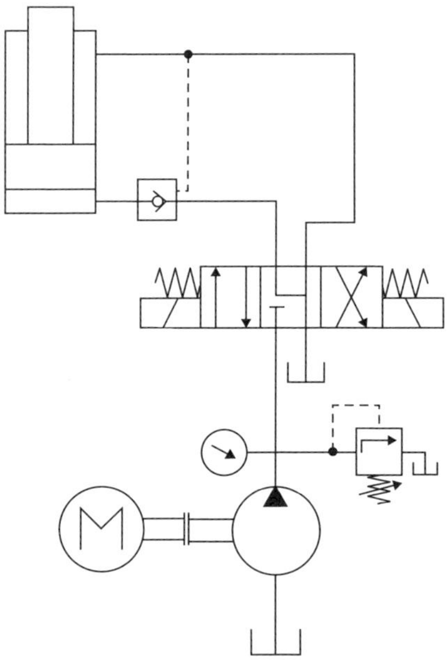

그림 7A.4 파일럿 작동 첵 밸브를 이용한 실린더의 정지 위치 고정 회로

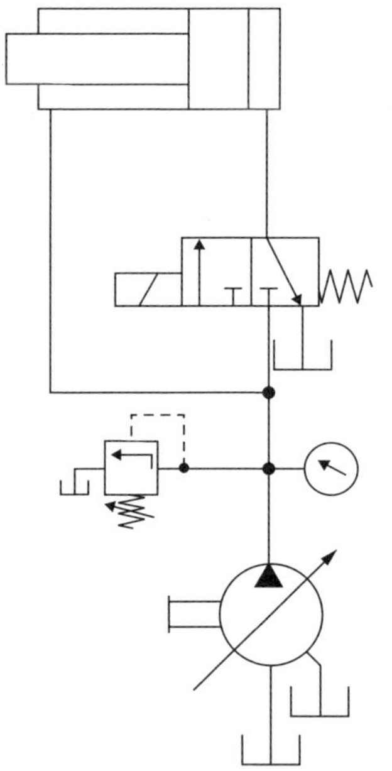

그림 7A.5 재생회로

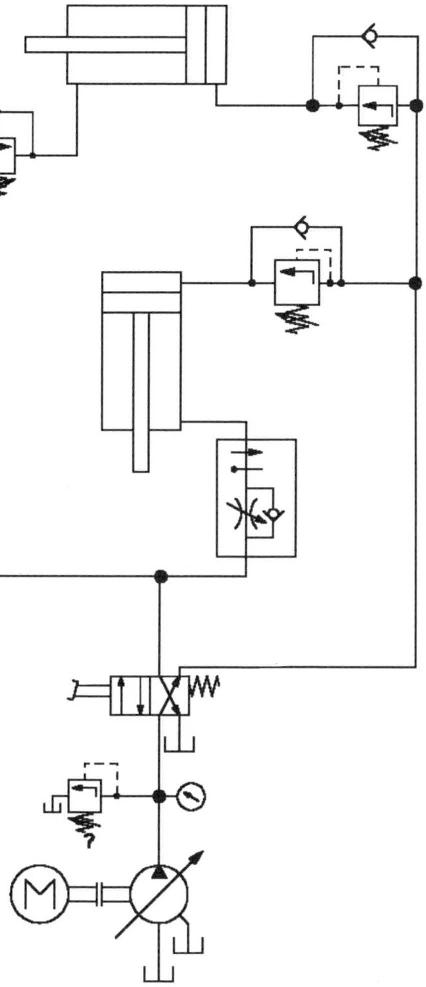

그림 7A.6 순차 작동 회로

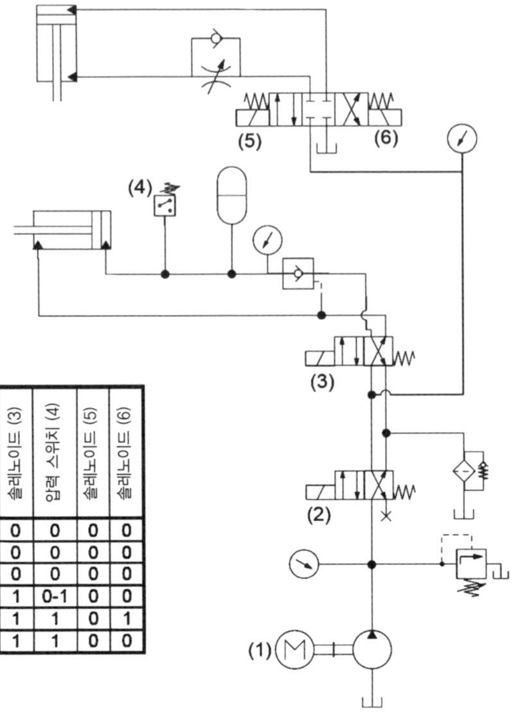

스위치 변환 모드

모드	기능	모터 (1)	솔레노이드 (2)	솔레노이드 (3)	압력 스위치 (4)	솔레노이드 (5)	솔레노이드 (6)
1	작동정지	0	0	0	0	0	0
2	공회전대기	1	0	0	0	0	0
3	펌프 부하. 클램프 해제	1	1	0	0	0	0
4	클램프	1	1	1	0-1	0	0
5	프레스 하강	1	1	1	1	0	1
6	프레스 상승	1	1	1	1	0	0

그림 7A.7 클램프 장치를 가진 유압 프레스 회로

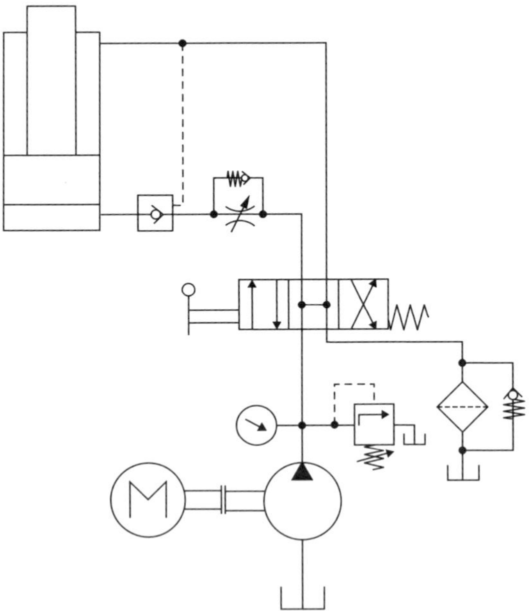

그림 7A.8 유압 잭의 회로

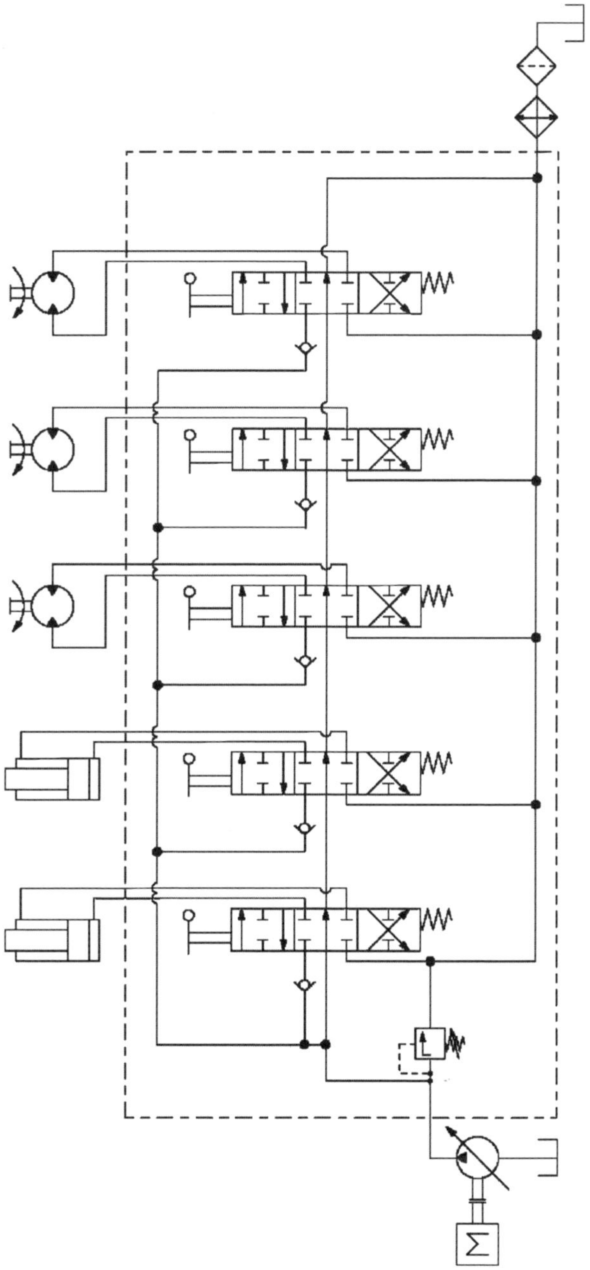

그림 7A.9 모바일 유압시스템의 병렬 접속 회로

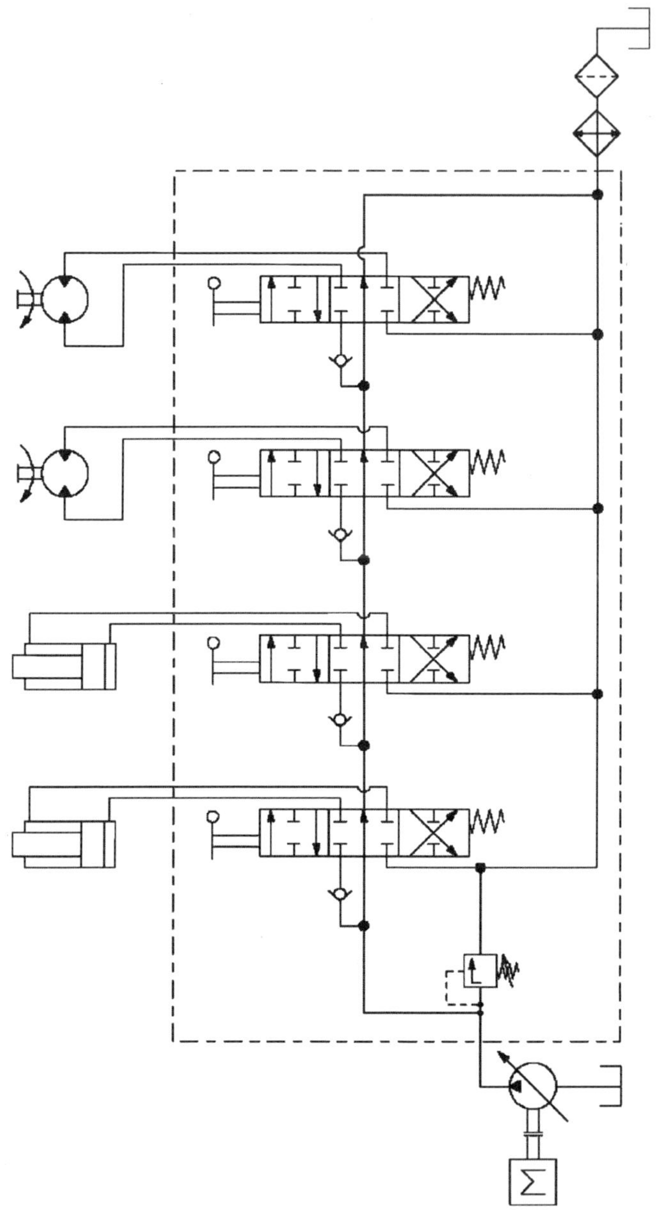

그림 7A.10 모바일 유압시스템의 탠덤 접속 회로

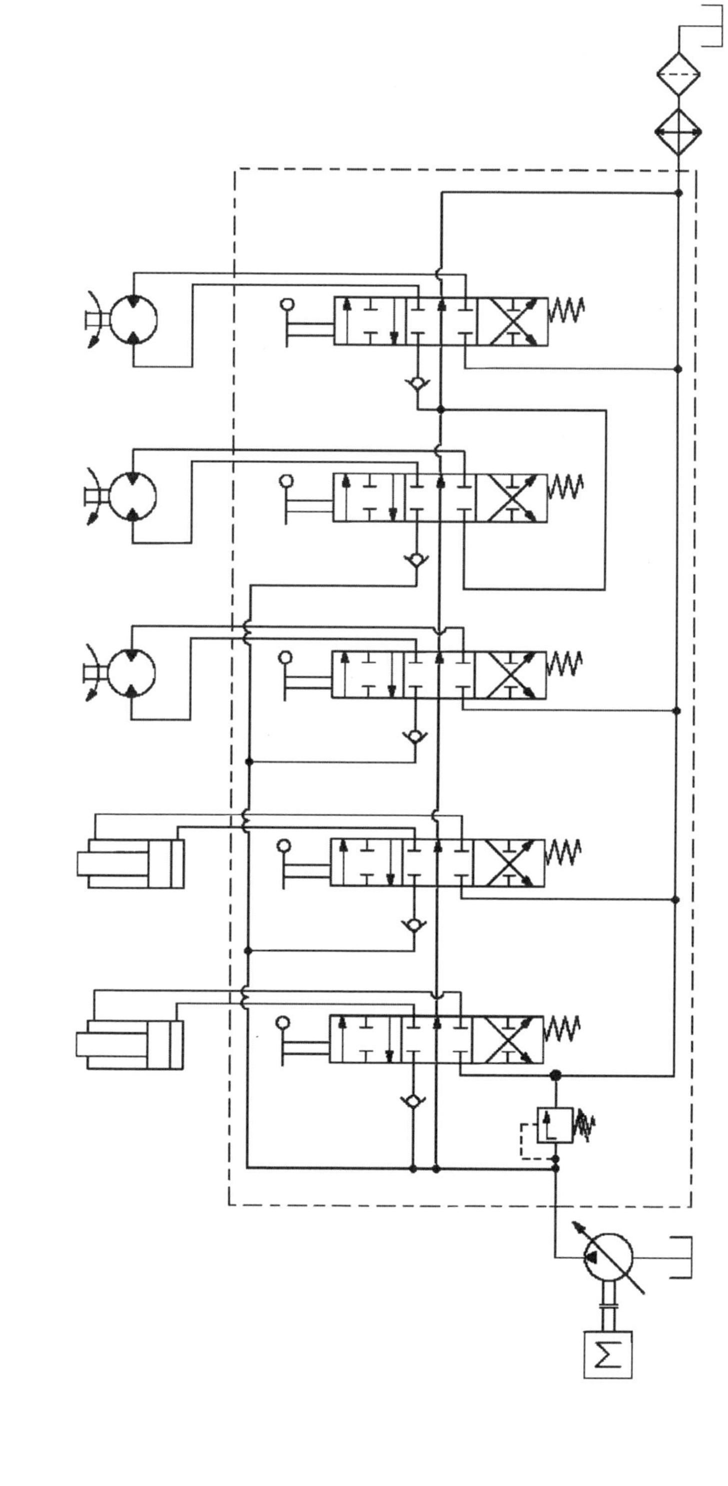

그림 7A.11 모바일 유압시스템의 직렬 접속 주행 모터와 병렬 접속이 혼합된 회로

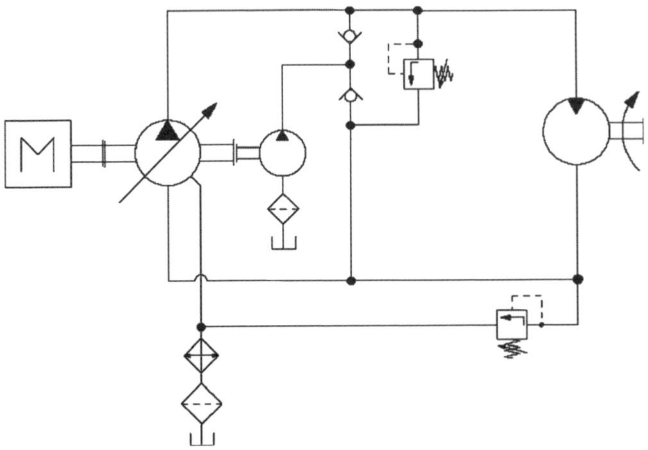

그림 7A.12 단방향 모터의 폐회로 시스템

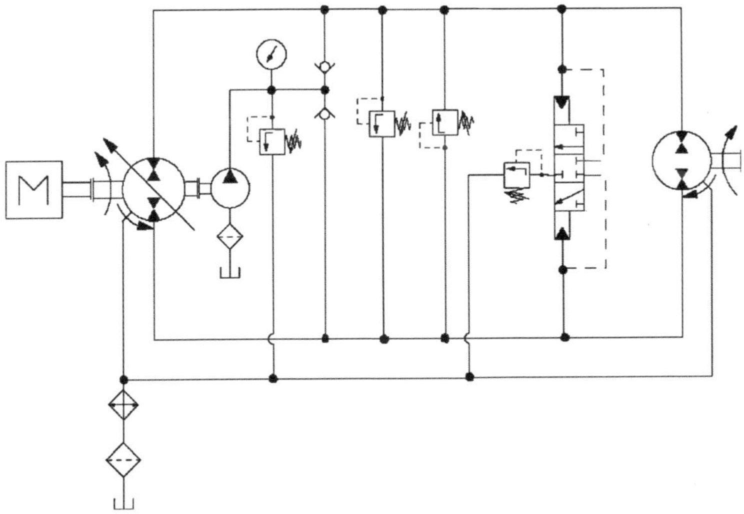

그림 7A.13 양방향 모터의 폐회로 시스템

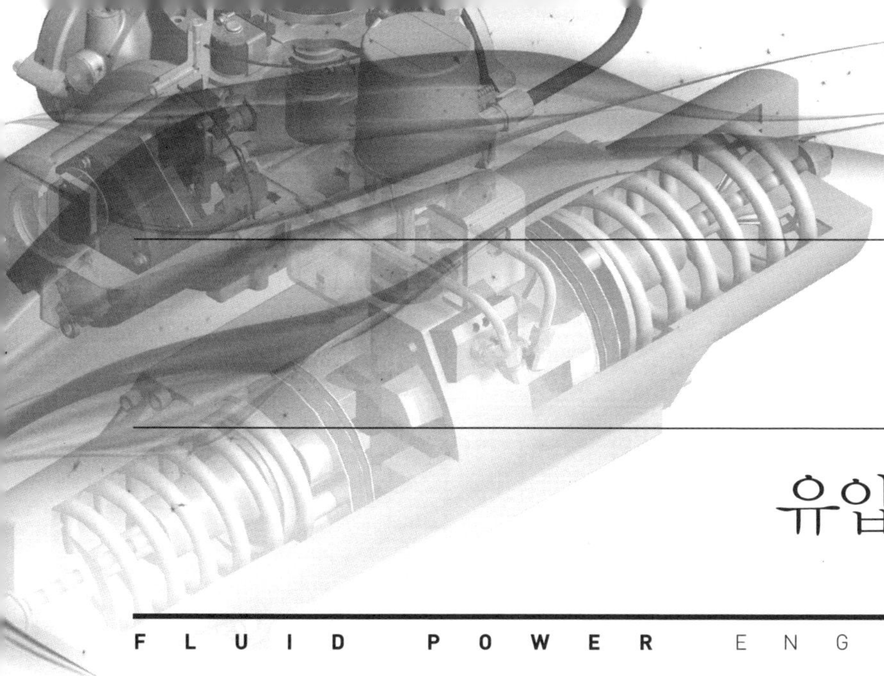

CHAPTER 8

유압 서보 구동기

Hydraulic Servo Actuators

8.1 구성 및 작동

다양한 기계들의 정밀 위치제어에 사용되는 유압 서보 구동기는 무단 가변형 방향제어밸브에 의해 제어되는 유압 실린더와 되먹임(feedback) 장치들로 구성된다. 그림 8.1~8.3은 유압 서보 구동기의 일반적인 구성과 부호를 보여준다.

그림 8.1에서 스풀(2)이 우측으로 거리 z만큼 이동하면 스풀 밸브의 공급 관로(P)는 좌측 피스톤 체임버(B)와 연결된다. 고압의 오일이 공급됨에 따라 좌측 피스톤 체임버의 압력, P_B는 증가한다. 동시에 우측 피스톤 체임버(A)는 귀환 관로(T)와 연결되어 압력 P_A는 감소하고 압력차 $P_B - P_A$는 피스톤(6)을 우측으로 이동시킨다. 방향제어밸브(4)의 몸체는 피스톤 로드와 결합되어 함께 이동하므로 밸브의 개구 면적, 공급 유량과 피스톤 속도가 점진적으로 감소하고 피스톤 변위가 스풀 변위로 수렴함에 따라 밸브는 거의 닫히게 된다. 이 때 피스톤 체임버 간 압력 차이는 부하력과 평형을 이루는 힘을 발생시킨다. 동시에 실린더 체임버로의 유량이 영이 되므로 피스톤은 정지한다.

유압 서보 구동기는 슬리브(혹은 밸브 몸체)에 대해 상대적으로 스풀을 이동시킴으로서 작동한다. 피스톤이 이동을 멈추는 정상상태에서 부하력이 없는 경우 스풀은 중립위치에 있어야 한다. 따라서 피스톤이 목표 위치로 이동함에 따라 스풀을 중립위치로 복귀시키는 되먹임 기능이 요구된다. 이와 같은 되먹임 기능은 아래와 같은 방법으로 실현된다.

- 피스톤 로드의 변위에 따라 방향제어밸브의 슬리브를 스풀과 같은 방향으로 이동시킨다(그림 8.1 참조).

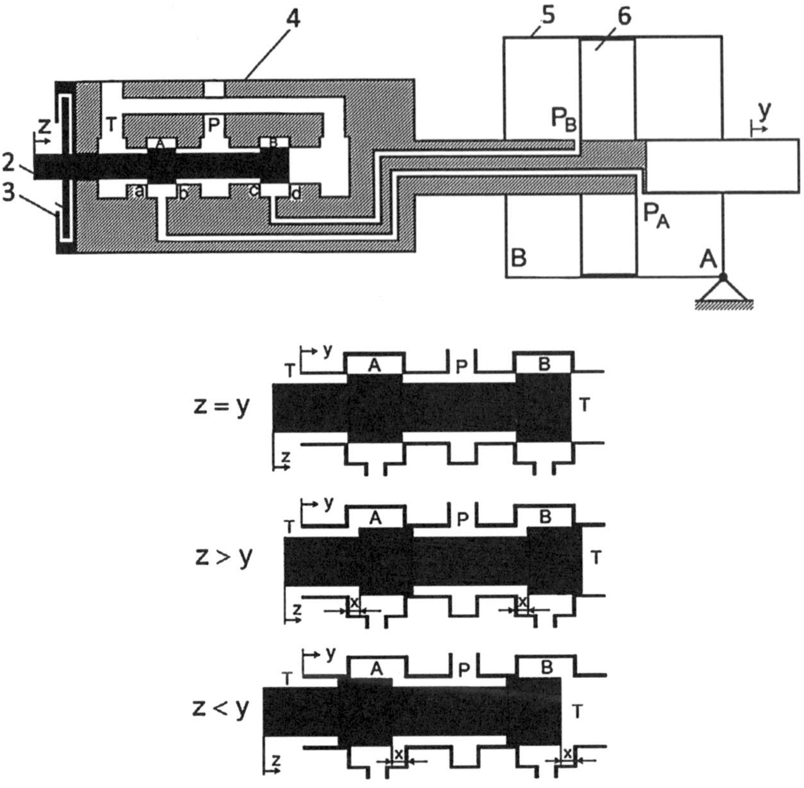

2. 스풀, 3. 스풀 변위 리미터, 4. 방향제어밸브, 5. 유압 실린더, 6. 피스톤(z = 스풀 변위, y = 피스톤 변위, x = 밸브 개구 거리)

그림 8.1 유압 서보 구동기의 작동

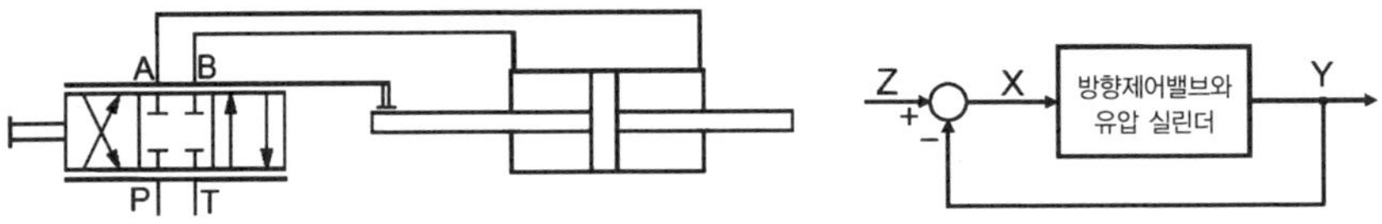

그림 8.2 유압 서보 구동기의 부호와 블록선도

- 스풀을 중립위치로 복귀시킨다(그림 8.4, 그림 8.6 참조)
- 슬리브와 스풀 모두 동시에 중립위치로 이동시킨다(그림 8.3, 그림 8.5 참조)

실제의 동작 조건에서, 피스톤에 작용하는 압력에 의한 힘은 부하에 대항하여 피스톤을 움직이기에 충분히 큰 반면, 스풀을 이동시키기 위한 구동력은 상대적으로 매우 작다.

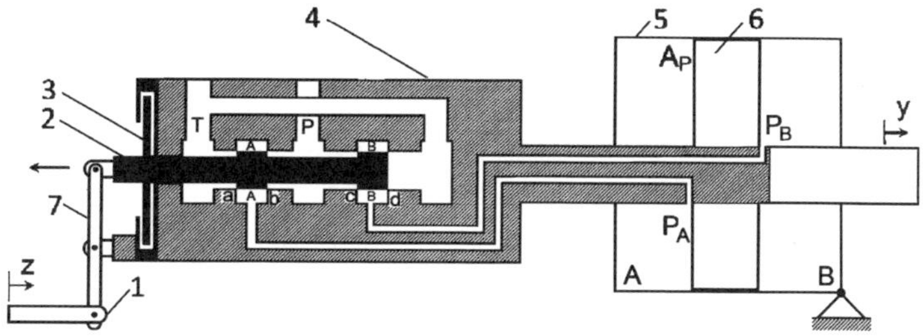

1. 제어 로드(입력변위), 2. 스풀, 3. 스풀 변위제한장치, 4. 방향제어밸브,
5. 유압 실린더, 6. 피스톤, 7. 되먹임 로드

그림 8.3 기계적인 되먹임 기구를 가진 유압 서보 구동기의 일반적인 구조

8.2 유압 서보 구동기의 응용

유압 서보 구동기는 다음과 같이 여러 분야에 다양하게 응용된다.

- 수송기계의 조향 시스템
- 모방 절삭기와 같은 공작 기계
- 가변 용적 펌프의 제어

항공기와 잠수함에서, 유압 서보 구동기는 프로펠러의 피치각, 추진 편향각의 제어뿐 아니라 방향타, 보조익, 상승익 등 여러 제어면의 위치 제어에 응용된다.

8.2.1 수송기계의 조향 시스템

그림 8.4는 수송기계의 조향 시스템에 응용된 유압 서보 구동기를 보여준다. 이 시스템은 유압발생기, 4/3 방향제어밸브, 로테이터와 기계적인 되먹임 기구로 구성된다. 그림 8.4는 우회전 상황을 나타낸다. 조향 휠이 운전자에 의해 시계방향으로 회전하면 웜기어가 부착된 스풀 말단은 너트에 물려 움직인다. 밸브 스풀이 왼쪽으로 움직임에 따라 포트 (B)의 고압 오일이 조향 실린더로 공급된다.

조향 실린더의 반대 쪽(포트 A)은 스풀 밸브를 거쳐 탱크와 연결된다. 피스톤과 랙은 우측으로 움직여 앞바퀴를 우측으로 돌리도록 피니언을 회전시킨다. 조향 휠이 회전하는 한 앞 바퀴는 계속 회전한다. 조향 휠이 정지하면 스풀밸브가 닫힐 때까지 고압 오일이 조향 실린더로 계속 공급되므로 피스톤과 랙을 움직여 바퀴를 약간 더 우측으로 회전시킨다. 이러한 랙의 이동은 되먹임 기구의 전진, 그리고 너트의 당김과 스풀 후진을 유발하여 스풀을 중립에 위치시킨다.

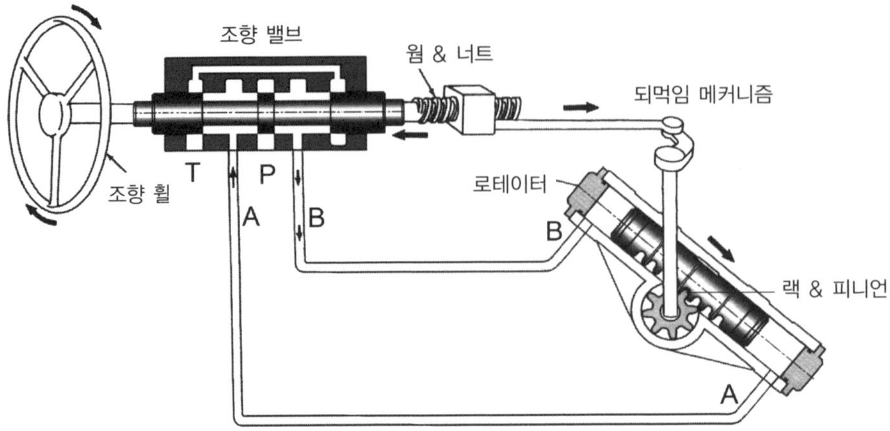

그림 8.4 수송기계의 조향 시스템에 적용된 유압 서보 구동기

8.2.2 공작기계

그림 8.5는 회전 절삭 방식의 모방 공작 기계에 응용된 유압 서보 구동기를 보여준다. 스타일러스는 모델의 형상을 따라 움직이고 공구를 운반하는 실린더 몸체는 스타일러스의 변위를 따라 수직방향으로 움직인다. 되먹임 레버가 수평 위치에 놓이고 실린더가 스타일러스의 변위만큼 이동하도록 이 시스템은 작동한다. 되먹임 속도는 유압 서보 구동기의 정착시간을 고려하여 너무 빠르지 않게 해야 한다.

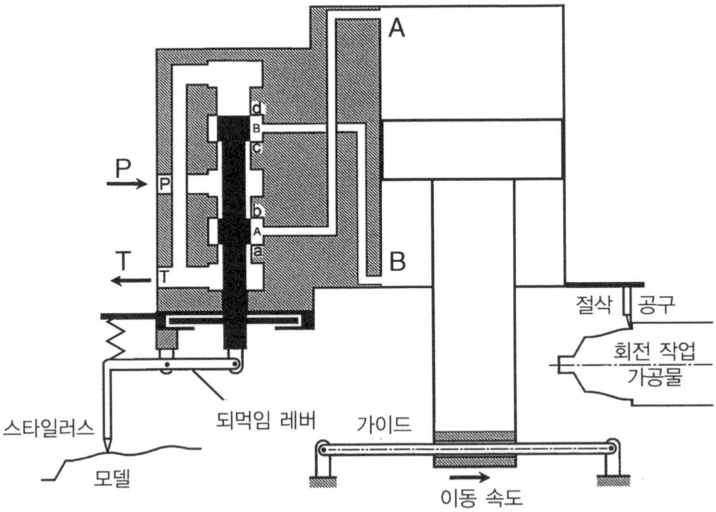

그림 8.5 모방 절삭 기계의 유압 서보 구동기 응용

8.2.3 펌프 용적제어

그림 7A.12와 그림 7A.13의 폐순환 유압회로에서 유압모터의 회전속도는 유압펌프 그리고/또는 유압모터의 용적을 제어함으로써 조절된다. 펌프의 용적 혹은 유량은 유압 서보 구동기를 비롯한 다양한 제어기로 조절할 수 있다. 그림 8.6은 피스톤 펌프의 경사판 각도 제어에 응용된 유압 서보 구동기를 보여준다. 이 시스템은 방향제어밸브(1), 두 개의 유압 실린더(A와 B)와 기계적인 되먹임 시스템으로 구성된다. 유압동력은 펌프로부터 공급되며, 제어 레버(3)에 의해 제어된다. 제어 레버가 수직위치에 놓이면 되먹임 로드(4)가 수직이 되고 스풀은 중립위치에 놓인다. 이와 같은 초기 위치에서 경사판의 각도는 0이 된다. 제어 레버가 우측으로 기울면 기구부는 스풀(5)을 좌측으로 당긴다. 실린더 체임버(A와 B)가 각각 공급 관로(P)와 귀환 관로(T)에 연결되므로 피스톤은 움직이기 시작하여 경사판을 시계 반대 방향으로 회전시킨다. 동시에 되먹임 로드(4)는 시계방향으로 회전하여 스풀을 우측으로 이동시킨다. 시스템은 새로운 정상상태 위치에 도달하고 스풀(5)은 중립위치에 놓이게 된다.

8.3 유압 서보 구동기의 수학적 모델

그림 8.7은 기계적 되먹임 방식의 유압 서보 구동기에 대한 기능도이다. 유압 서보 구동기의 동적 거동을 나타내는 수학적 모델은 다음과 같이 유도된다.

방향제어밸브의 교축면적을 통한 유량

유압 서보 구동기는 제로-랩 스풀형 방향제어밸브를 사용한다. 밸브의 교축면적(a, b, c, d)을 통한 유량은 아래 식으로 주어진다:

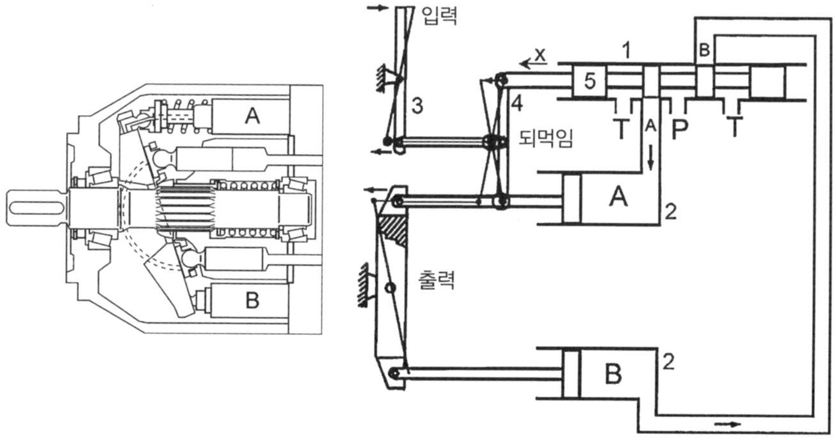

그림 8.6 유압 서보 구동기를 이용한 경사판 제어

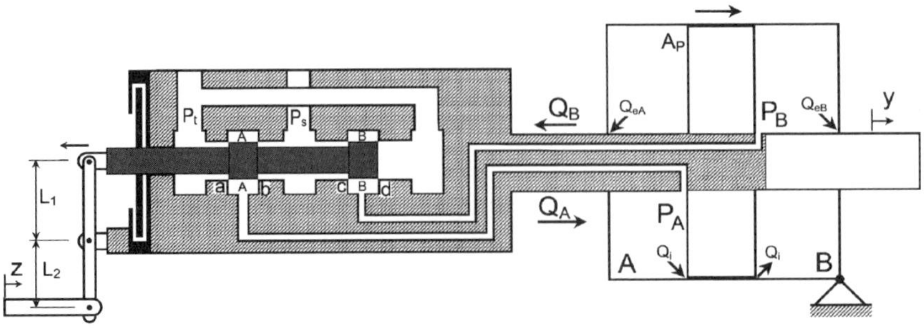

그림 8.7 기계적인 되먹임 방식 유압 서보 구동기의 기능도

$$Q_a = C_d A_a(x)\sqrt{2(P_A - P_t)/\rho} \tag{8.1}$$

$$Q_b = C_d A_b(x)\sqrt{2(P_s - P_A)/\rho} \tag{8.2}$$

$$Q_c = C_d A_c(x)\sqrt{2(P_s - P_B)/\rho} \tag{8.3}$$

$$Q_d = C_d A_d(x)\sqrt{2(P_B - P_t)/\rho} \tag{8.4}$$

여기서 $Q =$ 유량, m^3/s
$P_s =$ 공급압력, Pa
$P_t =$ 귀환압력, Pa
$A =$ 교축면적, m^2
$\rho =$ 오일밀도, kg/m^3
$C_d =$ 유량계수
$x =$ 스풀 변위, m

일반적으로 유압 서보 구동기의 방향제어밸브는 제로-랩 매칭(matching) 형태의 좌우 대칭 밸브이다. 매칭 밸브는 $A_a(x) = A_c(x)$, $A_b(x) = A_d(x)$, 대칭 밸브는 $A_a(-x) = A_b(x)$, $A_c(-x) = A_d(x)$의 관계를 만족시킨다. 밸브의 교축면적은 아래 식으로 주어진다(그림 8.8 참조):

$$\left.\begin{aligned} A_a &= A_c = A_r \\ A_b &= A_d = \omega\sqrt{(x^2 + c^2)} \end{aligned}\right\} \; x \geq 0 \text{일 때} \tag{8.5}$$

$$\left.\begin{aligned} A_a &= A_c = \omega\sqrt{(x^2 + c^2)} \\ A_b &= A_d = A_r \end{aligned}\right\} \; x \leq 0 \text{일 때} \tag{8.6}$$

여기서 $\omega =$ 밸브 포트의 폭, 스풀의 원주 길이, m
$c =$ 스풀의 반경방향 틈새, m

x = 스풀 변위, m
A_r = 반경방향 틈새의 단면적, m^2

실린더 체임버에 대한 연속방정식

오일의 압축성에 의한 체적 변화와 비교할 때 실린더 벽의 변형은 무시할만하다. 내부 배관의 영향을 무시하고 피스톤의 위치가 실린더의 중앙이라고 가정하여 실린더 체임버에 대해 연속방정식을 유도하면 다음 식을 얻는다:

$$Q_b - Q_a - A_p \frac{dy}{dt} - Q_i - Q_{eA} = \frac{V_o + A_p y}{B} \frac{dP_A}{dt} \tag{8.7}$$

$$A_p \frac{dy}{dt} + Q_i + Q_c - Q_d - Q_{eB} = \frac{V_o - A_p y}{B} \frac{dP_B}{dt} \tag{8.8}$$

누유량이 압력차에 비례한다고 가정하면, 누유량은 다음 식으로 표시된다:

$$Q_i = (P_A - P_B)/R_i \tag{8.9}$$

$$Q_{eA} = P_A/R_e \tag{8.10}$$

$$Q_{eB} = P_B/R_e \tag{8.11}$$

여기서 A_p = 피스톤 면적, m^2
Q_e = 외부 누유량, m^3/s

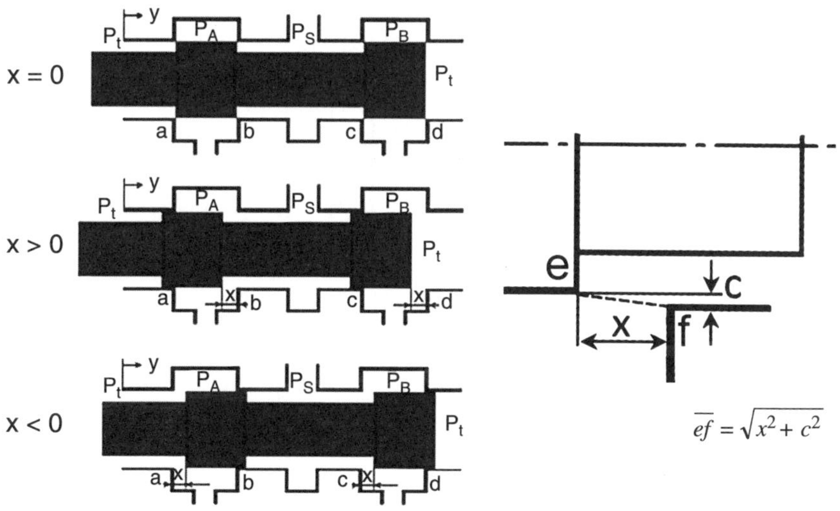

그림 8.8 스풀 위치에 따라 변하는 밸브 교축면적 a, b, c, d

Q_i = 내부 누유량, m³/s
R_e = 외부 누유에 대한 저항, Pa s/m³
R_i = 내부 누유에 대한 저항, Pa s/m³
V_o = 실린더 내부 오일 체적의 절반, m³

되먹임 기구의 관계식

그림 8.9는 되먹임 기구의 기구학적 관계를 보여준다. 제어 레버의 변위(z)는 되먹임 레버를 점 (2)를 중심으로 반시계방향으로 회전시켜 점(1)에 연결된 스풀을 좌측으로 d_1만큼 이동시킨다. 밸브 몸체는 피스톤과 함께 우측으로 y만큼 이동한다. 제로-랩 밸브를 가정하면 스풀 밸브의 개구 변위(x)는 밸브 몸체에 대한 스풀의 변위와 같다.

$$d_1 = z\frac{L_1}{L_2} \quad \text{그리고} \quad d_2 = y\frac{L_1 + L_2}{L_2} \tag{8.12}$$

$$x = d_1 - d_2 + y \tag{8.13}$$

$$x = z\frac{L_1}{L_2} - y\frac{L_1 + L_2}{L_2} + y \tag{8.14}$$

$$x = (z - y)\frac{L_1}{L_2} \tag{8.15}$$

$$x = k_f(z - y), \quad \text{여기서} \quad k_f = L_1/L_2 \tag{8.16}$$

$$L_1 = L_2 \quad \text{인 경우에} \quad x = z - y \tag{8.17}$$

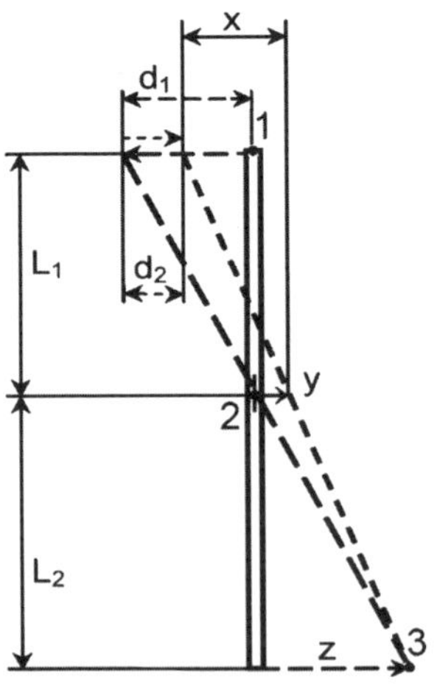

그림 8.9 되먹임 기구의 기구학적 관계

피스톤의 운동방정식

$$A_p(P_A - P_B) = m\frac{d^2y}{dt^2} + f_v\frac{dy}{dt} + F_L \tag{8.18}$$

여기서 m = 관성 질량, kg
f_v = 마찰계수, Ns/m
F_L = 외부 부하력, N
y = 피스톤 변위, m

8.4 유압 서보 구동기의 전달함수

유압 서보 구동기의 전달함수는 두 가지 방법으로 구해진다.

- 계단 응답의 계산
- 이론 모델 유도

8.4.1 계단 응답에 의한 유압 서보 구동기의 전달함수 유도

유압 서보 구동기의 동적 거동은 식 (8.1)과 (8.18)로 표현된다. 수학적 모델에 기반한 시뮬레이션 프로그램으로서 SIMULINK와 같은 프로그램을 사용하면 고도의 비선형 시스템에 대한 시뮬레이션이 가능하다. 시뮬레이션 프로그램은 유압 서보 구동기의 정적, 동적 거동의 해석에 사용된다. 나아가 시뮬레이션 결과에 의해 유압 서보 구동기 전달함수를 구할 수 있다. 이것은 계단응답을 계산하고, 계산된 응답과 단순화된 전달함수의 응답을 서로 비교함으로써 이루어진다. 이 과정은 부록 8A에 수록되어 있다.

8.4.2 해석적 방법에 의한 유압 서보 구동기의 전달함수 유도

그림 8.7과 그림 8.8에서 살펴본 유압 서보 구동기는 식 (8.1)~(8.18)의 비선형 내재 미분방정식과 대수관계식으로 표현된다. 유압 서보 구동기는 수학적 모델을 제로 값의 초기조건에 대해 선형화함으로써 전달함수로 나타낼 수 있다. 따라서, 유압 서보 구동기가 초기조건에서 작은 섭동을 한다고 가정하여 다음과 같이 단순화 조건을 적용하면 선형화 표현이 가능하다.

1. 방향제어밸브는 대칭으로 매치되어 있다.
2. 방향제어밸브 스풀은 이상적인 제로-랩을 갖는다.
3. 스풀 밸브의 반경방향 틈새의 누유는 무시하며 실린더의 공급유량과 귀환유량은 같다. 즉,
   $x > 0$ 일 때 $Q = Q_b = Q_d$, $Q_a = Q_c = 0$

$x < 0$ 일 때 $Q = Q_a = Q_c$, $Q_b = Q_d = 0$

4. 귀환 압력은 대기압이다($P_t = 0$)
5. 방향제어밸브의 교축면적은 스풀 변위에 선형적으로 비례한다.

$$A(x) = \omega x \tag{8.19}$$

6. 피스톤의 초기위치는 실린더의 중간지점이다.
7. 부하력, F_L은 피스톤 변위에 선형적으로 비례하며, 부하압력, P_L은 다음과 같이 정의한다.

$$F_L = A_p\,(P_A - P_B) \tag{8.20}$$

$$P_L = P_A - P_B = F_L / A_P \tag{8.21}$$

유압 서보 구동기의 전달함수는 다음과 같이 수학적으로 유도된다.

유량식

$$Q_b = C_d \omega x \sqrt{2(P_s - P_A)/\rho} \tag{8.22}$$

$$Q_d = C_d \omega x \sqrt{2 P_B / \rho} \tag{8.23}$$

$$Q = Q_b = Q_d \tag{8.24}$$

따라서 식 (8.22), (8.23)의 Q_b와 Q_d를 식 (8.24)에 대입하여 다음 관계를 구할 수 있다.

$$P_s = P_A + P_B \quad \text{그리고} \quad P_L = P_A - P_B \tag{8.25}$$

$$P_A = (P_s + P_L)/2 \quad \text{그리고} \quad P_B = (P_s - P_L)/2 \tag{8.26}$$

식 (8.26)의 P_A와 P_B를 식 (8.22) 또는 식 (8.23)에 대입하여 다음 식을 구한다.

$$Q = C_d \omega x \sqrt{(P_s - P_L)/\rho} \tag{8.27}$$

정상상태 작동조건 (x_i, Q_i, P_L)근처에서 비선형식을 선형화하면 다음 결과를 얻는다:

$$\Delta Q = \frac{\partial Q}{\partial x}\Delta x + \frac{\partial Q}{\partial P_L}\Delta P_L = k_x \Delta x - k_p \Delta P_L \tag{8.28}$$

여기서

$$k_x = C_d \omega \sqrt{(P_s - P_L)/\rho} \tag{8.29}$$

$$k_p = \frac{0.5 C_d\, \omega\, x}{\sqrt{\rho (P_s - P_L)}} \tag{8.30}$$

연속방정식

다음 식들은 유압 실린더의 양쪽 체임버에 적용된 연속방정식이다:

$$Q - A_p \frac{dy}{dt} - \frac{P_A - P_B}{R_i} - \frac{P_A}{R_e} = \frac{V_o + A_p y}{B} \frac{dP_A}{dt} \tag{8.31}$$

$$-Q + A_p \frac{dy}{dt} + \frac{P_A - P_B}{R_i} - \frac{P_B}{R_e} = \frac{V_o - A_p y}{B} \frac{dP_B}{dt} \tag{8.32}$$

작은 변위의 경우, 유량 $A_p y$는 실린더 체임버의 오일 체적에 비해 무시할 만하다 ($V_o >> A_p y$). 식 (8.32)에서 식 (8.31)을 빼면 다음 식을 얻는다:

$$Q - A_p \frac{dy}{dt} - \frac{P_L}{R} - \frac{V}{4B} \frac{dP_L}{dt} = 0 \tag{8.33}$$

여기서

$$R = \frac{2R_i R_e}{R_i + 2R_e} \tag{8.34}$$

$$V = 2V_o = \text{실린더의 전체 오일 체적, m}^3$$

피스톤의 운동방정식

피스톤은 실린더 체임버 간의 압력차에 의해 구동된다. 부하력이 피스톤 변위에 비례하여 $F_L = k_L y$이라고 가정하면 피스톤의 운동방정식은 다음과 같다:

$$P_L A_p = m \frac{d^2 y}{dt^2} + f_v \frac{dy}{dt} + k_L y \tag{8.35}$$

선형화된 수학적 모델의 경우, 시스템 변수는 정상상태 값에서의 변동으로 간주된다. 즉, ΔQ, Δx, ΔP는 각각 Q, x, P로 대치되며 식 (8.28)은 다음과 같이 표현된다.

$$Q = k_x x - k_p P_L \tag{8.36}$$

되먹임 식

$$x = k_f (z - y) \tag{8.37}$$

식 (8.33)과 식 (8.35) (8.37)에 라플라스 변환을 적용하고 정리하면 아래의 전달함수를 구할 수 있다.

$$\frac{Y}{Z}(s) = \frac{k_f k_x}{a_3 s^3 + a_2 s^2 + a_1 s + a_o} \tag{8.38}$$

여기서

$$a_3 = \frac{Vm}{4BA_p} \tag{8.39}$$

$$a_2 = \frac{m(1/R + k_p)}{A_p} + \frac{Vf_v}{4BA_p} \tag{8.40}$$

$$a_1 = A_p + \frac{f_v(1/R + k_p)}{A_p} + \frac{k_L V}{4BA_p} \tag{8.41}$$

$$a_o = k_f k_x + \frac{k_L(1/R + k_p)}{A_p} \tag{8.42}$$

유압 서보 구동기의 동적 거동은 유도된 선형모델을 기반으로 정상상태 작동조건에서의 작은 외란을 가정하여 평가할 수 있다. 초기조건이 변한다면 전달함수의 매개변수는 다시 계산되어야 한다.

8.5 밸브 제어식 구동기

8.5.1 유량 특성

유압 서보 구동기의 경우, 방향제어 스풀의 최대변위는 기계적으로 통상 ±1 mm의 크기로 제한된다. 피스톤의 목표 변위가 이보다 크면, 제어 레버를 피스톤이 목표 위치에 도달할 때까지 계속 움직여야 한다. 이 기간 동안 스풀 밸브는 완전히 열린 상태에서, 피스톤 로드는 최대속도로 이동한다. 이와 같은 작동조건에서는 유압 서보 구동기는 단순한 밸브 제어 구동기에 해당된다.

그림 8.10은 이상적인 제로-랩을 갖는 4/3 방향제어밸브로 제어되는 양방향 로드형 유압 실린더를 보여준다. 밸브를 통한 유량은 다음 식으로 표현된다.

$$Q_a = C_d A_a(x)\sqrt{2(P_A - P_t)/\rho} \tag{8.43}$$

$$Q_b = C_d A_b(x)\sqrt{2(P_s - P_A)/\rho} \tag{8.44}$$

$$Q_c = C_d A_c(x)\sqrt{2(P_s - P_B)/\rho} \tag{8.45}$$

$$Q_d = C_d A_d(x)\sqrt{2(P_B - P_t)/\rho} \tag{8.46}$$

이 시스템의 유량 특성은 다음 조건을 고려한 정상상태 조건에서 살펴볼 수 있다:

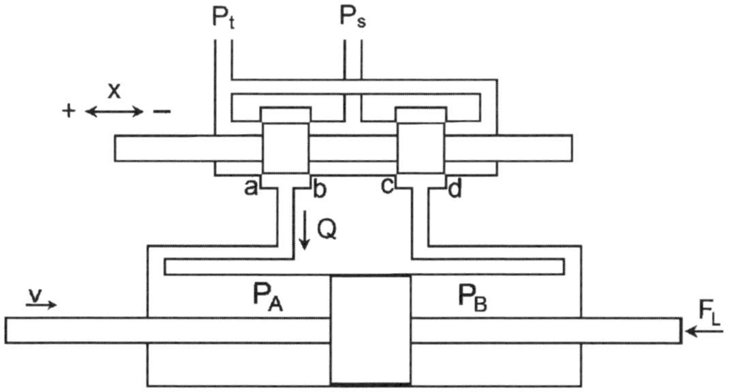

그림 8.10 밸브 제어식 구동기

1. 밸브는 대칭적으로 매칭된다; $A_a(x) = A_c(x)$, $A_b(x) = A_d(x)$, 그리고 $A_a(-x) = A_b(x)$, $A_c(-x) = A_d(x)$
2. 유압 실린더에는 마찰과 누설이 없다.
3. 밸브의 교축면적은 스풀 변위에 선형적으로 비례한다($A = \omega x$)
4. 스풀 밸브는 제로-랩을 가지며 반경방향 틈새에서의 누유가 없다.
5. 귀환 배관의 압력은 대기압이다($P_t = 0$)

스풀 변위가 영보다 큰 정상상태에서, 실린더의 대칭성과 매칭 밸브의 A_b와 A_d가 서로 같음을 고려하면 유량 Q_b와 Q_d는 같다. 즉,

$$C_d A_b(x)\sqrt{2(P_s - P_A)/\rho} = C_d A_d(x)\sqrt{2(P_B - P_t)/\rho} \tag{8.47}$$

$$P_s = P_A + P_B \tag{8.48}$$

부하압력을 $P_L = P_A - P_B$로 정의하면

$$P_A = (P_s + P_L)/2 \quad \text{그리고} \quad P_B = (P_s - P_L)/2 \tag{8.49}$$

부하유량은 $Q = Q_b - Q_a = Q_c - Q_d$로 정의된다. P_A와 P_B를 대입하면 부하 유량은 다음과 같이 구해진다.

$$Q = C_d A_b(x)\sqrt{(P_s - P_L)/\rho} - C_d A_a(x)\sqrt{(P_s + P_L)/\rho} \tag{8.50}$$

(+)의 스풀 변위에 대하여 이상적인 밸브의 경우,

$$A_c = A_a = 0, \qquad A_b = A_d = \omega x \quad \text{그리고} \quad Q = Q_b = Q_d \tag{8.51}$$

$$Q = C_d \omega x\sqrt{(P_s - P_L)/\rho} \tag{8.52}$$

최대유량 Q_{max}는 $x = x_{max}$와 $P_L = 0$에서 발생된다. 즉,

$$Q_{max} = C_d \omega x_{max} \sqrt{P_s/\rho} \tag{8.53}$$

유량 방정식은 아래의 무차원 매개변수들을 정의하여 무차원 형태로 바꿀 수 있다:

$$\bar{Q} = Q/Q_{max}, \qquad \bar{x} = x/x_{max} \quad \text{그리고} \quad \bar{P} = P_L/P_s \tag{8.54}$$

$$\bar{Q} = \bar{x}\sqrt{1-\bar{P}} \tag{8.55}$$

무차원 피스톤 속도는, $v = Q/A_p$, $v_{max} = Q_{max}/A_p$로부터 $\bar{v} = v/v_{max}$로 주어진다.

$$\bar{v} = v / v_{max} = \bar{Q} = \bar{x}\sqrt{1-\bar{P}} \tag{8.56}$$

그림 8.10에서 (–)의 스풀 변위에서 피스톤은 부하력과 같은 방향으로 움직인다. 이 경우 비선형 밸브 유량은 다음과 같이 표현된다:

$$\bar{Q} = \bar{x}\sqrt{1+\bar{P}} \tag{8.57}$$

밸브 제어식 구동기의 정상상태 유량 특성은 그림 8.11과 같다.

8.5.2 출력 특성

밸브 제어식 구동기의 출력 특성은 출력, 스풀 변위, 부하압력 간의 관계를 나타내고 다음 식으로 표현된다.

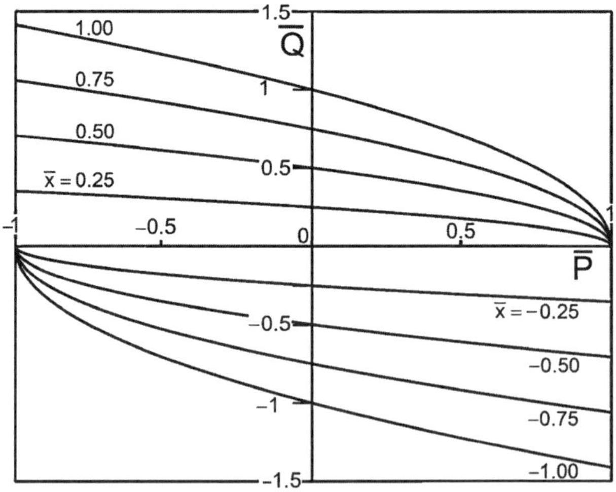

그림 8.11 밸브 제어식 구동기의 정상상태 유량 특성

$$N = F_L v = P_L A_P \frac{Q}{A_p} = P_L Q \tag{8.58}$$

$$N = C_d \omega x P_L \sqrt{(P_s - P_L)/\rho} \tag{8.59}$$

x 또는 P_L이 0이거나, $P_L = P_s$이면 출력은 영이다. 최대 출력은 $x = x_{\max}$이고 부하압력이 $0 < P_L < P_s$의 범위에 있을 때 얻어진다. 최대 출력은 다음과 같이 구해진다:

$$\frac{\partial N}{\partial P_L} = 0 \tag{8.60}$$

$$C_d \omega x \sqrt{(P_s - P_L)/\rho} - \frac{1}{2\rho} C_d \omega x P_L \left\{ \frac{1}{\rho}(P_s - P_L) \right\}^{-1/2} = 0 \tag{8.61}$$

$$P_L = \frac{2}{3} P_s \quad 그리고 \quad \bar{P} = \frac{2}{3} \tag{8.62}$$

$$N_{\max} = \frac{2}{3\sqrt{3}} C_d \omega x_{\max} P_s \sqrt{\frac{1}{\rho} P_s} \tag{8.63}$$

무차원 동력 $\bar{N}$은 $\bar{N} = N / N_{\max}$로 정의되므로

$$\bar{N} = \frac{3\sqrt{3}}{2} \bar{x}\, \bar{P} \sqrt{1 - \bar{P}} \tag{8.64}$$

밸브 제어식 구동기의 출력 특성은 그림 8.12에 표시되었다.

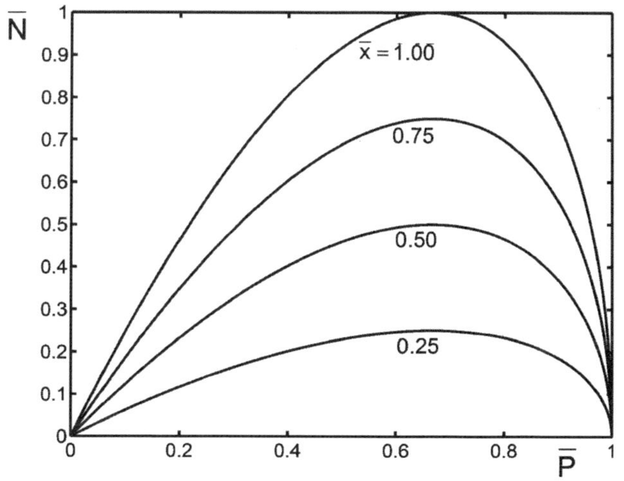

그림 8.12 벨브 제어식 구동기의 출력 특성

8.6 연습문제

1. 유압 서보 구동기의 기능도를 그리고 기능을 설명하라.
2. 기계적인 되먹임 방식의 유압 서보 구동기 구성도를 그리고 기능을 설명하라. 동적 거동을 나타내는 수학적 모델을 유도하라.
3. 그림 8.1에 그려진 유압 서보 구동기를 설명하는 수학적 모델을 유도하라. 시뮬레이션 프로그램을 작성하고,
   (a) 유압 서보 구동기의 과도응답을 설명하라.
   (b) 내부 누유가 유압 서보 구동기에 미치는 영향을 설명하라.
   (c) 부하력이 유압 서보 구동기의 성능에 미치는 영향을 설명하라.

   시뮬레이션을 위한 사양은 다음과 같다.

$\omega = 1$ mm,	$C_d = 0.611$,	$\rho = 867$ kg/m^3,	$P_s = 15$ MPa
$A_p = 20$ cm^2,	$m = 6$ kg,	$V_o = 120$ cm^3,	$P_l = 0$
$f_v = 2000$ Ns/m,	$B = 1.5 \times 10^9$ Pa,	$R_e = 10^{18}$ Pa s/m^3,	$R_i = 10^{12}$ Pa s/m^3
$k_L = 1.5 \times 10^5$ N/m	미지의 데이터에 대해서는 적절한 값을 가정할 것.		

4. 그림 8.1의 유압 서보 구동기에 대한 전달함수를 구하고 단순화 가정조건들을 설명하라.
5. 밸브 제어식 구동기의 유량 특성을 자세히 설명하라. 필요한 관계식을 유도하고 그래프를 그려라.
6. 밸브 제어식 구동기의 출력 특성을 자세히 설명하라. 필요한 관계식을 유도하고 그래프를 그려라.

8.7 기호 설명

A = 교축면적, m^2
A_p = 피스톤 면적, m^2
A_r = 반경방향 틈새의 단면적, m^2
B = 오일의 체적탄성계수, Pa
C_d = 유량계수
d_s = 스풀의 직경, m
f_v = 마찰계수, Ns/m
F_L = 부하력, N
k_L = 스프링 계수, N/m
k_p = 압력이득, m^5/Ns
k_x = 유량이득, m^2/s
k_f = 되먹임 이득
L = 길이, m

m = 운동 질량, kg
N = 동력, W
P_L = 부하압력, Pa
P_s = 공급압력, Pa
P_t = 귀환압력, Pa
Q = 유량, m^3/s
Q_e = 외부누유량, m^3/s
Q_i = 내부누유량, m^3/s
R = 등가누유저항, Pa s/m^3
R_e = 외부누유저항, Pa s/m^3
R_i = 내부누유저항, Pa s/m^3
v = 피스톤 속도, m/s
V = 실린더 전체 오일체적, m^3
V_o = 실린더 오일체적의 절반, m^3
x = 스풀 밸브의 개구 변위, m
y = 피스톤 변위, m
ω = 교축면적 폭, m
ρ = 오일 밀도, $kg/^3$

부록 8A 유압 서보 구동기의 모델링과 시뮬레이션

본 부록은 네거티브 되먹임 방식의 유압 서보 구동기에 대한 실례를 소개한다. 유압 서보 구동기의 구성과 작동은 그림 8A.1과 그림 8A.2에 설명되었다. 유압 서보 구동기의 상세 사양은 다음과 같다.

오일의 체적탄성계수	$B = 1.5 \times 10^9$	N/m^2
외부 부하 계수	$k_L = 400$	kN/m
유량계수 ($K_o = C_d\sqrt{2/\rho}$)	$K_o = 0.0293$	$m^{3/2}kg^{-1/2}$
실린더 내부체적의 절반	$V_o = 100$	cm^3
스풀 변위의 제한치	$x_{\lim} = 1$	mm
피스톤 면적	$A_p = 30$	cm^2
피스톤 마찰계수	$f_v = 2$	kNs/m
반경방향 틈새	$c = 4$	mum
피스톤과 부하의 질량	$m = 10$	kg
외부누유의 저항	$R_e = 1 \times 10^{14}$	Ns/m^5
내부누유의 저항	$R_i = 10^{14}$	Ns/m^5

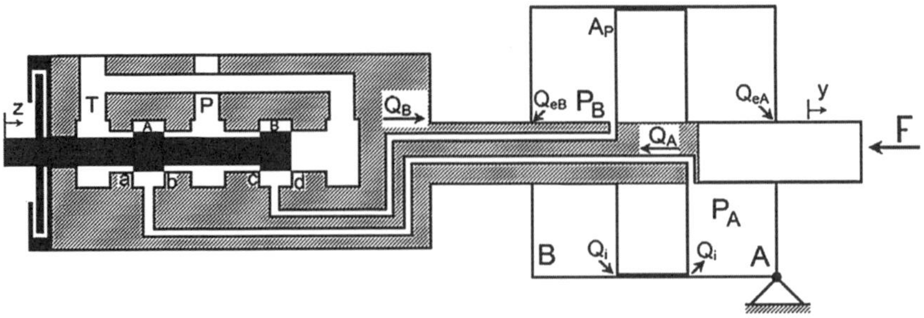

그림 8A.1 유압 서보 구동기의 도해

귀환 압력	$P_t = 0$	Pa
공급 압력	$P_s = 20$	MPa
밸브 포트의 폭	$\omega = 1$	mm

유압 서보 구동기의 수학적 모델

유압 서보 구동기의 동적거동을 나타내는 수학적 모델은 다음과 같이 유도된다.

방향제어밸브의 교축면적을 통한 유량

유압 서보 구동기는 제로-랩 스풀 형의 방향제어밸브를 사용한다. 밸브 교축면적을 통한 유량은 다음과 같다.

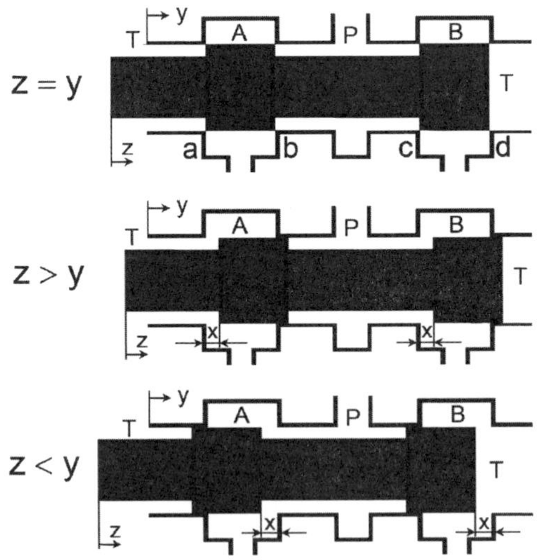

그림 8A.2 유압 서보 구동기 스풀 밸브의 작동 위치

$$Q_a = C_d A_a(x)\sqrt{2(P_A - P_t)/\rho} \tag{8A.1}$$

$$Q_b = C_d A_b(x)\sqrt{2(P_s - P_A)/\rho} \tag{8A.2}$$

$$Q_c = C_d A_c(x)\sqrt{2(P_s - P_B)/\rho} \tag{8A.3}$$

$$Q_d = C_d A_d(x)\sqrt{2(P_B - P_t)/\rho} \tag{8A.4}$$

유압 서보 구동기의 방향제어밸브는 제로–랩 매칭, 대칭형 밸브이다. 매칭 밸브는 $A_a(x) = A_c(x)$, $A_b(x) = A_d(x)$, 대칭 밸브는 $A_a(x) = A_b(-x)$, $A_c(x) = A_d(-x)$의 조건을 만족시킨다.

$$\left.\begin{aligned} A_a &= A_c = \omega\sqrt{(x^2 + c^2)} \\ A_b &= A_d = A_r \end{aligned}\right\} \quad \text{는 } x \ge 0, z \ge y \text{ 의 경우} \tag{8A.5}$$

$$\left.\begin{aligned} A_a &= A_c = A_r \\ A_b &= A_d = \omega\sqrt{(x^2 + c^2)} \end{aligned}\right\} \quad \text{는 } x \le 0, z \le y \text{ 의 경우} \tag{8A.6}$$

실린더 체임버에 적용된 연속방정식

오일의 압축성에 의한 체적 변화와 비교할 때 실린더 벽의 변형은 무시할만하다. 실린더 체임버에 연속방정식을 적용하면 다음 식을 얻는다:

$$Q_B - A_P \frac{dy}{dt} - Q_i - Q_{eB} = \frac{V_o + A_p y}{B}\frac{dP_B}{dt} \tag{8A.7}$$

$$A_P \frac{dy}{dt} + Q_i - Q_A - Q_{eA} = \frac{V_o - A_p y}{B}\frac{dP_A}{dt} \tag{8A.8}$$

유량 Q_A와 Q_B는 다음과 같이 표시된다.

$$Q_B = Q_c - Q_d \tag{8A.9}$$

$$Q_A = Q_a - Q_b \tag{8A.10}$$

누설유량이 압력차에 비례한다고 가정하면 누유량은 다음 식으로 표시된다:

$$Q_i = (P_B - P_A)/R_i \tag{8A.11}$$

$$Q_{eB} = P_B/R_e \tag{8A.12}$$

$$Q_{eA} = P_A/R_e \tag{8A.13}$$

피스톤의 운동방정식

$$A_p(P_B - P_A) = m\frac{d^2y}{dt^2} + f_v\frac{dy}{dt} + F_L \tag{8A.14}$$

되먹임 식

$$x = z - y, \quad \text{where} \quad |x| \le x_{\text{Lim}} \tag{8A.15}$$

유압 서보 구동기의 시뮬레이션

식 (8A.1)~(8A.15)는 유압 서보 구동기의 동적거동을 표현한다. 이 식들을 SIMULINK로 프로그램하여 계단 입력에 대한 유압 서보 구동기의 과도응답을 컴퓨터로 시뮬레이션하였다. 그림 8A.3~그림 8A.5는 여러 가지 크기의 계단 입력에 대한 응답의 계산 결과를 보여준다.

그림 8A.3는 유압 서보 구동기가 32 ms 시상수의 일차 과다감쇠 응답특성을 나타냄을 보여준다. 그림 8A.4와 그림 8A.5는 1 mm보다 큰 크기의 계단 압력에 대한 유압 서보 구동기의 응답 그래프이다. 이 두 그래프는 스풀 변위의 제한에 의한 포화조건에서의 응답을 보여준다.

본 유압 서보 구동기는 계산된 응답을 바탕으로 일차 전달함수로 간주될 수 있다. 변위제한기를 포함하고 있어 매우 작은 변위에서만 전달함수가 적용된다. 따라서 그림

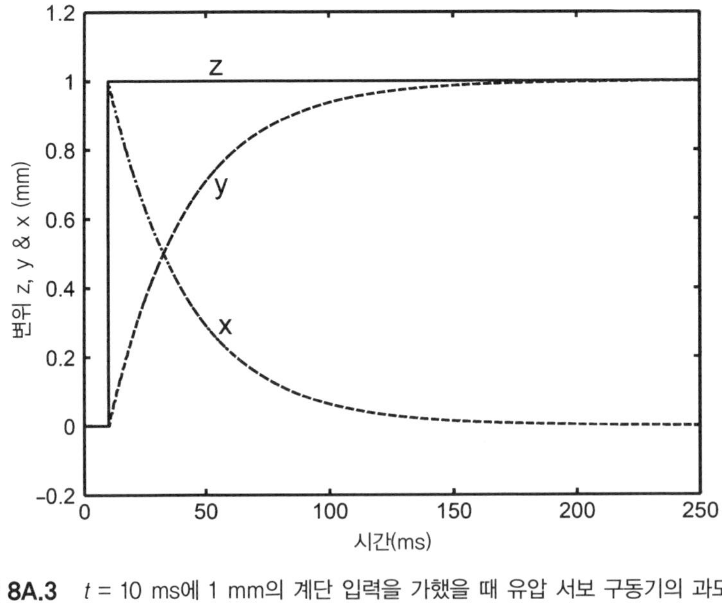

그림 8A.3 t = 10 ms에 1 mm의 계단 입력을 가했을 때 유압 서보 구동기의 과도응답

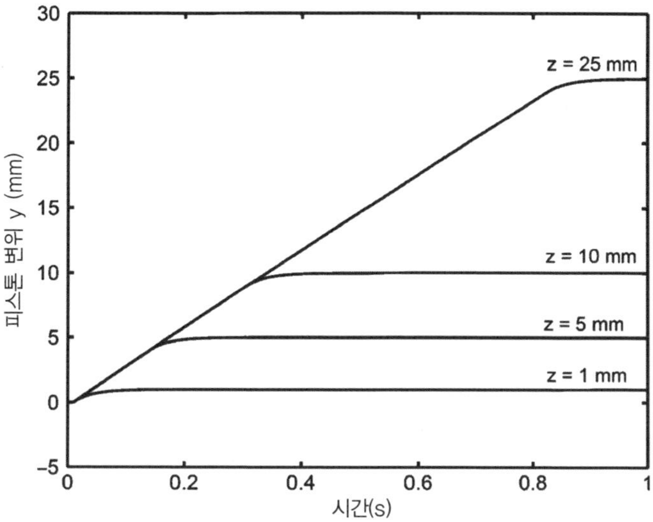

그림 8A.4 *t* = 10 ms에 여러 가지 크기의 계단 입력을 가했을 때 유압 서보 구동기의 응답

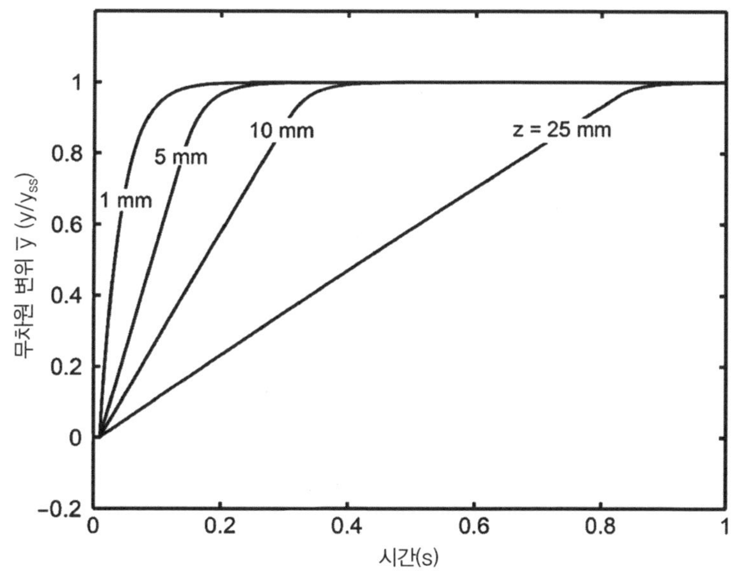

그림 8A.5 *t* = 10 ms에 여러 가지 크기의 계단 입력을 가했을 때 유압 서보 구동기의 무차원화 응답

8A.6에 제시된 모델이 보다 현실적이다. 과도응답으로 제시된 이 모델은 유압 서보 구동기의 전 작동 영역에서 상세 모델과 거의 일치한다. 즉, $|x| \le x_{\text{Lim}}$의 제한된 스풀 변위 내에서 작동할 때 예제의 유압 서보 구동기는 다음의 전달함수로 정확하게 표시할 수

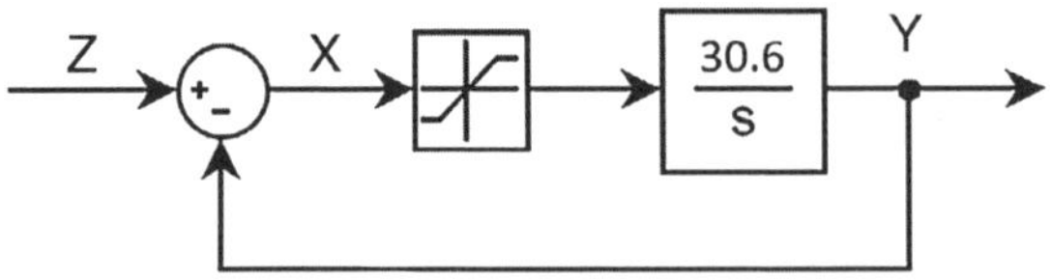

그림 8A.6 유압 서보 구동기 모델의 블록선도

있다.

$$G(s) = \frac{Y}{Z} = \frac{1}{0.033s + 1}$$

기호 설명

A = 교축면적, m^2
A_p = 피스톤 면적, m^2
A_r = 반경방향 틈새 면적, m^2
B = 오일의 체적탄성계수, Pa
c = 스풀의 반경방향 틈새, m
C_d = 유량계수
F_L = 외부 부하력, N
f_v = 마찰계수, Ns/m
m = 운동체의 등가 질량, kg
P_s = 공급압력, Pa
P_t = 귀환압력, Pa
Q = 유량, m^3/s
Q_e = 외부누유량, m^3/s
Q_i = 내부누유량, m^3/s
R_e = 외부누유저항, $\mathrm{Pa\ s/m}^3$
R_i = 내부누유저항, $\mathrm{Pa\ s/m}^3$
V_o = 실린더충전 오일체적의 절반, m^3
x = 스풀 변위, m
y = 피스톤 변위, m
z = 입력변위, m
ρ = 오일 밀도, $\mathrm{kg/m}^3$
ω = 밸브 포트의 폭, m

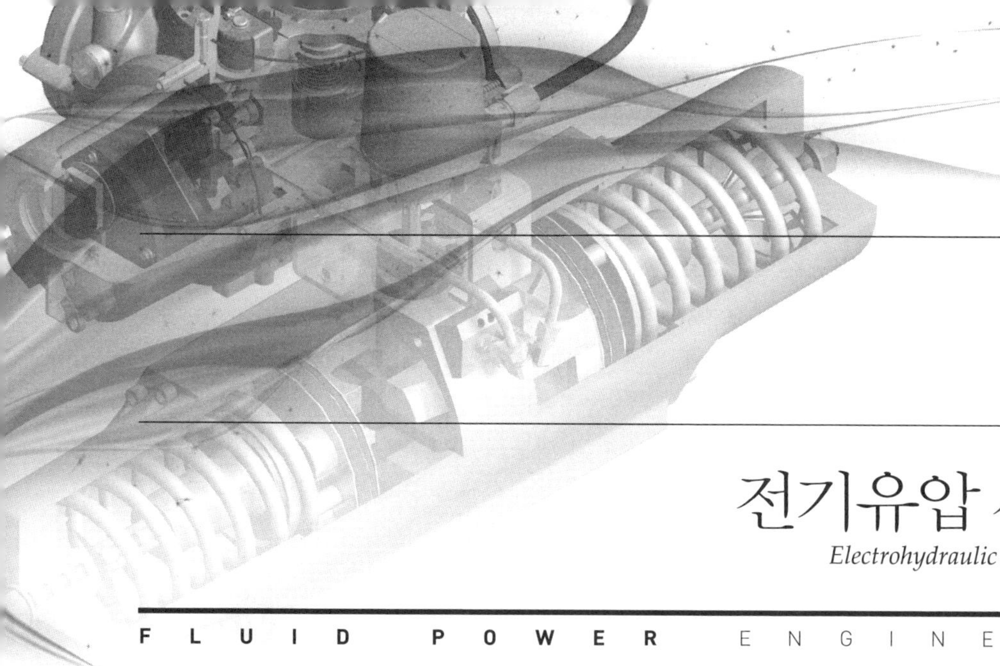

CHAPTER 9

전기유압 서보밸브

Electrohydraulic Servovalve Technology

9.1 서론

전자제어 시스템과 유압식 동력 시스템의 결합은 매우 강력하고 정밀한 제어 시스템을 실현시킬 수 있다. 전기유압 비례제어 시스템 또는 서보제어 시스템은 유압구동기의 높은 중량 대비 출력비와 높은 제어강성 측면에서 유압식 동력 시스템의 장점을 가지고 고도의 제어성과 정밀도 측면에서는 전자제어기의 장점을 지니고 있다.

전자제어기를 사용하는 유압식 동력 시스템은 4가지 종류의 제어 밸브를 이용한다.

- 일반적인 스위칭 밸브: 밸브를 단순히 개방/차단 시키려 할 때 사용된다.
- 전기유압 비례밸브: 주로 오픈 루프 제어 시스템에 사용된다. 이들 밸브는 입력 신호에 따라 압력이나 유량을 비례전자석으로 제어한다. 제어 변수들의 무단조절, 특정 제어기능에 요구되는 유압 부품 수의 감소 등과 같은 장점을 제공한다.
- 전기유압 서보밸브: 주로 폐루프(되먹임) 제어 시스템에 사용된다. "서보" 개념은 널리 쓰이는 표현으로, 저출력의 입력 신호를 고출력의 제어된 상태 또는 신호로 증폭시키는 시스템을 일컫는다. 예를 들어 0.08 W의 저출력 입력 신호로 100 kW 이상의 출력을 내는 아날로그 제어를 할 수 있다. 전기유압 서보 시스템은 정밀도와 반응속도 면에서 최고의 제어기를 제공하며 압력, 압력차, 각속도, 변위, 각변위, 변형률, 힘 등과 같은 거의 모든 유압 변수와 기계 변수들을 제어하기 위하여 사용된다. 이 시스템은 1940년부터 군사 장비에 응용되면서 발전되어 왔다.
- 디지털 밸브: 마이크로프로세서가 불연속의 신호 펄스를 스테핑모터에 보내면 밸브 제어 요소의 위치가 정해지는 방식으로 동작한다.

9.2 전기유압 서보 시스템의 응용

대부분의 전기유압 서보밸브를 분류하기 위한 기준으로 두 가지 성능 변수가 고려된다. 첫째는 동력이나 유량의 크기이고, 둘째는 동적 성능이다. 편의상 동력은 장비를 제어하기 위해 요구되는 동력으로 정의되고, 동적 성능은 고유진동수로 표현된다. 구동 장치의 고유진동수와 제어이득은 구동장치의 폐루프 제어 정밀도를 결정한다. 표 9.1은 제조업과 우주 항공 분야에서 전기유압 서보 시스템의 주요 응용 분야와 최대 요구 성능을 보여준다.

9.3 전자기 모터

전기유압 시스템은 전자제어기 또는 디지털 제어기로 제어된다. 이러한 시스템에서 전자제어 시스템과 유압 시스템은 낮은 동력의 전기 제어 신호를 비례 관계의 기계 신호로 변환하는 요소에 의해 서로 연결된다.

아래의 전자기 모터들은 전기 제어 신호를 비례적 기계 신호로 변환하는데 사용된다.

- 전자기 토크 모터
- 단동형 비례 솔레노이드
- 복동형 비례 솔레노이드
- 선형 포스 모터
- 가동 코일

전자기 토크 모터는 주로 전기유압 서보밸브에 사용되며, 낮은 전력의 전류 입력 신호를 비례하는 토크로 변환시킨다. 조립과 성능시험이 쉽도록 설계되어야 하는 토크 모터는 유압유가 침투하지 못하도록 차폐되며 일반적인 구조는 그림 9.1과 9.2에서 보는 바와 같다.

연질자성 소재의 회전자(6)는 얇은 탄성 튜브(2) 위에 장착된다(그림 9.1과 9.2 참조). 이 튜브는 회전자와 플래퍼(4)를 지지하면서 중립위치 복귀를 위한 스프링 역할을 하며 토크 모터와 유압 부분을 분리하는 밀폐 요소에 해당된다. 플래퍼는 물리적으로는 토크 모터의 일부지만 기능적으로는 유압 증폭기에 속한다. 공극들(8)은 회전자가 중립위치에 있을 때 크기가 같다. 공극의 크기는 그림 9.1의 경우 조정이 불가하고, 그림 9.2의 경우 조정이 가능하다. 영구자석(1)은 공극에 대해 대칭으로 위치하고 영구자석의 자기장이 공극에 형성된다. 회전자가 중립위치에 있을 때, 4개의 공극은 같은 크기를 갖기 때문에 각 공극에서의 자속도 같은 값을 갖는다. 그러므로 위, 아래 자극으로 회전자의 끝단을 잡아당기는 기계적 힘들은 서로 같고 그 합력은 영이다. 이 조건에서 모터의

분야	주파수 대역, [a]Hz	유량, [b]L/min	동력, [c]kW
가진기	600	4	1.5
미사일 조종면 제어	400	4	1.5
탐색 안테나의 추종제어	300	2	0.75
오일 탐사	200	450	190
항공기 전륜 조향	150	4	1.5
피로시험	100	115	40
공작기계	100	40	15
터빈제어	100	11	4.5
미사일 발사 장치	70	20	7.5
사출성형	60	300	120
다이 캐스팅	50	1140	450
항공기 시뮬레이션	50	190	75
우주왕복선	50	265	105
항공기 비행 제어	40	115	45
로봇	40	57	22
항공기 엔진 연료제어	30	15	6
항공기 연료 주입 크레인	30	20	7.5
압연기	30	570	225
탱크 터렛 제어	20	190	75
농기계	15	40	15
컨베이어	15	25	10
크레인	75	30	
무한궤도차	7	378	150
제조 공정제어	5	7.5	3

[a] 90°의 위상 지연이 발생되는 주파수
[b] 70 bar의 공급 압력차에서 서보밸브를 통과하는 최대 유량
[c] 약 210 bar 압력에서의 유압동력

표 9.1 전기유압식 서보 시스템의 주요 응용 분야

토크는 영이 된다. 코일(7)에 제어 전류가 흐르면, 회전자는 자화된다. 이 전자석의 자기장은 극성에 따라 대각선상으로 서로 반대편에 위치한 공극에서 합성 자기장을 강화시키고 다른 두 개의 공극에서는 자기장을 약화시킨다. 그 결과, 자력 방향의 비대칭성으로 인하여 합성 토크가 회전자에 유도된다. 입력 전류의 극성을 바꾸면 토크의 방향도 바뀌며, 회전자 변위가 공극 길이보다 작은 범위에서는, 토크는 입력 전류에 비례한다.

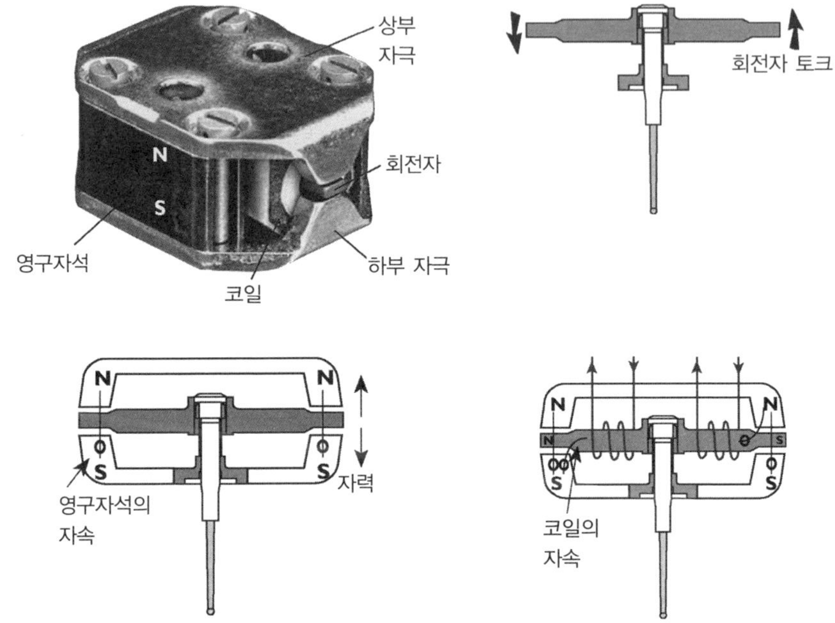

그림 9.1 공극을 조절할 수 없는 전자기 토크 모터 (*Moog Inc. 게재 승인*)

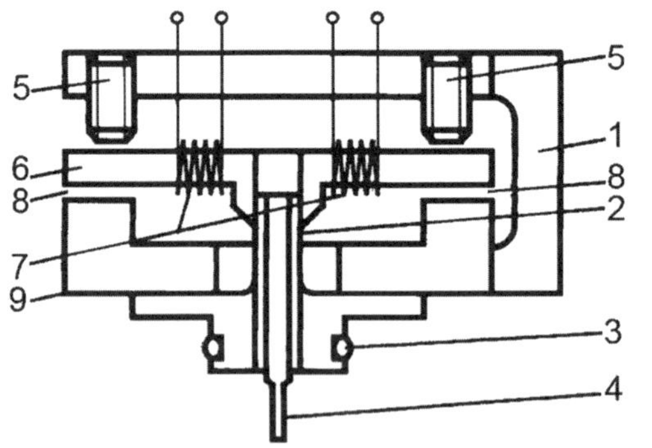

1. 영구자석, 2. 탄성 튜브, 3. 밀봉 링, 4. 플래퍼 판, 5. 자극(폴) 조정 스크류
6. 회전자, 7. 제어 코일, 8. 공극, 9. 자극편

그림 9.2 공극 조정이 가능한 전자기 토크 모터

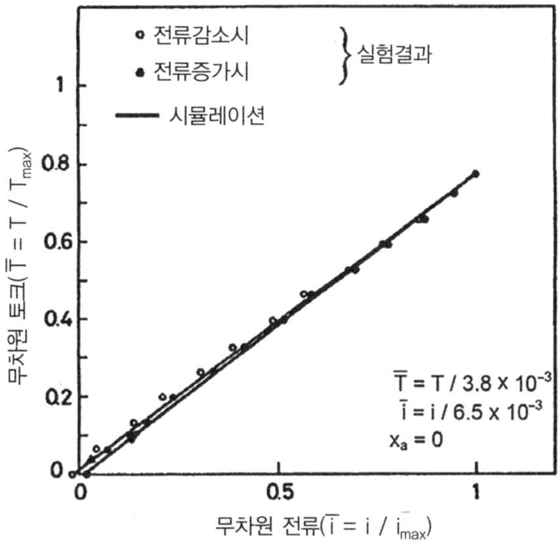

그림 9.3(a) 전자기 토크 모터의 토크 대 전류 관계

회전자는 자기 히스테리시스가 작은 연질자성 소재로 제작된다. 그러나 코일 전류가 영으로 감소될 때, 회전자는 자기 히스테리시스에 의하여 완전한 비자화 상태로 돌아오지 않기 때문에 낮은 값의 토크가 존재한다. 그림 9.3a는 일반적인 토크 모터의 토크와 전류의 관계를 보여준다. 이 그림은 자기 히스테리시스 효과와 함께 입력 전류와 토크 사이의 선형적인 관계를 보여준다.

토크 모터의 소비 전력은 20~200 mW이다. 예외적으로 스풀을 직접 구동하는 토크 모터는 5 W까지의 전력을 소비한다. 실제로 모터의 토크는 회전자 전류뿐만 아니라 회전자 끝단의 변위 (x_a)에 의해서도 미세하게 영향을 받는다(그림 9.3b 참고). 토크는 상수 k_i와 k_x가 일정할 때 $T = k_i i + k_x x_a$로 주어진다. 회전자 끝단 변위는 실제로 공극(x_g)보다 매우 작다. 그러므로 $k_x x$는 $k_i i$에 비해 무시할 수 있는 크기이다.

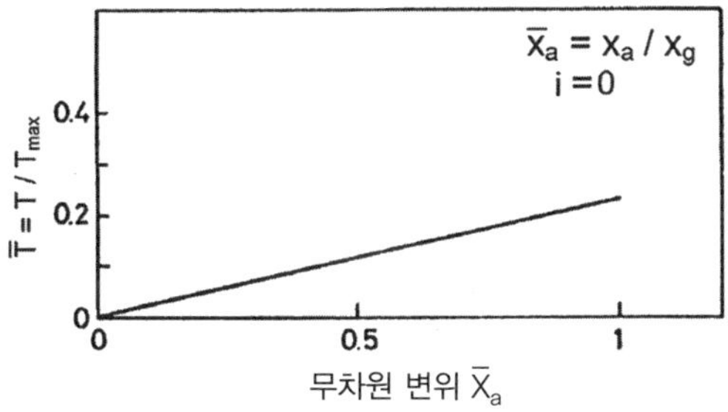

그림 9.3(b) 일반적인 전자기 토크 모터의 토크 대 변위 관계

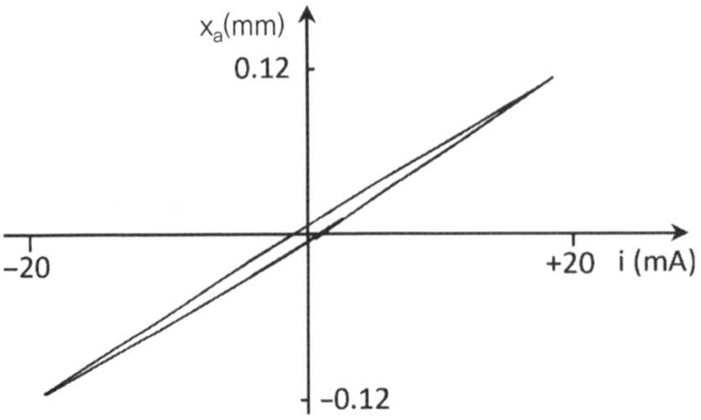

최대 전력 = 170 mW, 스프링 강성 = 27 N/mm,
최대 변위 = 0.12 mm, 체적 = 24cm^3
히스테리시스 = 5%, 공극 = 0.4 mm, 고유진동수 = 770 Hz

그림 9.3(c) 전자기 토크 모터의 특성 곡선 (x는 회전자의 끝단에서 측정됨)

그림 9.3c와 같이 전류에 비례하는 토크는 탄성 튜브의 반력을 받아 변위로 변환된다.

영구자석은 전자기 회로의 외곽에 위치하므로 전자기 회로의 자기장에 의해 영향을 받지 않는다.

회전자의 변위가 공극의 길이에 비하여 작은 값으로 제한되어야 하는 것은 매우 중요하다. 그렇지 않으면 토크–전류와 변위–전류의 관계는 비선형적이 되기 때문이다.

전자기 토크 모터는 다음의 장점을 갖는다.

- 마찰이 없음
- 자기 히스테리시스가 작음
- 탄성 튜브의 완전 밀봉에 의해 오일과 차단됨
- 유압 매체에 자기장이 형성되지 않음
- 고유 진동 주파수와 응답 속도가 높음

9.4 플래퍼 밸브 증폭기와 일체화된 서보밸브

9.4.1 단단 서보밸브

단단 서보밸브(그림 9.4 참조)는 출구 포트(A와 B)의 압력차를 제어하며 단단 압력 서보밸브나 다단 서보밸브의 파일럿밸브로 사용된다. 단단 서보밸브는 전자기 토크 모터, 양방향 젯 플래퍼 밸브 형태의 유압 증폭기, 그리고 교체 가능한 필터 요소로 구성된다.

전자기 토크 모터는 입력 전류에 비례하여 토크를 발생한다. 회전자(1)와 플래퍼

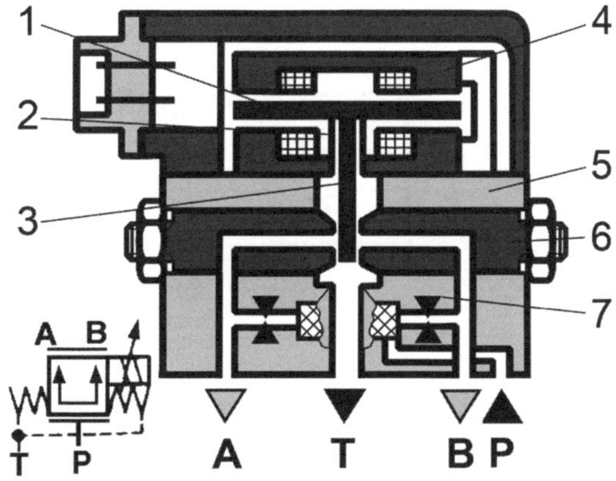

그림 9.4 단단 서보밸브의 구조 (*Bosch Rexroth AG. 게재 승인*)

(3)은 탄성 튜브(2)에 의하여 중립위치로 복귀된다. 회전자는 회전자의 자기 히스테리시스 효과에 의하여 중립위치에서 약간 벗어난다. 제어 전류를 코일에 입력하면 토크모터는 입력 전류에 비례하여 토크를 발생시킨다. 이 비례관계는 회전자 소재에 의한 자기 히스테리시스 루프를 제외하고는 매우 선형적이다. 출력 토크는 매우 작은 회전각도인 0.5° 이내에서 회전자와 플래퍼를 회전시킨다. 이 회전각은 서보밸브에 대한 작동 신호로서 매우 낮은 동력의 기계 신호이다. 그러므로 이 신호는 유압 증폭기에 의하여 증폭된다. 세가지 유압 증폭기가 전기유압 서보밸브에 사용된다: **플래퍼 밸브, 분사관형 증폭기,** 또는 **편향 분사형 증폭기**.

그림 9.4는 플래퍼 밸브 방식 유압 증폭기(또는 노즐 플래퍼 증폭기)와 일체화된 단단 전기유압 밸브를 나타낸다. 고압 오일은 포트(P)와 미세 필터를 통하여 밸브에 공급된다.

양방향 노즐 플래퍼 밸브의 구조는 그림 9.5a와 같다. 이 밸브는 두 개의 고정 오리피스(N_1과 N_2)와 두 개의 노즐로 구성된다. 공급 압력(Ps)은 오리피스 (N_1과 N_2)와 젯 노즐을 통하여 감소한다. 만약 양쪽 노즐의 단면적이 같다면 양쪽 모두 같은 압력 강하가 일어난다.

플래퍼의 변위는 두 개의 젯 노즐의 교축면적을 바꾼다. 만일 플래퍼가 우측으로 움직이면 좌측 노즐의 면적을 증가시키고 우측 노즐의 면적을 감소시킨다(그림 9.5a 참조). 그 결과, 압력 P_1은 감소하고 P_2는 증가한다. 이로 인한 압력차($\Delta P = P_2 - P_1$)는 플래퍼 변위에 비례한다(그림 9.5b 참조). 그림 9.5c는 두 개의 다른 단단 밸브의 입력 전류에 대한 제어포트 압력의 변화를 측정한 결과인데, 대부분의 작동 범위에서 선형성을 보인다. 반면에, 자기 히스테리시스와 자기 포화의 영향도 나타나는 것을 볼 수 있다.

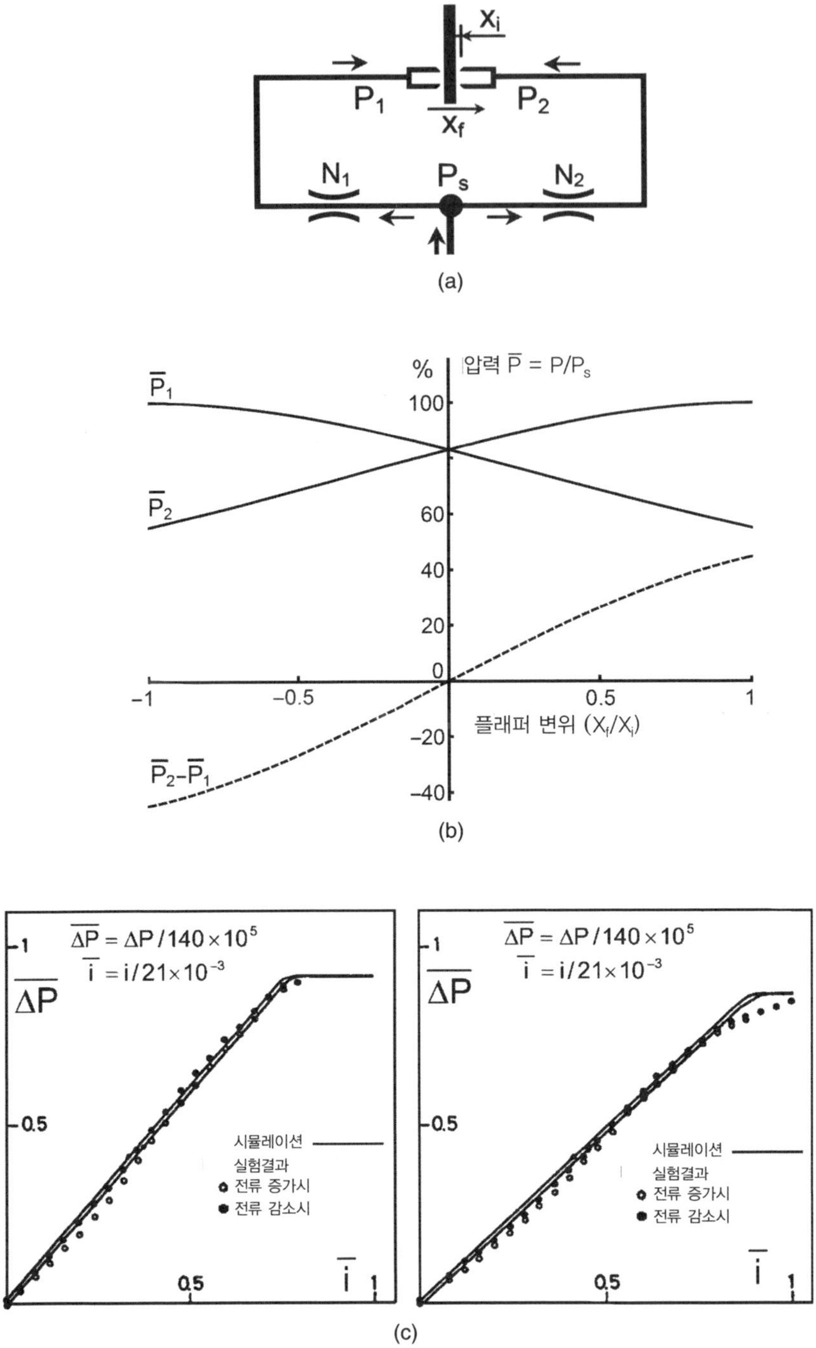

그림 9.5 (a) 양방향 노즐 플래퍼 밸브의 개념도, (b) 양방향 노즐 플래퍼 밸브의 압력 특성, (c) 두 가지 단단 서보밸브의 실제 압력 특성

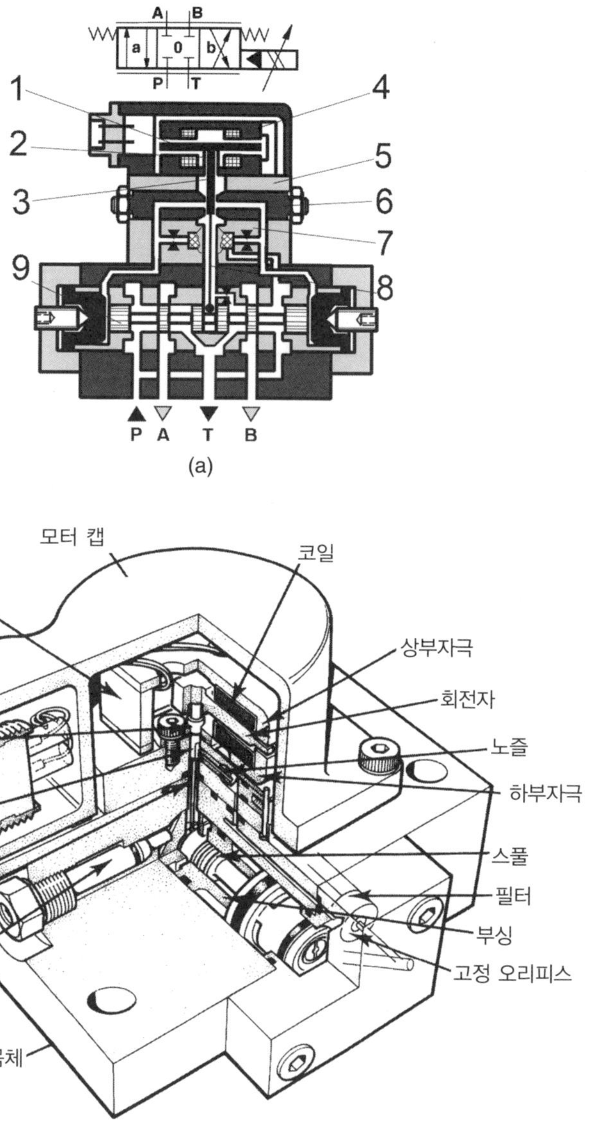

그림 9.6 (a) 기계식 되먹임을 가진 2단 전기유압 서보밸브 (*Bosch Rexroth AG. 게재 승인*), (b) 기계식 되먹임을 가진 2단 전기유압 서보밸브의 절개도 (*Moog Inc. 게재 승인*)

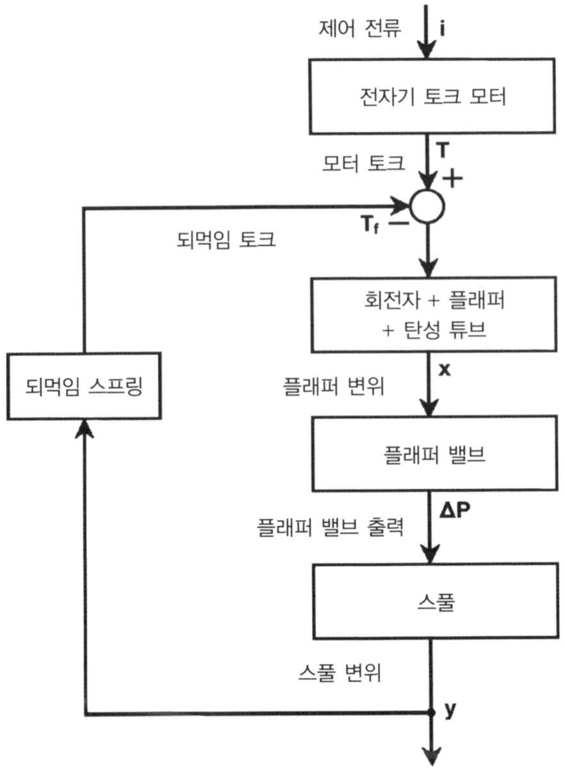

그림 9.7 기계식 되먹임을 가진 2단 전기유압 서보밸브의 블록 다이어그램

9.4.2 2단 전기유압 서보밸브

기계식 되먹임을 가진 밸브

그림 9.6은 2단 전기유압 서보밸브(EHSV)의 구조를 보여준다. 파일럿밸브는 전자기 토크 모터와 양방향 노즐 플래퍼 밸브를 가지고 있다. 주 밸브는 플래퍼 밸브에 의하여 발생된 압력차에 의해 유압식으로 조작되는 스풀 밸브로 구성된다. 기계식 되먹임을 가진 2단 전기유압 서보밸브(그림 9.6 참조)의 작동은 그림 9.7의 블록 다이어그램으로 표현될 수 있고 그림 9.8에 작동상태가 도시되어 있다. 파일럿밸브와 주 밸브 사이의 되먹임은 한쪽 끝단이 플래퍼와 연결되고 반대편 끝단은 스풀의 홈과 맞물려있는 되먹임 스프링(8)에 의하여 이루어진다.

중립위치로부터의 스풀 변위는 플래퍼에 되먹임 토크를 발생시키고, 이것은 회전자 토크와 반대 방향으로 작용한다. 되먹임 토크와 회전자 토크가 같아지는 위치에서 스풀은 정지하고 플래퍼는 거의 중립위치로 되돌아 온다. 이때 플래퍼 밸브는 되먹임 토크와 평형을 이루는 데 필요한 만큼의 매우 작은 압력차를 유지한다. 이러한 구조와 작동 원리는 스풀 변위와 제어 전류 사이의 비례관계를 보장한다.

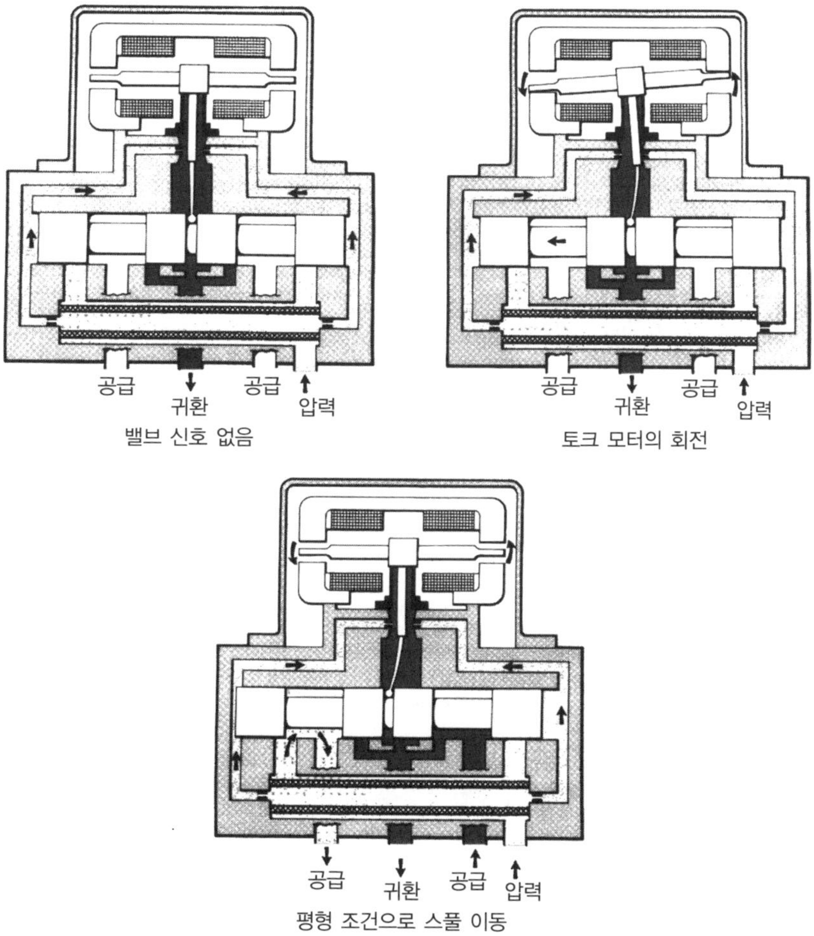

그림 9.8 기계식 되먹임을 가진 2단 전기유압 서보밸브의 작동 (*Moog Inc. 게재 승인*)

전기식 되먹임을 가진 밸브

그림 9.9는 전기식 되먹임을 가지는 2단 전기유압 서보밸브를 보여준다. 스풀(9)은 유도 코일형 변위 측정기(12)의 코어(11)에 연결되어 있다. 코어는 변환 측정기의 유도 코일 내에서 움직이며 증폭기를 거쳐 스풀의 변위에 비례하는 전압 신호를 출력시킨다. 명령 신호값과 되먹임 신호를 비교하여 검출된 제어오차는 전기 제어 시스템을 통하여 파일럿밸브에 입력된다. 이 신호는 플래퍼(3)를 움직여 스풀 측면 양쪽 체임버(10)에 비례관계의 압력차를 발생시킨다. 스풀(9)과 코어(11)는 실제 위치가 명령 값과 일치할 때까지 움직이며 제어 신호는 다시 영으로 수렴한다.

슬리브(13)에 대한 스풀의 상대 변위에 의하여 밸브가 열리면 오일의 유량이 제어된다. 개구의 면적과 유량은 스풀의 변위 즉, 입력 전류에 비례한다.

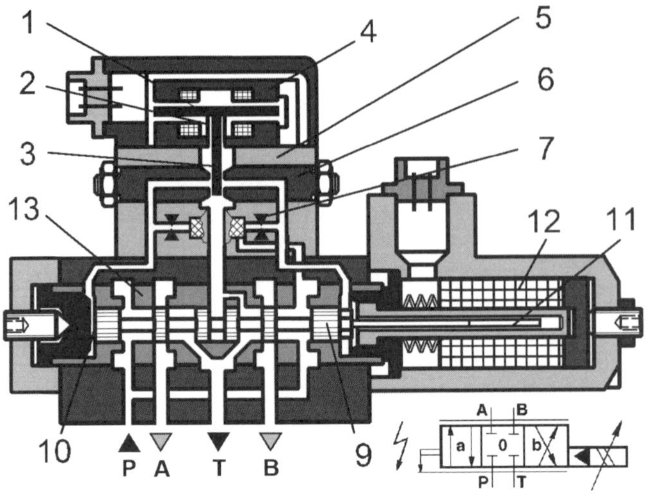

그림 9.9 전기식 되먹임을 가진 2단 전기유압 서보밸브 (*Bosch Rexroth AG. 게재 승인*)

압력차 되먹임을 가진 밸브

압력차 되먹임을 가진 밸브에서 스풀은 스프링에 의해 중립상태를 유지한다(그림 9.10 참조). 전기 입력이 없는 상태에서 스풀(9)은 압력평형을 이루며 스프링(14)에 의하여 중립위치에 놓여있다. 플래퍼(3)이 전기 신호에 의하여 한 쪽으로 치우치면 입력 신호에 비례하여 스풀 양단의 체임버에 압력차가 발생된다. 이로 인해 스풀은 양단의 압력차

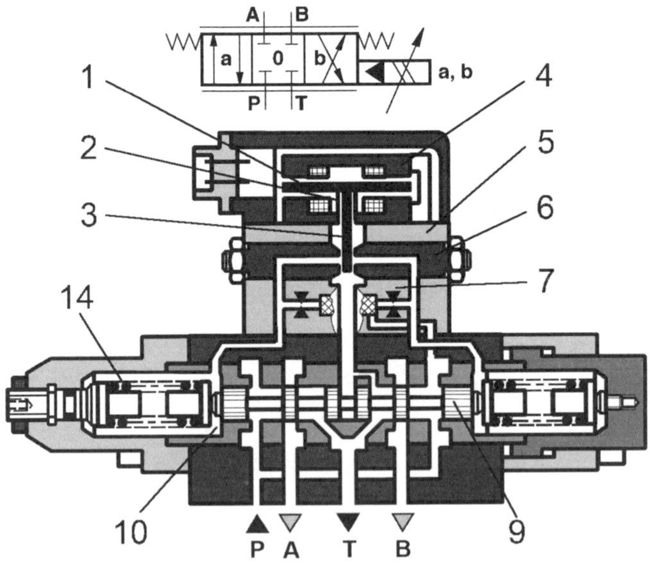

그림 9.10 압력차 되먹임을 가진 2단 전기유압 서보밸브 (*Bosch Rexroth AG. 게재 승인*)

에 의한 힘과 스프링 힘이 평형을 이루는 위치까지 이동한다. 스프링은 작은 변위에서 선형적 특성을 가지므로 제어 스풀의 변위와 서보밸브를 통과하는 유량은 입력 전류에 비례한다.

2단 전기유압 서보밸브의 성능

압력 특성

그림 9.9의 서보밸브에서 부하 압력을 $P_L = P_B - P_A$ 라고 정의하고, 두 포트(A와 B)를 차단했을 때 밸브 입력 전류에 따른 부하 압력의 변화는 그림 9.11와 같이 나타난다. 이 그림은 회전자의 자기 히스테리시스 현상을 명확히 보여준다. 포화상태는 출력 압력이 공급 압력 (P_s)과 같을 때 나타난다.

압력이득 (압력 증폭): 압력이득 (g_P)은 부하 압력($P_L = P_B - P_A$)과 입력 신호에 대한 $g_P = dP_L/di$의 관계로 표현된다. 이 때 i는 입력 전류이다. 밸브 압력은 스풀 밸브의 변위에 의해 영향을 받는다. 따라서 밸브의 변위를 폐루프 제어 회로에 의해 제어하여 압력이득이 폐루프 제어의 정확성과 안정성에 미치는 영향을 적절히 이용해야 한다.

유량 특성

전기유압 서보밸브는 주로 양방향 로드형 실린더나 모터의 제어에 사용된다(그림 9.12 참조). 출구 유량은 부하 압력, 공급 압력, 스풀 변위와 스풀 밸브 개구의 형상에 의해 영향을 받는다. 모서리가 날카로운 사각형, 또는 환형의 오리피스를 가지는 스풀에서 밸브 유량은 다음과 같이 주어진다: $Q = Ky\sqrt{P_S - P_L}$ 그리고 $Q_{\max} = Ky\sqrt{P_S}$, 여기서 P_S와 P_L은 각각 공급 압력 및 부하 압력, K는 밸브 형상, 유량계수, 오일 밀도의 효과를 나타내는 상수이다. 스풀 변위는 입력 전류에 비례한다. 일반적인 서보밸브의 부하 압력과 입력

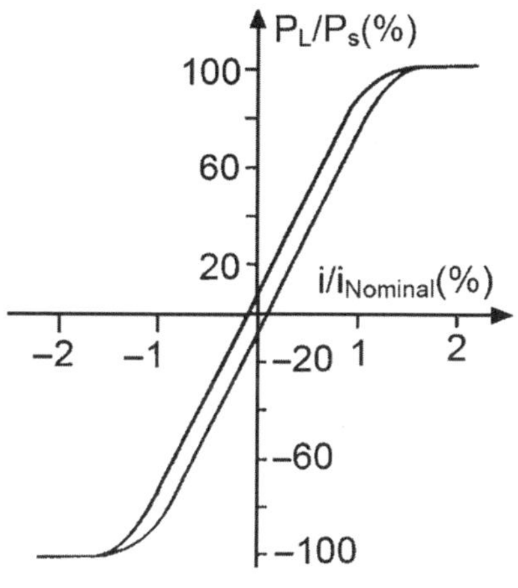

그림 9.11 서보밸브의 압력이득 특성

전류에 의한 유량의 변화는 그림 9.13과 같다. 이 그림은 부하 압력이 영일 때 최대 입력 전류에서 최대 밸브 유량이 얻어짐을 보여준다.

유량이득 (유량 증폭): 서보밸브의 유량이득은 공급 압력 및 부하 압력이 일정할 때 입력 전류에 의한 밸브 유량의 변화로 정의된다. 유량이득은 주로 공급압력을 70 bar, 부하압력을 영으로 설정하고 측정된다. 그림 9.12에서 스풀은 사각 창의 슬리브 속에 위치하고 이 창은 스풀 변위(y)에 의하여 개방된다. 이 개방 슬롯의 폭이 밸브 유량 증폭, 즉 유량이득(g_F)을 결정한다. 이때 유량은 다음 식으로 표현된다.

$$Q = C_d \omega y(i)\sqrt{2\Delta P/\rho} \quad \text{그리고} \quad g_F = \frac{dQ}{di}$$

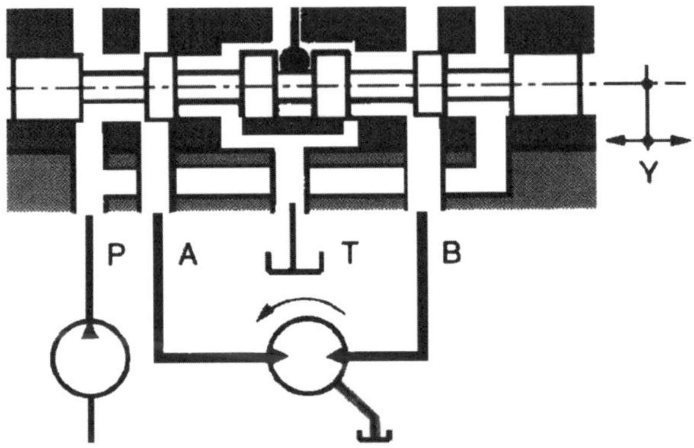

그림 9.12 2단 서보밸브와 유압 모터의 연결

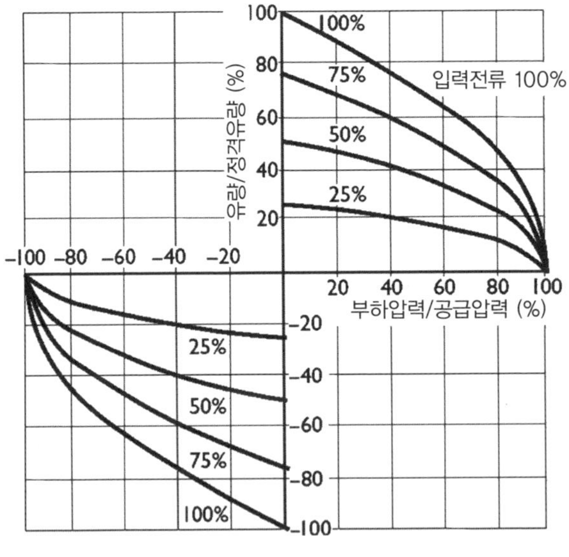

그림 9.13 서보밸브의 유량 특성

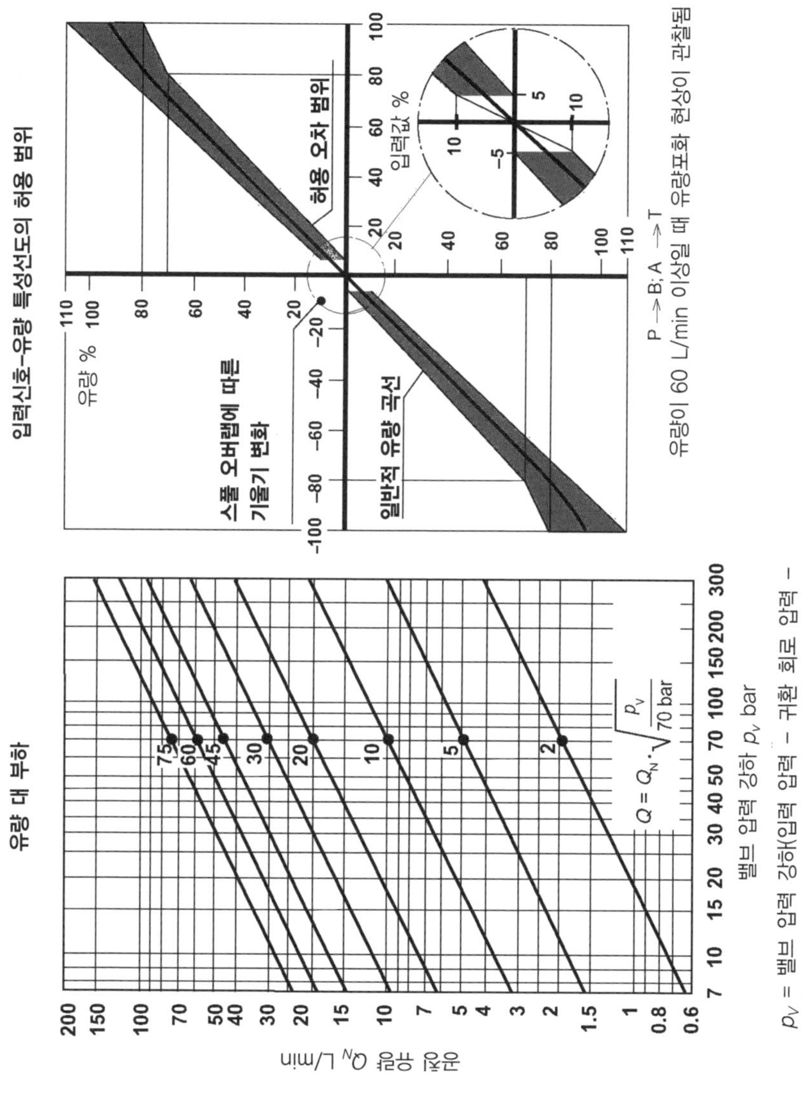

그림 9.14 서보밸브의 유량 특성 (*Bosch Rexroth AG. 게재 승인*)

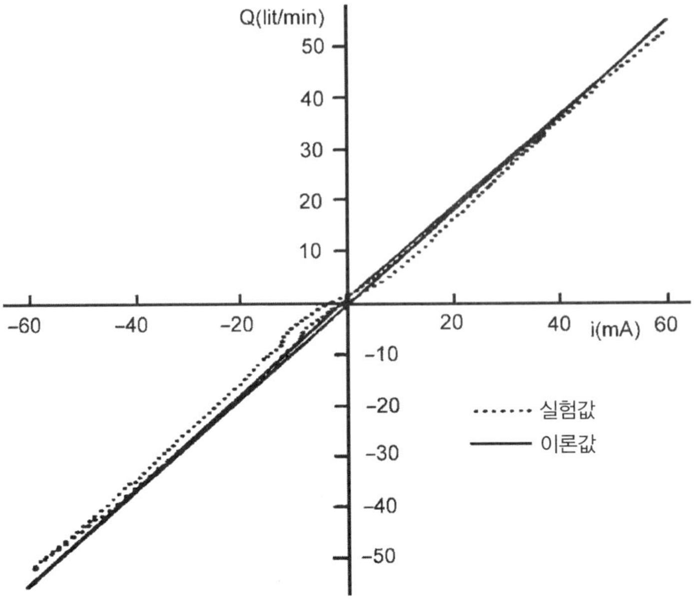

그림 9.15 서보밸브의 유량-전류 관계

여기서 y는 스풀 변위이고 ω는 스풀의 원주길이이다.

유량이득은 스풀 변위-전류 관계와 스풀 밸브 형상에 의해 영향을 받는다. 그림 9.14는 일반적인 서보밸브의 유량 특성을 보여준다. 이 특성은 스풀 오버랩에 의하여 크게 영향을 받는다.

서보밸브의 유량-전류 관계의 일반적인 형태는 그림 9.15와 같다. 이 그림은 자기 히스테리시스의 영향과 밸브의 경미한 언더랩을 보여준다.

누설 특성

서보밸브는 스풀이 가지는 4 μm 이내의 미세한 반경방향 틈새(clearance)에 의하여

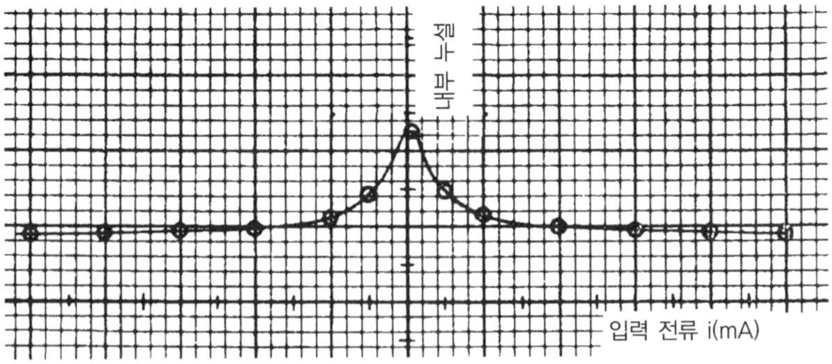

그림 9.16 서보밸브의 누설 특성 (*Moog Inc. 게재 승인*)

누설 특성에 영향을 받는다. 제로 랩 스풀을 가진 밸브의 경우, 모서리가 실제로는 직각을 이루지 못하여 누설이 증가하는 중립위치 근처에서 내부 누설이 최대가 된다(그림 9.16 참조).

과도응답 및 주파수 응답

과도응답은 동적 특성을 표현하기에는 충분하지 않다. 동적 특성을 확인하기 위해 가장 널리 사용되는 방법은 주파수응답특성 시험이다.

주파수 응답은 서보밸브에 정현파 신호를 인가하여 밸브 출력을 관찰함으로써 측정할 수 있다. 선형 특성을 나타내도록 설계된 서보밸브의 경우에는, 출력 신호 또한 정현파형을 띤다. 일반적으로 입력 신호의 주파수 증가는 출력 신호의 진폭을 감소시키고 위상차를 증가시킨다. 진폭비 또는 이득은 입력신호에 대한 출력 신호의 진폭비이다. 주파수응답특성은 입력 신호의 주파수를 가진 진폭비와 위상차의 변화에 의하여 표현된다. 공통으로 사용되는 표현은 진폭비를 데시벨(dB)로 표시한 보데 선도이다. 여기서 dB = 20 $\log_{10}$(진폭비)이다.

주파수 응답의 정량적 표현을 위하여 두가지 특정 주파수를 $f_{-3\mathrm{dB}}$과 $f_{-90°}$로 정의한다. $f_{-3\mathrm{dB}}$는 이득이 −3 dB 일 때의 주파수이다. 이 때 진폭비는 0.707이다. $f_{-90°}$는 출력 신호의 위상이 입력 신호보다 90° 뒤쳐지는 주파수이다.

전기유압 서보밸브는 일반적으로 높은 고유 주파수의 빠른 응답을 나타낸다. 그림 9.17은 기계식 되먹임을 가진 2단 전기유압 서보밸브의 스텝 응답과 주파수 응답을 보여준다. 여기서, 과도응답의 정착시간이 12 ms 이내임을 볼 수 있다.

그림 9.18은 다른 형태의 되먹임을 가진 2단 상용 서보밸브의 주파수 응답을 비교한 것이며, 그 특징은 다음과 같다.

- 서보밸브의 주파수 응답은 시스템 압력과 입력 신호의 진폭에 의해 상당히 영

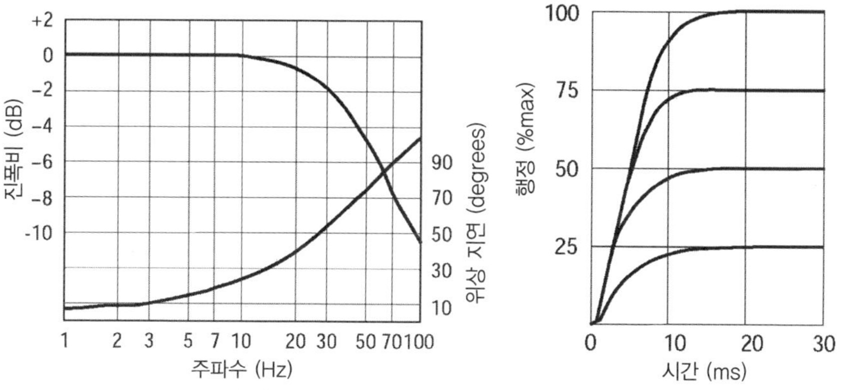

그림 9.17 2단 전기유압 서보밸브의 주파수 응답 및 스텝 응답

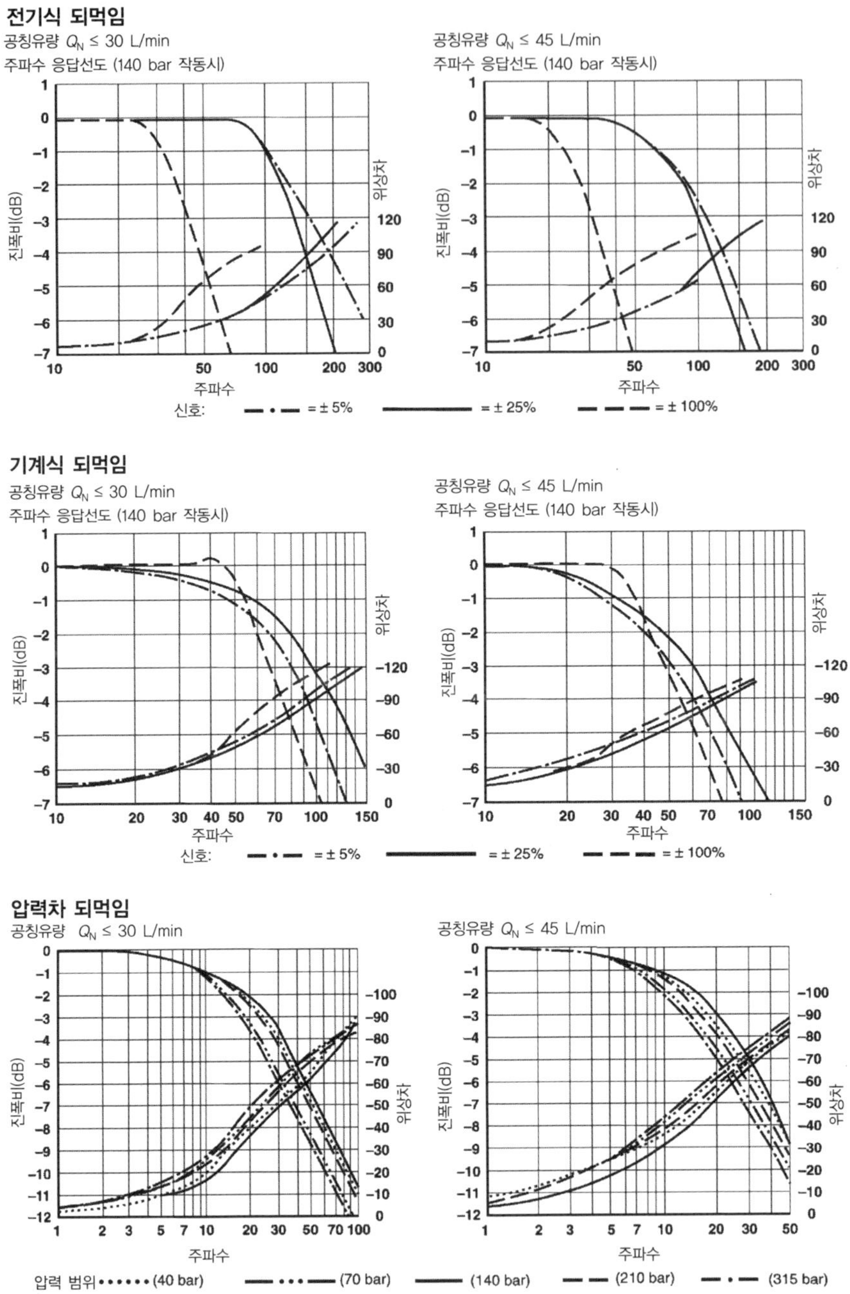

그림 9.18 다른 형태의 되먹임을 가진 2단 상용 서보밸브의 주파수 응답 (*Bosch Rexroth AG. 게재 승인*)

향을 받는다.

- 전기식 되먹임을 갖는 밸브가 가장 좋은 동적 반응을 보이며, 그 다음이 기계식 되먹임 밸브이다.
- 기계식 및 전기식 되먹임을 가진 밸브에 비하여 압력차 되먹임을 가진 밸브는 동적 성능이 떨어진다. 이것은 주로 스풀과 제어 스프링의 관성 질량이 크기 때문이다.

9.5 분사관형 증폭기와 조합된 서보밸브

또 다른 잘 알려진 유압 증폭기는 그림 9.19와 그림 9.21의 젯 밸브이다. 젯 밸브는 플래퍼 밸브와 비교하면 상대적으로 큰 틈새를 가지고 있다. 그러므로 오일의 오염에 덜 민감하다.

분사관(jet pipe)은 토크 모터에 의하여 회전한다. 고압의 유체는 분사관으로부터 리시버에 충돌한다. 리시버에 나란히 위치한 두 개의 작은 구멍(그림 9.20 참조)은 스풀의 양쪽 체임버와 연결되어 있다. 분사관이 두 구멍의 중심에 위치할 때, 같은 압력이 스풀의 양쪽에 발생된다. 토크 모터에 의해 분사관이 중심 위치에서 회전하면 분사되는 오일이 한 쪽 구멍에 더 많이 충돌하여 스풀에 압력차를 발생시킨다.

플래퍼 밸브를 분석한 방식으로 분사관의 부품 형상을 정확히 설계할 수 없기 때문에 다음의 설계지침을 참고하면 도움이 된다.

- 분사구와 리시버 사이의 틈새는 적어도 분사 직경의 두 배이어야 한다.

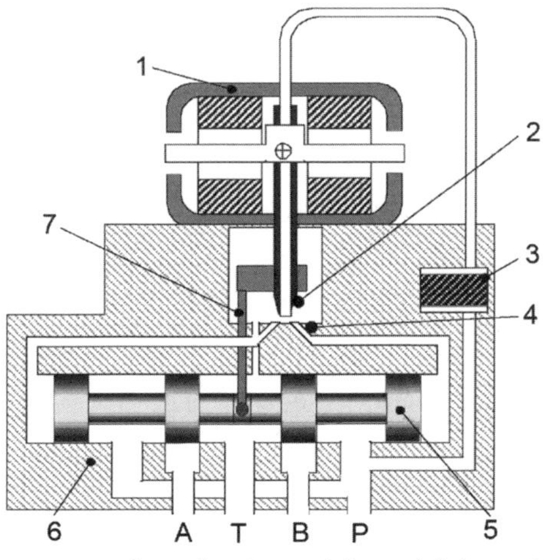

1. 토크 모터, 2. 젯 노즐, 3. 필터, 4. 리시버, 5. 스풀,
6. 스풀 밸브, 7. 되먹임 스프링

그림 9.19 분사관형 증폭기와 조합된 전기유압 서보밸브 (*Moog Inc. 게재 승인*)

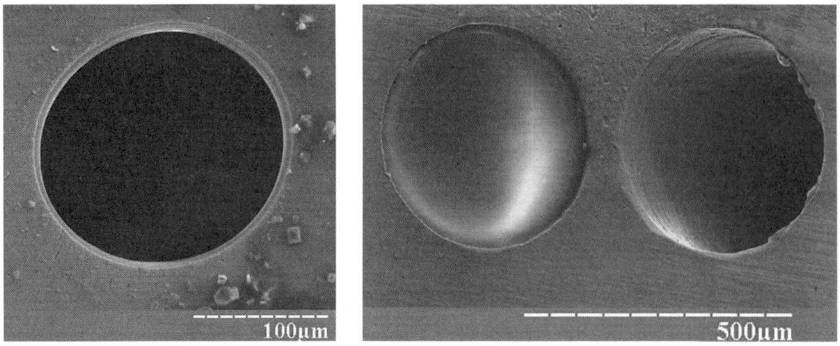

젯 파이프　　　　　　　　리시버 구멍

그림 9.20 서보밸브의 분사관과 리시버 구멍의 사진 (*전자현미경으로 촬영*)

- 두 개의 리시버 구멍은 가능하면 서로 가까워야한다.
- 만약 위의 조건들을 만족하고 노즐 직경에 해당하는 깊이까지 노즐 내부 직경이 일정한 경우에, 노즐이 중앙에 위치하면 부하 압력은 동일한 값을 갖는다.

2단 전기유압 서보밸브는 입력 전기 신호를 정확하게 비례하는 스풀 변위로 변환시킨다. 이것은 다음 두 단계로 이루어진다(그림 9.21 참조).

- 첫 단계는 토크 모터, 분사관, 두 개의 리시버로 이루어진 파일럿밸브
- 두 번째 단계는 스풀과 슬리브로 구성된 메인밸브이다.

고압의 유압유는 필터를 통하여 분사관에 공급되며 정화된 오일은 두 개의 리시버로 향한다. 각 리시버는 주 밸브인 스풀의 양단에 연결된다. 어떠한 신호도 토크 모터에 인가되지 않은 중립위치에서 분사 유체는 정확하게 두 리시버 사이로 향하여 스풀 양측에 동일한 압력을 발생시킨다. 양끝 체임버의 동일 압력에 의한 힘의 균형으로 스풀은 중간 위치에 놓여진다(그림 9.19 참조).

토크 모터의 분사관과 회전자가 피봇점 주위를 회전할 때, 분사된 유체는 두 개중 하나의 리시버로 향하고 리시버에 연결된 체임버에 더 높은 압력을 생성한다. 생성된 압력차는 스풀을 분사 변위와 반대 방향으로 움직인다(그림 9.21a 참조).

기계식 되먹임을 가진 서보밸브의 경우 되먹임 스프링은 스풀과 분사관에 연결되어 있다. 되먹임 스프링은 스풀 변위를 이에 비례하는 힘으로 변환한다. 즉, 중립위치에서 증가된 스풀의 변위는 분사관에 작용하는 되먹임 힘을 증가시킨다. 스풀로부터 분사관에 전달된 힘은 되먹임 토크를 발생시킨다. 되먹임 스프링 토크가 토크 모터의 토크와 같을 때, 분사관은 거의 두 리시버 사이의 영점 위치로 돌아온다. 이 지점에서 스풀 양단의 체임버는 압력 균형을 이룬다(그림 9.21b 참조).

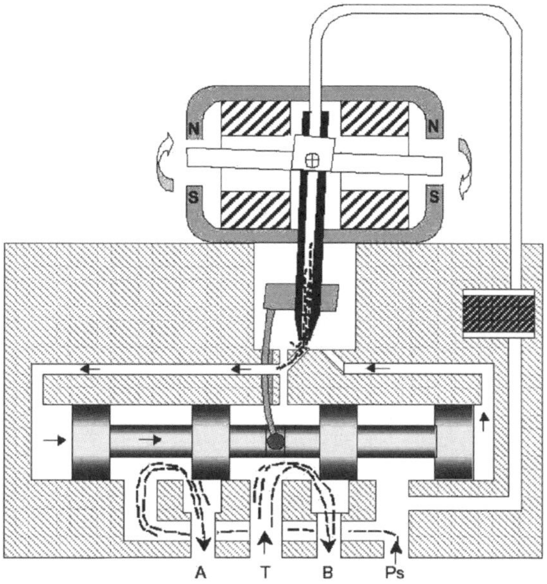

(a) 밸브에 전류가 입력된 단계

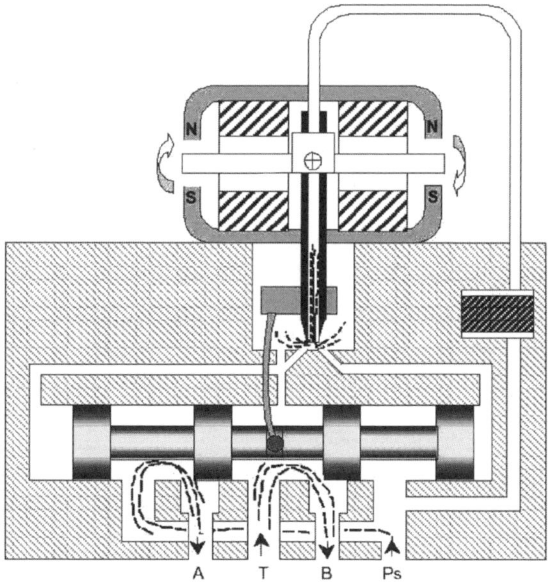

(b) 스풀 변위가 입력 전류와 균형을 이룬 단계

그림 9.21 분사관형 증폭기와 조합된 2단 서보밸브의 작동 (*Moog Inc. 게재 승인*)

전자기 토크 모터의 토크는 입력 전류에 비례하고 되먹임 토크는 스풀 변위에 비례한다. 따라서 스풀 변위는 입력 전류에 비례한다.

인가되는 전류의 극성을 바꾸면 회전자 토크의 방향도 바뀐다. 유압유의 유동은 다른 리시버로 유입되고 스풀 양단의 체임버 압력에 불균형을 초래한다. 스풀은 되먹임 스프링에 의하여 파일럿밸브의 힘 균형이 이루어질 때까지 반대 방향으로 움직인다. 분사 유동은 리시버들 사이로 향하여 스풀은 새 위치에 놓인다.

9.6 편향분사형 증폭기와 결합된 서보밸브

원칙적으로 편향분사형 증폭기는 분사관형 증폭기와 비슷한 방식으로 작동한다. 이 밸브는 고정된 분사 노즐과 리시버 구멍들로 구성된다. 유체 분사는 편향분사기에 의해 두 개의 리시버로 편향된다. 편향분사기는 토크 모터에 의하여 이동된다(그림 9.22와 9.23 참조).

편향분사기의 기능은 다음과 같이 요약된다:

- 회전자와 편향기는 단단히 결합되어 얇은 벽의 탄성 튜브에 의하여 지지된다.
- 유체는 고정된 입구로 공급되어 편향기를 통하여 두개의 리시버(A와 B)로 흐른다. 편향기가 중앙에 위치할 때 각각의 리시버에 동일한 압력이 발생된다.
- 회전자–편향기 조립체의 좌우 운동에 따라 유체가 둘중 하나의 리시버로 향하게 한다. 압력차가 스풀 좌우에 발생되면 스풀은 움직인다.
- 토크 모터로 입력되는 전류는 회전자의 양 끝에 비례하는 자력을 발생시킨다.
- 회전자와 편향기 조립체는 탄성 튜브의 굽힘에 의해 회전한다.
- 편향분사기는 리시버를 통하여 스풀의 측면 체임버로 유체를 편향시킨다.
- 스풀의 움직임은 포트 C1과 C2를 통하여 고압 및 귀환 관로를 연결한다.
- 스풀은 되먹임 스프링의 볼 끝을 밀어서 회전자/편향기에 되먹임 토크를 발생시

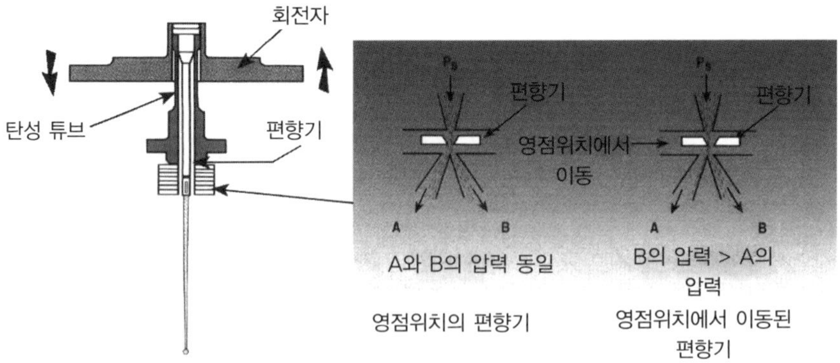

그림 9.22 편향분사기의 작동 (*Moog Inc. 게재 승인*)

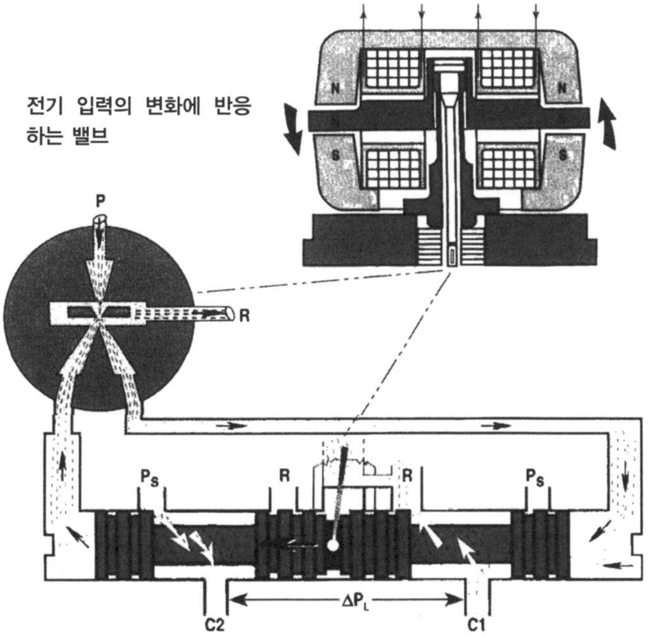

(a) 제어 전류의 변화에 반응하는 밸브

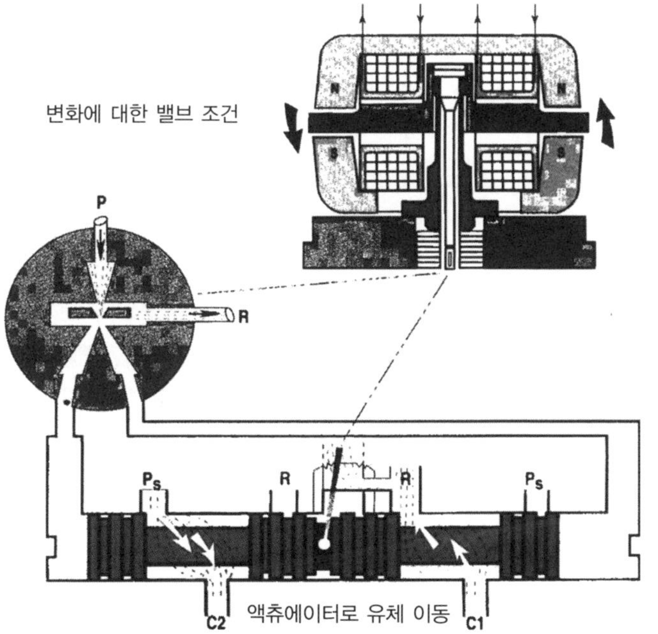

(b) 전류 변화에 반응한 후 밸브의 상태

그림 9.23 편향분사기를 가진 서보밸브의 작동 (*Moog Inc. 게재 승인*)

킨다.

- 되먹임 토크가 토크 모터의 토크와 같을 때까지 회전자–편향기 조립체는 중립위치로 움직인다.
- 스풀은 되먹임 스프링 토크가 토크 모터 토크와 같은 위치에서 정지한다. 스풀 변위는 입력 전류에 비례한다.
- 공급 압력을 일정하게 유지시킬 때 부하측으로 통과하는 주 밸브의 유량은 스풀 변위에 비례한다.

9.7 분사관형 증폭기 대 노즐 플래퍼 증폭기

많은 서보밸브의 응용분야에서 노즐 플래퍼 밸브보다는 분사관 밸브를 더 선호한다. 그러나, 불행히도 분사관 밸브의 유체 유동 특성은 매우 복잡하다. 그러므로 이들 밸브는 주로 경험적으로 설계되며 적절한 형상과 크기는 많은 실험을 통하여 결정된다. 특별한 경우에는 분사관형 증폭기에서 큰 증폭이득을 얻기 위하여 부득이 많은 양의 분사 유량과 동력이 요구된다. 적절한 증폭기의 선택은 적용되는 기계의 요구사항에 따라 이루어진다.

분사관형 증폭기는 노즐 플래퍼 증폭기보다 여러가지 장점을 제공한다. 중요한 차이점은 다음과 같다:

- 분사관형 증폭기의 노즐 오리피스에서 최소 유동 면적은 같은 동력의 플래퍼 증폭기(노즐과 플래퍼 사이의 틈새)보다 10배 정도 더 크다. 결과적으로, 분사관형 증폭기는 노즐이 막히는 경향이 덜하고 유체 여과 조건이 덜 엄격하므로 더 높은 신뢰성을 갖는다. 이것은 유지보수 비용을 낮추며, 부품설계에 엄격한 공차조건이 요구되지 않아서 제조 단가를 절감시킨다.
- 만약 플래퍼 증폭기에서 일부 연결 요소가 막히면 능동적 오작동이 발생하여 입력 신호가 없는 경우에도 최대 출력 신호가 발생된다. 분사관형 증폭기에서는 노즐이 막히면 피동적 오작동이 발생하여 출력 신호가 영에 가까워진다. 결과적으로 관로가 막히는 경우 분사관형 증폭기가 플래퍼 증폭기 보다 더 안전하다.
- 플래퍼 증폭기는 장기간 작동하면 플래퍼 면에 그림 9.24처럼 부식이 일어난다. 플래퍼 면이 30 μm (대략 최대 플래퍼 변위에 해당)정도 부식되면 약 50%의 압력이득을 감소시킨다. 더구나, 누설은 두 배가될 것이며 이것은 증폭기의 동력손실을 배가시킨다. 한편, 분사관의 부식은 그림 9.24처럼 두 개의 리시버 사이에서 대칭으로 일어난다. 분사관형 증폭기의 부식은 압력이득에 영향을 주지 않으며, 증폭기의 선형성을 향상시킨다. 또한 분사의 크기도 증가하지 않아 증폭기의 누설에도 변화가 없다.

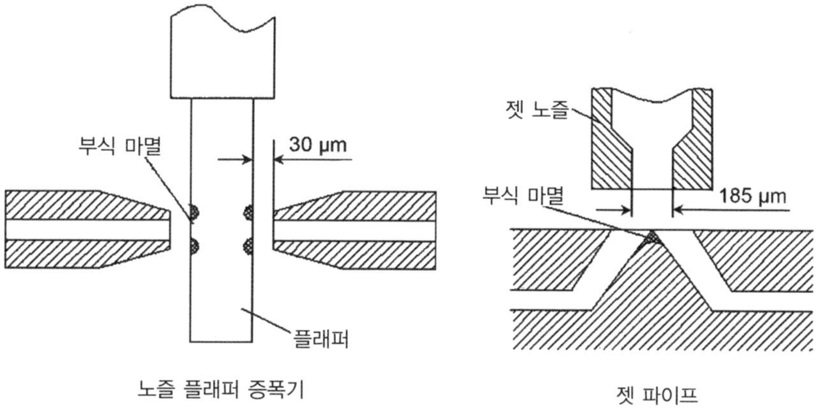

그림 9.24 플래퍼와 분사편향기형 밸브의 장기적 부식 형태

9.8 연습문제

1. 전자기 토크 모터의 구조와 기능을 설명하라.
2. 단단 전기유압 서보밸브의 기능을 설명하라(그림 9.4 참조).
3. 플래퍼 밸브 유압 증폭기의 구조와 기능을 설명하라.
4. 플래퍼 밸브 증폭기와 기계식 되먹임을 가진 2단 전기유압 서보밸브의 작동을 설명하라(그림 9.6, 9.7, 9.8 참조).
5. 플래퍼 밸브 증폭기와 전기식 되먹임을 가진 2단 전기유압 서보밸브의 작동을 설명하라(그림 9.9 참조).
6. 플래퍼 밸브 증폭기와 압력식 되먹임을 가진 2단 전기유압 서보밸브의 작동을 설명하라(그림 9.10 참조).
7. 다른 형태의 되먹임 시스템으로 조합된 전기유압 서보밸브들의 정적 및 동적 특성을 설명하라(그림 9.11~9.18 참조).
8. 분사관형 증폭기를 적용한 전기유압 서보밸브의 구조와 작동을 설명하라(그림 9.19, 9.20, 9.21 참조).
9. 편향분사형 증폭기를 적용한 전기유압 서보밸브의 구조와 작동을 설명하라(그림 9.22와 9.23 참조).

CHAPTER 10

전기유압 서보 시스템의 모델링과 시뮬레이션

Modeling and Simulation of Electrohydraulic Servosystems

10.1 서론

10장에서는 전기유압 서보 구동기의 정적 성능과 동적 성능에 관해 설명하고자 한다. 전기유압 서보 구동기의 구성요소들, 특히 전자기 토크 모터와 플래퍼 밸브의 거동을 표현하는 방정식을 유도하고, 이들의 정상상태 특성을 분석할 것이다. 또한 전기유압 서보 구동기 전체의 거동을 표현하는 수학적 모델을 하고자 한다.

10.2 전자기 토크 모터

10.2.1 자기회로 기초

그림 10.1은 강자성체 철심으로 구성된 길이 L, 단면적 A인 원형 코일이다. 코일에 전류가 흐르면, 자기력 λ이 인가 되어 철심 내부에 자속 φ을 유도한다. 자속밀도 B는 단위면적당 자속으로 정의된다.

$$\lambda = N i \tag{10.1}$$

$$B = \varphi / A \tag{10.2}$$

여기서 λ = 자기력, A

φ = 자속, Vs (1 Vs = 1 weber)

A = 철심의 단면적, m^2

N = 코일의 감긴 횟수

B = 자속밀도, Vs/m^2

i = 전류, A

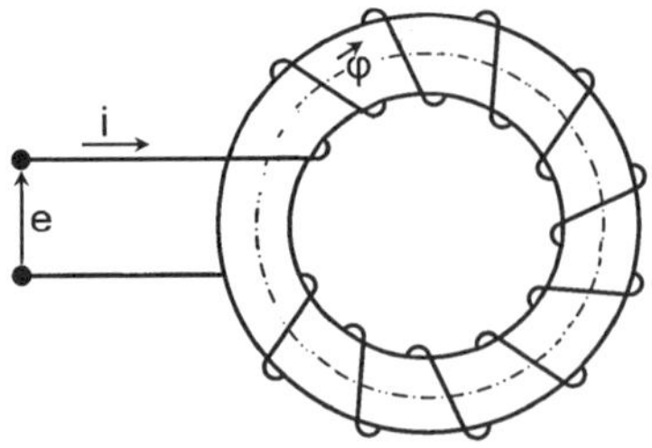

그림 10.1 환형 코일

반면에 자속 변화율 $\dot{\varphi}$은 코일에 기전력을 유도하게 되는데, Faraday 법칙에 의하면 다음과 같다.

$$e = -N\dot{\varphi} \tag{10.3}$$

여기서 e = 기전력, V.

자성 재료의 특성은 자속밀도 B와 자화력 H, 즉 단위 길이당 자기력($H = \lambda/L$)으로 표시된다. 연질 강자성체 재료는 쉽게 자화되거나 탈자화되는 재료를 가리킨다. 이 재료는 H 와 B 의 관계가 하나의 값을 가지는 특성곡선으로 표현되며, $H = 0$일 때 $B = 0$이다. 이러한 재료는 그림 10.2a에서 보듯이 자화력 H 가 커짐에 따라 자속밀도 B 의 증가가 둔해지는 포화현상을 나타내어, 자화력이 증가할수록 철심의 자속밀도는 한계치에 도달하게 된다. 반면 경질 강자성체 재료에 자화력 H 를 증감시키면, 그림 10.2b와 같이 히스테리시스 루프를 나타낸다. $B(H)$ 함수의 초기 기울기, 즉 투자율 μ는 이 재료의 특징을 대표하는 변수이다. 자성체의 투자율은 $\mu = \mu_0\mu_r$ 으로도 표현되는데, μ_0는 공기의 투자율을 의미하고, μ_r은 μ_0에 대한 상대 투자율을 의미한다.

$$\mu = B/H \tag{10.4}$$

코일의 자기저항은 자기 흐름에 대한 저항 즉 단위 자속을 형성하기 위한 자기력으로 정의된다. 원형 코일의 자기저항 R 은 φ (λ)의 관계로부터 다음과 같이 표현된다.

$$R = \frac{\lambda}{\varphi} = \frac{HL}{BA} \quad \text{또는} \quad R = \frac{L}{\mu A} \tag{10.5}$$

자기저항 R은 전기저항과 상사적으로 생각할 수 있는데, 자속 φ은 전류 그리고 자기력 λ는 전압과 서로 상사성을 갖기 때문이다. 이 관계는 정상상태에서 자기회로의 계산에 사용되는데 이러한 상사성은 단지 수학적 상사 관계일 뿐이다. 전기저항은 에너지를 소비하며 자기저항은 에너지를 저장하기 때문에, 에너지 관점에서는 상사성이 성립하지 않는다. 자기저항은 다음 관계식으로 표현된다.

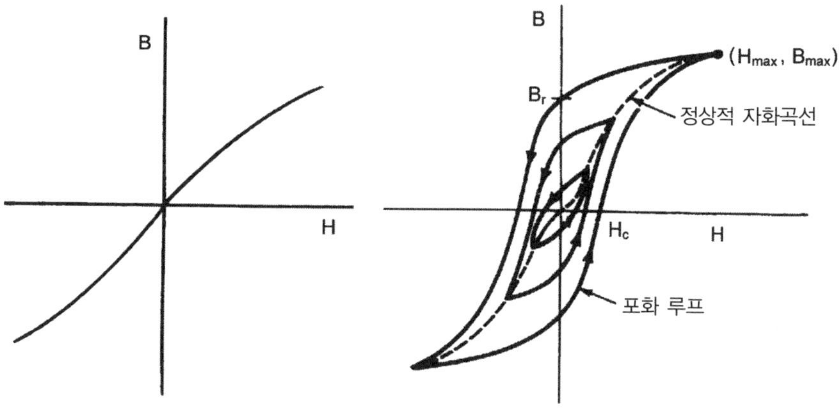

(a) 연질 자성재료 (b) 실제 경질 자성재료

그림 10.2 단위 길이당 자기력 H와 자속밀도 B 와의 관계

$$\lambda = R\varphi \tag{10.6}$$

또는

$$\lambda = \frac{1}{1/R}\int \dot{\varphi}\,dt \tag{10.7}$$

이 식은 전기 정전용량을 표현하는 다음 식과 유사하다.

$$e = \frac{1}{C}\int i\,dt \tag{10.8}$$

실제로 자기저항은 전기 정전용량과 유사하다. 둘 다 에너지를 저장하며, 모두 동일한 식으로 표현된다. 자성재료에서 자기저항의 역수는 퍼미언스 P이다.

$$P = \frac{\varphi}{\lambda} = \frac{1}{R} = \frac{\mu A}{L} \tag{10.9}$$

그림 10.3에서 공극에 의해 떨어져 있는 단면적 A인 두 자극의 흡인력은 다음과 같다.

$$F = \frac{\varphi^2}{2\mu_o A} \tag{10.10}$$

여기서 F = 힘, N

H = 단위 길이당 자기력, A/m

L = 길이, m

P = 자기 퍼미언스, Vs/A

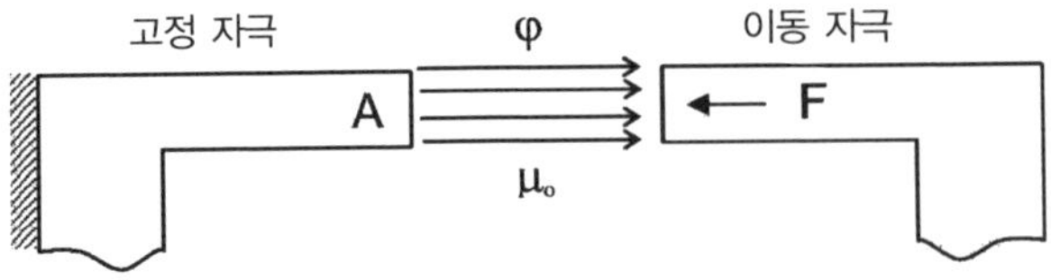

그림 10.3 일반적인 자기-기계 변환기의 형태

R = 자기저항, A/Vs

λ = 자기력, A

μ = 투자율, Vs/Am

μ_o = 공기의 투자율, Vs/Am

μ_r = 상대 투자율

10.2.2 전자기 토크 모터의 자기회로

영구자석을 가진 전자기 토크 모터는 뛰어난 응답특성으로 인해 전기유압 밸브에 널리 사용된다. 토크 모터(그림 10.4 참고)는 유연한 탄성 튜브위에 설치되며 자기장이 흐르는 공극 사이에 구동되는 전기자로 구성된다. 두 개의 자극은 토크 모터의 기본 구조를 이루며 자속이 흐르는 통로를 형성한다. 영구자석은 네 개의 공극에 영구 자기장을 만들며, 공극은 자극과 전기자 끝단을 분리시키는 역할을 한다. 전기자 코일에 전류가 흐르면, 대각으로 마주보는 두 공극의 자기장이 강해지고 다른 두 공극의 자기장은 약해진다. 따라서 전기자에 토크가 발생하면 회전 스프링 역할을 하는 탄성 튜브가 토크에 비례하는 각도로 휘어져 각변위가 발생하게 된다. 영구자석은 전자기장의 외곽에 위치해 있어 그 영향을 받지 않는다.

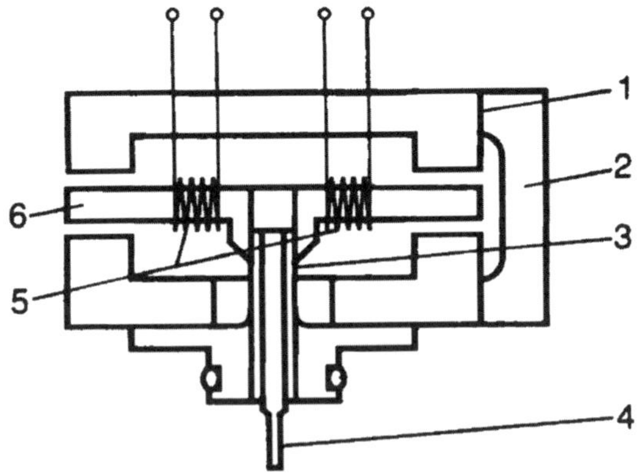

1. 자극, 2. 영구자석, 3. 탄성 튜브,
4. 플래퍼, 5. 제어코일, 6. 전기자

그림 10.4 전자기 토크 모터의 구조

10.2.3 토크 모터의 분석

네 개의 공극은 토크 모터 자기회로(그림 10.5 참고)에서 주요 자기저항을 형성한다. 자극 자체의 자기저항은 공극에 비교하면 무시할만하다. 공극에 흐르는 자속은 영구자석과 전류의 영향을 각각 고려하여 구할 수 있다. 대각으로 마주보는 공극의 간격은 토크 모터가 대칭으로 구성되어 있으므로 동일하다. 따라서 자기저항은

$$R_1 = \frac{x_o - x_a}{\mu_o A} \tag{10.11}$$

$$R_2 = \frac{x_o + x_a}{\mu_o A} \tag{10.12}$$

$$x_a = \vartheta L/2 \tag{10.13}$$

여기서 x_o = 전기자가 중립위치에 있을 때 공극의 길이, m
x_a = 전기자 끝단 변위, m
A = 공극의 면적, m^2
L = 전기자 길이, m
λ_p = 영구자석의 자기력, A
ϑ = 전기자 회전각도, rad

전자기 토크 모터의 자기회로는 그림 10.5와 같다. 이 회로는 대칭형으로서 대각으로 마주보는 전기자의 자속은 동일하다. 한편 자기회로와 전기회로는 수학적으로 상사관계이므로, 각 루프의 자기력의 합은 영이고, 자기저항은 전기저항과 마찬가지로 취급할 수 있다. 전기자 재료의 히스테리시스 현상을 무시하고, 두 자기회로의 자기력 합을 영이라고 하면, 자속 φ_1와 φ_2는 다음과 같다.

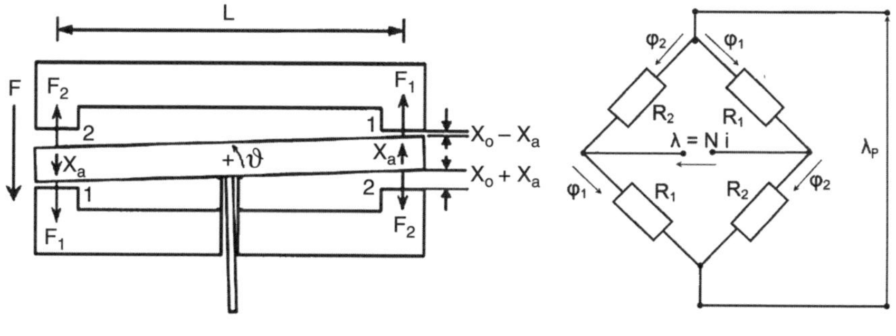

그림 10.5 전자기 토크 모터의 자기회로

$$-iN + R_1\varphi_1 - R_2\varphi_2 = 0 \tag{10.14}$$

$$-\lambda_p + R_1\varphi_1 + R_2\varphi_2 = 0 \tag{10.15}$$

또는

$$\varphi_1 = \frac{\lambda_p + iN}{2R_1} \quad \text{그리고} \quad \varphi_2 = \frac{\lambda_p - iN}{2R_2} \tag{10.16}$$

위 두식을 정리하면 각 공극의 자속을 구할 수 있다.

$$\varphi_1 = \frac{(\lambda_p + iN)\mu_o A}{2(x_o - x_a)} \tag{10.17}$$

$$\varphi_2 = \frac{(\lambda_p - iN)\mu_o A}{2(x_o + x_a)} \tag{10.18}$$

이어서 전기자 끝단에 작용하는 기계적 힘과 전기자에 작용하는 토크를 구하면 다음과 같다.

$$F_1 = \varphi_1^2 / 2\mu_o A \tag{10.19}$$

$$F_2 = \varphi_2^2 / 2\mu_o A \tag{10.20}$$

$$F = F_1 - F_2 = \left(\varphi_1^2 - \varphi_2^2\right) / 2\mu_o A \tag{10.21}$$

$$T = FL \tag{10.22}$$

$$T = \frac{L}{2\mu_o A}\left[\frac{(\lambda_p + iN)^2 \mu_o^2 A^2}{4(x_o - x_a)^2} - \frac{(\lambda_p - iN)^2 \mu_o^2 A^2}{4(x_o + x_a)^2}\right] \tag{10.23}$$

$$T = \frac{\mu_o AL}{8\left(x_o^2 - x_a^2\right)^2}\left[(\lambda_p + iN)^2 (x_o + x_a)^2 - (\lambda_p - iN)^2 (x_o - x_a)^2\right] \tag{10.24}$$

코일 전류에 의해 발생하는 자기력은 실제로는 영구자석의 자기력과 비교할 때 매우 작다 ($iN << \lambda_p$). 뿐만 아니라, 전기자 끝단의 움직임은 공극의 크기에 비해서 매우 작다 ($x_a << x_o$). 따라서 x_a^2 와 i^2N^2의 값은 x_o^2와 λ_p^2 에 비해 무시할 수 있다. 따라서 전기자 토크는 다음 식으로 표현된다.

$$T = \frac{\mu_o AL}{8x_o^4}\left[4x_o x_a \lambda_p^2 + 4iN\lambda_p x_o^2\right] \tag{10.25}$$

또는

$$T = \frac{\lambda_p^2 \mu_o AL}{2x_o^3} x_a + \frac{N\lambda_p \mu_o AL}{2x_o^2} i \tag{10.26}$$

그러므로,

$$T = K_x x_a + K_i i \quad \text{또는} \quad T = K_\vartheta \vartheta + K_i i \tag{10.27}$$

여기서

$$\vartheta = \frac{2x_a}{L}, \qquad K_x = \frac{\lambda_p^2 \mu_o AL}{2x_o^3}, \qquad K_i = \frac{N\lambda_p \mu_o AL}{2x_o^2},$$

그리고

$$K_\vartheta = \frac{\lambda_p^2 \mu_o AL^2}{4x_o^3} \tag{10.28}$$

실제 서보밸브의 형태를 고려하면 $K_\vartheta \vartheta$항은 $K_i i$와 비교할 때 매우 작기 때문에 토크는 다음과 같이 단순화 된다.

$$T = K_i i \tag{10.29}$$

이 식에 자기 히스테리시스 현상은 고려되지 않았다. 그러나 가능하면 자기 포화현상이나 히스테리시스의 영향이 고려되는 것이 바람직하다. 그림 10.6은 전자기 토크 모터의 토크를 계산한 결과를 보여주고 있다. 히스테리시스 루프는 미리 조정된 히스테리시스 모델을 계산에 반영한 것이다.

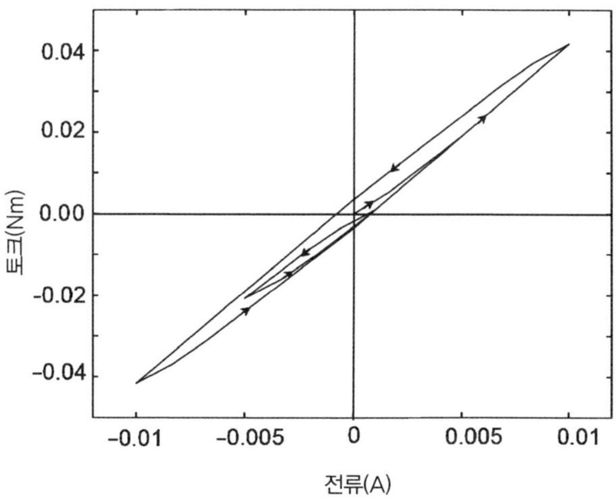

그림 10.6 전자기 토크 모터의 일반적인 토크–전류 정상상태 관계 (히스테리시스 영향이 포함되었음)

10.3 플래퍼 밸브

플래퍼 밸브는 전기유압 서보밸브에서 유압 증폭기의 역할을 한다. 이 밸브는 매우 작은 플래퍼 변위(보통 ±30 μm 이내)에 의해 매우 큰 압력차를 발생시킨다. 그림 10.7은 양방향 노즐 플래퍼 밸브로서, 두 개의 고정 오리피스와 두 개의 가변 분사 노즐로 구성된다. 분사 노즐의 면적은 플래퍼의 변위로 조절되며, 플래퍼 밸브에 압력 P_s 인 고압의 오일이 공급된다.

스풀이 정지된 정상상태에서 포트 C1과 C2에서의 유량은 영이고, 따라서 $Q_1 = Q_3$ 그리고 $Q_2 = Q_4$이다. 밸브 각 부분의 유량은 다음과 같다.

$$Q_1 = C_D A_o \sqrt{\frac{2}{\rho}(P_s - P_1)} \tag{10.30}$$

$$Q_2 = C_D A_o \sqrt{\frac{2}{\rho}(P_s - P_2)} \tag{10.31}$$

플래퍼 밸브의 분사 노즐에서 노즐과 플래퍼 사이의 원통형 개구면적에서 교축현상이 발생하므로

$$Q_3 = C_d \pi d_f (x_i + x_f)\sqrt{\frac{2}{\rho}(P_1 - P_T)} \tag{10.32}$$

$$Q_4 = C_d \pi d_f (x_i - x_f)\sqrt{\frac{2}{\rho}(P_2 - P_T)} \tag{10.33}$$

여기서 A_o = 오리피스 면적, m^2
C_d 및 C_D = 유량계수
d_f = 플래퍼 노즐 직경, m

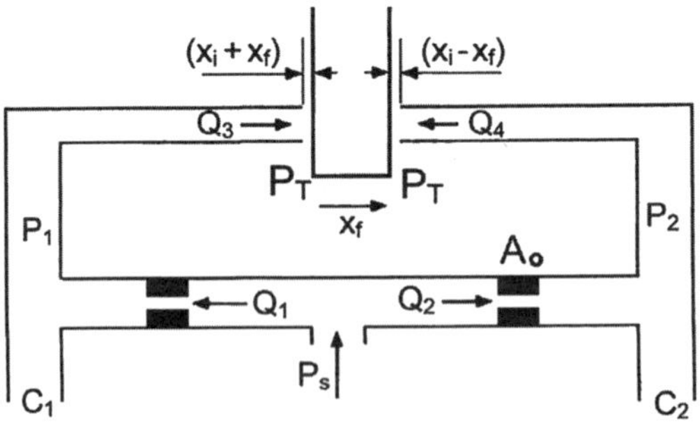

그림 10.7 양방향 노즐 플래퍼 밸브의 구조

P_s = 공급 압력, Pa
P_T = 귀환 관로 압력, Pa
Q = 유량, m^3/s
x_f = 중립위치로부터의 플래퍼 변위, m
x_i = 플래퍼와 노즐 사이 초기 틈새, 플래퍼 변위의 한계치, m
ρ = 오일 밀도, kg/m^3

귀환 관로 압력 $P_T = 0$이라 하면, 앞의 식들로부터 다음의 무차원 압력 관계식을 유도할 수 있다.

$$\bar{P}_2 = \frac{P_2}{P_s} = \frac{C_D^2 A_o^2}{C_D^2 A_o^2 + C_d^2 \pi^2 d_f^2 (x_i - x_f)^2} = \frac{1}{1 + a(x_i - x_f)^2} \tag{10.34}$$

$$\bar{P}_1 = \frac{P_1}{P_s} = \frac{C_D^2 A_o^2}{C_D^2 A_o^2 + C_d^2 \pi^2 d_f^2 (x_i + x_f)^2} = \frac{1}{1 + a(x_i + x_f)^2} \tag{10.35}$$

$$\bar{P}_L = \frac{P_2 - P_1}{P_s} = \frac{4 a x_f x_i}{1 + 2a(x_i^2 + x_f^2) + a^2 (x_i^2 - x_f^2)^2} \tag{10.36}$$

$$a = \left(\frac{C_d \pi d_f}{C_D A_o} \right)^2 \tag{10.37}$$

$x_f << x_i$를 만족시키는 작은 플래퍼 변위에 대해서, , x_f^2은 x_i^2에 비해 무시할 수 있으므로, 압력 $\bar{P}$에 대한 다음 식을 얻을 수 있다.

$$\bar{P}_L = \frac{4 a x_i^2}{\left(1 + a x_i^2\right)^2} \bar{x}_f \quad \text{여기서} \quad \bar{x}_f = x_f / x_i \tag{10.38}$$

그림 10.8은 일반적인 양방향 노즐 플래퍼 밸브의 정상상태 압력 특성곡선을 보여준다. $\bar{P}(\bar{x})$ 선도는 원점 부근에서 선형적인데, 이 특성은 식 (10.38)과 일치한다.

10.4 전기유압 서보 구동기의 모델링

이 절에서는 2단 전기유압 서보밸브(그림 10.9 참고)에 의해 제어되는 양방향 로드형 유압 실린더의 동적 특성을 표현하는 수학적 모델의 유도에 대해 설명한다.

전자기 토크 모터

전자기 토크 모터는 낮은 전류(10 mA 이내)의 전기 입력신호를 그에 비례하는 기계적

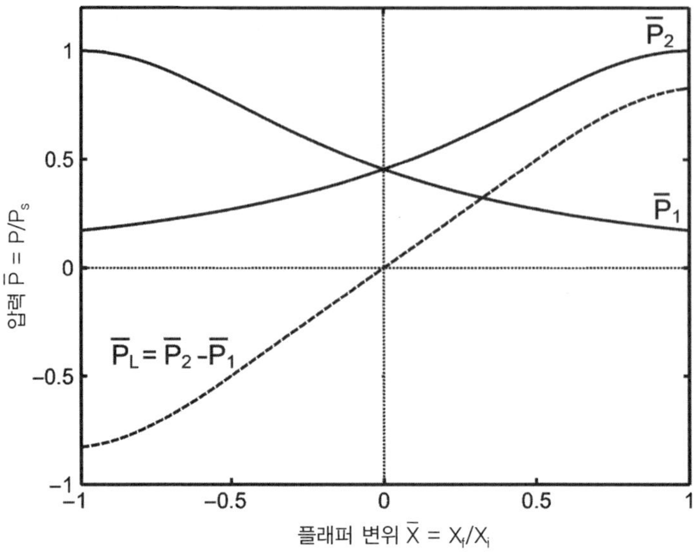

그림 10.8 이중 노즐 플래퍼 밸브의 정적 특성(계산)

토크로 변환한다. 토크 모터는 서보밸브로부터 분리, 교체가 가능하고, 유압 오일에 대해 밀폐되어 있다. 입력 전류와 플래퍼 각 변위에 따라 변하는 출력토크는 자기 히스테리시스현상을 무시하면, 다음식으로 표현된다.

$$T = K_i i_e + K_\theta \vartheta \tag{10.39}$$

여기서 i_e = 토크 모터 입력 전류, A
T = 전자기 토크 모터의 토크, Nm

전기자의 운동방정식

회전하는 전기자와 연결된 요소들의 운동은 다음 방정식으로 표현된다.

$$T = J\frac{d^2\vartheta}{dt^2} + f_\vartheta \frac{d\vartheta}{dt} + K_T\vartheta + T_L + T_P + T_F \tag{10.40}$$

$$T_p = \frac{\pi}{4} d_f^2 (P_2 - P_1) L_f \tag{10.41}$$

여기서 J = 회전체의 관성모멘트, Nms^2
T_L = 플래퍼 변위제한 토크, Nm
f_ϑ = 감쇠계수, Nms/rad
K_T = 탄성 튜브의 탄성계수, Nm/rad

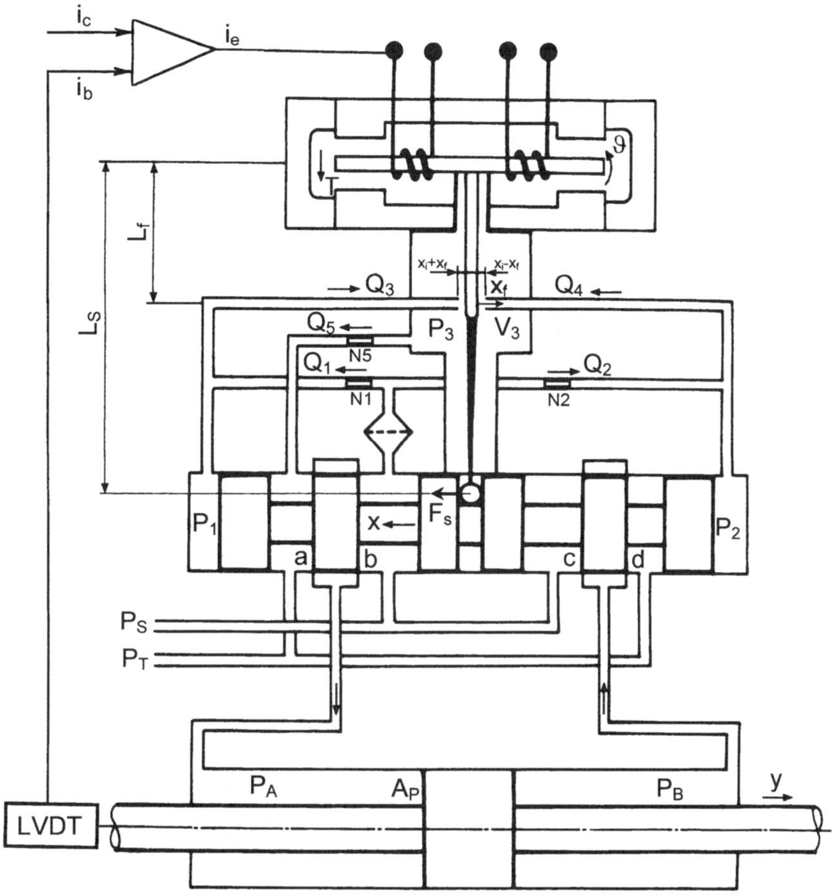

그림 10.9 전기유압 서보 구동기의 기능 구조도

T_F = 되먹임 토크, Nm
T_P = 압력에 의한 토크, Nm

되먹임 토크

되먹임 토크는 스풀의 변위와 플래퍼의 각변위에 의해 다음과 같이 결정된다.

$$T_F = F_S L_S \tag{10.42}$$

$$F_S = K_S(L_S\vartheta + x) \tag{10.43}$$

$$T_F = K_S(L_S\vartheta + x)L_S \tag{10.44}$$

여기서 K_s = 되먹임 스프링의 탄성계수, N/m

L_s = 되먹임 스프링과 플래퍼의 길이, m
x = 스풀 변위, m
F_s = 되먹임 스프링 끝단에 작용하는 힘, N

플래퍼 변위제한 토크

플래퍼의 변위는 젯 노즐에 의해 기계적으로 제한된다. 플래퍼가 한쪽 노즐에 도달하게 되면, 반발력에 의해 발생하는 토크 T_L은 다음과 같다.

$$T_L = \begin{cases} 0 & |x_f| < x_i \\ R_s \dfrac{d\vartheta}{dt} - (|x_f| - x_i)K_{Lf}L_f sign(x_f) & |x_f| > x_i \end{cases} \tag{10.45}$$

여기서 K_{Lf}= 플래퍼 시트의 등가 탄성계수, N/m
R_s = 플래퍼 시트의 등가 감쇠계수, Nms/rad

플래퍼 밸브를 통과하는 유량

플래퍼 밸브 노즐을 통과하는 유량은 다음과 같다.

$$Q_1 = C_D A_o \sqrt{\frac{2}{\rho}(P_s - P_1)} = C_{12}\sqrt{(P_s - P_1)} \tag{10.46}$$

$$Q_2 = C_D A_o \sqrt{\frac{2}{\rho}(P_s - P_2)} = C_{12}\sqrt{P_s - P_2} \tag{10.47}$$

$$Q_3 = C_d \pi d_f (x_i + x_f)\sqrt{\frac{2}{\rho}(P_1 - P_3)} = C_{34}(x_i + x_f)\sqrt{(P_1 - P_3)} \tag{10.48}$$

$$Q_4 = C_d \pi d_f (x_i - x_f)\sqrt{\frac{2}{\rho}(P_2 - P_3)} = C_{34}(x_i - x_f)\sqrt{(P_2 - P_3)} \tag{10.49}$$

$$x_f = L_f \vartheta \tag{10.50}$$

$$Q_5 = C_d A_5 \sqrt{\frac{2}{\rho}(P_3 - P_T)} = C_5\sqrt{(P_3 - P_T)} \tag{10.51}$$

여기서 A_5 = 드레인 오리피스 면적, m^2
A_o = 오리피스 면적, m^2
L_f= 플래퍼 길이, m
P_1 = 플래퍼 밸브 좌측 압력, Pa
P_2 = 플래퍼 밸브 우측 압력, Pa

P_3 = 플래퍼 밸브 귀환 체임버의 압력, Pa
P_T = 밸브 귀환 압력, Pa
Q_1 = 좌측 오리피스 유량, m^3/s
Q_2 = 우측 오리피스 유량, m^3/s
Q_3 = 좌측 플래퍼 노즐 유량, m^3/s
Q_4 = 우측 플래퍼 노즐 유량, m^3/s
Q_5 = 플래퍼 밸브 드레인 유량, m^3/s

플래퍼 밸브 체임버에 대한 연속방정식

플래퍼 밸브 체임버에 연속방정식을 적용하면 다음과 같다.

$$Q_1 - Q_3 + A_s \frac{dx}{dt} = \frac{V_o - A_s x}{B} \frac{dP_1}{dt} \tag{10.52}$$

$$Q_2 - Q_4 - A_s \frac{dx}{dt} = \frac{V_o + A_s x}{B} \frac{dP_2}{dt} \tag{10.53}$$

$$Q_3 + Q_4 - Q_5 = \frac{V_3}{B} \frac{dP_3}{dt} \tag{10.54}$$

여기서 A_s = 스풀 단면적, m^2
B = 오일 체적탄성계수, Pa
V_o = 스풀 측면 체임버 내 오일의 초기 체적, m^3
V_3 = 플래퍼 밸브 귀환 체임버의 체적, m^3

스풀의 운동방정식

스풀의 운동방정식은 다음과 같다.

$$A_s(P_2 - P_1) = m_s \frac{d^2x}{dt^2} + f_s \frac{dx}{dt} + F_j + F_s \tag{10.55}$$

$$F_j = \begin{cases} \left(\dfrac{\rho Q_b^2}{C_c A_b} + \dfrac{\rho Q_d^2}{C_c A_d}\right)\text{sign}(x) & x > 0 \text{ 일 때} \\ \left(\dfrac{\rho Q_a^2}{C_c A_a} + \dfrac{\rho Q_c^2}{C_c A_c}\right)\text{sign}(x) & x < 0 \text{ 일 때} \end{cases} \tag{10.56}$$

여기서 C_c = 수축계수
F_j = 유체운동에 의한 힘, 즉 유동력, N
f_s = 스풀의 점성마찰계수, Ns/m

F_s = 되먹임 스프링 끝단에 작용하는 힘, N
m_s = 스풀 질량, kg

스풀밸브 통과 유량

밸브와 실린더를 연결하는 전달 관로의 영향을 무시하면, 밸브를 통과하는 유량은 다음과 같다.

$$Q_a = C_d A_a(x)\sqrt{\frac{2}{\rho}(P_A - P_T)} \tag{10.57}$$

$$Q_b = C_d A_b(x)\sqrt{\frac{2}{\rho}(P_s - P_A)} \tag{10.58}$$

$$Q_c = C_d A_c(x)\sqrt{\frac{2}{\rho}(P_s - P_B)} \tag{10.59}$$

$$Q_d = C_d A_d(x)\sqrt{\frac{2}{\rho}(P_B - P_T)} \tag{10.60}$$

밸브의 개구면적은 각각 다음과 같다.

$$\left.\begin{array}{l} A_a = A_c = \omega c \\ A_b = A_d = \omega\sqrt{(x^2 + c^2)} \end{array}\right\} \quad \text{For } x \geq 0 \tag{10.61}$$

$$\left.\begin{array}{l} A_a = A_c = \omega\sqrt{(x^2 + c^2)} \\ A_b = A_d = \omega c \end{array}\right\} \quad \text{For } x \leq 0 \tag{10.62}$$

여기서 c = 스풀의 반경방향 틈새, m
ω = 스풀의 원주길이, m
P_A 및 P_B = 유압 실린더의 압력, Pa

실린더 체임버에 대한 연속방정식

외부 누설은 무시하고 내부 누설을 고려하여, 실린더 체임버에 연속방정식을 적용하면 다음과 같다.

$$Q_b - Q_a - A_P\frac{dy}{dt} - \frac{(P_A - P_B)}{R_i} = \frac{V_c + A_p y}{B}\frac{dP_A}{dt} \tag{10.63}$$

$$Q_c - Q_d + A_P\frac{dy}{dt} + \frac{(P_A - P_B)}{R_i} = \frac{V_c - A_p y}{B}\frac{dP_B}{dt} \tag{10.64}$$

여기서 A_p = 피스톤 단면적, m^2
R_i = 내부 누설 저항, Ns/m^5
V_c = 실린더 체적의 절반, m^3

피스톤 운동방정식

압력, 점성마찰, 관성저항 및 외부 부하가 작용하는 피스톤의 운동방정식은 다음과 같다.

$$A_P(P_A - P_B) = m_P \frac{d^2y}{dt^2} + f_P \frac{dy}{dt} + K_b y \tag{10.65}$$

여기서 K_b = 부하 스프링의 탄성계수 N/m
m_p = 피스톤 질량, kg
f_p = 피스톤의 점성마찰계수, Ns/m

되먹임 방정식

피스톤의 변위가 위치측정기로 감지되어되어 전자식 제어기로 되먹임 되면, 오차 신호를 발생한다. 이러한 폐회로는 다음 식으로 표현된다.

$$i_e = i_c - i_b \tag{10.66}$$

$$i_b = K_{FB}\, y \tag{10.67}$$

여기서 i_c = 제어 전류, A
i_b = 되먹임 전류, A
K_{FB} = 되먹임 이득, A/m

10.5 연습문제

1. 전자기 토크 모터의 구조도를 그린 후 토크 모터의 기능을 설명하고, 토크 수식을 유도하라.
2. 양방향 노즐 플래퍼 밸브의 구조도를 그리고, 그 기능을 설명하라. 그리고 정적 특성을 표현하는 수식을 유도하여, 플래퍼 변위 대한 밸브 압력변화를 설명하라.
3. 1단 전기유압 서보밸브의 구조도를 그린 후 그 기능을 설명하고, 정적 및 동적 거동을 표현하는 수식을 유도하라.
4. 2단 전기유압 서보밸브의 구조도를 그린 후 그 기능을 설명하고, 정적 및 동적 거동을 표현하는 수식을 유도하라.
5. 전기유압 서보 구동기의 구조도를 그린 후 그 기능을 설명하고, 정적 및 동적 거동을 표현하는 수식을 유도하라.

10.6 기호 설명

A = 공극의 면적, m^2
A_5 = 드레인 오리피스 면적, m^2
A_o = 오리피스 면적 m^2
A_a, A_b, A_c, 및 A_d = 스풀밸브 교축면적, m^2
A_p = 피스톤 단면적, m^2
A_s = 스풀 단면적, m^2
B = 오일의 체적탄성계수, Pa
c = 스풀 반경방향 틈새, m
C_c = 수축계수
C_d 및 C_D = 유량계수
d_f = 플래퍼 노즐 직경, m
F = 힘, N
f_ϑ = 감쇠계수, Nms/rad
F_j = 유체운동에 의한 힘, N
f_p = 피스톤 점성마찰계수, Ns/m
f_s = 스풀 점성마찰계수, Ns/m
F_s = 되먹임 스프링 끝단에 작용하는 힘, N
H = 단위 길이당 자기력, A/m
i_b = 되먹임 전류, A
i_c = 제어 전류, A
i_e = 토크 모터 입력 전류, A
J = 회전 운동체의 관성 모멘트, Nms^2
K_b = 부하 스프링 강성계수, N/m
K_{FB} = 되먹임 이득, A/m
K_{Lf} = 플래퍼 시트의 등가 탄성계수, N/m
K_i = 전류-토크 이득, Nm/A
K_s = 되먹임 스프링의 탄성계수 , N/m
K_T = 탄성 튜브의 탄성계수, Nm/rad
K_x = 변위-토크 이득, Nm/m
K_ϑ = 회전각도-토크 이득, Nm/rad
L = 길이, 전기자 길이, m
L_f = 플래퍼 길이, m
L_s = 되먹임스프링과 플래퍼 길이, m
m_p = 피스톤 질량, kg
m_s = 스풀 질량, kg
P = 자기 퍼미언스, Vs/A

P_1 = 플래퍼 밸브 좌측 압력, Pa
P_2 = 플래퍼 밸브 우측 압력, Pa
P_3 = 플래퍼 밸브 귀환 체임버 압력, Pa
P_A 및 P_B = 유압 실린더 압력, Pa
P_s = 공급 압력, Pa
P_T = 귀환 관로 압력, Pa
Q = 유량, m^3/s
Q_1 = 좌측 오리피스 유량, m^3/s
Q_2 = 우측 오리피스 유량, m^3/s
Q_3 = 좌측 플래퍼 노즐 유량, m^3/s
Q_4 = 우측 플래퍼 노즐 유량, m^3/s
Q_5 = 플래퍼 밸브 드레인 유량, m^3/s
Q_a, Q_b, Q_c, 및 Q_d = 스풀 밸브 통과 유량, m^3/s
R = 자기저항, A/Vs
R_f = 등가 감쇠계수, Nms/rad
R_i = 내부 누설 저항, Ns/m^5
R_s = 플래퍼 시트의 등가 감쇠계수, Nms/rad
T = 전자기 토크 모터의 토크, Nm
T_F = 되먹임 토크, Nm
T_L = 플래퍼 변위제한 토크, Nm
T_P = 압력에 의한 토크, Nm
V_3 = 플래퍼 밸브 귀환 체임버의 체적, m^3
V_c = 실린더를 채우는 오일 체적의 절반, m^3
V_o = 스풀 측면 체임버 내 오일의 초기 체적, m^3
x = 스풀 변위, m
x_a = 전기자 끝단의 변위, m
x_f = 초기 틈새로부터의 플래퍼 변위, m
x_i = 플래퍼와 노즐 사이 초기 틈새, 플래퍼 변위의 한계치, m
x_o = 전기자가 중립위치에 있을 때 공극의 길이, m
λ = 자기력, A
λ_p = 영구자석의 자기력, A
μ = 투자율, Vs/Am
μ_o = 공기의 투자율, Vs/Am
μ_r = 상대 투자율
ρ = 오일 밀도, kg/m^3
ω = 스풀의 원주길이, m
ϑ = 전기자 회전각도, rad

부록 10A 전기유압 서보 구동기의 모델링과 시뮬레이션

이 부록에서는 전기유압 서보 구동기와 주요 구성요소인 전자기 토크 모터, 1단 서보 밸브, 2단 서보밸브의 수학적 모델을 제시한다. 여기에서 전기자의 자기 히스테리시스 현상과 유동력은 무시하였다. 만일, 자기 히스테리시스현상을 고려하면(그림 10.6 참고) 특히 개루프 제어 시스템에서 더욱 정확한 결과를 얻을 수 있다.

유도된 수학적 모델에 기초하여 SIMULINK를 이용한 시뮬레이션 프로그램을 만들 수 있다. 다음은 2단 서보밸브를 포함한 일반적인 전기유압 서보 구동기(그림 10.9 참고)에 대해 아래의 수치를 적용하여 시뮬레이션을 수행한 결과이다.

해석 대상 서보 구동기의 사양

토크 모터

전류–토크 이득, $K_i = 0.556$ Nm/A
전기자 감쇠계수, $f_\vartheta = 0.002$ Nms/rad
전기자–플래퍼의 회전 관성모멘트, $J = 5 \times 10^{-7}$ kg m^2
전기자 회전각도–토크 이득, $K_\vartheta = 9.45 \times 10^{-4}$ Nm/rad
서보 구동기의 되먹임 이득, $K_{FB} = 3$ A/m

플래퍼 밸브

플래퍼 길이, $L_f = 9$ mm
되먹임 스프링과 플래퍼 길이, $L_s = 30$ mm
플래퍼 한계 변위, $x_i = 30$ m
플래퍼 노즐 직경, $d_f = 0.5$ mm
플래퍼 시트 재료의 등가 감쇠계수, $R_s = 5000$Nsm/rad
플래퍼 시트의 등가 탄성계수, $K_{Lf} = 5 \times 10^6$ N/m
유압증폭기 노즐 (N1) 및 (N2) 직경, $d_f = 0.5$ mm
귀환 오리피스 직경 (N5), $d_5 = 0.6$ mm

유압유

오일 밀도, $\rho = 867$ kg/m^3
오일 체적탄성계수, $B = 1.5$ GPa

스풀 밸브

스풀 직경 $d_s = 4.6$ mm
스플 측면 체임버의 초기 체적, $V_o = 2$ cm^3

귀환 체임버 내 오일의 체적, $V_3 = 5\ \text{cm}^3$
스풀 질량, $m_s = 0.02\ \text{kg}$
스풀의 원주길이, $\omega = 2\ \text{mm}$
스풀의 반경방향 틈새, $c = 2\ \mu\text{m}$
스풀의 점성마찰계수, $f_s = 2\ \text{Ns/m}$
되먹임 스프링의 탄성계수, $K_s = 900\ \text{N/m}$

시스템 압력

공급 압력, $P_s = 250\ \text{bar}$
귀환 압력, $P_T = 0\ \text{bar}$

유압 실린더

피스톤 단면적, $A_p = 12.5\ \text{cm}^2$
실린더 체임버 내 오일의 초기 체적, $V_c = 100\ \text{cm}^3$
내부 누설 저항, $R_i = 10^{14}\ \text{Pa s/m}^3$
피스톤 질량, $m_p = 10\ \text{kg}$
피스톤의 점성마찰계수, $f_p = 1000\ \text{Ns/m}$
피스톤의 부하계수, $K_b = 0\ \text{N/m}$(즉, 무부하 상태)

토크 모터

그림 10A.1는 전자기 토크 모터의 구조도이다. 토크 모터를 밸브에서 분리하면, 전기자의 회전 변위는 공극 δ에 의해 제한된다. 이 범위 안에서 작동되는 경우에 토크 모터의 거동은 자기 히스테리시스현상을 무시하면 식 (10A.1)과 (10A.2)로 표현된다.

$$T = K_i i_e + K_\theta \vartheta \tag{10A.1}$$

$$T = J\frac{d^2\vartheta}{dt^2} + f_\vartheta \frac{d\vartheta}{dt} + K_T \vartheta \tag{10A.2}$$

식 (10A.1)과 (10A.2)에 대한 컴퓨터 시뮬레이션 프로그램을 작성하여 토크 모터의 계단응답과 전달함수를 구하였다(그림 10A.2). 토크 모터는 정착시간이 1.2 ms 이내인 과소감쇠 응답 특성을 보인다(그림 10A.3). 이러한 거동으로부터 $\omega_n = 711$ Hz, $\xi = 0.071$ 그리고 이득 = 0.00556인 2차 전달함수를 구할 수 있으며, 그림 10A.3에서 보듯이 상세 모델과 전달함수의 응답이 일치한다. 이 전달함수는 식 (10A.1)과 (10A.2)으로부터 해석적으로도 유도할 수 있다.

$$G(s) = \frac{\theta(s)}{I_e(s)} = \frac{0.0556}{5\times10^{-8}s^2 + 2\times10^{-4}s + 1} \tag{10A.3}$$

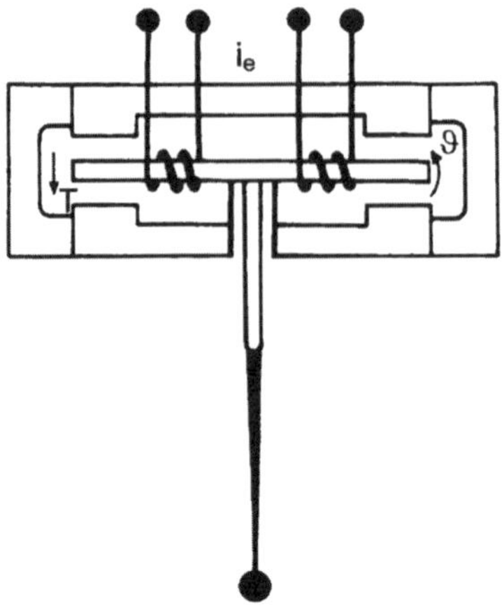

그림 10A.1 전자기 토크 모터의 구조도

1단 전기유압 서보밸브

그림 10A.4의 1단 서보밸브는 전자기 토크 모터와 플래퍼 밸브 유압증폭기로 구성되어 압력차 $\Delta P = P_2 - P_1$을 조절한다. 이 밸브는 식 (10A.4)~(10A.16)으로 표현될 수 있다.

$$T = K_i i_e + K_\theta \vartheta \tag{10A.4}$$

$$T = J\frac{d^2\vartheta}{dt^2} + f_\vartheta \frac{d\vartheta}{dt} + K_T\vartheta + T_L + T_P \tag{10A.5}$$

$$T_p = \frac{\pi}{4} d_f^2 (P_2 - P_1) L_f \tag{10A.6}$$

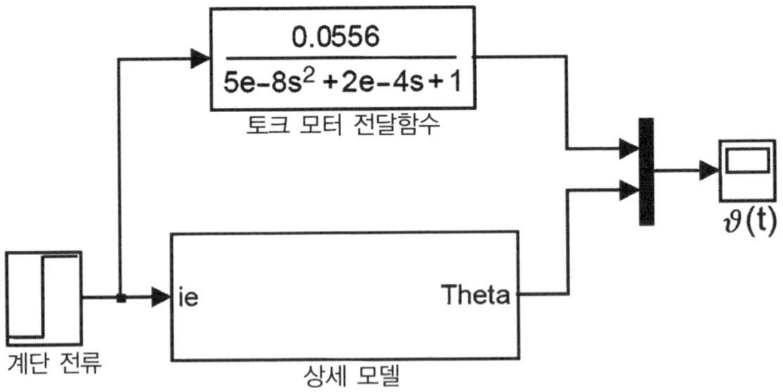

그림 10A.2 SIMULINK 환경에서 표현된 토크 모터 시뮬레이션 프로그램

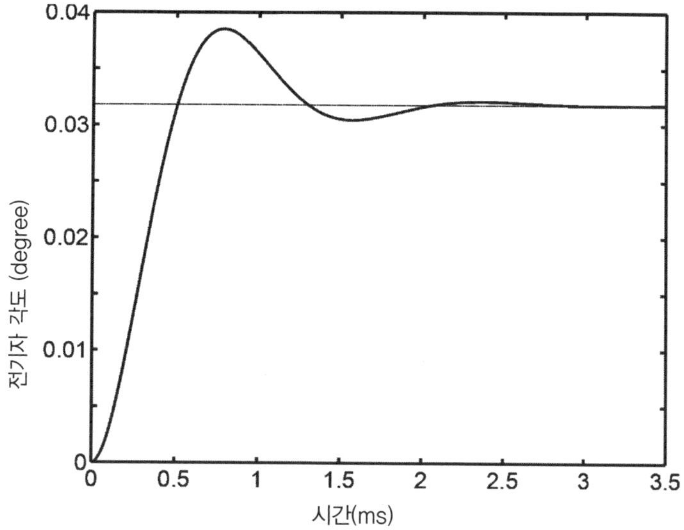

그림 10A.3 10 mA의 계단 입력전류에 대한 전기자의 각변위 응답

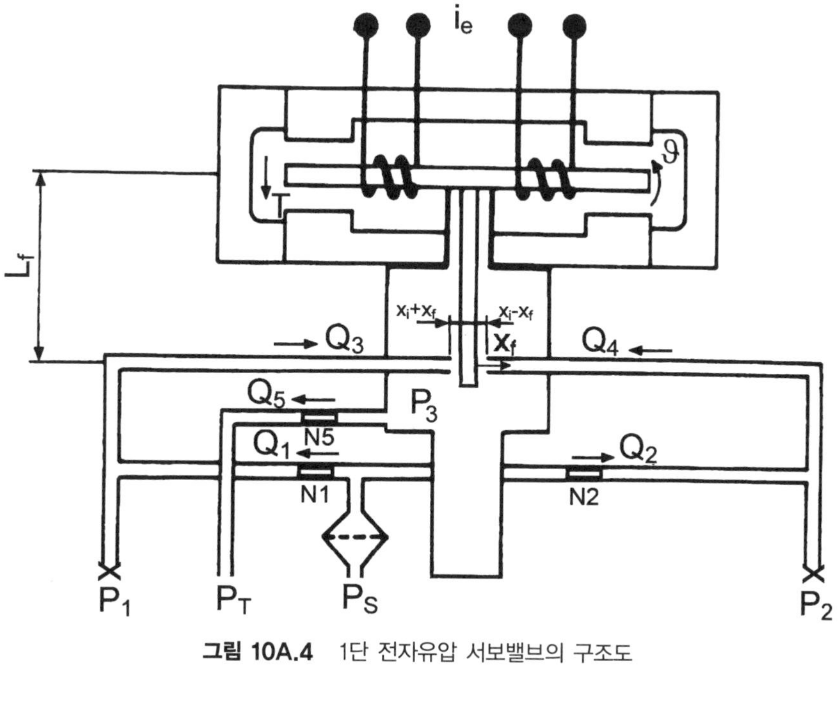

그림 10A.4 1단 전자유압 서보밸브의 구조도

$$T_L = \begin{cases} 0 & |x_f| < x_i \\ R_s \dfrac{d\vartheta}{dt} - (|x_f| - x_i) K_{Lf} L_f sign(\vartheta) & |x_f| > x_i \end{cases} \tag{10A.7}$$

$$Q_1 = C_d A_o \sqrt{\frac{2}{\rho}(P_s - P_1)} = C_{12}\sqrt{(P_s - P_1)} \tag{10A.8}$$

$$Q_2 = C_d A_o \sqrt{\frac{2}{\rho}(P_s - P_2)} = C_{12}\sqrt{P_s - P_2} \tag{10A.9}$$

$$Q_3 = C_d \pi d_f (x_i + x_f)\sqrt{\frac{2}{\rho}(P_1 - P_3)} = C_{34}(x_i + x_f)\sqrt{(P_1 - P_3)} \tag{10A.10}$$

$$Q_4 = C_d \pi d_f (x_i - x_f)\sqrt{\frac{2}{\rho}(P_2 - P_3)} = C_{34}(x_i - x_f)\sqrt{(P_2 - P_3)} \tag{10A.11}$$

$$x_f = L_f \vartheta \tag{10A.12}$$

$$Q_5 = C_d A_5 \sqrt{\frac{2}{\rho}(P_3 - P_T)} = C_5\sqrt{(P_3 - P_T)} \tag{10A.13}$$

$$Q_1 - Q_3 = \frac{V_o}{B}\frac{dP_1}{dt} \tag{10A.14}$$

$$Q_2 - Q_4 = \frac{V_o}{B}\frac{dP_2}{dt} \tag{10A.15}$$

$$Q_3 + Q_4 - Q_5 = \frac{V_3}{B}\frac{dP_3}{dt} \tag{10A.16}$$

이 방정식들을 사용해 컴퓨터 시뮬레이션 프로그램을 작성하고, 계단형 전류입력 시 밸브 압력의 과도응답을 계산한 결과가 그림 10A.5이다. 서보밸브의 과도응답을 보면 정착시간이 2 ms 이내로 나타났다.

2단 전기유압 서보밸브

그림 10A.6은 2단 전기유압 서보밸브의 구조도이다. 스풀 밸브에 가해지는 유동력을 무시하면, 이 밸브는 수학적으로 다음과 같이 기술된다.

$$T = K_i i_e + K_\theta \vartheta \tag{10A.17}$$

$$T = J\frac{d^2\vartheta}{dt^2} + f_\vartheta \frac{d\vartheta}{dt} + K_T \vartheta + T_L + T_P + T_F \tag{10A.18}$$

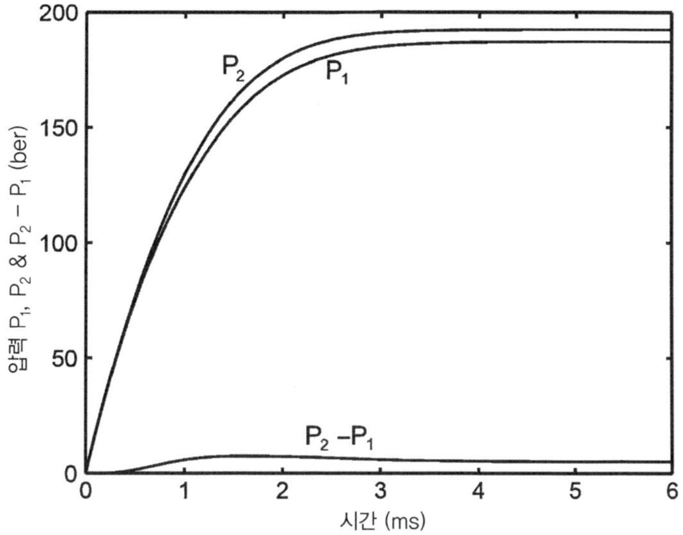

그림 10A.5 SIMULINK 프로그램으로 계산한 10 mA의 계단형 전류입력시 1단 압력의 과도응답

$$T_p = \frac{\pi}{4} d_f^2 (P_2 - P_1) L_f \tag{10A.19}$$

$$F_S = K_S(L_S\vartheta + x) \tag{10A.20}$$

$$T_F = F_S L_S = K_S(L_S\vartheta + x)L_S \tag{10A.21}$$

$$T_L = \begin{cases} 0 & , \ |x_f| < x_i \text{ 인 경우} \\ R_s \dfrac{d\vartheta}{dt} - (|x_f| - x_i)K_L L_f sign(\vartheta) & , \ |x_f| > x_i \text{ 인 경우} \end{cases} \tag{10A.22}$$

$$Q_1 = C_d A_o \sqrt{\frac{2}{\rho}(P_s - P_1)} = C_{12}\sqrt{(P_s - P_1)} \tag{10A.23}$$

$$Q_2 = C_d A_o \sqrt{\frac{2}{\rho}(P_s - P_2)} = C_{12}\sqrt{P_s - P_2} \tag{10A.24}$$

$$Q_3 = C_d \pi d_f (x_i + x_f)\sqrt{\frac{2}{\rho}(P_1 - P_3)} = C_{34}(x_i + x_f)\sqrt{(P_1 - P_3)} \tag{10A.25}$$

$$Q_4 = C_d \pi d_f (x_i - x_f)\sqrt{\frac{2}{\rho}(P_2 - P_3)} = C_{34}(x_i - x_f)\sqrt{(P_2 - P_3)} \tag{10A.26}$$

$$x_f = L_f \vartheta \tag{10A.27}$$

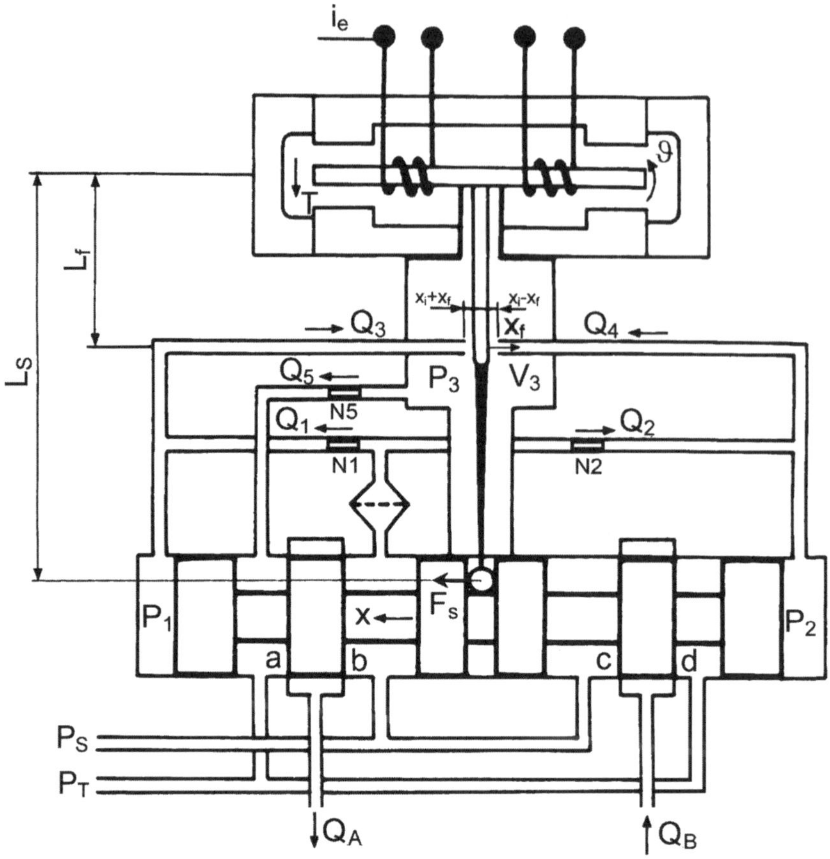

그림 10A.6 2단 전기유압 서보밸브의 구조도

$$Q_5 = C_d A_5 \sqrt{\frac{2}{\rho}(P_3 - P_T)} = C_5 \sqrt{(P_3 - P_T)} \tag{10A.28}$$

$$Q_1 - Q_3 + A_s \frac{dx}{dt} = \frac{V_o - A_s x}{B} \frac{dP_1}{dt} \tag{10A.29}$$

$$Q_2 - Q_4 - A_s \frac{dx}{dt} = \frac{V_o + A_s x}{B} \frac{dP_2}{dt} \tag{10A.30}$$

$$Q_3 + Q_4 - Q_5 = \frac{V_3}{B} \frac{dP_3}{dt} \tag{10A.31}$$

$$A_s(P_2 - P_1) = m_s \frac{d^2x}{dt^2} + f_s \frac{dx}{dt} + F_s \tag{10A.32}$$

$$Q_a = C_d A_a(x)\sqrt{\frac{2}{\rho}(P_A - P_T)} \tag{10A.33}$$

$$Q_b = C_d A_b(x)\sqrt{\frac{2}{\rho}(P_s - P_A)} \tag{10A.34}$$

$$Q_c = C_d A_c(x)\sqrt{\frac{2}{\rho}(P_s - P_B)} \tag{10A.35}$$

$$Q_d = C_d A_d(x)\sqrt{\frac{2}{\rho}(P_B - P_T)} \tag{10A.36}$$

$$\left.\begin{aligned} A_a &= A_c = \omega c \\ A_b &= A_d = \omega\sqrt{(x^2 + c^2)} \end{aligned}\right\} \quad x \geq 0 \text{ 인 경우} \tag{10A.37}$$

$$\left.\begin{aligned} A_a &= A_c = \omega\sqrt{(x^2 + c^2)} \\ A_b &= A_d = \omega c \end{aligned}\right\} \quad x \leq 0 \text{ 인 경우} \tag{10A.38}$$

그림 10A.7은 식 (10A.17)~(10A.38)을 사용해 구성한 2단 서보밸브 SIMULINK 블록선도이며, 계산된 서보밸브의 계단응답은 그림 10A-8과 같다. 시뮬레이션 프로그램으로 계산된 응답으로 2차 전달함수를 구하면 고유진동수, 감쇠비와 이득은 각각 $\omega_n = 112$ Hz, $\xi = 1.34$, 그리고 이득 = 0.0202이다.

상세모델과 전달함수로 계산한 스풀 응답은 그림 10A.8과 같이 거의 일치하였으며, 2단 서보밸브는 정착시간 10 ms 정도의 과다감쇠 응답을 보인다.

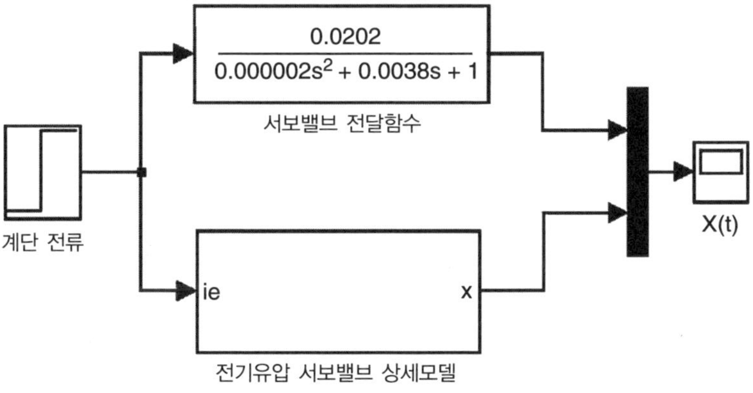

그림 10A.7 2단 서보밸브의 SIMULINK 블록선도

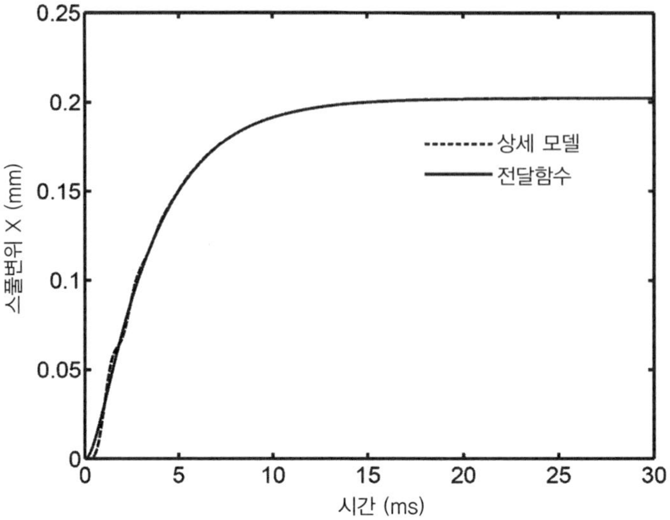

그림 10A.8 10 mA의 계단 전류입력시 2단 서보밸브 스풀 변위의 과도응답 (상세모델과 전달함수의 응답)

전기유압 서보 구동기

그림 10.9는 전기유압 서보 구동기의 기능 구조도이다. 전기유압 서보 구동기의 동적 거동은 식 (10A. 39)~(10A.65)으로 표현된다.

$$T = K_i i_e + K_\theta \vartheta \tag{10A.39}$$

$$T = J\frac{d^2\vartheta}{dt^2} + f_\vartheta \frac{d\vartheta}{dt} + K_T\vartheta + T_L + T_P + T_F \tag{10A.40}$$

$$T_p = \frac{\pi}{4} d_f^2 (P_2 - P_1) L_f \tag{10A.41}$$

$$F_S = K_S(L_S\vartheta + x) \tag{10A.42}$$

$$T_F = F_S L_S = K_S(L_S\vartheta + x)L_S \tag{10A.43}$$

$$T_L = \begin{cases} 0 & |x_f| < x_i \text{인 경우} \\ R_s\dfrac{d\vartheta}{dt} - (|x_f| - x_i)K_L L_f sign(\vartheta) & |x_f| > x_i \text{인 경우} \end{cases} \tag{10A.44}$$

$$Q_1 = C_d A_o \sqrt{\frac{2}{\rho}(P_s - P_1)} = C_{12}\sqrt{(P_s - P_1)} \tag{10A.45}$$

$$Q_2 = C_d A_o \sqrt{\frac{2}{\rho}(P_s - P_2)} = C_{12}\sqrt{P_s - P_2} \tag{10A.46}$$

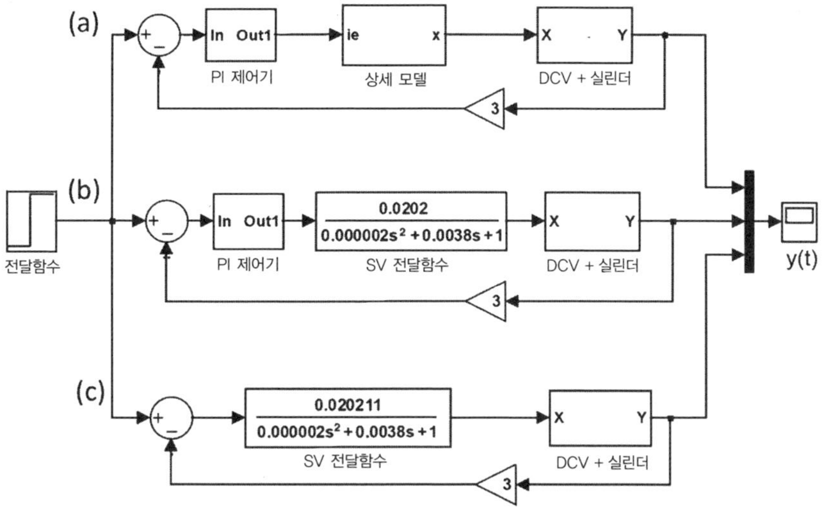

그림 10A.9 전기유압 서보 구동기의 SIMULINK 블록선도

$$Q_3 = C_d \pi d_f (x_i + x_f)\sqrt{\frac{2}{\rho}(P_1 - P_3)} = C_{34}(x_i + x_f)\sqrt{(P_1 - P_3)} \tag{10A.47}$$

$$Q_4 = C_d \pi d_f (x_i - x_f)\sqrt{\frac{2}{\rho}(P_2 - P_3)} = C_{34}(x_i - x_f)\sqrt{(P_2 - P_3)} \tag{10A.48}$$

$$x_f = L_f \vartheta \tag{10A.49}$$

$$Q_5 = C_d A_5 \sqrt{\frac{2}{\rho}(P_3 - P_T)} = C_5 \sqrt{(P_3 - P_T)} \tag{10A.50}$$

$$Q_1 - Q_3 + A_s \frac{dx}{dt} = \frac{V_o - A_s x}{B}\frac{dP_1}{dt} \tag{10A.51}$$

$$Q_2 - Q_4 - A_s \frac{dx}{dt} = \frac{V_o + A_s x}{B}\frac{dP_2}{dt} \tag{10A.52}$$

$$Q_3 + Q_4 - Q_5 = \frac{V_3}{B}\frac{dP_3}{dt} \tag{10A.53}$$

$$A_s(P_2 - P_1) = m_s \frac{d^2x}{dt^2} + f_s \frac{dx}{dt} + F_s \tag{10A.54}$$

$$Q_a = C_d A_a(x)\sqrt{\frac{2}{\rho}(P_A - P_T)} \tag{10A.55}$$

$$Q_b = C_d A_b(x)\sqrt{\frac{2}{\rho}(P_s - P_A)} \tag{10A.56}$$

$$Q_c = C_d A_c(x)\sqrt{\frac{2}{\rho}(P_s - P_B)} \tag{10A.57}$$

$$Q_d = C_d A_d(x)\sqrt{\frac{2}{\rho}(P_B - P_T)} \tag{10A.58}$$

$$\left.\begin{aligned} A_a &= A_c = \omega c \\ A_b &= A_d = \omega\sqrt{(x^2 + c^2)} \end{aligned}\right\} x \geq 0\text{인 경우} \tag{10A.59}$$

$$\left.\begin{aligned} A_a &= A_c = \omega\sqrt{(x^2 + c^2)} \\ A_b &= A_d = \omega c \end{aligned}\right\} x \leq 0\text{인 경우} \tag{10A.60}$$

$$Q_b - Q_a - A_P\frac{dy}{dt} - \frac{(P_A - P_B)}{R_i} = \frac{V_c + A_p y}{B}\frac{dP_A}{dt} \tag{10A.61}$$

$$Q_c - Q_d + A_P\frac{dy}{dt} + \frac{(P_A - P_B)}{R_i} = \frac{V_c - A_p y}{B}\frac{dP_B}{dt} \tag{10A.62}$$

$$A_P(P_A - P_B) = m_P\frac{d^2y}{dt^2} + f_P\frac{dy}{dt} + K_b y \tag{10A.63}$$

$$i_e = i_c - i_b \tag{10A.64}$$

$$i_b = K_{FB}y \tag{10A.65}$$

그림 10A.9는 전기유압 서보 구동기의 시뮬레이션 블록선도로서 아래의 경우를 동시에 비교하고 있다.

(a) PI 제어기와 서보밸브의 상세 모델
(b) PI 제어기와 서보밸브의 전달함수
(c) 단순 비례 되먹임 제어기와 서보밸브의 전달함수

이 세 가지 경우의 제어기에 대해 시뮬레이션 프로그램을 사용해 계산한 전기유압 서보 구동기의 과도응답이 그림 10A.10에 도시되었다. 이 그림으로부터 다음을 알 수 있다.

- 제어기 (a)와 (b)는 거의 동일한 응답을 보이는데, 그 이유는 대표 모델 즉 전기유압 서보밸브의 전달함수가 매우 정확하기 때문이다.
- 단순 되먹임 제어기를 사용한 전기유압 서보밸브(c)의 응답은 상당히 긴 정착시간(t_s = 309 ms)을 보이는 반면, PI 제어기를 사용한 경우 정착시간은 t_s = 33 ms 로 짧다.

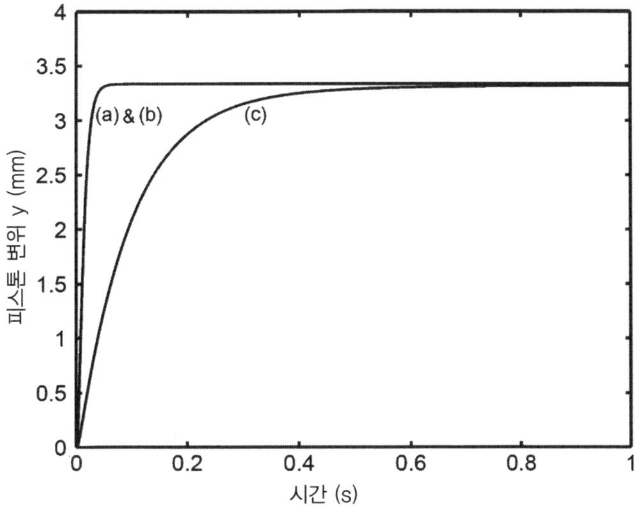

그림 10A.10 세 가지 제어기(그림 10A.9 참고)를 각각 사용한 경우 전기유압 서보 구동기의 계단응답

부록 10B P, PI, PID 제어기 설계

비례–적분–미분 제어기(PID controller)는 가장 일반적인 형태의 제어기로서, 오래전부터 가버너의 필수요소로 사용되었다. 오늘날 공정제어에서 95% 이상의 제어루프는 PI 또는 PID 제어기를 사용한다. 특히 되먹임 제어기가 사용되는 거의 모든 분야에서 PID 제어기가 사용되고 있으며, 기계식과 공압식 제어기에서 마이크로 프로세서까지, 그리고 진공관, 트랜지스터에서 집적회로까지 기술 발전을 거듭함에도 불구하고 PID 제어기는 여전히 사용되고 있다. 오늘날 대부분 PID 제어기는 마이크로 프로세서로 구현된다. 그리고 마이크로 프로세서의 발전에 의해 자동동조(automatic tuning), 이득계획(gain scheduling)이나 연속적응(continuous adaptation)과 같은 부가 기능도 구현할 수 있게 되었다.

PID 알고리듬은 다음과 같다.

$$u(t) = K\left\{e(t) + \frac{1}{T_i}\int_0^t e(\tau)d\tau + T_d\frac{de(t)}{dt}\right\} \tag{10B.1}$$

오차신호 $e(t)$는 그림 10B-1에서 보듯이 입력신호 $x(t)$와 되먹임 신호 $f(t)$의 차이 값이다.

$$e(t) = x(t) - f(t) \tag{10B.2}$$

제어신호는 다음 세 가지 항의 합이다.

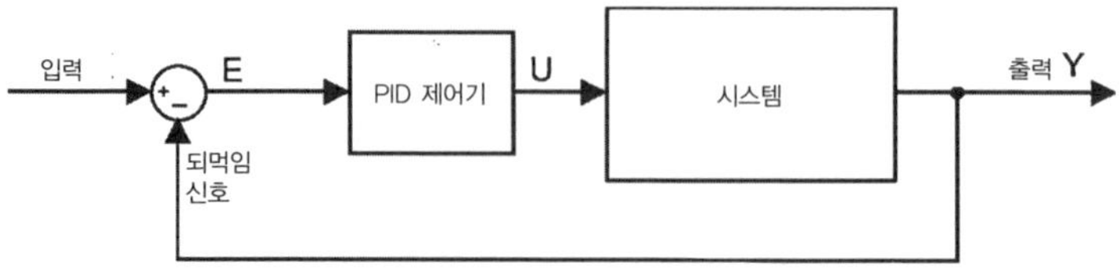

그림 10B.1 되먹임 시스템과 연결된 PID 제어기

- 비례항; 오차 신호에 비례

$$P(t) = Ke(t) \tag{10B.3}$$

- 적분항; 오차의 적분에 비례

$$I(t) = K\frac{1}{T_i}\int_0^t e(\tau)d\tau \tag{10B.4}$$

- 미분항; 오차의 미분에 비례

$$D(t) = KT_d\frac{de(t)}{dt} \tag{10B.5}$$

제어기 매개변수에는 비례 이득 K, 적분 시간 T_i, 미분 시간 T_d가 있다. PID 제어기의 매개변수를 결정하는데 가장 잘 알려진 방법이 Ziegler-Nichols 동조법으로, 지난 반세기 이상 동안 널리 사용되었다. PID 제어기를 설계하고 구현하는 과정은, 다음과 같이 네 단계로 수행된다.

1. 안정성 확보를 위한 개루프 최대 이득 구하기

- 시스템을 그림 10B.2와 같이 연결하고, 예를 들면 이득 $K = 1$로 설정한 후, 계단입력을 가한다.
- 계단응답을 관찰한다. 계단응답이 계속 진동할 때까지 비례이득을 키운다. 그 결과 나타나는 계단응답은 그림 10B.3와 같다. 시스템이 임계안정(응답이 계속 진동하는 경우)상태가 되는 경우의 이득을 한계이득 K_L이라 한다. 그림에서 한계이득은 $K_L = 8$이다. 진동 사이클의 주기를 한계주기 τ라 하는데, 이 경우에는 $\tau = 3.63$ s이다. 그림에서 비례이득이 $K = 1$인 경우, 응답은 상당한 정상상태 오차를 보인다 ($\bar{e}_{SS} = 50\%$). 이득 $K = 8$ 경우, 계단응답은 끊임없이 진동을 반복한다.

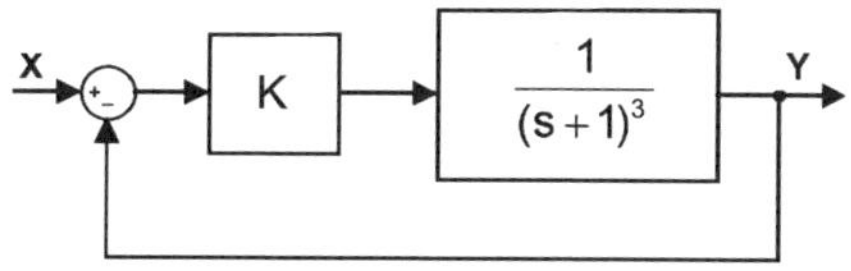

그림 10B.2 비례제어이득이 K인 되먹임 시스템

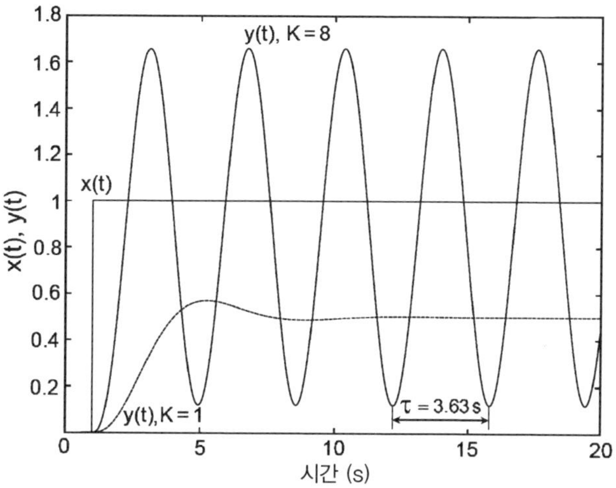

그림 10B.3 비례이득 K = 1과 한계이득 K_L = 8인 경우 폐회로 시스템의 계단응답

2. P, PI, PID 제어기 설계

비례(P), 비례 적분(PI), 그리고 비례 적분 미분(PID) 제어기의 전달함수는 각각 다음과 같이 설계한다.

P 제어기
$$D(s) = K = 0.5K_L \tag{10B.6}$$

PI 제어기
$$D(s) = K\left(1 + \frac{1}{T_i s}\right) \tag{10B.7}$$

PID 제어기
$$D(s) = K\left(1 + \frac{1}{T_i s} + T_d s\right) \tag{10B.8}$$

Ziegler Nichols 규칙(표 10B.1 참고)에 의해 계산한 첫 번째 PID 제어기 매개변수들은 표 10B.2와 같다.

제어기	기호	이득	T_i	T_d
비례	P	$K = 0.5\ K_L$	—	—
비례 적분	PI	$K = 0.45\ K_L$	0.8 τ	—
비례 적분 미분	PID	$K = 0.6\ K_L$	0.5 τ	0.125 τ

표 10B.1 P, PI, PID 제어기 이득 계산을 위한 Ziegler Nichols 규칙

	처음 추정값			최종 조정된 매개변수		
제어기	K	T_i	T_d	K	T_i	T_d
P	4	—	—	4	—	—
PI	3.6	2.9 s	—	1.5	3.03	—
PID	4.8	1.815 s	0.454 s	1.3	2.5 s	0.08 s

표 10B.2 Ziegler Nichols 규칙에 의해 첫번째 계산된 PID 제어기 매개변수들

3. P, PI, PID 제어기 구현

제어기를 그림 10B.4와 같이 수정하고 계단응답을 관찰한다. 계단응답은 그림 10B.5와 같다. 그림에서 P 제어 응답은 매우 큰 정상상태 오차를 보이고, PI 및 PID 제어기는 정상상태 오차가 없는 안정된 응답을 보여준다. Ziegler Nichols 규칙에 의한 PID 제어 폐회로 시스템의 안정성과 정확성을 개선시켰지만, 제어기 매개변수의 최종 값은 만족할만한 응답이 얻어질 때까지 반복해서 결정되어야 한다.

4. 제어기 매개변수의 조정

비례제어기는 이득을 조절하면, 안정성과 정확성에 서로 상반된 결과를 얻기 때문에 (그림 10B.3), 시스템 거동을 개선시키지 못했다. 그러나 PI 또는 PID 제어기는 이득을 조정하면 시스템의 안정성과 정확성을 크게 개선시킬 수 있다. 그림 10B.6을 보면 PI 및 PID 제어기를 사용한 폐회로 시스템의 계단응답이 정상상태 오차는 없으면서 매우 빨리 목표 정상상태 값에 도달하는 것을 알 수 있다.

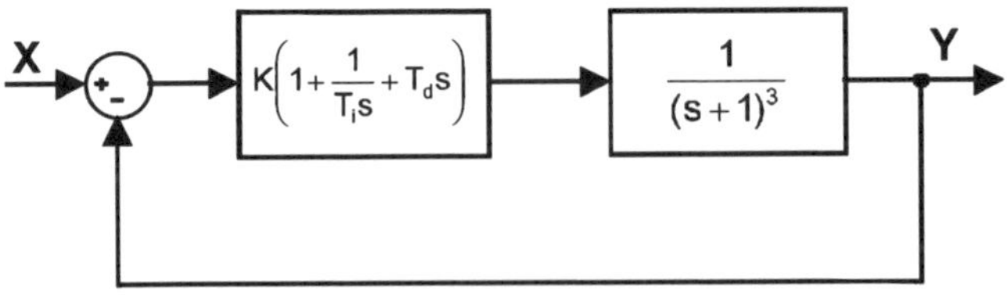

그림 10B.4 PID 제어기가 설치된 폐회로 시스템

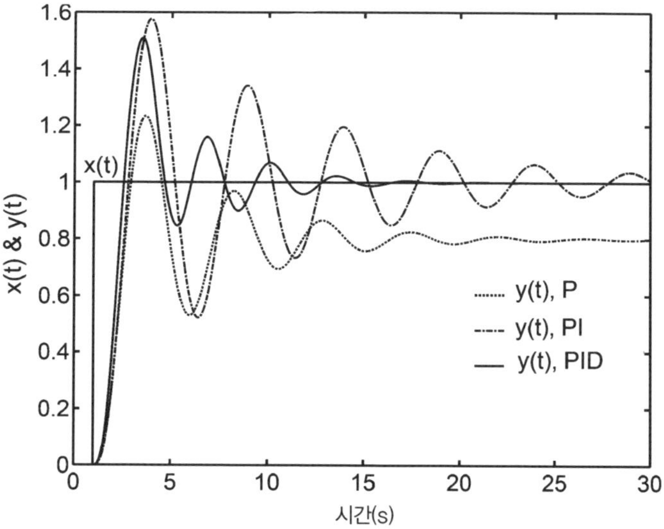

그림 10B.5 P, PI, PID 제어기에 의한 폐회로 시스템의 계단응답

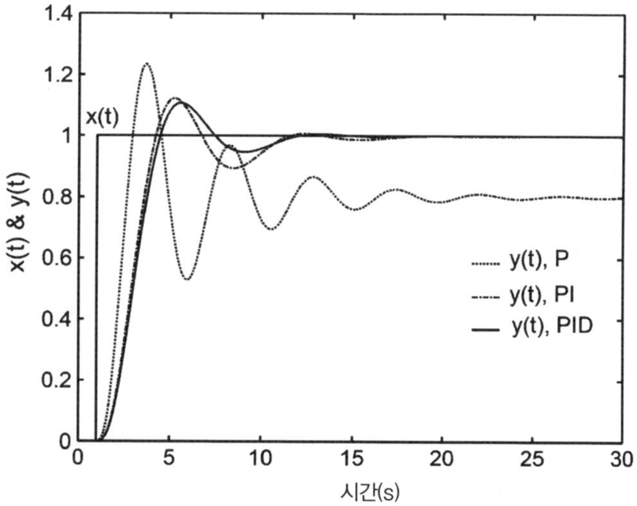

그림 10B.6 최종 조정된 P, PI, PID 제어기가 설치된 폐회로 시스템의 계단응답

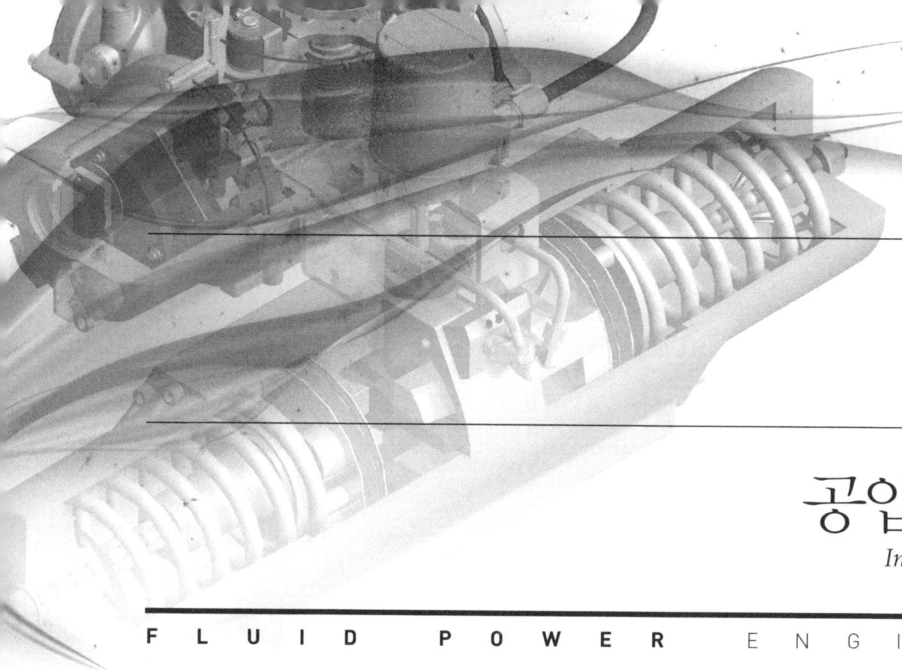

CHAPTER 11

공압시스템 소개

Introduction to Pneumatic Systems

FLUID POWER ENGINEERING

11.1 서론

공압시스템은 동력을 전달하는 작동매체로 압축공기를 사용하는 동력 시스템으로서 작동원리는 유압시스템과 유사하다. 공기압축기는 원동기의 기계적 에너지를 압축공기의 압력에너지로 변환하여 동력의 전달, 저장 및 제어를 용이하게 한다. 압축된 공기는 사용하기 전에 여과, 냉각, 수분 분리, 건조 및 윤활유 첨가를 포함한 전처리 과정을 거친다. 압축공기는 압축용기에 저장되고, 파이프나 호스 등 관로를 통해 원하는 곳으로 전달된다. 공압 동력은 압력, 유량, 방향제어밸브와 같은 밸브들에 의해 조절된 후 공압 실린더와 모터에 의해 요구되는 기계적 에너지로 변환된다(1장의 그림 1.5 참조).

11.2 공압시스템의 특성

11.2.1 공기의 압축성 효과

유체의 압축성은 유체가 압력변화에 따라 체적이 변화하는 성질을 말하며, 체적탄성계수 B 또는 압축률 β ($\beta = 1/B$)로 평가된다. 체적탄성계수의 정의는 다음과 같다.

$$B = -\frac{dp}{dV/V} \tag{11.1}$$

여기서 p = 가해진 압력, Pa (abs)

V = 유체의 체적, m^3

이 식에서 음의 부호는 압력이 증가할 때 체적이 감소하기 때문이다.

실제 가스의 경우, 폴리트로픽 압축과정은 다음 법칙을 따른다.

$$pV^n = \text{일정} \tag{11.2}$$

$$V^n dp + npV^{n-1}dV = 0 \tag{11.3}$$

또는

$$V\frac{dp}{dV} = -np \tag{11.4}$$

따라서, 압축공기의 체적탄성계수는 다음과 같다.

$$B = np \tag{11.5}$$

압력 10 MPa에서 공기의 체적탄성계수는 $B_a = 1.4 \times 10^7$ Pa (단, $n = 1.4$)이다. 이값은 유압유의 체적탄성계수($B_{\text{oil}} = 1 \sim 2$ GPa)와 비교할 때 매우 작다. 따라서 공기가 고압으로 압축된다고 해도 유압유에 비해 압축성이 훨씬 더 크다.

에너지의 저장이 가능한 이유는 바로 압축성에 있다. 압력 p_o로 저장된 체적 V_o의 공기가 압력 p로 팽창할 때, 팽창 과정에서 방출되는 에너지는 다음과 같이 유도된다.

$$E_a = \int_{V_o}^{V} p\,dV \tag{11.6}$$

$$p_o V_o^n = pV^n = \text{일정} \tag{11.7}$$

$$V = \left(\frac{p_o}{p}\right)^{1/n} V_o \tag{11.8}$$

$$dV = -\frac{V}{np}dp \tag{11.9}$$

그러므로

$$E_a = -\int_{p_o}^{p} \frac{V}{np} p\,dp = -\frac{V_o p_o^{1/n}}{n}\int_{p_o}^{p} p^{-1/n}dp \tag{11.10}$$

또는

$$E_a = \frac{p_o^{1/n} V_o}{n-1}\left[p_o^{\frac{n-1}{n}} - p^{\frac{n-1}{n}}\right] \tag{11.11}$$

유사한 방법으로, 액체의 체적에 저장된 에너지는 다음 식으로 표현된다.

$$E_L = \int_{V_o}^{V} p\,dV \tag{11.12}$$

액체의 경우, 초기 체적이 V_o라면

$$B = -\frac{dp}{dV/V_o} \quad \text{또는} \quad B = -\frac{dp}{dV/V_o} \tag{11.13}$$

또는
$$dV = -\frac{V_o}{B}dp \tag{11.14}$$

$$V = V_o + \Delta V = V_o - V_o\frac{\Delta p}{B} = V_o\left(1 - \frac{p_o - p}{B}\right) \tag{11.15}$$

$$E_L = \int_{V_o}^{V} p\,dV = \int_{p_o}^{p} p\left(-\frac{V}{B}dp\right) = -\int_{p_o}^{p}\frac{V_o p}{B}\left(1 - \frac{p_o - p}{B}\right)dp \tag{11.16}$$

또는
$$E_L = -\frac{V_o}{B^2}\left\{\frac{1}{2}(B - p_o)\left(p^2 - p_o^2\right) + \frac{1}{3}\left(p^3 - p_o^3\right)\right\} \tag{11.17}$$

압축공기와 액체 1리터에 저장되는 에너지 계산

$p_o = 15$ MPa, $V_o = 10^{-3}$ m^3, $p = 0$ 그리고 $n = \gamma = 1.4$ 일 때, 1리터의 공기에 저장된 에너지를 식 (11.11)로 계산하면 $E_a = 28.7$ kJ 이다. 동일한 조건에서 $B = 1.4 \times 10^9$ Pa인 액체 1리터에 저장된 에너지를 식 (11.17)로 계산하면 $E_L = 0.08$ kJ이다. 이 계산에 의하면 임의 체적의 액체에 저장된 에너지는 동일 체적의 공기에 저장되는 에너지의 0.3%에 불과한 것을 알 수 있다.

단위 질량의 압축공기와 액체에 저장되는 에너지 계산

공기의 밀도는 다음 관계식으로 표현된다.

$$\rho = \frac{p}{RT} \tag{11.18}$$

여기서 R = 일반 기체상수, (공기의 경우 287.1 J/kgK)
T = 절대온도, K
p = 절대압력, Pa
ρ = 공기 밀도, kg/m^3

온도 $T = 288$ K, $R = 287.1$ J/kgK 그리고 압력 $p = 15$ MPa일 때, 공기 밀도는 $\rho = 181$ kg/m^{3}이다. 일반적인 유압유의 밀도는 850 kg/m^3 이다. 압력 15 MPa 그리고 온도 288 K에서 유체의 단위 질량에 저장된 에너지를 비교해 보면, 다음과 같은 결과를 얻을 수 있다.

- 공기 1리터의 질량 = 0.1814 kg

- 유압유 1리터의 질량 = 0.85 kg
- 공기 1킬로그램에 저장된 에너지 = 157000 J
- 유압유 1킬로그램에 저장된 에너지 = 94 J

위와 같이 압축공기의 저장 용기는 상당한 량의 에너지를 저장할 수 있음을 알 수 있으며, 따라서 압축용기는 공압시스템의 에너지 공급원으로 널리 사용된다.

아래에 설명하는 공압시스템의 특징들도 공기의 높은 압축성에 의한 것이다.

응답의 시간지연

시간지연이란 제어밸브가 열린 순간부터 구동기가 움직이기 시작할 때까지 경과된 시간을 말한다. 이러한 시간지연은 전달 관로와 구동기 체임버의 내부 압력이 점진적으로 증가하기 때문에 발생한다. 피스톤의 움직임은 압력이 부하를 구동하는데 충분한 값에 도달했을 때 시작된다. 시간지연은 관로와 구동기 체임버의 체적, 공기의 유량 그리고 마찰을 포함한 부하 조건에 따라 그 크기가 달라진다.

공압실린더 피스톤의 불규칙한 운동

공압실린더 피스톤의 불규칙한 운동은 실린더의 비선형적인 마찰특성과 피스톤 이동에 따른 입구 체임버의 체적 변화 때문에 발생한다.

공압시스템은 수격현상(hydraulic shock)이 발생하지 않음

수격현상은 전달 관로 내에서 유체의 급격한 속도 변화 때문에 발생하는데, 이러한 속도변화는 제어밸브로 관로를 급히 차단하거나 피스톤이 끝단에서 급히 정지하는 경우에 발생한다. 압축성 유체의 경우에는 급격히 밸브를 닫아도 압력히 서서히 증가하고, 따라서 유체 속도도 점진적으로 감소한다. 공기의 낮은 밀도와 높은 압축성 때문에 공압 전달 관로에서는 수격현상이 발생하지 않는다.

공압시스템은 단시간에 큰 에너지를 공급할 수 있음

공압 저장용기에 필요한 만큼의 많은 양의 압축공기를 저장함으로써 가능하다.

공압실린더는 피스톤 잠김(locking)을 위해 브레이크장치가 필요함

부하의 변화는 구동기 내부의 공기압력과 체적에 영향을 준다. 따라서, 기계적 잠김기구를 사용하거나 전기-공압 서보 시스템을 사용하지 않으면, 피스톤을 임의의 중간위치에 고정시키는 것은 어렵다.

유체의 열팽창이 공기압력에 미치는 영향이 제한적임

온도가 변화하더라도 밀폐된 공간에 있는 공기의 압력변화는 유압시스템에 비해 매우 작다. 유압시스템의 경우, 밀폐된 공간에 있는 오일에 대한 체적탄성계수 B와 열팽창계수 α를 이용하면 압력변화 ($\Delta p = p_2 - p_1$)는 다음 수식으로 표현된다(2.2.4절 참조).

$$p_2 = p_1 + \alpha B \Delta T \tag{11.19}$$

여기서 ΔT = 온도 변화, K

p_1 = 온도 T_1일 때 압력, Pa

p_2 = 온도 T_2일 때 압력, Pa

일정한 체적의 가스의 경우, 압력은 온도에 따라 다음 관계식으로 변화한다.

$$p_2 = p_1 \frac{T_2}{T_1} \tag{11.20}$$

표 11.1은 체적탄성계수 $B = 1.4 \times 10^9$ Pa, 열팽창계수 $\alpha = 7 \times 10^{-4}\ K^{-1}$인 오일과 공기의 압력변화를 나타낸다. 동일한 조건에서 공기의 열팽창에 의한 압력증가는 오일의 압력증가의 0.037% 이내이다. 이러한 공압시스템의 온도변화에 따른 낮은 압력변화 특징은 특히 상당한 온도 변화를 겪는 응용분야에서 매우 좋은 장점이 된다.

11.2.2 공기밀도의 영향

압력과 온도에 따라 공기밀도는 다음과 같이 변한다.

$$\rho = \frac{p}{RT} \tag{11.21}$$

온도 $T = 288$ K 그리고 압력 $p = 15$ MPa일 때, 압축공기의 밀도는 $\rho = 181\ kg/m^3$이고, 대기압에서 공기의 밀도는 1.21 kg/m^3이다. 일반적으로 압축공기의 밀도는 유압유(광물성 오일의 밀도는 $\rho = 800{\sim}900\ kg/m^3$) 보다 훨씬 작다. 이와 같이 작은 밀도

온도(℃)	계기압력 (bar)	
	공기	광물성 오일
0	0	0
50	0.18	490

표 11.1 열팽창에 의해 증가한 오일과 공기의 압력

는 다음과 같이 공압시스템의 여러 장점을 제공한다.

- 작은 관성과 큰 압축성으로 인해 수격현상이 발생되지 않는다.
- 전체 시스템의 중량 감소가 가능하다.
- 전달 관로 내에서 공기 속도는 동일한 압력차에서 액체보다 크다. 따라서 보다 작은 직경의 관로를 사용할 수 있으며, 시스템 중량의 추가 감소 요인이 된다.

11.2.3 공기점도의 영향

압축공기의 점도 μ는 유압유의 점도보다 매우 작다. 대기 온도와 압력에서 일반적인 광물성 오일의 점도는 2×10^{-2} Pa s인데 반해, 동일한 조건에서 공기의 점도는 2×10^{-5} Pa s이다. 공압 전달관로에서의 마찰손실이 매우 작으므로 관로의 직경을 줄일 수 있다. 반면에, 공기는 점도와 밀도가 작기 때문에 매우 작은 틈새로도 쉽게 누설이 일어난다. 따라서 공압시스템은 완전히 밀봉시키기 어렵다.

11.2.4 공압시스템의 다른 특징들

(a) 공압실린더 또는 모터의 배출 공기는 대기 중으로 방출된다. 따라서 단지 공급 관로만 필요하고 귀환 관로는 필요하지 않다.

(b) 압축공기를 저장하는 용기의 무게와 부피가 상당히 크다.

(c) 공기는 윤활성이 나쁘다. 마찰면들은 윤활이 필요하기 때문에 압축공기를 공급하는 과정에서 윤활유 입자를 공기에 분무하기 위한 윤활주유기가 필요하다.

(d) 공기는 어느 정도 수증기를 포함하고 있다. 압축과 냉각과정을 거치면 수증기는 응축된다. 녹 발생을 방지하기 위해 압축용기와 배관 내부에 응축된 물은 반드시 제거해야 한다. 이를 위해 여러 형태의 공기건조기가 필요하다.

(e) 공압시스템은 화재로부터 안전하다. 그러나 압축용기는 폭발할 가능성이 있다.

11.3 공압시스템의 장점과 단점

11.3.1 공압시스템의 기본적인 장점

(a) 다음과 같은 이유 때문에 전달 관로의 무게가 작음.

- 관로 직경이 작음(공기의 흐름으로 인한 수두손실이 작아서 관로 직경이 작아도 됨).
- 에너지를 전달하는 매체인 공기의 밀도가 작음.
- 사용된 공기는 대기 중으로 방출하기 때문에 귀환 관로가 필요 없음.

(b) 에너지 전달 매체인 공기는 어디서나 조달 가능함.
(c) 시스템이 불연성임.
(d) 단시간 내에 압축용기로부터 많은 량의 에너지를 공압시스템에 공급할 수 있음.

11.3.2 공압시스템의 기본적인 단점

(a) 공기의 완전 밀폐가 어려움.
(b) 밀봉의 어려움과 고압용 압축기 설계의 어려움으로 인해 작동압력이 유압시스템에 비해 낮음(산업용은 10 bar 이내임. 단, 항공용은 200 bar 이상임).
(c) 공압 구동기를 중간 위치에 정지시키기 어려움.
(d) 압축공기로 긴 관로를 채우는데 소요되는 시간 때문에 구동기의 반응에 시간지연이 발생함.
(e) 온도에 따라 공기 저장용기의 압력이 변함.
(f) 습기의 응축 가능성이 있고 저온에서서는 이 응축수가 얼어 버릴 수 있음.
(g) 공기의 윤활성이 좋지 않아 윤활주유기가 필요함.
(h) 폭발의 위험성이 있음.

11.4 공압시스템 기본 요소

11.4.1 기본 공압 회로

그림 11.1은 간단한 공압시스템의 회로도이다. 압축공기는 공기압축기, 여과기, 공기건조기를 포함한 공급공기 전처리장치에 의하여 양질의 압축공기로 개선된다. 원동기의 기계적 에너지는 공기압축기에 의해 압력에너지로 변환되고, 압축된 공기는 충분한 용량의 공기 저장용기에 저장된다. 공기압축기 출구의 최대 압력은 릴리프 밸브에 의해 제한된다. 공기 저장용기의 압력은 시스템 작동에 필요한 압력보다 커야 한다. 따라서 공급공기 전처리장치는 감압 밸브, 공기 여과기, 윤활주유기, 공급압력을 표시하는 압력계로 구성된다. 마지막 단계로서 실린더는 방향제어밸브를 거쳐 압축공기를 공급받는다.

11.4.2 공기압축기

공기압축기의 역할은 기체를 압축하여 배관을 통해 사용자에게 공급하는 것이다. 압축기의 성능을 결정하는 주요 변수는 체적 유량 Q와 입구 압력 p_1 및 출구 압력 p_2 (또는 압축비 $\pi = p_2/p_1$), 회전속도 그리고 압축기의 축동력 N이다.

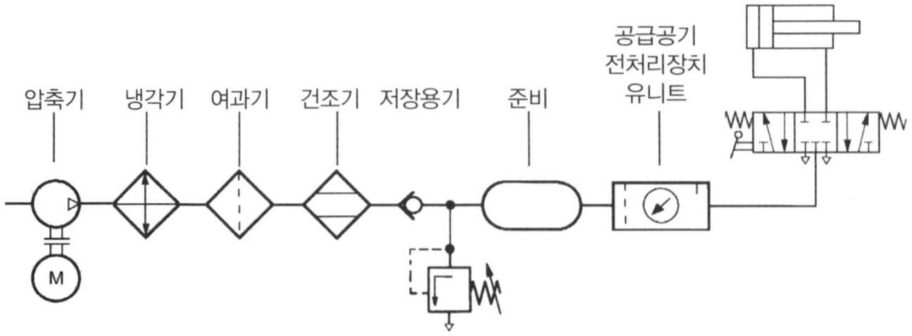

그림 11.1 간단한 공압시스템의 회로도

공기 압축기는 기본적으로 용적식과 동압식 두 종류가 있다. 용적식 압축기에서 공기의 압력은 한정된 공간에 갇힌 공기의 체적을 감소시켜 증가된다. 그러나, 동압식 압축기는 이동하는 기체의 운동에너지가 출구 확산기(diffuser) 또는 고정자(stator)에서 압력에너지로 변환되어 공기의 압력이 증가한다. 일반적으로 사용되는 압축기의 일반적인 제원은 표 11.2와 같다. 그림 11.2는 일반적으로 사용되는 압축기의 분류를 보여 준다. 피스톤형 압축기의 구조와 작동방식을 다음 절에서 설명한다. 보다 상세한 압축기의 구조와 선정방법은 R.N. Brown이 저술한 참고문헌(1997)에 설명되어 있다.

피스톤식 압축기

피스톤식 압축기에서는 팽창, 흡입, 압축 및 배출의 공정이 피스톤의 왕복운동에 따라 반복된다. 압축과정은 피스톤으로 기체의 체적을 감소시킴으로서 이루어진다. 피스톤식 압축기의 구조도와 이론적 p-V 선도는 그림 11.3과 같으며, 여기서 V는 실린더 안의 피스톤에 갇힌 체적이다.

피스톤이 하사점에서 상사점으로 움직이면, 실린더에 갇힌 기체를 압축한다. 압축과정 동안에 흡입 밸브는 닫혀있다. 배출 밸브는 실린더 압력이 부하압력과 출구밸브의 크래킹 압력을 초과할 때까지 닫혀있다가 열리고 피스톤은 기체를 배출 관로로 밀

형식		유량 Q, m^3/min	압축비 π	속도 n, rpm
용적식	왕복형	0~500	2.5~1000	100~3000
	회전형	0~500	3~12	300~15,000
동압식	원심형	60~3000	3~20	1500~60,000
	축류형	100~9,000	2~25	500~20,000

표 11.2 일반적으로 사용되는 압축기의 일반적인 제원

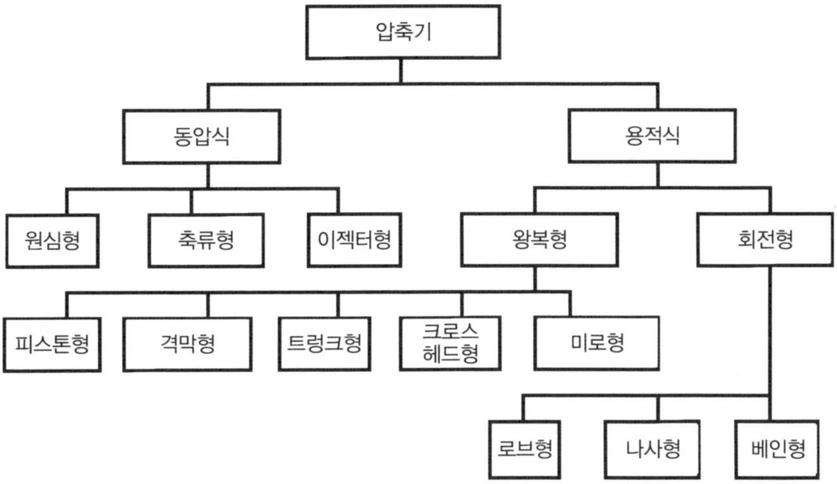

그림 11.2 공기압축기의 분류

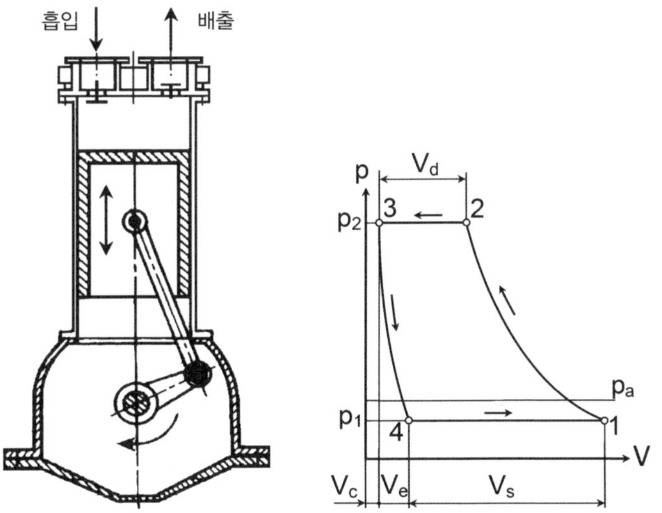

그림 11.3 단일 실린더형 피스톤식 압축기와 p–V 선도

어낸다. p-V 선도에서 압축 행정은 곡선 1-2, 그리고 기체의 배출 행정은 직선 2-3으로 표현되어 있다. 만약 배출과정의 실린더 압력이 p_2 라면, 이 압력에서 압축기가 공급한 기체의 체적은 V_d 이다. p-V 선도에서 압축과정은 폴리트로픽 과정이므로 pV^n = 일정하다. 이론적으로 배출곡선 2-3은 동일 압력의 과정이므로 p_2 는 일정하다. 실제로는 기체 질량의 영향과 밸브와 스프링의 영향으로 기체가 일정 압력으로 배출된다고 할 수는 없다.

실린더 상부의 틈새 체적 V_c는, 실린더에 유입된 기체의 체적에서 상사점까지 피스톤이 배제시킨 체적을 뺀 체적을 가리킨다. 팽창 행정의 초기에는 배출 밸브가 닫혀 있고, 실린더 상부의 기체는 곡선 3-4를 따라 팽창한다. 팽창과정 후 이 체적은 $(V_c + V_e)$가 된다. 팽창과정은 폴리트로픽 과정이고, 실린더 내부 압력이 $p_1 < p_a$에 도달할때까지 팽창한다. 여기서 p_a 는 압축기 흡입구의 압력이다. 압력차 $(p_a - p_1)$에 의한 힘이 흡입 밸브의 스프링을 밀어 흡입 밸브가 열리게 되고, 팽창 과정에서 피스톤은 기체를 실린더 안으로 흡입하게 된다.

압력 p_1 은 공기 흡입부에서의 유동 저항으로 인해 항상 압력 p_a 보다 작다. 흡입과정은 동일 압력 곡선 4-1에 해당한다. 이러한 폐곡선 1-2-3-4-1이 압축기의 지시선도(indicator diagram)이다. 실제 지시선도는 이론적 지시선도와 약간 다른데, 이것은 주로 흡입과 배출 관로의 저항 때문이다. 피스톤 상부의 틈새가 없는 압축기의 경우, $V_c = 0$인 점 3과 점 4는 수직선상에 놓인다. 기체의 온도는 압축과정에서 상승하는데, 상승온도는 다음과 같이 구할 수 있다.

$$p_1V_1^n = p_2V_2^n \tag{11.22}$$

$$\pi = p_2/p_1 \tag{11.23}$$

$$\frac{p_1V_1}{T_1} = \frac{p_2V_2}{T_2} \tag{11.24}$$

$$\Delta T = T_2 - T_1 = T_1\left(\frac{T_2}{T_1} - 1\right) = T_1\left(\frac{p_2V_2}{p_1V_1} - 1\right) \tag{11.25}$$

그런데, $p_1V_1^n = p_2V_2^n$ 이므로 $\left(\frac{V_2}{V_1}\right)^n = \pi^{-1}$ (11.26)

그리고, $\Delta T = T_1\left(\pi^{\frac{n-1}{n}} - 1\right)$ (11.27)

입구 공기온도가 15°C일 때, 압축비 π에 따라 상승하는 온도를 그림 11.4에 나타내었다($n = 1.3$이라 가정).

흡입과 배출 밸브의 압력손실, 실린더 헤드에서의 열손실을 감안해 두 가지 교정 인자를 도입하면, 온도 상승 관계식은 다음과 같다.

$$\Delta T = T_1\left(k\,\pi^{\frac{n-1}{\eta n}} - 1\right) \tag{11.28}$$

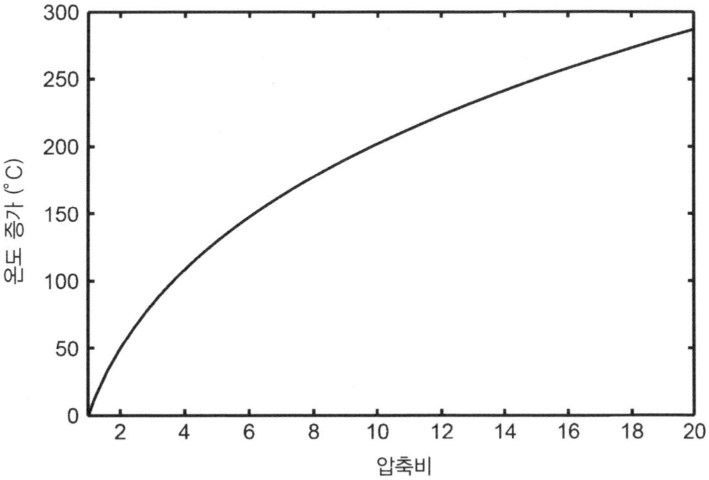

그림 11.4 n = 1.3, 입구온도 15°C일 때, 압축비에 따라 상승하는 온도

여기서 k는 밸브 손실인자이고 (k = 1~1.13로서 각 밸브마다 6%까지 압력손실이 발생) η은 열 손실 인자이다. 수냉 실린더의 경우 η = 1~1.11으로서 실린더 냉각 상태에 따라 달라진다.

11.4.3 공압 저장용기

일반적으로 공기압축기는 압축공기 저장용기를 채우는 역할을 한다. 저장용기의 압력을 적정 범위 안에 유지하기 위해 압축기의 작동은 조절기(governor)로 제어된다. 공압시스템의 압축공기는 보통 저장용기에서 바로 공급되지만, 항공기나 미사일 같은 특수한 경우의 공압시스템에는 압축기가 없는 경우도 있다. 이러한 시스템은 미리 충전된 고압의 압축공기 용기에 저장된 공압에너지를 사용한다.

11.4.4 공기 여과기

고체 미립자와 액체 방울은 평면 또는 입체 필터 요소를 가진 공기 여과기를 사용하여 압축공기로부터 제거된다. 여과 과정은 2단계로 진행된다. 여과기 입구의 안내판은 유입된 공기의 흐름을 회전시키는데, 이때의 원심력은 이물질과 수분을 공기로부터 분리시킨다. 이물질과 수분은 여과기 아래 부분에 모이게 된다. 두 번째 단계에서 미세필터가 추가로 불순물을 분리시킨다. 응축된 물은 드레인 밸브로 모아진다. 공기 여과기에 따라서 수분 모음 기구가 있으며, 없는 경우도 있다. 또, 모아진 물은 자동 또는 수동으로 배출하게 된다(그림 11.5 참조).

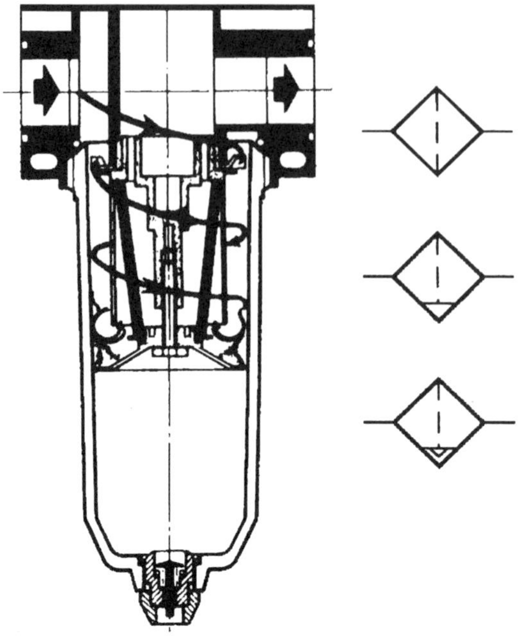

그림 11.5 수분 모음기구가 있는 공기 여과기 (*Bosch Rexroth AG. 게재 승인*)

11.4.5 공기 윤활기

윤활기가 압축공기에 미세한 오일 분무를 추가하는데 사용된다. 오일 분무 주유기는 대부분 벤츄리 관 원리(그림 11.6 참조)에 의해 작동된다. 공기가 흐르는 노즐의 면적 감소는 진공을 발생시키고, 윤활유 저장용기와 연결된 좁은 파이프를 통해 오일을 빨아들인다. 이 오일이 압축공기의 흐름에 주입되면 미세한 분무를 형성하게 된다.

11.4.6 공압제어밸브

릴리프 밸브

일반적으로 단순한 포핏형 릴리프 밸브가 시스템의 최대압력을 제한하는데 사용된다(그림 11.7 참조). 공압 밸브의 크기는 유압 밸브와 비교하면 설정압력이 낮기 때문에 훨씬 작다. 따라서 공압시스템에는 직동형 릴리프 밸브가 사용된다. 포핏 또는 시트는 밀폐를 원활하게 하기 위해 고무로 덧씌워진다.

감압 밸브

고압의 압축공기 저장용기 다음에 감압 밸브가 위치하며, 이 밸브는 공압 장치에 공급되는 압축공기의 압력을 일정 압력으로 낮추는데 사용된다.

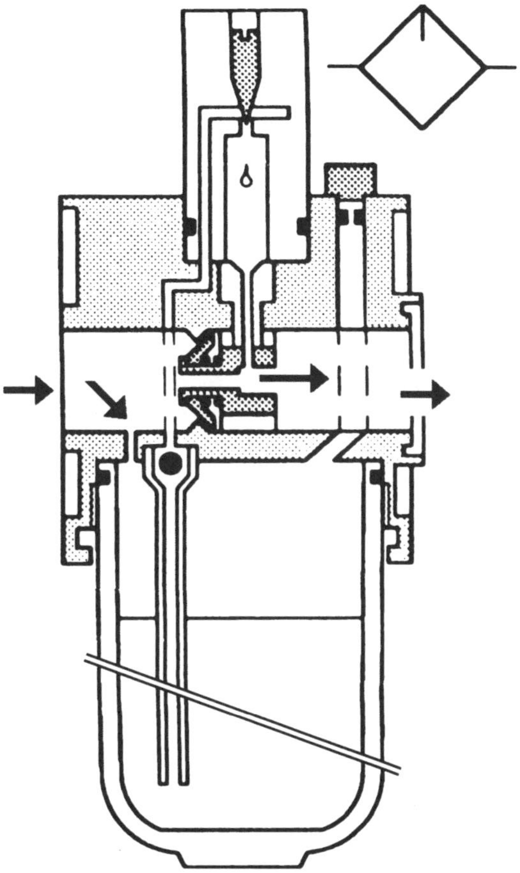

그림 11.6 오일 분무 윤활기 (*Bosch Rexroth AG, 게재 승인*)

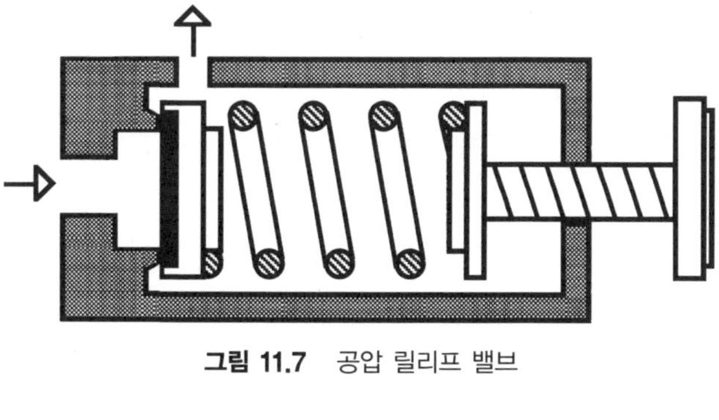

그림 11.7 공압 릴리프 밸브

일반적인 감압 밸브 그림 11.8의 일반적인 감압 밸브는 고무를 덧씌운 포핏과 시트로 구성된다. 포핏은 고압의 입구와 감압 출구를 연결하는 통로의 면적을 조절한다. 밸브로 공급된 고압의 공기는 포핏 밸브를 통해 흘러나가 팽창한다. 만일 출구 압력이 상승

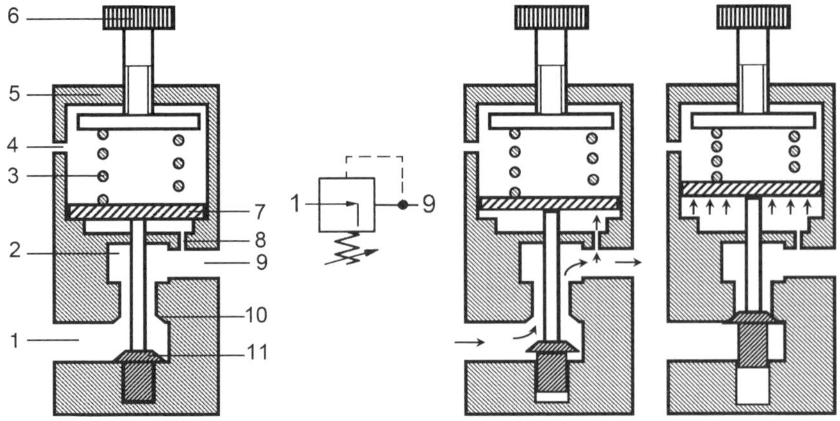

1. 고압공기 입구, 2. 출구 체임버, 3. 스프링, 4. 배출구, 5. 하우징, 6. 조정나사, 7. 피스톤 또는 격막, 8. 파일럿 오리피스, 9. 출구, 감압 포트, 10. 포핏 시트, 11. 포핏

그림 11.8 일반적인 공압 감압 밸브의 구조와 작동

하면 내부 파일럿 오리피스를 통해 피스톤으로 전달되므로, 스프링을 밀고 피스톤과 포핏을 들어 올려 밸브의 교축면적을 감소시킨다. 출구 압력이 요구된 수준까지 상승하면 포핏이 시트에 밀착되어 공기의 흐름은 멈춘다. 만일 어떤 이유로 출구의 압력이 과도하게 상승하면, 이 형태의 밸브는 더이상 대응을 하지 못하기 때문에 감압된 회로에 별도의 릴리프 밸브가 설치되어야 한다.

배출형 감압 밸브 그림 11.9의 배출형 감압 밸브는 릴리프 밸브뿐만 아니라 일반적인 감압 밸브의 역할을 한다. 즉, 출구 압력을 미리 설정된 최대값 이하로 낮추는 기능과 제한하는 기능을 한다. 감소된 출구 압력은 스프링으로 가한 힘에 비례한다. 출구 압력이 요구된 수준보다 상승하면, 격막을 밀어 올려 배출 구멍이 추가로 열린다. 이로 인해 출구 체임버가 배출 구멍을 통해 외부 공기와 연결되면 압축공기가 방출되고, 출구 압력은 스프링으로 가한 힘에 비례하는 정상상태 값에 도달한다.

방향제어밸브

포핏형 방향제어밸브 그림 11.10은 포핏형 3/2 방향제어밸브 (DCV)의 구조도이다. 포핏의 양면은 고무로 덧씌워져 있다. 포핏은 스프링과 압력불평형에 의해 왼쪽으로 움직여, 압력 포트(P)는 닫히고 포트 A와 배출구(R)은 연결되어 있다. 파일럿 포트(X)에 압력이 가해지면, 포핏은 오른쪽으로 이동하여 포트 A와 압력 포트 P가 연결되고 배출구(R)은 닫힌다. 포핏형 방향제어밸브는 누설이 없다는 장점이 있다.

스풀형 방향제어밸브 스풀형 방향제어밸브는 연결포트를 많이 가질 수 있으나 스풀

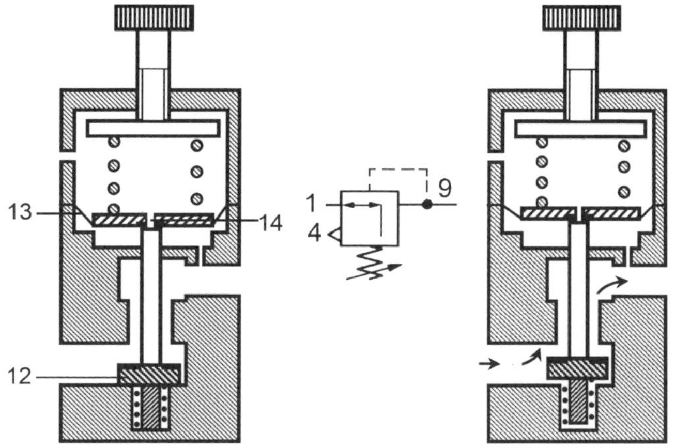

12. 고무를 덧씌운 포핏, 13. 강화된 격막, 14. 배출 구멍

그림 11.9 배출형 공압 감압 밸브의 구조와 작동

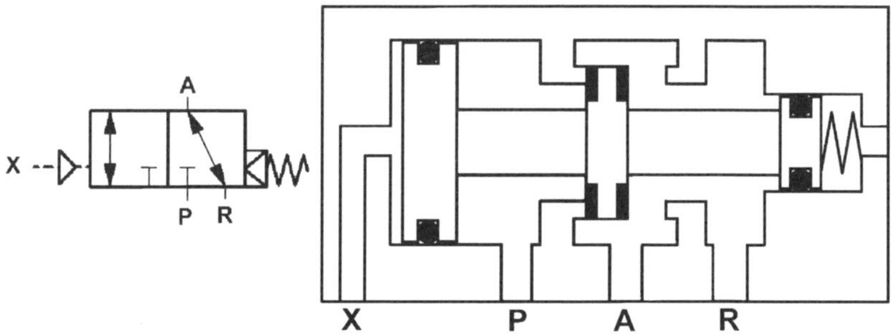

그림 11.10 포핏형 방향제어밸브

의 반경방향 틈새로 인해 누설에 대한 저항이 작다는 단점을 갖는다. 따라서 스풀형 밸브는 그림 11.11과 같이 스풀의 홈에 실 링(seal ring)이 장착된다. 실링은 상당한 마찰 저항을 갖고 있기 때문에 이러한 스풀 밸브들은 전기식으로 작동하는 경우, 파일럿 작동방식을 주로 사용한다. 그 이유는 제한된 크기의 전자석으로 충분한 힘을 얻을 수 없기 때문이다.

전자석을 가진 파일럿밸브 공압밸브는 일반적으로 크기가 작다. 따라서 전자석을 사용할 때 크기와 힘에 제한이 있기 때문에 전기식으로 작동하는 공압 스풀 밸브는 보통 파일럿 방식을 사용한다. 그림 11.12는 전자석을 포함한 파일럿밸브를 보여준다. 전자석의 전류가 차단되면, 포핏은 오른쪽 시트에 안착하여 압력 포트가 닫히고 파일럿 포트(X)는 방출된다. 전자석이 자화되면, 철심과 포핏이 왼쪽으로 이동하여 배출 포트가 닫히고 압력 포트와 파일럿 포트가 연결된다. 파일럿밸브는 기계식 보조 플런저가 설

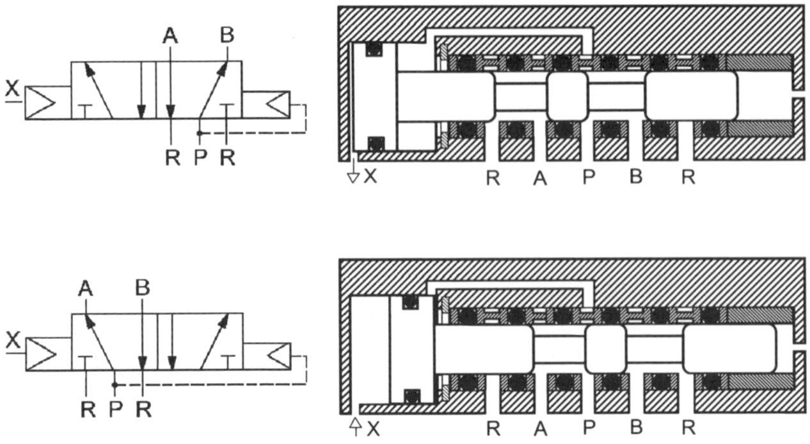

그림 11.11 스풀형 공압 방향제어밸브

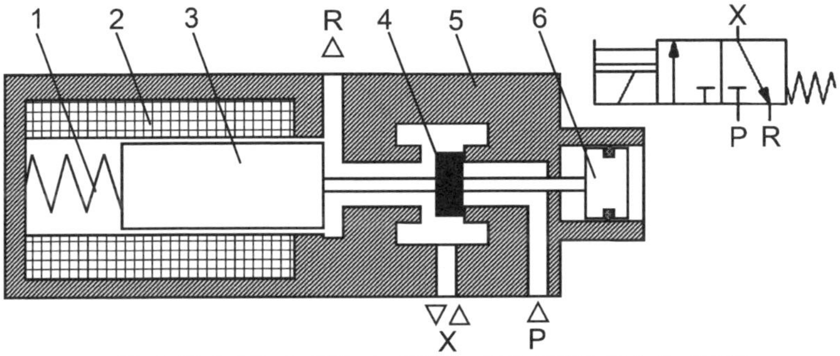

1. 스프링, 2. 전기 코일, 3. 철심, 4. 양면에 고무를 덧씌운 포핏, 5. 하우징,
6. 기계식 보조 플런저, P. 입구 압력 포트, X. 파일럿 포트, R. 배출 포트

그림 11.12 공압 방향제어밸브의 파일럿밸브

치되어, 플런저를 왼쪽으로 누르면 전자석이 자화된 것과 동일한 동작을 한다.

셔틀 밸브: 논리 OR

셔틀 밸브의 구조가 그림 11.13에 나타나 있다. 포트(B) 또는 (C)의 압력이 높을 경우, 포트(A)로 압력이 전달된다.

압력 셔틀 밸브: 논리 AND

포트(B)와 포트(C)의 압력이 모두 높을 경우에만 포트(A)로 압력이 전달된다(그림 11.14 참조).

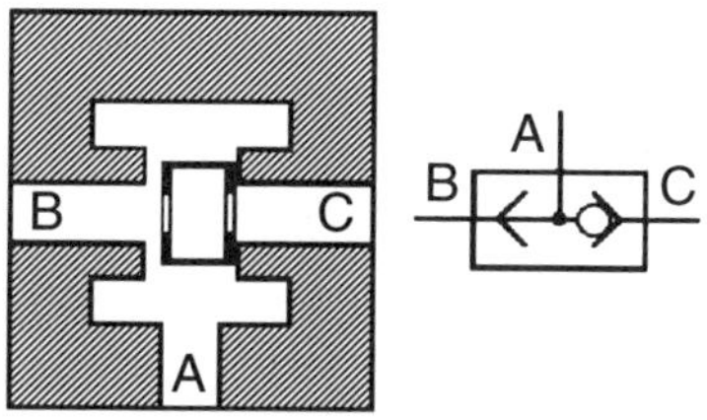

그림 11.13 셔틀 밸브

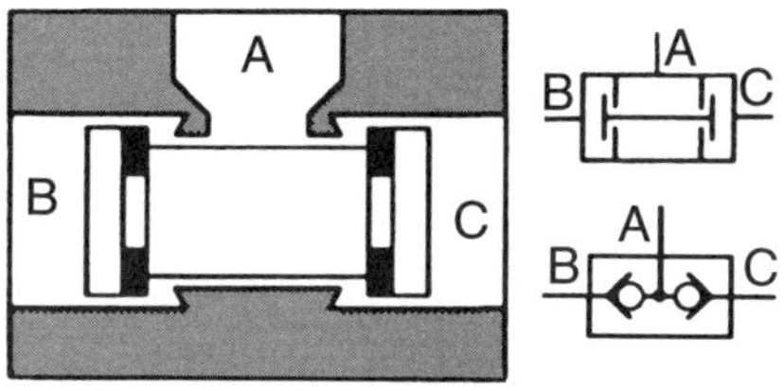

그림 11.14 압력 셔틀 밸브

유량제어밸브

일반적으로 유량은 고정된 면적 또는 가변 면적을 가진 간단한 교축 기구로 조절되며, 그림 11.15와 같이 유량제어밸브와 병렬로 첵 밸브가 사용되기도 한다.

급속배기 밸브

실린더 속도를 최대화하거나 브레이크를 급속 해제시키기 위하여 압축공기를 급속히 방출시킬 필요가 있을 때 급속배기 밸브가 사용된다. 배출구 R이 닫혀 있으면 공기는 포트 P에서 A로 흐른다(그림 11.16 참조). 한편 공기가 A로부터 흘러오면 P 포트가 닫히고 공기는 곧바로 배출구 R로 흘러 나가게 된다.

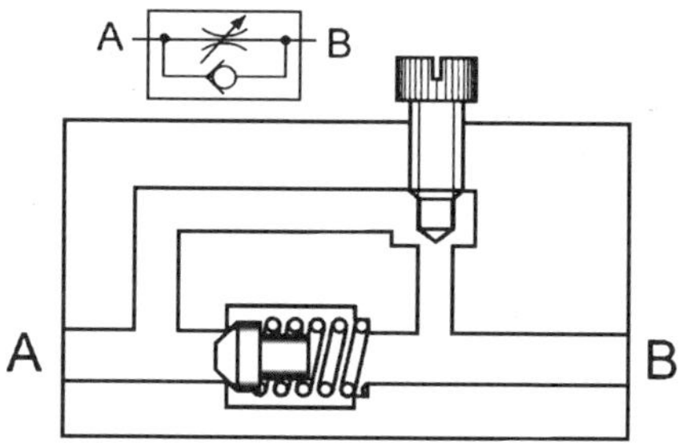

그림 11.15 첵 밸브가 내장된 가변 교축밸브 (*Bosch Rexroth AG. 게재 승인*)

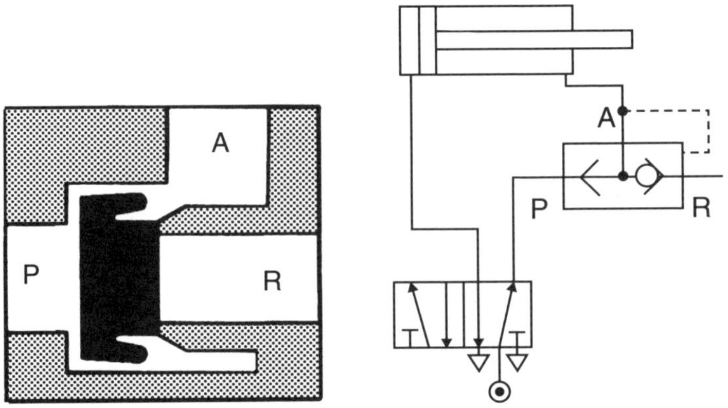

그림 11.16 급속배기 밸브

11.5 기본 공압 회로들

이 절에서 논리 동작 또는 순차 동작을 하는 몇 가지 기본 공압회로들을 소개한다. 여기의 주요 회로도는 Norgren, UK에서 개발한 소프트웨어 Pneusoft를 사용해 작성되었다.

11.5.1 단동 실린더의 수동제어

초기에 방향제어밸브가 스프링(10)에 의해 피스톤 체임버를 배기와 연결하므로 실린더는 완전히 후진되어 있다(그림 11.17a 참조). 버튼(12)를 누르면, 피스톤 체임버에 압축 공기가 공급되어 실린더가 전진한다(그림 11.17b 참조). 버튼을 해제하면 실린더가 다시 후진한다.

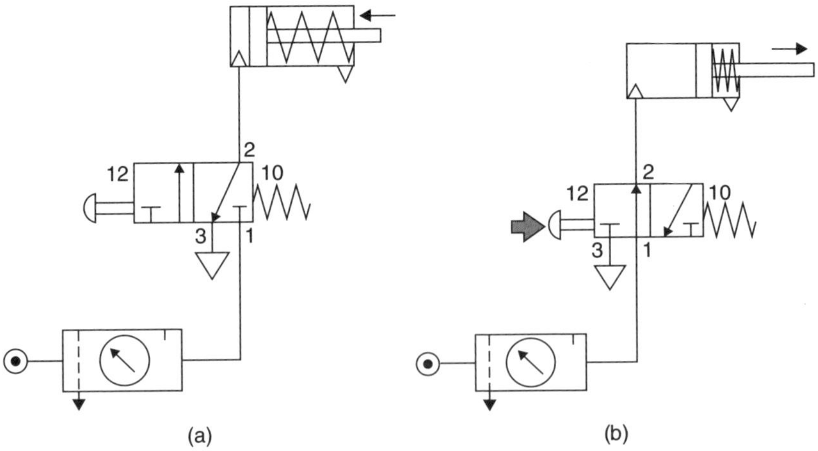

그림 11.17 단동 실린더의 수동제어

11.5.2 단동 실린더의 단방향 속도제어

초기에 실린더는 그림 11.18a와 같이 완전히 후진한 상태이다. 버튼(12)를 누르면, 그림 11.18b와 같이 실린더가 전진하고, 실린더의 속도는 교축밸브(TC)에 의해 조절된다. 버튼을 해제하면, 실린더 체임버의 공기가 첵 밸브를 통해 대기로 방출되기 때문에 실린더는 속도조절이 안되는 상태에서 스프링에 의해 빠른 속도로 후진하게 된다.

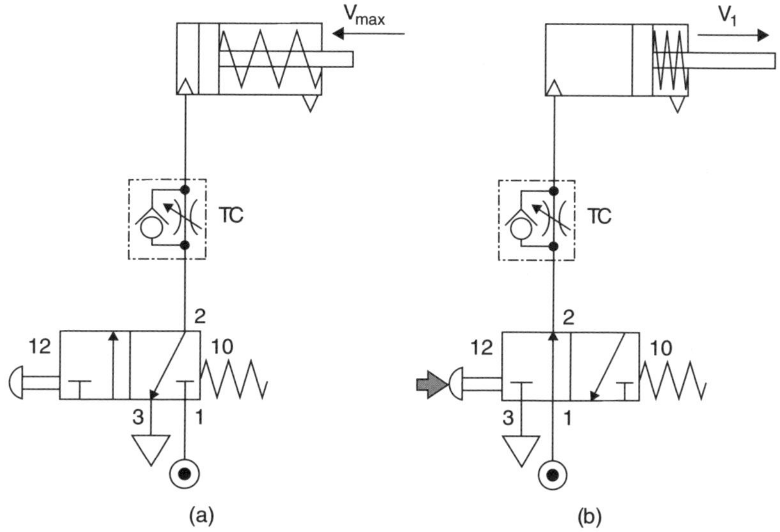

그림 11.18 단동 실린더의 단방향 속도제어

11.5.3 단동 실린더의 양방향 속도제어

이 시스템은 수동 조작형 기계식 디텐트(detent) 기구가 있는 3/2 방향제어밸브를 사용하고, 두 개의 첵 밸브 내장형 교축밸브가 실린더의 전진과 후진 속도를 조절하기 위해 설치되어 있다(그림 11.19a 참조). 레버(12)를 작동하면 실린더가 전진하고(그림 11.19b 참조) 속도 v_2는 교축밸브(TC1)에 의해 조절된다. 레버를 반대로 작동하면 실린더는 후진하고 속도 v_1는 교축밸브(TC2)로 조절된다.

11.5.4 단동 실린더의 OR 제어

초기에 누름 버튼 PB1과 PB2는 해제된 상태이고 실린더는 완전히 후진상태이다(그림 11.20a 참조). OR 셔틀 밸브가 설치되어 있어서 누름 버튼 PB1 또는 PB2 중에 하나를 누르면 실린더가 움직인다(그림 11.20b 또는 그림 11.20c 참조).

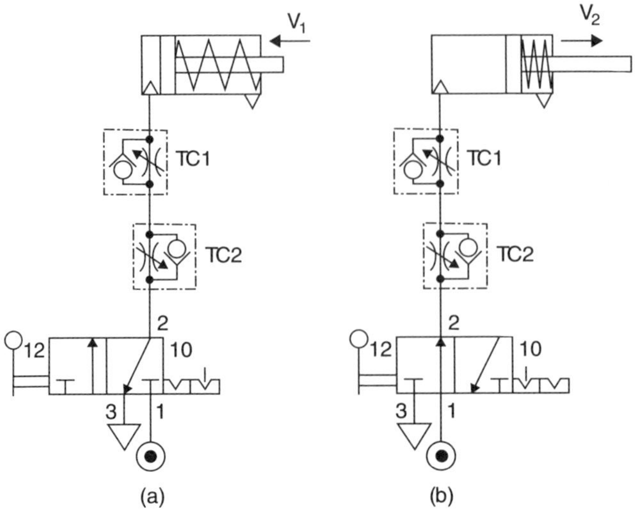

그림 11.19 단동 실린더의 양방향 속도제어

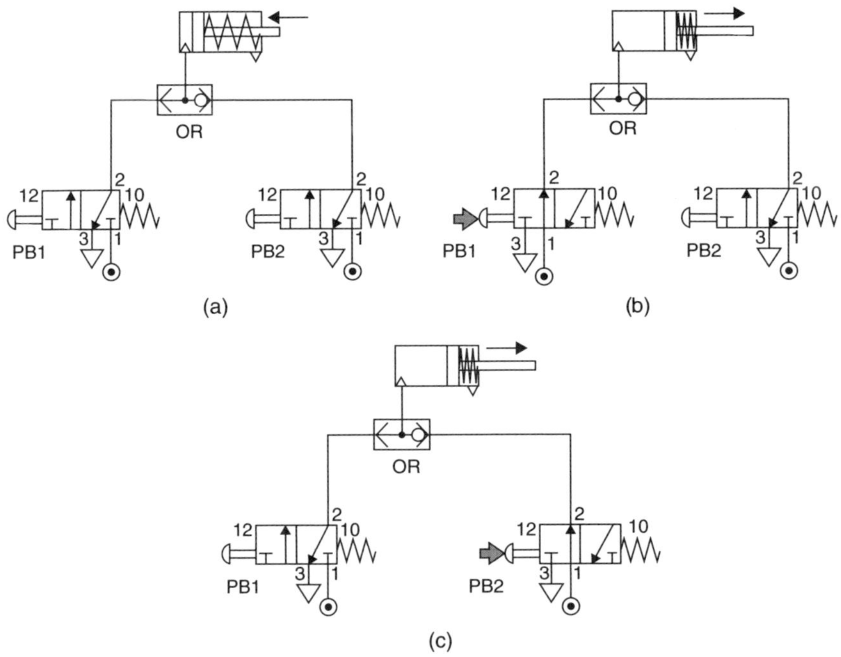

그림 11.20 단동 실린더의 OR 제어

11.5.5 단동 실린더의 AND 제어

실린더를 전진시키려면, 방향제어밸브 두 개를 모두 작동시켜야 하므로(그림 11.21a 참조), 따라서 이 회로는 논리 AND 기능을 제공한다. 방향제어밸브 중에 어느 하나 또는 모두를 해제한 경우에 실린더는 후진한다(그림 11.21b, 11.21c와 11.21d 참조).

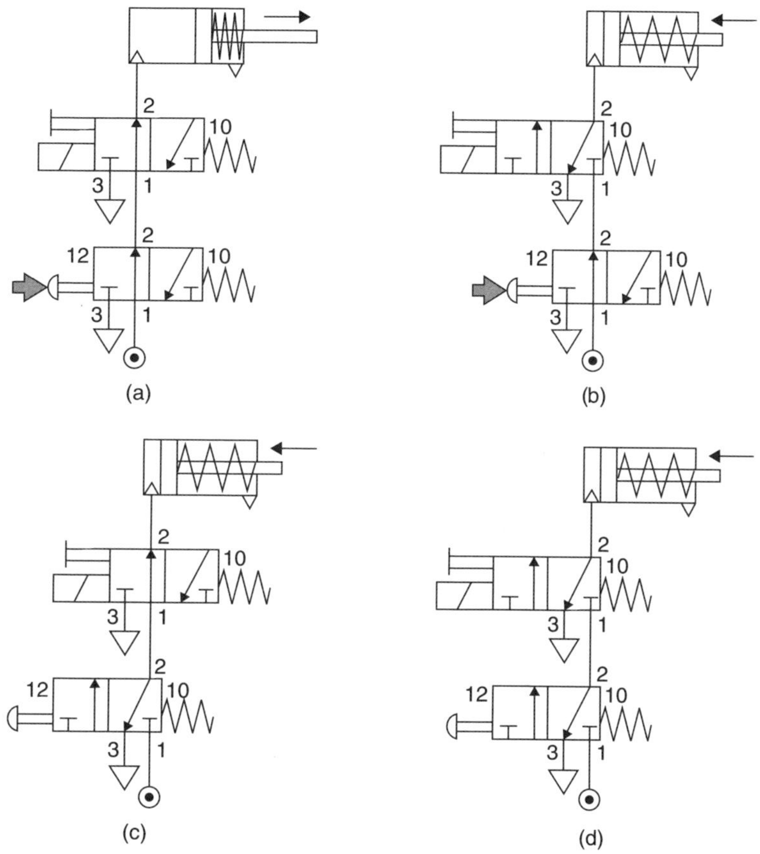

그림 11.21 단동 실린더의 AND 제어

11.5.6 단동 실린더의 AND 제어: 논리 AND 제어

이 시스템에서는 압력 셔틀 밸브(논리 AND)가 사용되고 있다(그림 11.14 참조). 실린더를 전진하려면 방향제어밸브 모두를 동작시켜야 셔틀 밸브의 논리 "AND"를 만족시킬 수 있다(그림 11.22a 참조). 두 밸브 중에 어느 하나 또는 모두를 해제하면 실린더는 후진한다(그림 11.22b, 11.22c와 11.22d 참조).

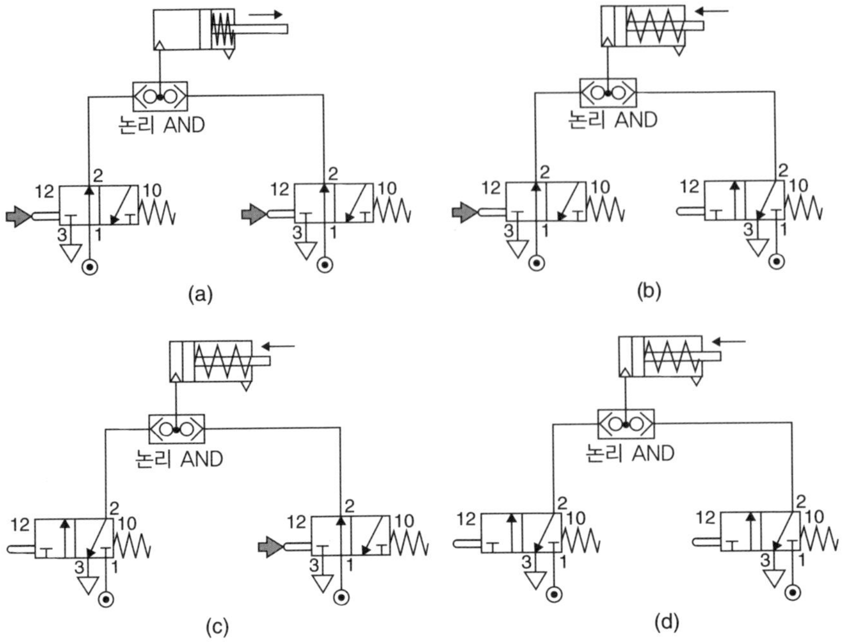

그림 11.22 단동 실린더의 AND 제어: 논리 AND 제어

11.5.7 논리 NOT 제어

논리 NOT 기능은 상시 개방형 방향제어밸브로 구현할 수 있다(그림 11.23a 참조). 방향제어밸브의 버턴 12를 누르지 않으면 실린더가 전진하고, 버턴 12를 누르면 실린더가 후진한다(그림 11.23b 참조).

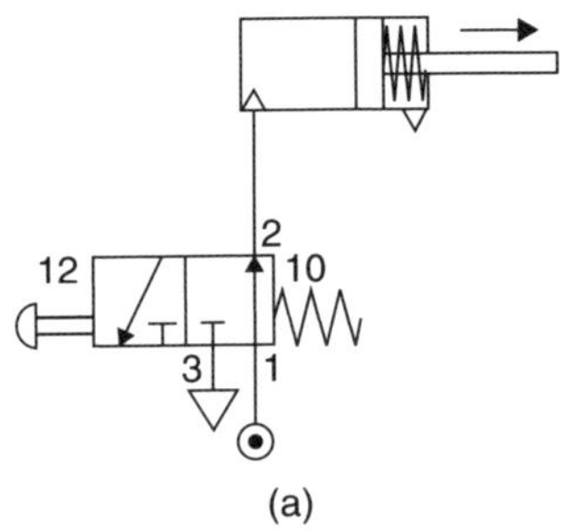

그림 11.23 논리 NOT 제어

11.5.8 논리 MEMORY 제어

그림 11.24a의 버튼 PB1을 누르면, 토글 기능이 있는 3/2 방향제어밸브가 움직이고,

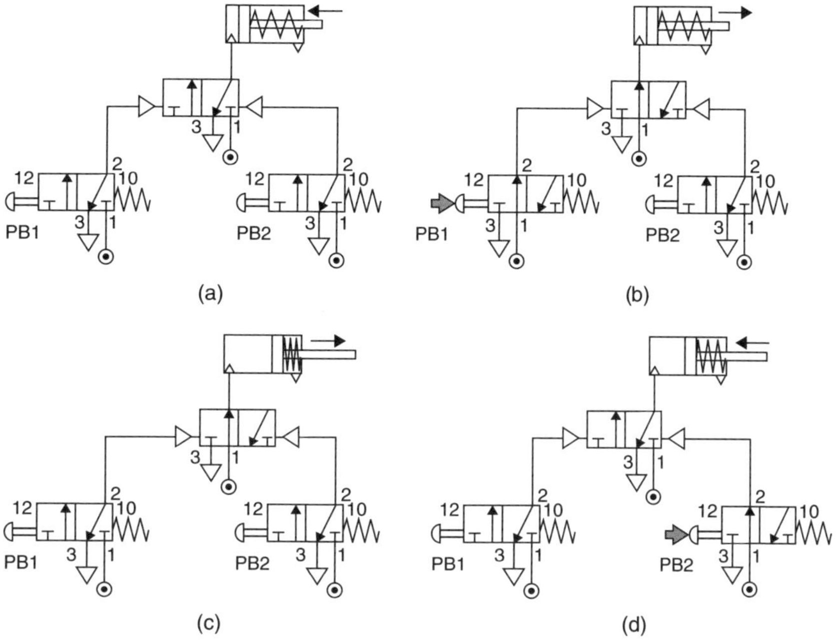

그림 11.24 논리 MEMORY 제어

이어서 실린더가 전진한다(그림 11.24b 참조). 버튼을 놓아도 방향제어밸브는 위치를 그대로 유지하고 있으므로, 실린더도 역시 위치를 그대로 유지한다. 즉, 조건을 기억하고 있다(그림 11.24c 참조). 버튼 PB2를 누르면, 3/2 방향제어밸브를 원위치 시키면서 실린더를 후진시킨다(그림 11.24d 참조).

11.5.9 복동 실린더의 양방향 속도제어

복동 실린더는 5/2 방향제어밸브로 제어한다. 누름버튼(14)를 누르고 있으면, 실린더는 전진한다(그림 11.25a 참조). 전진속도 v_1은 교축 첵 밸브 TC2로 방출 공기를 교축으로써 조절한다. 누름버튼을 놓으면 실린더가 후진하며, 후진속도 v_2 는 밸브 TC1으로 조절된다(그림 11.25b 참조).

11.5.10 복동 실린더의 단방향 급속복귀

복동 실린더는 5/2 방향제어밸브로 제어한다. 누름버튼(14)를 누르고 있으면, 압축공기는 급속배기 밸브(QE)를 통해 흘러 실린더를 전진시킨다(그림 11.26a 참조). 실린더의 전진속도는 교축 첵 밸브 TC로 조절된다. 누름버튼을 놓으면, 실린더는 빠르게 후진한다. 배출되는 공기는 급속배기 밸브를 통해 대기 중으로 바로 방출된다(그림 11.26b 참조).

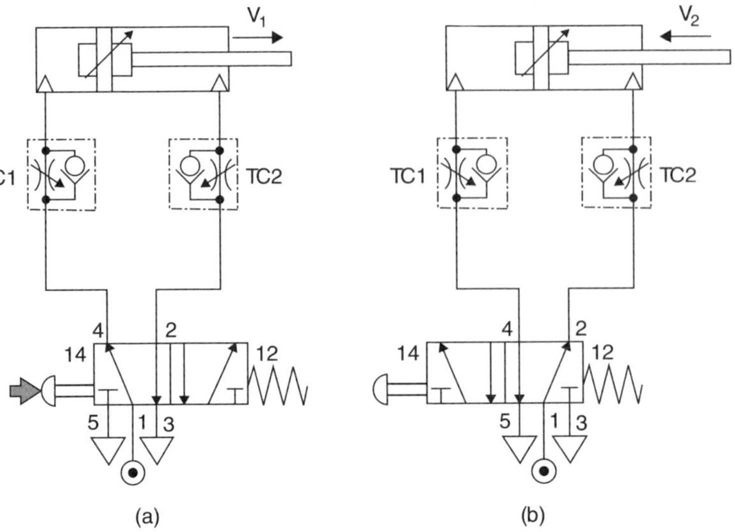

그림 11.25 복동 실린더의 양방향 속도제어

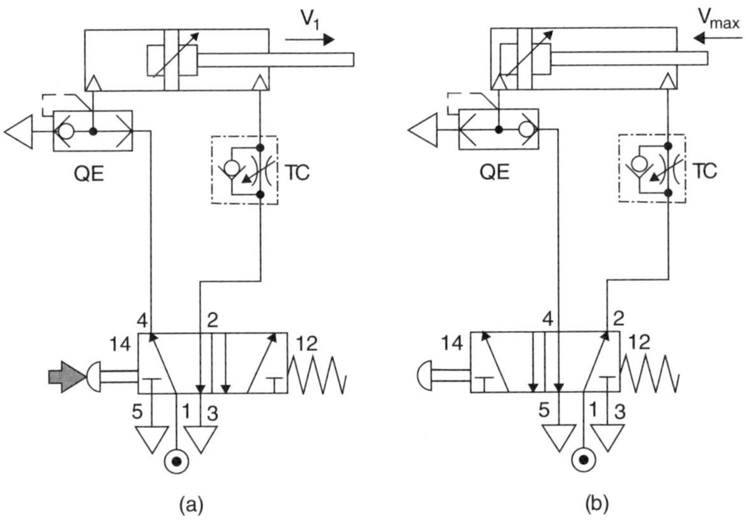

그림 11.26 복동 실린더의 단방향 급속복귀

11.5.11 복동 실린더의 이중 압력제어

전진 동작 중에는(그림 11.27a 참조) 최대 공급압력의 압축공기가 실린더의 피스톤 전체 면적에 작용하여 피스톤이 최대 힘으로 구동된다. 버튼(14)를 놓으면 실린더는 감소된 압력이 로드측 작은 면적에 작용하여 후진한다(그림 11.27b 참조).

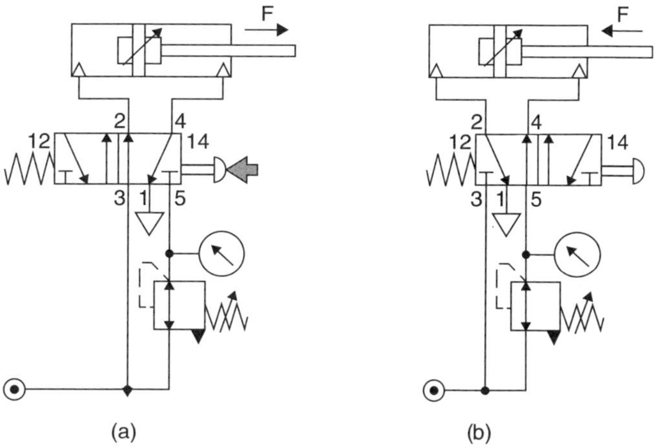

그림 11.27 복동 실린더의 이중 압력제어

11.5.12 반자동 제어

수동 조작에 의해 실린더가 전진과 후진의 한 사이클을 수행한다(그림 11.28a 참조). 버튼(15)를 눌렀다 떼어 5/2 방향제어밸브에 작동신호를 보내면 실린더는 교축 첵 밸브 TC2에 의해 속도 v_1 로 전진하고(그림 11.28b 참조), 전진 행정 마지막 부분에서 구름 밸브(RV)를 동작시킨다(그림 11.28c 참조). 그러면 5/2 방향제어밸브를 원위치시키는 신호가 전달되어, 실린더가 후진한다. 후진속도는 교축 첵 밸브 TC1에 의해 속도가 v_2 로 조절된다(그림 11.28d 참조).

11.5.13 복동 실린더의 전자동 제어

레버(15)를 수동으로 한 번 조작하면 실린더가 계속 왕복한다. 실린더가 완전히 후진하면(그림 11.29a 참조), 구름 밸브(RV1)이 작동되어 레버(15)가 조작된 상태에서 공기가 5/2 방향제어밸브를 통과하여 실린더가 전진한다(그림 11.29b 참조). 실린더가 전진하게 되면 구름 밸브(RV1)이 풀리고, 전진 행정의 마지막에는 구름 밸브 RV2가 작동되어 5/2 방향제어밸브가 원위치로 되돌아 간다(그림 11.29c 참조). 따라서 실린더는 후진하고 RV2가 풀리게 된다(그림 11.29d 참조). 실린더가 완전히 후진하면 RV1이 다시 동작하여, 이러한 왕복 사이클을 반복하게 된다. 이러한 사이클은 레버(15)를 원위치시켜 다음 전진 행정이 중단될 때까지 계속된다. 실린더의 양방향 속도는 교축 첵 밸브 TC1과 TC2로 각각 조절된다.

11.5.14 복동 실린더의 시간제어

버튼(15)를 누르면 5/2 방향제어밸브가 움직이고 피스톤을 오른쪽으로 이동시킨다

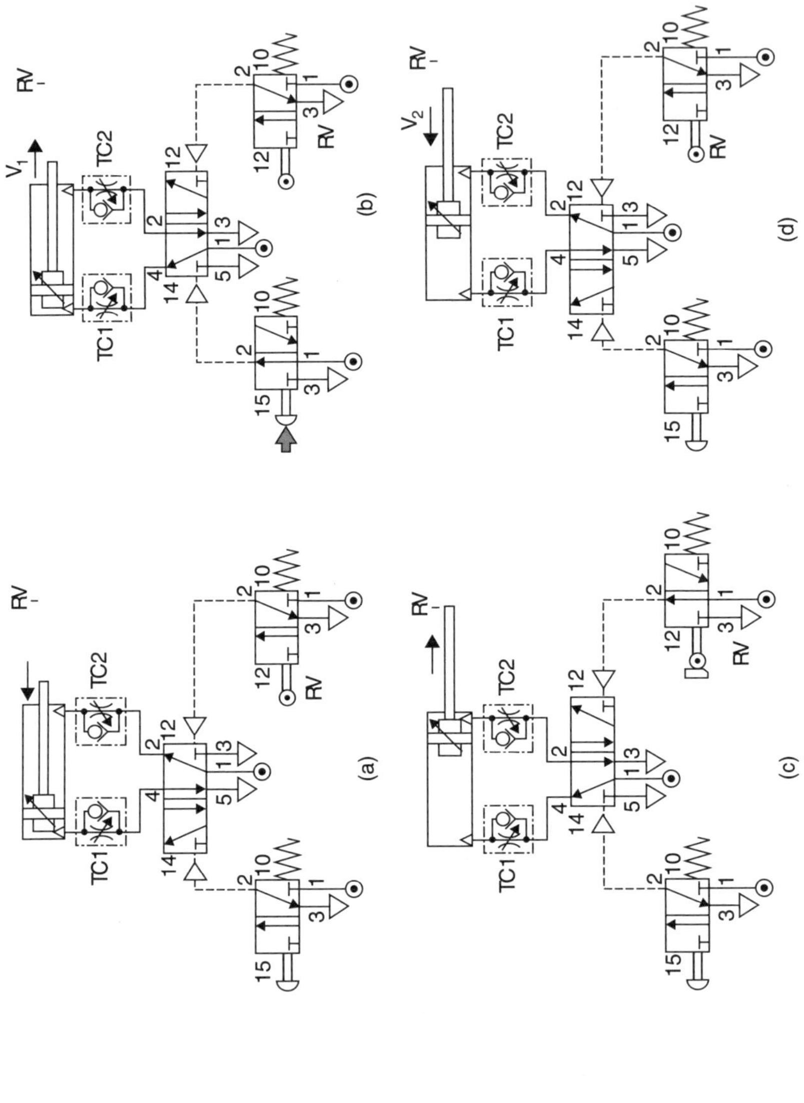

그림 11.28 반자동 제어

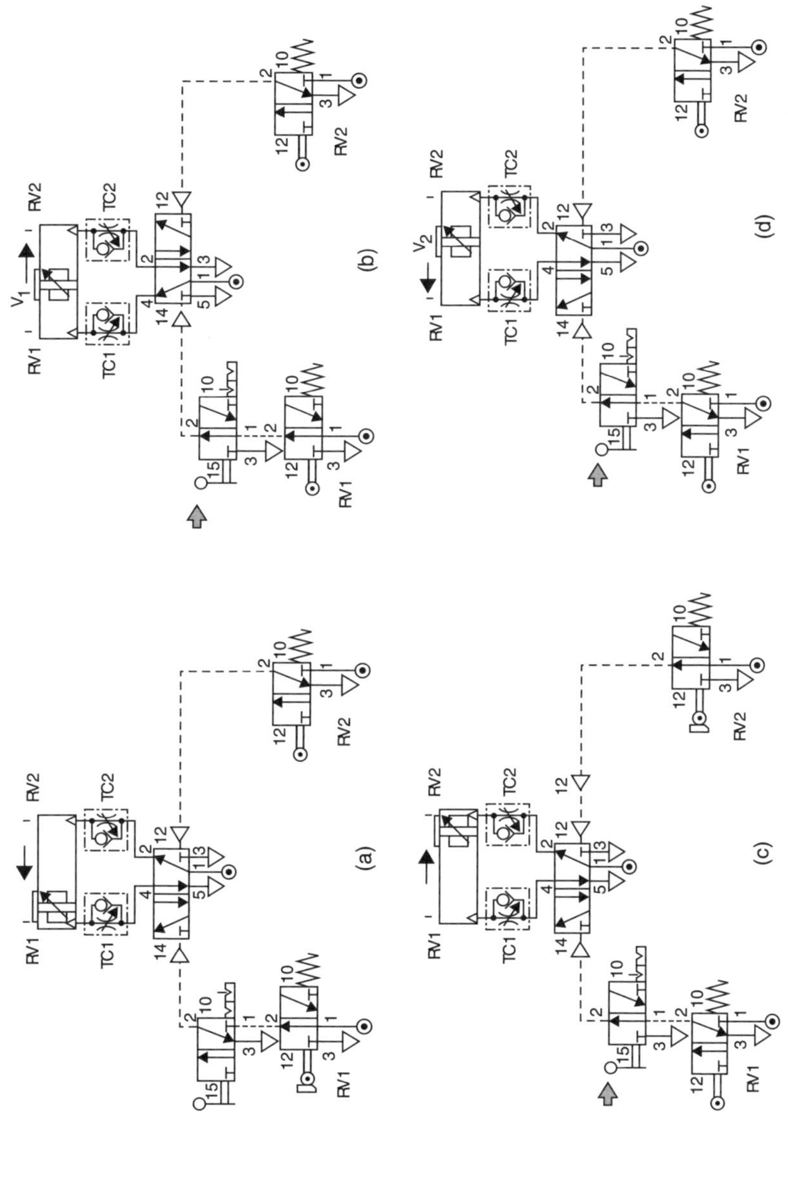

그림 11.29 복동 실린더의 전자동 제어

(그림 11.30b 참조). 행정의 끝부분에서 구름 밸브 RV1이 눌리면, 유량조절기, 축압기(40)와 릴레이 밸브로 구성된 시간지연 요소(그림 11.30c 참조)로 압축공기가 공급된다. 설정된 시간이 지나면 3/2 방향제어밸브가 5/2 방향제어밸브를 원위치시켜, 피스톤을 왼쪽으로 이동시키도록 압축공기를 공급한다(그림 11.30d 참조). 그러면 RV1이 해제되고, 시간지연 요소내 공기는 급속 방출되어 다음 작동을 준비한다(그림 11.30a 참조).

11.5.15 복동 실린더의 기본 위치제어

이 시스템은 실린더 위치를 육안으로 제어하는 기능을 제공한다. 버튼 PB1을 누르고 있으면, 5/3 방향제어밸브가 왼쪽 상태가 되고 실린더는 전진한다(그림 11.31b 참조). 이후 피스톤이 목표 위치에 도달하면, 누름버튼이 해제된다. 5/3 방향제어밸브가 중립 스프링의 작용으로 중립위치에 놓이면, 실린더 포트들이 닫히고 실린더는 정지한다(그림 11.31a 참조). 버튼 PB1을 다시 작동하면, 실린더는 계속 전진한다. 이런 방식으로 실린더를 필요한 만큼 수동으로 이동시킬 수 있다. 버튼 PB2를 누르면, 실린더를 반대 방향으로 위치를 조절할 수 있다(그림 11.31c 참조). 실린더의 속도는 교축 첵 밸브 TC1과 TC2로 조절한다.

11.5.16 전자공압식 논리 AND

그림 11.32에서 단동 실린더는 솔레노이드 조작-스프링 복귀 방식 3/2 방향제어밸브로 제어된다. 여기서 밸브를 조작하는 릴레이 회로가 논리 AND 기능을 제공한다. 솔레노이드 Y를 작동시켜 실린더를 전진시키려면, 누름버튼 S1과 S2를 동시에 눌러야 한다(그림 11.32c 참조). 만일 두 버튼 중에 어느 하나를 해제하면 실린더는 후진한다(그림 11.32a 및 11.32b 참조).

11.5.17 전자공압식 논리 OR

그림 11.33에서 단동 실린더는 솔레노이드 조작-스프링 복귀 방식 3/2 방향제어밸브로 제어된다. 여기서 밸브를 조작하는 릴레이 회로가 논리 OR 기능을 제공한다. 솔레노이드 Y를 작동시켜 실린더를 전진시키려면, 누름버튼 S1 또는 S2의 하나 또는 두 개를 눌러야 한다(그림 11.33b 및 11.33c 참조). 그러나 실린더가 후진하려면 버튼 두 개를 모두 해제해야 한다(그림 11.33a 참조).

11.5.18 전자공압식 논리 MEMORY

그림 11.34에서 단동 실린더는 솔레노이드 조작-스프링복귀 방식 3/2 방향제어밸브로 제어된다. 여기서 밸브를 조작하는 릴레이 회로가 논리 MEMORY 기능을 제공한

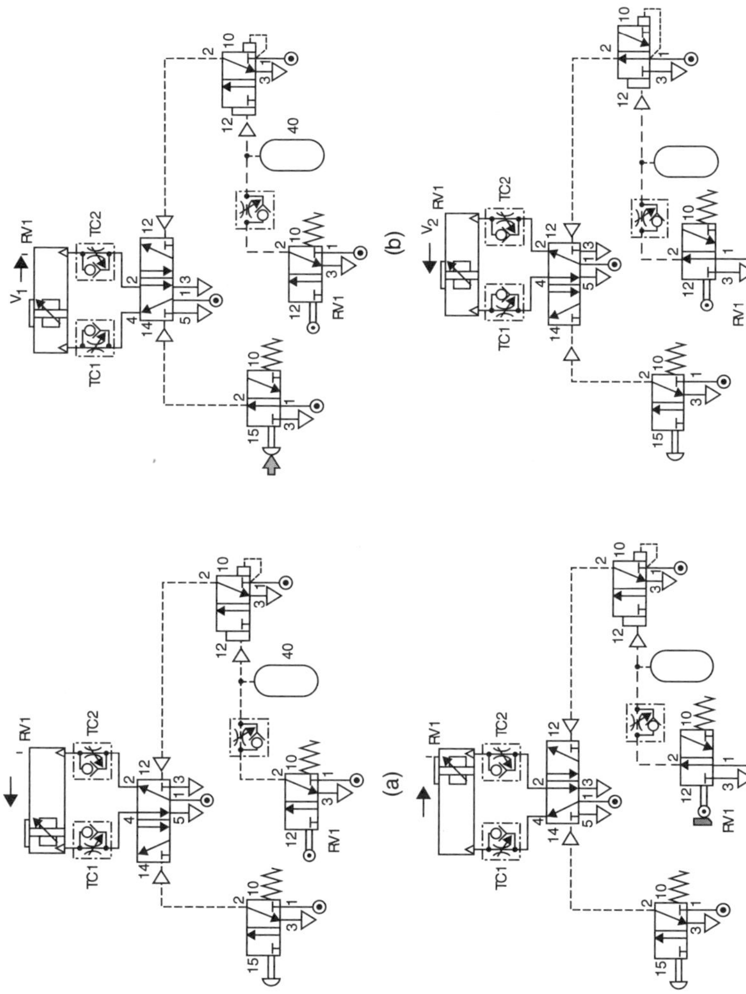

그림 11.30 복동 실린더의 시간제어

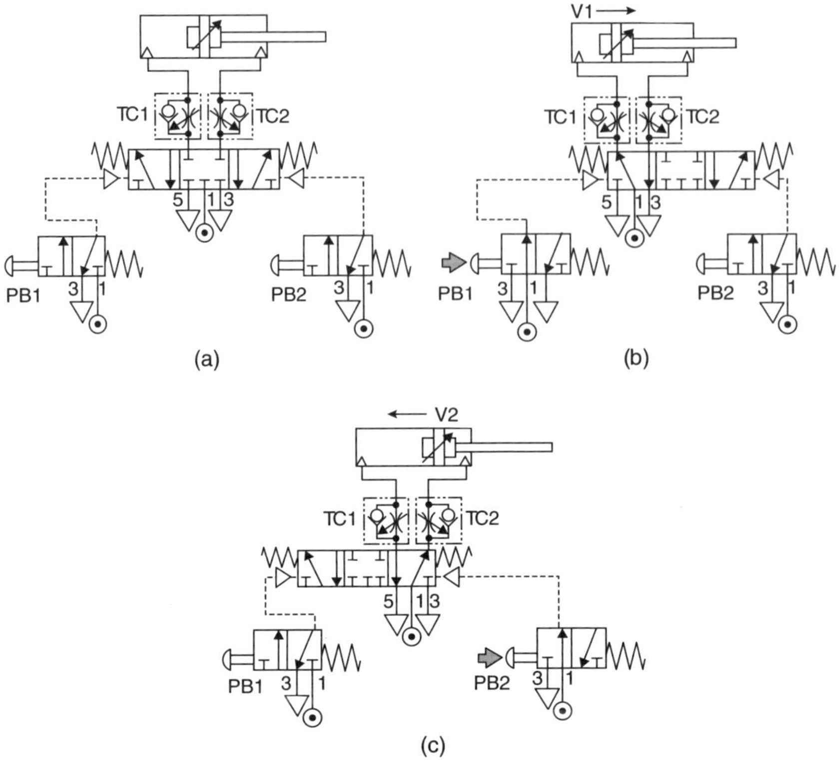

그림 11.31 복동 실린더의 기본 위치제어

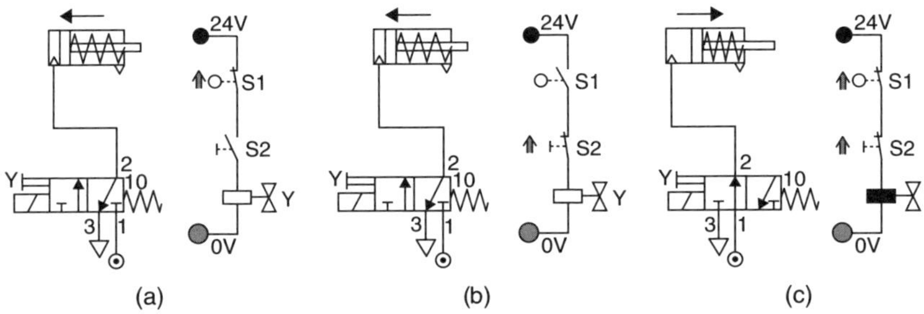

그림 11.32 전자공압식 논리 AND

다. 릴레이 RR1을 켜기 위해 누름버튼 A + 를 작동시키면, 접점 R1과 R2를 닫는다(그림 11.34b 참조). 그 후에는 누름버튼 A+를 떼어도 첫 번째 접점(R1)이 릴레이를 계속 작동시킨다. 동시에 두 번째 접점(R2)은 솔레노이드 Y를 작동시켜 실린더를 전진시킨다. 이 상태는 상시 개방형 누름버튼의 접점 A–가 열릴 때까지 계속된다. 누름버튼 A–가 작동되면 릴레이는 열린 상태가 되어 솔레노이드가 복귀되고 실린더는 후진한다(그림 11.34a 참조).

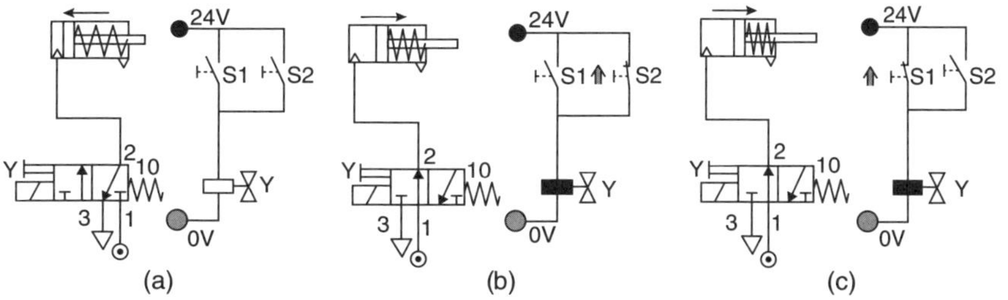

그림 11.33 전자공압식 논리 OR

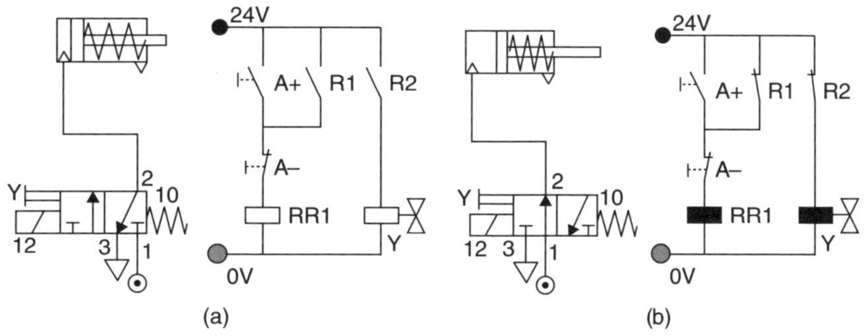

그림 11.34 전자공압식 논리 MEMORY

11.5.19 전자공압식 논리 NOT

그림 11.35에서 단동 실린더는 솔레노이드 조작-스프링 복귀 방식 3/2 방향제어밸브로 제어된다. 여기서 밸브를 조작하는 릴레이 회로가 논리 NOT 기능을 제공한다. 상시 폐쇄형 누름버튼 A-가 작동되어 열리면, 솔레노이드 Y가 복귀되어 실린더가 후진한다(그림 11.35 참조). 실린더는 버튼 A 를 누르지 않으면 전진한다.

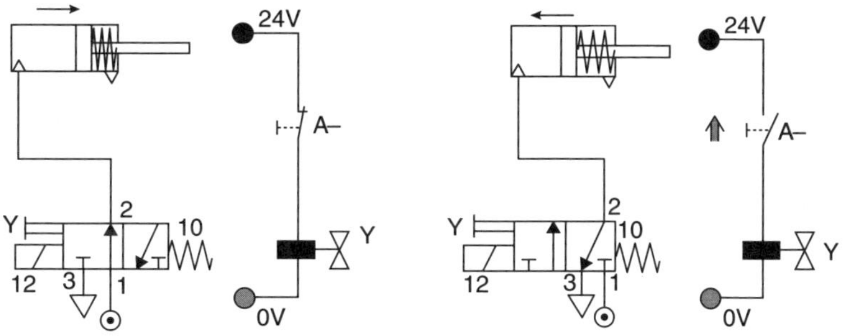

그림 11.35 전자공압식 논리 NOT

11.6 연습문제

1. 공압식 동력 시스템의 작동원리를 설명하라.
2. 서로 다른 압력 수준에 대해서 공기의 체적탄성계수 공식을 유도하라.
3. 압축공기에 저장되는 에너지 공식을 유도하라.
4. 공압시스템의 기능에 공기의 압축성이 미치는 영향을 자세히 설명하라.
5. 에너지원으로 압축공기 용기를 사용할 때, 대기 온도가 공압시스템의 작동에 미치는 영향을 설명하라.
6. 공기의 밀도가 공압시스템의 작동에 미치는 영향을 설명하라.
7. 공기의 점도가 공압시스템의 작동에 미치는 영향을 설명하라.
8. 공압시스템의 장점과 단점을 서술하고 그에 대해 설명하라.
9. 간단한 공압시스템 회로를 그리고, 그 기능에 대해 설명하라.
10. 일반적인 감압 밸브와 배출형 감압 밸브를 그리고, 작동 방식을 설명하라.
11. 피스톤식 공기압축기의 기능을 설명하라.
12. 그림 11.7~11.16에 제시된 여러 제어밸브들의 구조와 작동 원리에 대해 설명하라.
13. 그림 11.17~11.35에 제시된 기본 공압회로들의 작동 원리에 대해 설명하라.

11.7 기호 설명

B = 체적탄성계수, Pa

E = 에너지, J

n = 속도, rps

p = 절대압력, Pa

p_1 = 온도 T_1에서의 압력, Pa

p_2 = 온도 T_2에서의 압력, Pa

Q = 유량, m^3/s

R = 일반 기체상수, (공기의 경우 287.1 J/K kg)

T = 절대 온도, K

V = 유체 체적, m^3

ΔT = 온도 변화, K

α = 체적 열팽창계수

ρ = 공기 밀도, kg/m^3

η_v = 용적효율

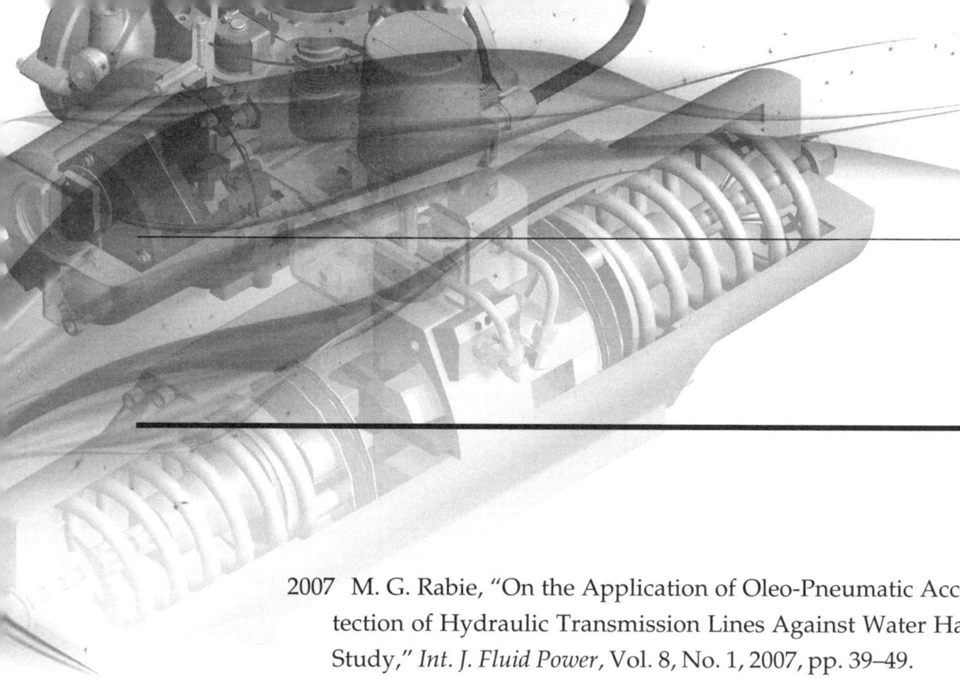

참고문헌

2007 M. G. Rabie, "On the Application of Oleo-Pneumatic Accumulators for the Protection of Hydraulic Transmission Lines Against Water Hammer—A Theoretical Study," *Int. J. Fluid Power*, Vol. 8, No. 1, 2007, pp. 39–49.

2007 M. Metwally, I. Saleh, M. G. Rabie, and N. Girgis, "Effects of Air and Fuel Flow on the Dynamic Performance of a Turboshaft Gas Turbine Engine, Part I: Modelling and Simulation," *Proceedings of the 12th ASAT Conference*, MTC, Cairo, Egypt, May 29–31, 2007, Paper TM1-01.

2007 M. Metwally, I. Saleh, M. G. Rabie, and N. Girgis, "Effects of Air and Fuel Flow on the Dynamic Performance of a Turboshaft Gas Turbine Engine, Part II: Analysis of the Engine Dynamic Performance," *Proceedings of the 12th ASAT Conference*, MTC, Cairo, Egypt, May 29–31, 2007, Paper TM1-02.

2006 S. Z. Kassab, I. G. Adam, M. A. Swidan, and M. G. Rabie, "Influence of Operating and Construction Parameters on the Behavior of Hydraulic Cylinder Subjected to Jerky Motion," *Proceedings of the 8th International Conference of Fluid Dynamics & Propulsion*, Sharm El-Sheikh, Sinai, Egypt, Dec. 14–17, 2006, pp. 1–8. Copyright É 2006 by ASME.

2006 T. A. Saleh, M. G. Rabie, and S. E. Abdou, "Investigation of Static and Dynamic Performance of Pressure Compensated Variable Displacement Swash Plate Axial Piston Pump," *Proceedings of the 12th AMME Conference*, MTC, Cairo, Egypt, May 16–18, 2006, pp. 315–333.

2006 M. Metwally, M. G. Rabie, N. Girgis, and I. Saleh, "Dynamic Performance of an Electrohydraulic Servo Actuator with Contactless Controlled Spool," *Proceedings of the 12th AMME Conference*, MTC, Cairo, Egypt, May 16–18, 2006, pp. 467–489.

2005 Z. A. Ibrahim, M. I. A. Elsherif, M. G. Rabie, and S. A. Hegazy, "Design and Analysis of the Dynamic Performance of a Vehicle Active Suspension System," *Proceedings of the 11th ASAT Conference*, MTC, Cairo, Egypt, May 17–19, 2005, Paper FH-03, pp. 147–163.

2005 Z. A. Ibrahim, M. G. Rabie, S. A. Hegazy, and I. A. Elsherif, "Experimental and Theoretical Investigation of Dynamic Behavior of Oleo-Pneumatic Car Suspension," *Proceedings of the 11th ASAT Conference*, MTC, Cairo, Egypt, May 17–19, 2005, Paper FH-04, pp. 131–146.

2004 S. Z. Kassab, M. A. Swidan, I. G. Adam, and M. G. Rabie, "Dynamic Behavior of

Hydraulic Cylinder Subjected to Jerky Motion During Load Lowering, Part 1: Experimental Work," *Proceedings of the 11th AMME Conference*, MTC, Cairo, Egypt, Nov. 23–25, 2004, Paper DV-01, pp. 38–52.

2004 S. Z. Kassab, M. A. Swidan, I. G. Adam, and M. G. Rabie, "Dynamic Behavior of Hydraulic Cylinder Subjected to Jerky Motion During Load Lowering, Part 2: Modelling and Simulation," *Proceedings of the 11th AMME Conference*, MTC, Cairo, Egypt, Nov. 23–25, 2004, Paper DV-02, pp. 53–72.

2003 A. Esposito, *Fluid Power with Applications*, 6th ed., Prentice Hall, Upper Saddle River, N.J., 2003.

2003 A. A. El-Sayed, M. H. Gobran, M. G. Rabie, and M. R. Shalaan, "Investigation of Characteristics of an Electrohydraulic Servoactuator Incorporating Jet Pipe Amplifier," *Proceedings of the 10th ASAT Conference*, MTC, Cairo, Egypt, May 13–15, 2003, Paper HF-03, pp. 109–123.

2003 Z. A. Ibrahim, S. A. Hegazy, I. A. Elsherif, and M. G. Rabie, "Dynamic Behavior of Gas Charged Single Tube Shock Absorber," *Proceedings of the 10th ASAT Conference*, MTC, Cairo, Egypt, May 13–15, 2003, Paper HF-08, pp. 185–201.

2002 O. G. El-Sayed, M. G. Rabie, and R. El-Taher, "Prediction and Improvement of Steady-State Performance of a Power Controlled Axial Piston Pump," *J. Dyn. Sys. Meas. Control*, Vol. 124, Sept. 2002, pp. 443–451.

2001 Y. Du, A. V. Mamishev, B. C. Lesieutre, M. Zahn, and S. H. Kang, "Moisture Solubility for Differently Conditioned Transfer Oils," *IEEE Transactions on Dielectrics and Electrical Insulation*, Vol. 8, No. 5, Oct. 2001, pp. 805–811.

2001 Eaton Corp., Industrial and Mobile Fluid Power, Product Literature 900, Release 1.1, CD from Eaton Corp., Eden Prairie, Minn., 2001.

2001 O. G. El-Sayed, M. G. Rabie, and R. El-Taher, "Experimental and Theoretical Study of the Static and Dynamic Behavior of a Variable-Displacement Pump with Power Control," *Modelling, Measurement & Control*, B-2001 (AMSE), Vol. 70, No. 5, pp. 11–30.

1999 A.-N. Zayed, *Summary for Engineers*, Ziad Press, Alexandria, Egypt, 1999.

1999 Y. Du, A. V. Mamishev, B. C. Lesicutre, M. Zahn, and S. H. Kang, "Measurement of Moisture Solubility for Differently Conditioned Transfer Oils," *Proceedings of the 13th International Conference on Dielectric Liquids (ICDL99)*, Nara, Japan, July 20–25, 1999, pp. 357–360.

1999 Mannesmann Rexroth AG, Interactive Hydraulic Designer, CD from Brueninghaus Hydromatic & Rexroth Hydraulics, Lohr am Main, Germany, 1999.

1999 Mannesmann Rexroth AG, Product Catalogue of Axial Piston Units, CD from Brueninghaus Hydromatic, Lohr am Main, Germany, 1999.

1999 Vickers Incorporated, Electronic Catalogue, Vol. X, CD from Vickers Incorporated, Hampshire, U.K., 1999.

1999 M. A. Karkub, O. E. Gad, and M. G. Rabie, "Predicting Axial Piston Pump Performance Using Neural Networks," *Int. J. of Mechanism and Machine Theory*, Vol.

34, 1999, pp. 1211–1226.

1998 R. Bosch GmbH., Electronic Reference Library, Hydraulics, CD from Bosch Automation Technology, Stuttgart, Germany, 1998.

1998 P. Hannifin GmbH., Hydraulic Control, Catalogue 2500/GB, CD from Parker Hydraulics, Kaarst, Germany, 1998.

1998 Sauer Sunsdstrand Co., All Product Technical, Application, and Service/Repair Information, CD from Sauer Sunsdstrand Co., Ames, Iowa, 1998.

1998 S. Y. Ibrahim, M. G. Rabie, and A. H. Lotfy, "Experimental and Theoretical Investigation of the Performance of the Servoactuator of a Hydraulic Power Steering System," *Proceedings of the 8th AMME Conference*, MTC, Cairo, Egypt, May 1998, pp. 395–407.

1997 R. N. Brown, *Compressors: Selection and Sizing*, Gulf Professional Publishing, Houston, Tex., 1997.

1997 M. G. Rabie, "On the Validity of the Lumped Parameter Models for Fluid Flow Between Coaxial Pipes," *Modelling, Measurement & Control*, B-1997 (AMSE), Vol. 63, No. 1, 2, pp. 31–47.

1997 M. M. Samir, M. A. Katary, and M. G. Rabie, "Investigation of Helicopter Stability Considering the Effect of Its Hydraulic Servoactuator and Autopilot," *Proceedings of the 7th ASAT Conference*, MTC, Cairo, Egypt, Vol. 1, May 13–15, 1997, Paper FD-1, pp. 63–82.

1996 Mannesmann Rexroth AG, Industrial Hydraulic Valve Catalogue and Pump and Motor Catalogue, CD from Rexroth USA, Bethlehem, Pa., 1996.

1996 P. K. B. Hodges, *Hydraulic Fluids*, John Wiley & Sons, Inc., New York, 1996.

1996 M. Elsaid, M. G. Rabie, and A. A. Khattab, "Investigation of the Transient Behavior of End Position Cushioning in Hydraulic Cylinders," *Proceedings of the 7th AMME Conference*, MTC, Cairo, Egypt, May 28–31, 1996, Paper PE-1, pp. 351–364.

1994 M. G. Rabie, "Improvement of Performance of an Electrohydraulic Servoactuator Performance by Developing a Pseudo Derivative Controller," *Modeling, Measurement & Control*, B-1994 (AMSE), Vol. 54, No. 3, pp. 9–23.

1994 M. G. Rabie, M. A. Ali, and Z. A. Ibrahim, "On the Synchronization of Motion of Hydraulic Cylinders by Spool Type Flow Divider," *Proceedings of the 6th AMME Conference*, MTC, Cairo, Egypt, Vol. 1, May 3–5, 1994, Paper PE-6, pp. 545–561.

1993 M. G. Rabie and I. Saleh, "On the Effect of Location of Damping Orifice on the Performance of Hydraulic Systems with Counterbalance Valve," *Bulletin of Fac. of Eng.*, Ain Shams Univ., Cairo, Egypt, Vol. 28, No. 1, March 1993, pp. 537–553.

1993 M. G. Rabie, M. A. Awad, E. I. Imam, and N. A. Gadallah, "Experimental and Theoretical Investigation of the Transient Response of Hydraulic Valve Controlled Actuators," *Alex. Eng. J.*, Alex. Univ., Alexandria, Egypt, Vol. 32, No. 1, April 1993, pp. A7–A16.

1993 M. G. Rabie, S. M. Metwally, and S. E. Abdou, "Design of a New Controller for a

Hydraulic Servomechanism," *Proceedings of the 4th ASAT Conference*, MTC, Cairo, Egypt, Vol. 1, May 4–6, 1993, Paper FM-3, pp. 175–188.

1991 M. G. Rabie and Y. Younis, "Investigation of Performance of a Direct Operated Hydraulic Pressure Reducer, Approach by Block Bond Graph," *Alex. Eng. J.*, Alex. Univ., Alexandria, Egypt, Vol. 30, April 1991, pp. 115–120.

1991 M. G. Rabie, "On the Dynamics of Fluid Flow Between Two Coaxial Pipes: A Lumped Parameter Model," *Eng. Res. Bulletin of Fac. of Eng. & Tech.*, Mataria, Univ. of Helwan, Cairo, Egypt, Vol. 3, March 1991, pp. 1–11.

1991 M. G. Rabie and H. E. Hafez, "Modelling by Block Bond Graph and Investigation of Dynamic Performance of a Hydraulic Pressure Reducer," *Bulletin of Fac. of Eng.*, Ain Shams Univ., Cairo, Egypt, Vol. 26, No. 1, March 1991, pp. 492–509.

1991 M. G. Rabie, S. A. Kassem, S. A. El-Sayed, M. A. Aziz, and O. G. El-Sayed, "Static and Dynamic Performance of Pilot Operated Hydraulic Relief Valves," *Proceedings of the 4th ASAT Conference*, MTC, Cairo, Egypt, May 14–16, 1991, Paper FM-1, pp. 135–143.

1990 C. R. Burrows and K. A. Edges, *Fluid Power Components and Systems*, RSP, U.K., and John Wiley & Sons, Inc., New York, 1990.

1990 R. A. Nasca, *Testing Fluid Power Components*, Industrial Press, New York, 1990.

1990 F. Yeaple, *Fluid Power Design Handbook*, 2d ed., M. Dekker, New York, 1990.

1990 M. G. Rabie and I. Saleh, "On the Dynamics of Pressure Compensated Variable Geometric Volume Axial Piston Pump," *Eng. Res. Bulletin of Fac. of Eng. & Tech.*, Mataria, Univ. of Helwan, Cairo, Egypt, Vol. 6, Dec. 1990, pp. 50–60.

1990 M. G. Rabie and U. M. Ibrahim, "Modeling and Simulation of a Compact Electrohydraulic Servoactuator," *J. Fac. of Eng.*, Cairo Univ., Cairo, Egypt, Vol. 37, No. 4, Dec. 1990, pp. 1003–1018.

1989 M. J. Pinches and J. G. Ashby, *Power Hydraulics*, Prentice Hall International, London, 1989.

1989 J. Watton, *Fluid Power Systems: Modelling, Simulation, Analogue and Microprocessor Control*, Prentice Hall, Hertfordshire, U.K., 1989.

1989 M. G. Rabie, S. A. Kassem, S. A. El-Sayed, M. A. Aziz, and O. G. El-Sayed, "Block Bond Graph and TUTSIM: A Powerful Tool for Nonlinear Dynamic System Modeling and Simulation," *Alex. Eng. J.*, Alex. Univ., Alexandria, Egypt, Vol. 28, No. 3, July 1989, pp. 519–537.

1989 M. G. Rabie, "Simulation and Analysis of a Pilot-Operated Hydraulic Pressure Reducer," *Proceedings of the 3rd ASAT Conference*, MTC, Cairo, Egypt, Vol. 4, April 4–6, 1989, Paper FD-5, pp. 371–381.

1988 S. A. Kassem, M. G. Rabie, E. S. El-Adawy, Y. I. Younis, and H. Ahmed, "Dynamic Analysis of Hydraulic Transmission Lines by a Lumped Model," *Bulletin of Fac. of Eng.*, Ain Shams Univ., Cairo, Egypt, Vol. 22, No. 2, 1988, pp. 1–18.

1987 Mannesmann Rexroth AG, Hydraulic Components, General Catalogue, Mannesmann Rexroth AG, Lohr am Main, Germany, 1987.

1986 H. Dorr et al., *Proportional and Servo Valve Technology*, Mannesmann Rexroth AG, Lohr am Main, Germany, 1986.

1986 M. G. Rabie, "About the Lumped Parameter Approach to Hydraulic Line Modeling," *Proceedings of the 2nd AMME Conference*, MTC, Cairo, Egypt, Vol. 1, May 6–8, 1986, Paper DYN-4, pp. 31–46.

1985 E. W. Reed and I. S. Larman, *Fluid Power with Microprocessor Control*, Prentice Hall, 1985.

1985 M. J. Tonyan, *Electronically Controlled Proportional Valves*, M. Dekker, New York, 1985.

1984 W. Gotz, *Hydraulics: Theory and Applications from Bosch*, Robert Bosch GmbH. Hydraulics Division, Stuttgart, Germany, 1984.

1984 A. Henn, *Fluid Power Trouble Shooting*, M. Dekker, New York, 1984.

1984 J. Pippinger, *Hydraulic Valves and Controls*, M. Dekker, New York, 1984.

1984 S. A. Kassem and M. G. Rabie, "Bond Graph and Investigation of Dynamics of a Class of Hydraulic Flow Control Valves," *Proceedings of the 1st AMME Conference*, MTC, Cairo, Egypt, Vol. 1, May 29–31, 1984, Paper DYN-12, pp. 121–130.

1983 R. P. Lambeck, *Hydraulic Pumps and Motors*, M. Dekker, New York, 1983.

1982 J. A. Sullivan, *Fluid Power: Theory and Applications*, 2d ed., Reston,Va., 1982.

1982 M. G. Rabie and M. Lebrun, "Modelling by Bond Graph and Simulation of an Electrohydraulic Servomotor," *Proceedings of 2nd MDP Conference of Cairo University*, Supplementry Volume, Dec. 27–29, 1982, pp. 45–54.

1981 M. G. Rabie and M. Lebrun, "Modelling by Bond Graph and Simulation of a Biaxial Electrohydraulic Fatigue Machine," *IASTED Symp. Modeling, Ident., Cont.*, Davos, Switzerland, Feb. 18–21, 1981 (in French).

1981 M. G. Rabie and M. Lebrun, "Modelling by Bond Graph and Simulation of an Electrohydraulic Servovalve of Two Stages," *RAIRO Automatic Systems Analysis and Control*, Vol. 15, No. 2, 1981, pp. 97–129 (in French).

1980 D. McCloy and H. R. Martin, *The Control of Fluid Power: Analysis and Design*, 2d ed., Ellis Haward, West Sussex, U.K., 1980.

1979 A. Baz, M. G. Rabie, H. Zaki, and A. Barakat, "Hydraulic Servo with Built-in Tuned Damper," *Fluidic Quarterly*, Vol. 11, No. 2, June 1979, pp. 1–24.

1978 A. Baz, A. Barakat, and M. G. Rabie, "Leakage in Hydraulic Spool Valves," *Proceedings of National Conference on Fluid Power*, 32d annual meeting, Philadelphia, Nov. 7–9, 1978, pp. 37–44.

1978 A. Baz, M. G. Rabie, and H. Zaki, "A New Class of Spool Valves with Built-in Dampers," paper presented at the Design Engineering Conference Show of ASME, Chicago, April 17–20, 1978.

1977 S. A. Braillon, *Electro-magnetic Proportional Solenoids as Control Elements of Hydraulic Valves*, MSM Division, France, 1977, pp. 81–89 (in French).

1977 M. G. Rabie and I. I. Rashed, "Effect of the Internal Leakage in the Cylinder on the Static and Dynamic Characteristics of the Hydraulic Booster," *Bulletin of the*

Fac. of Eng., Cairo Univ., Cairo, Egypt, 1976/1977, Paper 1, pp. 1–22.

1976 A. B. Goodwin, *Fluid Power Systems*, Macmillan Press Ltd., London, 1976.

1976 J. Lallement, "Study of the Dynamic Behavior of Hydraulic Lines" (in French), *Les Memoir Techniques du Centre Technique des Industries Mecaniques*, Senlis, France, No. 27, Sept. 1976.

1975 D. Karnopp and R. Rosenberg, *System Dynamics: A Unified Approach*, John Wiley & Sons, Inc., New York, 1975.

1973 D. McCloy and H. R. Martin, *The Control of Fluid Power*, Longman, London, 1973.

1969 B. Nekrasov, *Hydraulics for Aeronautical Engineers*, Mir Publishers, Moscow, 1969.

1967 H. E. Merrit, *Hydraulic Control Systems*, John Wiley & Sons, Inc., New York, 1967.

1957 H. G. Conway, *Aircraft Hydraulics*, Vol. 1, Chapman and Hall Ltd., London, 1957.

1957 H. G. Conway, *Aircraft Hydraulics*, Vol. 2, Chapman and Hall Ltd., London, 1957.

찾아보기

한글 찾아보기

ㄱ

ㄴ

ㄷ

ㄹ

ㅁ

ㅂ

ㅇ

ㅈ

ㅊ

ㅋ

ㅌ